Psicologia Médica

A Dimensão Psicossocial da Prática Médica

O GEN | Grupo Editorial Nacional – maior plataforma editorial brasileira no segmento científico, técnico e profissional – publica conteúdos nas áreas de ciências da saúde, exatas, humanas, jurídicas e sociais aplicadas, além de prover serviços direcionados à educação continuada e à preparação para concursos.

As editoras que integram o GEN, das mais respeitadas no mercado editorial, construíram catálogos inigualáveis, com obras decisivas para a formação acadêmica e o aperfeiçoamento de várias gerações de profissionais e estudantes, tendo se tornado sinônimo de qualidade e seriedade.

A missão do GEN e dos núcleos de conteúdo que o compõem é prover a melhor informação científica e distribuí-la de maneira flexível e conveniente, a preços justos, gerando benefícios e servindo a autores, docentes, livreiros, funcionários, colaboradores e acionistas.

Nosso comportamento ético incondicional e nossa responsabilidade social e ambiental são reforçados pela natureza educacional de nossa atividade e dão sustentabilidade ao crescimento contínuo e à rentabilidade do grupo.

Psicologia Médica

A Dimensão Psicossocial da Prática Médica

Editores

Marco Antonio Alves Brasil

Psiquiatra. Psicanalista. Doutor em Psiquiatria pela UFRJ. Professor Adjunto da Faculdade de Medicina da UFRJ. Chefe do Serviço de Psiquiatria e Psicologia Médica do Hospital Universitário Clementino Fraga Filho da UFRJ.

Eugenio Paes Campos

Médico. Psicólogo. Doutor em Psicologiapela PUC-RJ. Professor de Psicologia Médica da Faculdade de Medicina do Centro Universitário Serra dos Órgãos, RJ.

Geraldo Francisco do Amaral

Psiquiatra. Psicoterapeuta. Doutor em Ciências da Saúde pela UnB. Professor Adjunto de Psicologia Médica da Faculdade de Medicina da UFG. Coordenador do CENTROHUMOR – Centro de Referência em Transtornos do Humor do Hospital das Clínicas da UFG.

José Givaldo Melquiades de Medeiros

Psiquiatra. Mestre em Psicologia. Doutor em Ciências (Psiquiatria e Psicologia Médica) pela UNIFESP. Professor Adjunto de Psicologia Médica da UFPB.

- Os autores deste livro e a editora empenharam seus melhores esforços para assegurar que as informações e os procedimentos apresentados no texto estejam em acordo com os padrões aceitos à época da publicação, *e todos os dados foram atualizados pelos autores até a data da entrega dos originais à editora.* Entretanto, tendo em conta a evolução das ciências da saúde, as mudanças regulamentares governamentais e o constante fluxo de novas informações sobre terapêutica medicamentosa e reações adversas a fármacos, recomendamos enfaticamente que os leitores consultem sempre outras fontes fidedignas, de modo a se certificarem de que as informações contidas neste livro estão corretas e de que não houve alterações nas dosagens recomendadas ou na legislação regulamentadora.

- Os autores e a editora se empenharam para citar adequadamente e dar o devido crédito a todos os detentores de direitos autorais de qualquer material utilizado neste livro, dispondo-se a possíveis acertos posteriores caso, inadvertida e involuntariamente, a identificação de algum deles tenha sido omitida.

- **Atendimento ao cliente: (11) 5080-0751 | faleconosco@grupogen.com.br**

- Direitos exclusivos para a língua portuguesa
  Copyright © 2012, 2022, 2023 by
  EDITORA GUANABARA KOOGAN LTDA.
  Uma editora integrante do GEN | Grupo Editorial Nacional
  Travessa do Ouvidor, 11
  Rio de Janeiro – RJ – CEP 20040-040
  Tels.: (21) 3543-0770/(11) 5080-0770 | Fax: (21) 3543-0896
  www.grupogen.com.br | faleconosco@grupogen.com.br

- Reservados todos os direitos. É proibida a duplicação ou reprodução deste volume, no todo ou em parte, em quaisquer formas ou por quaisquer meios (eletrônico, mecânico, gravação, fotocópia, distribuição pela Internet ou outros), sem permissão, por escrito, da EDITORA GUANABARA KOOGAN LTDA.

- Capa: Bruno Sales

- Editoração eletrônica: Anthares

- Projeto gráfico: Editora Guanabara Koogan

- Ficha catalográfica

P969

Psicologia médica : a dimensão psicossocial da prática médica / editores Marco Antonio Alves Brasil... [et al.]. - [Reimpr.]. - Rio de Janeiro : Guanabara Koogan, 2023.

ISBN 978-85-277-2070-0

1. Medicina e psicologia. 2. Psicanálise. I. Brasil, Marco Antonio Alves

11-7381.	CDD: 616.8917
	CDU: 159.964.2

Colaboradores

Alexandre Barbosa Nogueira
Psiquiatra. Doutor em Psiquiatria pelo Instituto de Psiquiatria (IPUB) da UFRJ.

Alicia Navarro de Souza
Psiquiatra. Doutora em Psiquiatria pela UFRJ. Professora Associada do Departamento de Psiquiatria e Medicina Legal da Faculdade de Medicina da UFRJ.

Ana Cláudia Santos Chazan
Endocrinologista. Mestre em Endocrinologia e Metabologia pela UERJ. Professora Assistente do Departamento de Medicina Integral, Familiar e Comunitária da Faculdade de Ciências Médicas da UERJ. Especialista em Medicina de Família pela Sociedade Brasileira de Medicina de Família e Comunidade. Facilitadora de Processos Grupais da Fundação Möiru/Multiversa.

Ana Margareth Siqueira Bassols
Psiquiatra. Mestre em Psiquiatria pela Universidade Federal do Rio Grande do Sul (UFRGS). Membro Associado da Sociedade Psicanalítica de Porto Alegre. Professora Assistente do Departamento de Psiquiatria e Medicina Legal da UFRGS. Chefe do Serviço de Psiquiatria da Infância e Adolescência do Hospital de Clínicas de Porto Alegre (HCPA). Doutoranda em Ciências Médicas (Psiquiatria) pela UFRGS.

Carlos Francisco Almeida de Oliveira
Psiquiatra. Doutorando em Ciências Médicas pela UNICAMP.

Carolina Buzzatti Machado
Psiquiatra do Programa de Estudos sobre a Dor Crônica do Serviço de Psiquiatria do Hospital de Clínicas de Porto Alegre da UFRGS.

Cláudio Laks Eizirik
Psiquiatra. Psicanalista. Doutor em Psiquiatria pela UFRGS. Professor Associado do Departamento de Psiquiatria e Medicina Legal da UFRGS. Membro Efetivo e Analista Didata da Sociedade Psicanalítica de Porto Alegre.

Daniel Almeida Gonçalves
Médico de Família e Comunidade. Mestre em Psiquiatria e Psicologia Médica pela UNIFESP.

Débora Schaf
Psiquiatra do Programa de Estudos sobre a Dor Crônica do Serviço de Psiquiatria do Hospital de Clínicas de Porto Alegre da UFRGS.

Dinarte Ballester
Psiquiatra do Médico de Família e Comunidade. Doutor em Ciências (Psiquiatria e Psicologia Médica) pela UNIFESP. Professor Adjunto da Faculdade de Medicina da Universidade Estadual Londrina.

Ellen Alves de Almeida
Psiquiatra do Programa de Estudos sobre a Dor Crônica do Serviço de Psiquiatria do Hospital de Clínicas de Porto Alegre da UFRGS.

Flávia Ribeiro
Psicóloga. Preceptora da Residência Multiprofissional de Saúde da Família e Comunidade do Município de Fortaleza, CE.

Gisela Cardoso
Psicóloga. Doutora em Saúde Coletiva pela UERJ. Psicóloga do Serviço de Psiquiatria e Psicologia Médica do Hospital Universitário Clementino Fraga Filho da UFRJ.

Glória Araujo
Psiquiatra. Doutora em Psiquiatria pelo IPUB da UFRJ. Médica Psiquiatra do Serviço de Psiquiatria e Psicologia Médica do Hospital Universitário Clementino Fraga Filho da UFRJ e do Pronto-Socorro Madre Teresa de Calcutá, RJ.

Heloísa Helena Alves Brasil
Psiquiatra da Infância e Adolescência. Doutora em Psiquiatria pela UNIFESP. Coordenadora do Serviço de Psiquiatria da Infância e Adolescência do IPUB da UFRJ.

Ibiracy de Barros Camargo
Psiquiatra. Doutor em Ciências Médicas pela USP. Professor Titular de Psiquiatria da Faculdade de Medicina do Centro Universitário Barão de Mauá.

Ivanor Meira Lima
Psiquiatra. Doutor em Psiquiatria e Psicologia Médica pela UNIFESP. Pós-Doutor pela USP. Professor Adjunto de Psicologia Médica e Psiquiatria pela UFRN.

Jayme Bisker
Psiquiatra. Psicanalista. Ex-Chefe do Serviço de Psiquiatria da Faculdade de Ciências Médicas da UERJ. Ex-Diretor do Manicômio Judiciário Heitor Carrilho.

João Alberto Gomes de Carvalho
Psiquiatra. Psicanalista. Doutor em Medicina pela UERJ. Professor Adjunto do Departamento de Neuropsiquiatria da Faculdade de Medicina da UFPE.

José Álvaro Marques Marcolino
(*in memoriam*)
Psiquiatra. Doutor em Psiquiatria e Psicologia Médica pela UNIFESP. Professor Adjunto da Faculdade de Ciências Médicas da Santa Casa de São Paulo.

José Henrique Figueiredo
Psiquiatra. Professor Colaborador da Faculdade de Medicina da UFRJ. Médico Psiquiatra do Serviço de Psiquiatria e Psicologia Médica do Hospital Universitário Clementino Fraga Filho da UFRJ. Doutorando em Medicina (Cardiologia) pela UFRJ.

José Roberto Muniz
Psiquiatra. Psicanalista e Terapeuta Familiar. Professor Assistente de Psicologia Médica da Faculdade de Ciências Médicas da UERJ.

Julia Domingues Goi
Psiquiatra. Mestranda em Ciências Médicas pela UFRGS.

Leonardo Rocha Carneiro García-Zapata
Estudante do 4º Ano da Faculdade de Medicina da UFG. Monitor da Disciplina Psicologia Médica do Departamento de Saúde Mental e Medicina Legal da Faculdade de Medicina da UFG.

Letícia Maria Furlanetto
Psiquiatra. Doutora em Psiquiatria pela UFRJ. Professora Adjunta de Psiquiatria da Faculdade de Medicina da UFSC. Coordenadora do Laboratório de Estudos dos Transtornos do Humor da UFSC.

Luís Fernando Tófoli
Psiquiatra. Doutor em Psiquiatria pela USP. Professor Adjunto da Faculdade de Medicina da UFC – *campus* Sobral.

Luiz Alberto B. Hetem
Psiquiatra. Doutor em Saúde Mental pela USP. Pós-Doutor em Psiquiatria pelo Serviço de Psiquiatria do Hospital Civil de Strasbourg, França. Professor da Pós-Graduação da Faculdade de Medicina de Ribeirão Preto da USP.

Luiz Fernando Chazan
Psiquiatra. Psicanalista. Mestre em Ciências Médicas pela UERJ. Professor Assistente de Saúde Mental e Psicologia Médica da Faculdade de Ciências Médicas da UERJ. Terapeuta de Família e de Grupo.

Marina Bento Gastaud
Psiquiatra. Mestre em Psicologia Clínica pela PUC-RS. Doutoranda em Ciências Médicas (Psiquiatria) pela UFRGS. Coordenadora do Departamento de Pesquisa do Contemporâneo do Instituto de Psicanálise e Transdisciplinaridade do Rio Grande do Sul.

Mario Alfredo De Marco
Psiquiatra. Analista Junguiano. Doutor em Ciências pela UNIFESP. Professor Associado do Departamento de Psiquiatria da Escola Paulista de Medicina da UNIFESP.

Mireille Coêlho de Almeida
Médica. Estagiária de Psiquiatria da Santa Casa de São Paulo.

Munira Aiex Proença
Psiquiatra. Mestre em Tecnologia Educacional Aplicada à Área da Saúde. Professora Assistente do Departamento de Psiquiatria e Medicina Legal da Faculdade de Medicina da UFRJ.

Neury José Botega
Psiquiatra. Doutor e Livre-Docente pela UNICAMP. Professor Titular do Departamento de Psicologia Médica e Psiquiatria da Faculdade de Ciências Médicas da UNICAMP.

Othon Coelho Bastos Filho
Psiquiatra. Livre-Docente. Professor Titular (Aposentado) da Faculdade de Medicina da UFPE e da Faculdade de Medicina da UEPE. Professor Emérito da UFPE.

Patrícia Cavalcanti Ribeiro
Médica. Residente de Psiquiatria do HUPES da UFBA.

Paulo Roberto Zimmermann
Psiquiatra. Doutor em Psiquiatria pela PUC-RS. Professor Adjunto do Departamento de Psiquiatria e Medicina Legal da Faculdade de Medicina da PUC-RS.

Rita Francis Gonzalez y Rodrigues Branco
Médica. Psicoterapeuta. Líder de Grupos Balint. Doutora em Educação pela UFG. Professora do Curso de Medicina da PUC-GO.

Roberto Santoro Pires de Carvalho Almeida
Psiquiatra. Psicanalista. Mestre em Psiquiatria pelo IPUB da UFRJ. Chefe do Serviço de Saúde Mental do Hospital Municipal Jesus, RJ. Presidente do Comitê de Saúde Mental da Sociedade de Pediatria do Estado do Rio de Janeiro.

Rogério Wolf Aguiar
Psiquiatra. Mestre em Psiquiatria pela Universidade Federal do Rio Grande do Sul UFRGS. Professor Adjunto do Departamento de Psiquiatria e Medicina Legal da Faculdade de Medicina da UFRGS. Supervisor do Programa de Estudos sobre Dor Crônica/Serviço de Psiquiatria do Hospital de Clínicas de Porto Alegre da UFRGS.

Rosa Garcia
Psiquiatra. Doutora em Medicina pela UFBA. Professora Adjunta (Aposentada) da Faculdade de Medicina da UFBA e da Escola Bahiana de Medicina.

Samuel Robson Moreira Rego
Psiquiatra. Professor de Psiquiatria da Universidade Estadual do Piauí.

Sandra Fortes
Psiquiatra. Doutora em Saúde Coletiva pelo Instituto de Medicina Social (IMS) da UERJ. Professora Adjunta da Faculdade de Ciências Médicas da UERJ. PhD em Saúde Coletiva pelo IMS da UERJ. Matriciadora de Saúde Mental/PSF nos Municípios de Petrópolis, RJ.

Sidnei S. Schestatsky
Psiquiatra. Psicanalista. Doutor em Psiquiatria pela UFRGS. Professor Associado da Faculdade de Medicina da UFRGS. Coordenador dos Cursos de Especialização em Psicoterapia de Orientação Analítica da UFRGS. Professor do Instituto de Psicanálise da Sociedade Psicanalítica de Porto Alegre.

Silvia Carneiro Bitar
Geriatra. Preceptora do Ambulatório de Neuropsiquiatria Geriátrica da Escola Paulista de Medicina da UNIFESP. Coordenadora do Programa de Cuidados Paliativos da Instituição de Longa Permanência para Idosos do Hospital Israelita Albert Einstein, SP.

Suellen de Paula Silva
Estudante do 4º Ano da Faculdade de Medicina da UFG. Monitora da Disciplina Psicologia Médica do Departamento de Saúde Mental e Medicina Legal da Faculdade de Medicina da UFG.

Vanessa de Albuquerque Citero
Psiquiatra. Professora Afiliada do Departamento de Psiquiatria da Escola Paulista de Medicina da UNIFESP. Psiquiatra de Ligação da Instituição de Longa Permanência para Idosos do Hospital Israelita Albert Einstein.

Vera Lúcia Bidone Lopes
Psiquiatra. Mestre em Psiquiatria pelo IPUB da UFRJ. Professora Convidada do Curso de Medicina da UFCMPA e do Curso de Especialização em Psiquiatria do Centro de Estudos José de Barros Falcão.

Virgínia Lucia de M. Barbosa
Psicóloga. Terapeuta de Família. Titular da Associação de Terapia de Família do Rio de Janeiro. Especialista para o Atendimento de Usuário de Álcool e Outras Drogas do IPUB da UFRJ. Facilitadora de Processos Grupais da Fundação Möiru/Multiversa.

Dedicatória

À memória da Profa. Lúcia Spitz

Para aqueles que não a conheceram:

A frase de Nelson Rodrigues "a unanimidade é burra" tem aqui uma exceção, Lúcia era querida e admirada por todos que tiveram o privilégio de conhecê-la. Faz parte da história do Serviço de Psiquiatria e Psicologia Médica do Hospital Universitário Clementino Fraga Filho da UFRJ naquilo que de melhor ele já até hoje produziu, e seu exemplo de dedicação ao ensino e à assistência certamente deixou frutos. Ela se perpetua por tudo o que ensinou e muito enriqueceu seus alunos e colegas. Até o fim foi um exemplo ao dar-nos uma grande lição, enfrentando sua doença com coragem e altivez. Sua doença, ainda que inexorável, não foi fulminante, foi uma doença de patamares, em que cada degrau representava uma aprendizagem para ela. Sua lição final foi nos ensinar e mostrar que mesmo a hora da morte é hora de viver.

Marco Antonio Alves Brasil

Prefácio

Por ser tecnicista e mecanicista, o modelo biomédico, ainda predominante nas escolas médicas brasileiras, valoriza apenas o que pode ser medido ou visto em imagens. Por isso a dificuldade dos médicos formados nesse modelo em valorizar os fatores emocionais e socioculturais que tanto influenciam a compreensão do doente. As consequências negativas são evidentes: pacientes insatisfeitos, médicos frustrados, relação médico-paciente inadequada, dificuldade para trabalhar em equipe, reduzido nível de adesão às propostas terapêuticas.

O que está faltando na formação dos médicos? Por certo não são informações técnicas, cada vez mais facilmente obtidas. O que seria então?

A resposta é simples: para se cuidar bem de um paciente não basta reconhecer alterações anatômicas, fisiológicas, bioquímicas, correlacionar sinais e sintomas com "lesões" e "disfunções", conhecer todas as diretrizes e os consensos. Paralelamente a tudo isso, é necessário, também, compreender o aspecto subjetivo do complexo processo saúde-doença. Aí, então, será possível não apenas diagnosticar a doença, como também conhecer o doente. Não se pode esquecer que sentir-se doente não é o mesmo que ter uma doença. Compreender a diferença entre uma condição e outra talvez seja o ponto mais fraco dos médicos aprisionados no modelo biomédico, no qual falta a dimensão psicossocial. Isso porque as doenças podem ser semelhantes para os médicos e para as máquinas, mas têm significados especiais para cada doente. Padronizar o diagnóstico é possível e necessário, porém, o tratamento, para ser eficaz, tem que ser personalizado. Isso parece difícil. E é. Mas aí está a vanguarda da medicina. O conhecimento do genoma de cada pessoa levará a medicina por esse caminho que precisará estar iluminado pela dimensão psicossocial.

A mudança de paradigma é a única maneira de se preparar melhor os futuros médicos. Isso significa compreender que os componentes emocionais, socioculturais, afetivos e éticos, relacionados com o paciente, a família, o trabalho e o contexto em que médicos e pacientes estão inseridos, são partes indissociáveis dos fenômenos biológicos, tanto no que se refere à saúde quanto à doença. Sem essa compreensão o médico jamais terá uma visão integral da pessoa que está à sua frente. E de si próprio. Aliás, esse é outro ponto frágil na formação dos médicos: o desconhecimento do que se passa em seu mundo interior, diante do sofrimento e da morte. Isso porque ainda não faz parte dos projetos pedagógicos o conhecimento do mundo emocional dos estudantes de medicina, no qual se alojam mecanismos de defesa, bloqueios, medos, tabus, preconceitos, fantasias. Em geral, os professores e os alunos somente se preocupam com a aquisição de informações e o desenvolvimento de habilidades psicomotoras. Caberá, por certo, à disciplina psicologia médica a tarefa de abordar os aspectos emocionais, tanto do paciente como do médico.

No que diz respeito à relação médico-paciente, essência da medicina e núcleo luminoso da profissão médica, o domínio dos fundamentos dos fenômenos psicológicos é tão importante como o conhecimento, pelo cirurgião, dos detalhes anatômicos da região em que atua, ou, no caso dos epidemiologistas, das técnicas estatísticas que utilizam em estudos populacionais.

O ensino-aprendizagem dos fundamentos da psicologia, inseparáveis dos de naturezas social e cultural, deve andar *pari passu* com o das disciplinas tradicionais que fazem parte de todos os currículos, seja qual for o projeto pedagógico, tradicional ou renovador. A rigor, deve ser iniciado no primeiro dia do curso de medicina. A propósito, *seria bom que a primeira aula fosse com um paciente e não em um cadáver*.

"Tornar-se médico" é um difícil processo que se faz, pouco a pouco, no encontro com cada paciente. Quanto mais encontros os estudantes tiverem com pacientes, melhor. Para isso, paralelamente a antigos e novos recursos pedagógicos – laboratórios de habilidades, programas de computador e a Internet –, é necessário dispor de um texto que tenha uma clara mensagem que sirva de apoio e guia nessa área do conhecimento. *Psicologia Médica | A Dimensão Psicossocial da Prática Médica* poderá ocupar este lugar.

Seus autores, com a colaboração de uma plêiade de professores com grande experiência, organizaram um livro inovador, com conhecimentos básicos e de vanguarda, sempre em busca da "dimensão psicossocial da prática médica".

Tradicionalmente, tão logo iniciam o curso de medicina, os estudantes começam a organizar uma "biblioteca pessoal" com os livros-texto indicados pelos professores das matérias consideradas básicas – anatomia, histologia, fisiologia, bioquímica, farmacologia, genética, semiologia, anatomia patológica – indispensáveis para formar os alicerces sobre os quais se apoiarão os conhecimentos a serem adquiridos ao longo do curso de medicina. Este livro, por certo, fará parte desta "biblioteca de livros básicos", à medida que as escolas, os professores e os alunos forem tomando consciência de que os conhecimentos de psicologia são essenciais para uma medicina de excelência.

Prof. Dr. Celmo Celeno Porto
Professor Emérito da Faculdade
de Medicina da UFG
Membro Titular da Academia Goiana
de Medicina

Introdução

Com o progresso tecnológico, a medicina passou a investigar estruturas orgânicas com detalhes cada vez maiores. Para lidar com essa enorme e crescente fonte de conhecimentos, fragmentou-se e o médico transformou-se em um "especialista", fazendo o clínico geral entrar em ocaso. As especialidades multiplicaram-se, cada uma delas tomando para si um "fragmento" corporal, o que permitiu ao médico focar sua atenção em áreas cada vez mais limitadas. Desse modo, a divisão da medicina em especialidades tem motivação eminentemente pragmática e obedece, estritamente, mais a uma necessidade de ordem técnica ou prática do que a um princípio científico. As subespecialidades seguem o mesmo modelo, com a desvantagem de subdividir o corpo em áreas ou funções cada vez mais restritas. Essas subdivisões fomentam a dicotomização *doente-doença*, desenvolvendo ao máximo o conhecimento dessa última e deixando de lado o conhecimento do paciente como um todo. O mecanismo básico subjacente é a dissociação mente-corpo. O paciente é reduzido a uma determinada enfermidade, e o complexo fenômeno do "ato médico" passa a ser visto exclusivamente como uma ação técnica. A pessoa do paciente, seus vínculos familiares e seu contexto sociocultural não têm relevância, já que não são considerados ou incluídos no interesse do médico.

O especialista, com certa frequência, procura ser somente um técnico. Percebe, no entanto, que isso não é possível, pois se vê obrigado a atender e manejar os aspectos psicológicos dos pacientes. A atenção a esse aspecto converte-se em uma "complicação embaraçosa", da qual procura afastar-se ambicionando fazer uma medicina de doenças e não de doentes. Certamente, essa aspiração é compreensível, pois a redução e a despersonalização da relação diminuiriam sua complexidade, já que ele frequentemente está despreparado para enfrentá-la tal como é, ou seja, carregada de aspectos emocionais. No entanto, *todo médico reage, querendo ou não, sabendo ou não, de modo emocional e muitas vezes inconsciente, estabelecendo com seu paciente uma relação complexa denominada* relação médico-paciente. Por outro lado, o paciente, em sua singularidade como indivíduo, faz o processo para se adaptar ou tolerar seu "estar doente" ser único e peculiar. Há diferentes vicissitudes e alternativas, próprias das características pessoais de cada paciente e da doença de que sofre. *Isto significa que o "estar doente" é a integração única e particular desse paciente com a doença que ele – e somente ele – apresenta.* Por outro lado, sem negar a importância das diferenças que constituem a personalidade de cada um, deve-se reconhecer que ninguém pode ser completamente entendido, sem que se leve em conta o ambiente no qual vive, seus valores sociais e culturais.

A artificialidade da causa única, predominante na cultura médica, vem sendo cada vez mais contestada pela moderna visão da multifatoriedade de causas e efeitos. Essa visão fornece um conceito mais amplo de doença, sem confiná-la apenas aos seus aspectos biológicos. A doença passa a ser vista em todos os níveis de organização (biológica, psicológica e social) que se apresentam em constante interação, o que implica a valorização da pessoa do paciente em sua singularidade de indivíduo e globalidade biopsicossociocultural. Uma maior atenção passa a ser dada à vivência de cada paciente diante de doenças agudas e crônicas e aos eventos psicossociais que precedem, seguem e existem durante uma doença. Outro aspecto diz respeito ao surgimento de uma abordagem sistemática no que se refere a certas funções do médico tradicionalmente tratadas em termos intuitivos.

Muitas das atividades do médico são desenvolvidas com base em um conhecimento cumulativo, obtido em informações da física, da química e da biologia. Por outro lado, há aquelas atividades baseadas em um conhecimento não cumulativo, o qual é referido, muitas vezes, como a "arte" intuitiva do médico. É exemplo disso sua relação com o paciente e com membros de sua família e outras figuras significativas. Implícitas em cada uma dessas atividades estão a *interação* humana, a ideia de um contexto psicossocial e o uso da capacidade do relacionamento humano. Implícitas também estão, em tais interações, a habilidade e a perícia perceptual para obter informações, correlacioná-las, chegar a julgamentos e decidir sobre os problemas do paciente. Esses conhecimentos eram vistos, e há quem os veja ainda hoje, como incompatíveis com uma abordagem científica e impossíveis de serem estudados e transmitidos.

Se ficamos maravilhados com os progressos tecnológicos e de pesquisa da medicina, os quais influenciam significativamente a formação de nossos médicos, devemos lembrar, contudo, que nenhuma tecnologia ou intervenção farmacológica transporta-nos além da realidade que nos mostra que *a essência da prática médica continua sendo o encontro terapêutico, a relação entre o médico e o paciente.*

Aulus Gellius, gramático do período greco-romano definiu a pessoa humanista a partir de três pilares fundamentais: *paideia* (homem culto, que domina, além dos conhecimentos próprios da sua área, valores do mundo das artes e das letras), *philanthropia* (empatia, capacidade de identificar-se com os valores humanos daqueles a quem se serve) e *techné* (competência técnica, cuja ausência implica trair a confiança depositada por aquele a quem se pretende ajudar e jamais causar dano).

Essa tríade representa o médico mais próximo do ideal, capaz de cumprir, adequadamente, seus desígnios humanísticos e suas responsabilidades profissionais. Todavia, uma questão aflora perturbadora para quem trabalha na educação médica: como transmitir esses valores humanísticos?

Questão difícil de responder em teoria.

Este livro é uma contribuição à prática desse desafio.

Os editores

Sumário

■ **Parte 1 Fundamentos da Psicologia Médica, 1**

1 Histórico e Conceituação, 3
O Patriarca, 3
Continuidade e psicanálise, 4
Outros estudos históricos, 4
Psicologia médica no Brasil, 6
Referências bibliográficas, 7

2 Formação Humanística em Medicina, 8
Introdução, 8
Humanismo filosófico, 9
Concepções de Hipócrates, 9
Desenvolvimento tecnológico × humanismo, 9
Permanência do humano na medicina, 10
Conclusão, 11
Referências bibliográficas, 12

3 Fontes Teóricas da Psicologia Médica, 13
Referências bibliográficas, 17

■ **Parte 2 Desenvolvimento Pessoal e Social do Indivíduo, 19**

4 Genética e Ambiente na Constituição do Indivíduo, 21
Referências bibliográficas, 25

5 Desenvolvimento e Estruturação da Personalidade, 26
Introdução, 26
Definição dos termos temperamento e caráter e personalidade, 27
Conclusões, 29
Referências bibliográficas, 30

6 O Ciclo da Vida Humana, 32
Funcionamento psíquico no contexto do ciclo vital: noções básicas, 33
Teorias do desenvolvimento, 33
Ciclo vital da família, 34
Referências bibliográficas, 43

7 Reação à Doença e à Hospitalização, 44
Doença aguda, 44
Reação de ajustamento, 45
Mecanismos de defesa, 46
Estresse e coping, 48
Referências bibliográficas, 53

■ **Parte 3 O Médico na Relação com o Paciente, 55**

8 Entrevista Médica e História Clínica, 57
Referências bibliográficas, 64

9 O Acadêmico de Medicina e o Desafio da Entrevista com o Paciente, *65*

Introdução, *65*
Entrevista clínica e relação estudante-paciente, *66*
Conclusão, *70*
Referências bibliográficas, *71*

10 A Relação Estudante-Paciente, *72*

Breve recado ao estudante de medicina, *72*
Formação psicológica e ética do estudante de medicina, *73*
Encontros com pacientes, *74*
Crescimento pessoal e profissional, *76*
Final do curso | Internato, *77*
Crises e assistência, *77*
Referências bibliográficas, *78*

11 Comunicações Dolorosas ao Paciente e aos Familiares, *79*

Introdução, *79*
Comunicações dolorosas: indicações e contraindicações, *80*
Cuidados prévios à comunicação de más notícias, *82*
Outras recomendações quanto às comunicações dolorosas, *83*
Atitudes em relação à família, *84*
Considerações finais, *85*
Referências bibliográficas, *85*
Leitura complementar, *86*

12 Dinâmica da Relação Médico-Paciente, *87*

Fatores que interferem na relação médico-paciente, *87*
O paciente, *88*
O médico, *89*
A relação, *90*
Transferência e contratransferência, *90*
Conclusão, *92*
Referências bibliográficas, *92*

13 Ética e Bioética na Prática Médica, *93*

Introdução, *93*
Da moral à ética, *94*
Da ética médica, *96*
Da bioética, *96*

Campo comum: a relação médico-paciente, *97*
A ética (em formação) do estudante de medicina, *98*
Referências bibliográficas, *99*

■ **Parte 4 O Médico diante de Situações Específicas,** *101*

14 Cuidados Paliativos em Psiquiatria, *103*

Definição de cuidado paliativo, *104*
Aspectos psiquiátricos de pacientes sob cuidados paliativos, *105*
Aspectos psicológicos de pacientes sob cuidados paliativos, *107*
Referências bibliográficas, *107*

15 O Paciente com Dor Crônica, *109*

Introdução, *109*
Classificação, *110*
Mecanismos da dor, *110*
Fatores relacionados com a dor, *110*
Epidemiologia, *111*
Diagnóstico, *111*
Comorbidades, *113*
Aspectos psicológicos, *113*
Dor "real" versus dor "emocional", *113*
Tratamento, *114*
Referências bibliográficas, *115*

16 Somatização na Prática Clínica, *116*

Para reconhecer a questão, *116*
Perspectiva histórica e abordagens clássicas, *117*
Perspectiva multidisciplinar contemporânea, *118*
Classificação de pacientes somatizantes, *122*
Sobre a prática clínica, *124*
Tratamento, *125*
Conclusão, *128*
Referências bibliográficas, *128*

17 O Paciente Ansioso, *130*

Introdução, *130*
Diagnóstico e diagnóstico diferencial, *130*

Encaminhamento terapêutico, *131*
Considerações finais, *133*
Referências bibliográficas, *134*
Leitura complementar, *134*

18 O Paciente Deprimido, 135

Introdução, *135*
Doença depressiva, *136*
Discussão do caso Ovídio, *139*
Referências bibliográficas, *140*

19 Comportamento Suicida | Aspectos de Psicologia Médica, 142

Introdução, *142*
Comportamento suicida na população geral, *143*
Avaliação de risco, *145*
Manejo, *147*
Tentativas de suicídio, *148*
Referências bibliográficas, *150*
Leitura complementar, *151*

20 Adesão ao Tratamento no Contexto das Doenças Crônicas, 152

Introdução, *152*
Medição da adesão, *152*
Fatores associados a adesão e não adesão, *153*
O que fazer quando o paciente não adere?, *156*
Sugestões, *157*
Referências bibliográficas, *157*

21 O Paciente Crônico, 159

Introdução, *159*
Aspectos relacionados com os pacientes, *159*
Aspectos relacionados com os médicos, *164*
Questão social, *165*
Questão institucional, *167*
Importância do trabalho multidisciplinar em hospital geral, *167*
Referências bibliográficas, *168*

22 A Criança Doente, 169

Fatores que determinam a reação da criança ao adoecimento, *169*

Reações psicológicas ao adoecimento, *170*
Referências bibliográficas, *173*
Leitura complementar, *173*

23 O Paciente Idoso, 174

Introdução, *175*
Modalidades e mudanças do envelhecimento, *175*
Velhice, idade das perdas, *175*
Vivência temporal do homem idoso, *176*
Depressão no idoso, *177*
Conclusão, *177*
Referências bibliográficas, *179*
Leitura complementar, *179*

24 Sexualidade na Prática Médica, 180

Referências bibliográficas, *184*
Leitura complementar, *184*

25 Agressividade na Prática Médica, 185

Agressividade: o que é?, *185*
Agressividade na prática médica, *186*
O paciente agressivo, *186*
A agressividade do médico, *186*
Agressividade do meio social, *187*
Como lidar com a agressividade do paciente, *187*
Como lidar com sua própria agressividade, *188*
Conclusão, *188*
Leitura complementar, *188*

■ Parte 5 Relação Médico-Sistema de Saúde-Sociedade, 189

26 O Médico, seu Paciente e a Família, 191

Ciclo evolutivo da família, *192*
A doença e o ciclo evolutivo do indivíduo e da família: uma tipologia, *194*
Abordagem da família, *195*
Genograma: um mapa relacional, *196*
Referências bibliográficas, *200*

27 As Redes Sociais e a sua Importância no Processo Saúde-Doença, 202

Introdução, *202*

Sobre os conceitos de suporte e redes sociais, 203
Relações com o processo saúde-doença, 204
Contexto das práticas de rede nas políticas públicas, 205
Instrumentos de avaliação da rede social, 206
Referências bibliográficas, 210

28 O Médico e os Outros Profissionais de Saúde | Estruturação da Equipe de Saúde, 211

Breve história das profissões da saúde, 211
Heterogeneidade das equipes de saúde, 212
Classificação de equipes de saúde multiprofissionais, 214
Equipes de saúde que funcionam bem, 214
Conclusão: o papel do médico, 215
Referências bibliográficas, 217

29 Quem Cuida do Médico?, 218

Introdução, 218
Exercício da medicina, 218
Estresse na profissão médica, 219
Fatores estressantes para o médico, 219
Dilemas e tensões do médico no mundo de hoje, 220
As consequências do estresse: síndrome do burnout, 221
Fatores que dificultam o tratamento do médico, 221
Estratégias de enfrentamento do estresse: instituição de saúde e humanização como ato de cuidar, 222
O cuidar-se uns dos outros, 222
Autocuidado, 223
Referências bibliográficas, 224

■ **Parte 6 Estratégias de Ação da Psicologia Médica, 225**

30 Abordagens Grupais na Prática Médica, 227

Importância da abordagem grupal na prática médica, 227

Grupos de suporte | Conceito e fundamentos técnicos, 228
Como operacionalizar os grupos terapêuticos na prática médica, 229
Grupos no contexto hospitalar, 229
Fatores terapêuticos dos grupos na prática médica e seus resultados, 230
Considerações finais, 230
Referências bibliográficas, 231

31 Grupos de Reflexão com Profissionais e com Alunos, 232

Experiência Balint em sala de aula, 233
Referências bibliográficas, 236

32 Interconsulta, 237

Pedidos de interconsulta, 238
Avaliação do pedido de interconsulta utilizando conceitos importantes da psicologia médica, 238
Realização da interconsulta com possíveis impactos na educação continuada das equipes de saúde, 239
Conclusão, 242
Referências bibliográficas, 242

■ **Parte 7 Cenários de Ensino e Prática da Psicologia Médica, 243**

33 A Dinâmica do Atendimento Hospitalar, 245

Histórico, 245
Entrada, 246
Alta, 247
Hospital para crônicos, 248
O paciente "funcional" dentro da dinâmica hospitalar, 248
O paciente que fala, 248
Atendimento hospitalar da criança, 249
Papel da formação da equipe na dinâmica do atendimento hospitalar, 249
Referências bibliográficas, 250

34 Cenários de Ensino e Prática da Psicologia Médica | Urgências e Emergências, 251

Introdução, 251

Unidades de emergência, *251*
O médico das unidades de emergência, *252*
Medicina de emergência nos currículos das escolas médicas, *252*
Relação médico-paciente em unidades de emergência, *253*
Violência × urgências e emergências, *254*
Considerações legais na psiquiatria de emergência, *254*
Conclusão, *255*
Referências bibliográficas, *255*

35 No Centro de Terapia Intensiva, *257*

Introdução, *257*
Impressões do estudante de medicina sobre o CTI, *257*
CTI e tecnologia, *259*
CTI e humanismo, *261*
O estudante de medicina e a morte, *262*
Processo de morrer e cuidados de fim de vida, *262*
Questões para reflexão, *265*
Referências bibliográficas, *265*

36 Saúde Mental e Estratégia de Saúde da Família | Construção da Integralidade, *266*

Separação e isolamento: fragmentação do paciente, *266*
Integralidade: a quimera do SUS?, *267*
Construção da integralidade, *268*
Discussão, *269*
Referências bibliográficas, *270*

37 Novas Diretrizes Curriculares do Ensino da Psicologia Médica, *271*

Introdução, *271*
Modelo tradicional, *271*
Proposta de mudança curricular, *272*
Novas diretrizes do ensino da psicologia médica, *272*
Considerações finais, *274*
Leitura complementar, *274*

Apêndice, *275*

Índice Alfabético, *279*

Parte 1
Fundamentos da Psicologia Médica

■

1 Histórico e Conceituação

José Givaldo Melquiades de Medeiros

▶ O patriarca

[...] a lacuna que o médico mais preparado intelectualmente reclama na sua formação se estende em duas direções. Necessita, essencialmente, de *uma psicologia nascida na prática médica e capaz de atender às exigências próprias do exercício da sua profissão* (grifo do autor), mas, por outro lado, experimenta um vago anseio de ir além dos estreitos limites da sua especialidade e levar a sua opinião para outros campos científicos mais amplos, como a teoria do conhecimento, o estudo das mudanças éticas e estéticas, a evolução da vida dos povos etc. a fim de associar a sua cultura mediconaturalista ao amplo horizonte das Ciências Filosóficas. (p. 13)[1]

É assim que se expressa Ernst Kretschmer[1] (1888-1964), cognominado mais tarde o "patriarca da psicologia médica", em sua obra, *Medizinische Psychologie*, cuja primeira publicação remete à Alemanha de 1922.

A leitura de seu texto revela um professor inquieto com a formação médica, tentando, como ele afirma, preencher as lacunas existentes no ensino, ao seu ver, excessivamente organicista em seus princípios. Além disso, demonstra preocupação com uma formação médica mais ampla, referindo que, além de necessitarem de uma formação psicológica, os médicos querem conhecimentos de outros campos das ciências.

Kretschmer não define a psicologia médica, mas é claro ao dizer o que não deve ser essa nova disciplina: a disciplina cogitada não deveria ser confundida com a psicopatologia, nem com a psicologia filosófica, muito menos com a psicologia fisiológica. Também não guardaria relação com a psicologia aplicada, nem deveria apenas servir de apêndice à psiquiatria.[1]

Mostra-se bastante consciente ao delimitar o campo dessa disciplina: "uma psicologia nascida na *prática médica* e capaz de satisfazer às exigências próprias do exercício de sua profissão" (p. 1). Essa é a discussão que Kretschmer criou e nunca mais deixou de ser atualizada quando se trata de ensino médico.

Sempre mantendo sua preocupação delimitante com relação ao que deve ser ensinado, Kretschmer escreve sua obra abordando temas que, naquele momento, faltava à prática dos médicos: funções psíquicas e substratos anatomofisiológicos, aparelho psíquico, os instintos e temperamentos, personalidades; terminando com informações sobre perícia e psicoterapia. Lembra também que um grande espaço deve ser reservado ao plano afetivo-dinâmico.[1]

No entanto, faz uma recomendação: a psicologia médica deve ser absolutamente real e se manter em contato com a vida. Isso significa que ela deverá apoiar o máximo seus principais pontos de vista em casos da prática médica, sem esquecer, porém, uma base teórica sistematizada.

▶ Continuidade e psicanálise

A despeito de o desenvolvimento tecnológico ter aumentado a distância entre médico e paciente, os problemas não decorrem apenas daí, conforme muitos acreditam. O curso médico, além de ser o período de aprendizados científicos sobre a medicina e suas aplicações, é também o tempo da autoconstrução do estudante com relação ao ser médico, ou seja, tempo da construção de uma "identidade médica"[2] a partir da identificação com mestres, das vivências com pacientes, absorvendo valores permeados pela comunidade de que fazem parte; e como se observou, Kretschmer já denunciava as armadilhas existentes nesse processo.

Compreende-se que, a despeito das novas terminologias, linguagens de comunicação em rede, pela internet, e toda a tecnologia comunicacional ao alcance de todos, contrariamente ao que se esperava, incrementou-se ainda mais, nos últimos anos, o eterno conflito na medicina, já apontado por Hipócrates e Kretschmer, qual seja: o da escolha entre uma abordagem organicista do homem e a abordagem biopsicossociocultural, como a recomendada pelas Diretrizes Curriculares do MEC, sendo esta uma demanda ainda sem solução na educação médica atual.

De acordo com Moreira, "em algum momento no desenvolvimento da prática clínica tradicional, a perspectiva da relação entre agente da terapêutica e paciente foi estruturada/orientada essencialmente pela dimensão da patologia e pelos diversos fatores a ela relacionados. Essa perspectiva se aproxima daquilo que alguns denominam de objetificação do paciente".[3]

À medida que as novas descobertas exigem a ampliação do modelo, para dar conta de questões como as doenças funcionais e psicogênicas, abre-se um campo para outras formas de pensamento, novas teorias, como veio a ocorrer com a psicanálise, que exerceu fortes influências sobre a Medicina no que se refere a lidar com o paciente.

Freud (1856-1939) abre o século 20, no ano de 1900, com seu livro *A interpretação dos sonhos*, no qual trata dos simbolismos e de um certo trabalho de elaboração do sonho. Constrói uma teoria sobre o inconsciente, com a concepção de aparelho psíquico, os mecanismos de defesa do ego, transferência e contratransferência, a concepção energética com a descrição de um inconsciente dinâmico e suas forças que buscam uma saída para o consciente e mecanismos do ego que defendem o sujeito da angústia, entre tantos outros conceitos. Sobretudo, aos olhos observadores da medicina, não passará despercebida a postura de escuta do doente, adotada por Freud diante dos desígnios das suas pacientes históricas.[4]

A escuta, em busca da decodificação do conflito e de como uma situação emocional pode ser convertida em um sintoma físico, acaba por influenciar muitos autores que transitam nos universos da medicina e da psicanálise. Esses estudos levam à criação de um novo campo na medicina, o da psicossomática, com estudos de Groodeck (*apud* D'Épinay)[5] e Alexander,[6] apenas para mencionar dois autores clássicos e influentes.

Com relação às influências da psicanálise sobre a medicina, Alexander,[6] em outra obra de peso, assegura:

> Nas duas últimas décadas (ele escreve em 1963) a Psicanálise tornou-se, aos poucos, parte integrante da teoria e da prática médicas. Há trinta anos, ela levava uma vida isolada, na fronteira da Medicina, fato que não se devia apenas à atitude pouco receptiva desta para com a Psicanálise, pois os próprios psicanalistas se indagavam se a sua matéria não constituía uma disciplina distinta, relacionada com a Medicina, mas, essencialmente independente dela [...].

A psicanálise era e é, de fato, uma disciplina distinta, entretanto, foi, e em algumas escolas continua sendo, o referencial teórico e técnico dela que serviu de ferramenta para o ensino da relação médico-paciente, para intervenções em interconsultoria psiquiátrica e trabalhos com grupos de reflexão com estudantes ou com profissionais de saúde, ao modo dos grupos Balint, além de se constituir no pilar mais forte da psicologia médica durante décadas.[7]

▶ Outros estudos históricos

Em outra vertente, capitaneados por Balint (1896-1970), um grupo de médicos começou a discutir as situações clínicas vividas por eles e por seus pacientes, vindo essas discussões a florescer em um livro, publicado em 1954, em que vários conceitos desse fenômeno inter-relacional entre o médico e seus pacientes são esboçados, agora sob a designação de *relação médico-paciente*.[8]

A partir de então, o interesse pela psicologia médica se fez crescer. É oportuno salientar que, embora Kretschmer tenha fundado a disciplina no ano da publicação do seu livro, somente no final da década de 1950 é que outros países da Europa se preocuparam com essa questão. Ey afirma, em 1960, que a iniciativa de ter 20 h no primeiro ano nas escolas de medicina da França representava ainda uma penetração tímida e insuficiente da psicologia na formação médica daquele país, demonstrando ser esta uma experiência recente.[9]

O argentino Arthur Weider publicou, em 1962, um livro bastante consistente em que discorre suas contribuições para a psicologia médica. Em seu prefácio à primeira edição, anuncia que o livro é um apanhado de escritos de personalidades importantes desse campo da ciência, em que apresenta um enfoque científico da saúde e da enfermidade, com base em concepções advindas de psiquiatria, psicologia clínica, medicina psicossomática e de outras disciplinas que vinham ocupando, segundo Weider, uma grande quantidade de profissionais, de vários matizes médicos, na tentativa de apresentar novas concepções sobre a psicologia médica.[10]

Outro trabalho de peso, *História da psicologia médica*, de Zilboorg e Henry,[11] fez uma verdadeira varredura na história da medicina em busca dos sentidos humanísticos que nela se possam identificar, com paradas importantes nas estações da primeira e segunda revoluções psiquiátricas.*

Alonso-Fernández, versado em correntes teóricas fenomenológicas, publica, na Espanha de 1973, sua visão sobre os sistemas psicológicos, a psicologia social e se esforça para situar a psicologia médica no esquema das ciências e relacioná-la a outras disciplinas. Segundo esse autor, a partir de Kurt Schneider, desenvolve-se uma psicopatologia baseada na observação empírica da clínica e na exploração psicológica do doente psíquico, construindo uma verdadeira patologia do psicológico como também, inversamente, uma psicologia da patologia. Tomando como partida essa versão da psicopatologia schneideriana, Alonso-Fernández observa que as relações da psicologia médica com outras disciplinas e estruturas médicas podem ser representadas em uma espécie de fluxograma traduzido da seguinte maneira: a estrutura básica da medicina humanista corresponde à antropologia médica. Sobre ela, encontram-se a psicologia médica e a psicopatologia. a psicologia médica serve de base à medicina psicológica, enquanto a psicopatologia apoia, em sua estrutura, a psiquiatria. A relação da psicopatologia com a medicina psicológica faz-se, nesse esquema, pela psicologia médica.[12] É um esboço que pode nos servir de reflexão tendo em vista que, ainda hoje, há dissonâncias entre estudiosos sobre o campo e os limites da psicologia médica (Figura 1.1).

Também nos EUA discutem-se os mesmos problemas. A medicina e a educação médicas americanas são cada vez mais criticadas por falharem em atender às necessidades em saúde primária dos pacientes e da sociedade. Apontam como uma das falhas a falta de profissionais modelo que possam, por seus próprios exemplos, influenciarem a formação do estudante.[13,14]

Na Escola de Medicina da Universidade de Washington, essa tentativa de assegurar maior profissionalismo à educação médica incentivou a implementação de um ensino fundamentado em profissionais modelo, envolvendo todos os setores – estudantes, professores, preceptores e a escola como um todo, tentando assegurar um comportamento mais profissional em todos os níveis.[15]

Em uma pesquisa canadense, tanto o público em geral como os outros profissionais de saúde não médicos, quando perguntados sobre o papel

---

* *Nota*: A primeira revolução psiquiátrica marca o gesto do médico francês Philippe Pinel (1745-1826). Na condição de diretor do manicômio de Bicêtre, nos arredores de Paris, e impressionado pelas condições sub-humanas a que viviam submetidos os pacientes, Pinel conseguiu, em 24 de maio de 1798, autorização da comuna revolucionária parisiense para libertar os asilados, muitos deles algemados há mais de 30 anos. A chamada Segunda Revolução psiquiátrica diz respeito à chegada dos psicofármacos, quando Jean Delay e Pierre Deninker relataram os efeitos da clorpromazina.

Figura 1.1 Representação das relações interdisciplinares na metade humanista da medicina (*Fonte*: Alonso-Fernández, 1977).

desses profissionais, indicaram deficiências na *performance* deles como humanistas, comunicadores e educadores dos pacientes.[16]

▶ Psicologia médica no Brasil

• O pioneiro

No Brasil, Perestrello,[17] com seu livro *medicina da pessoa* vem a ser um dos primeiros a aprofundar as aplicações da psicanálise no *front* da medicina. Em sua análise histórica, afirma: "Com isso (a escuta psicanalítica) o suposto abismo entre o homem normal e o alienado desaparecia. A psicologia sobre a qual a psiquiatria se baseará daí por diante será uma psicologia humana e a nova psiquiatria uma psiquiatria humanizada. [...] Já não são os olhos do psiquiatra seu principal instrumento de trabalho: são seus ouvidos" (p. 7).

Contudo, não é somente a defesa de uma atitude de resgate do humano na psiquiatria que trata o autor. Ele tece conceitos renovados como a relação transpessoal, diagnóstico da doença e do doente, o médico como remédio e antirremédio e desenvolve um capítulo especificamente sobre a medicina da pessoa.[17]

Outros trabalhos, como o de Uchoa,[18] analista didata da Sociedade Brasileira de Psicanálise e professor catedrático de psiquiatria da Escola Paulista de Medicina, foram difundindo as ideias da psicologia médica. Em seu texto, aponta falhas nas correntes psicológicas que tentam se tornar mais próximas da medicina por meio de uma ênfase exagerada no laboratório, proclama o advento da psicologia da personalidade, em especial as correntes ditas dinâmicas, como tendo possibilitado o engrandecimento da psiquiatria e da moderna medicina psicossomática, e defende: "uma medicina total, unitária, antropológica, isto é, a antropologia médica".

Discípulo de Perestrello, Mello Filho[19-21] destaca-se na história recente da psicologia médica brasileira como um dos grandes articuladores do pensamento psicossomático nos anos 1980, quando lançou o seu livro *Concepção psicossomática*, um misto de análise histórica, incluindo um relato de experiência bem-sucedida vivida pelo autor no Hospital Pedro Ernesto da Universidade do Estado do Rio de Janeiro. Depois, publicou *Psicossomática hoje* e *Grupo e corpo*, constituindo assim uma tríade de peso na formatação do pensamento da psicossomática no Brasil, com seus vários entrelaçamentos com a psicologia médica.

Outro trabalho, na mesma esfera acadêmica e também voltado para a questão da saúde, agora do médico residente, deve-se a Nogueira-Martins,[22] que trabalhou o tema residência médica – um estudo prospectivo sobre dificuldades na tarefa assistencial e fontes de estresse, concluindo que o estresse tende a diminuir com o passar do tempo, mas que há grandes problemas a serem resolvidos dentro das residências médicas, como modificações programáticas e maior atenção com a sobrecarga de trabalho a que são submetidos os jovens médicos.

Tem-se também estudado outros ramos da psicologia médica, como as condições de saúde dos médicos defendida, inicialmente, como tese de doutorado e publicada uma versão em livro – *O Médico como paciente* – de Alexandrina Meleiro.[23]

Não podemos esquecer a obra essencial de Neury Botega, relativa à prática psiquiátrica em hospital geral, ampliada e reeditada recentemente,[24] que, por intermédio de seus textos, tem aprofundado temas que constituem terreno comum com a psicologia médica.

• Movimento atual da psicologia médica no Brasil

Percebendo a dificuldade tanto para conceituar quanto para delimitar o campo da disciplina, realizou-se em 1993 uma pesquisa no Brasil sobre a "Conceituação atual e ensino de psicologia médica no Brasil".[25] Outro trabalho, também através de enquete postal e com objetivo afim, estava sendo realizado na mesma época por Botega.[26] Os sintomas eram muito evidentes de que havia uma inquietação com respeito a esses problemas teóricos e práticos.

Em 1995, sob nossa coordenação e organização, ocorreu o I Encontro Nacional dos Professores de Psicologia Médica do Brasil, em João Pessoa, PB. Desse encontro participaram 50 professores e elaborou-se um relatório que dava algumas primeiras orientações sobre "o quê", "a quem" e "como" ensinar a psicologia médica.

De modo geral, foi consensual, conforme visto anteriormente, o ensino da relação médico-paciente. Assim, três grupos temáticos se sobressaem, constituindo três momentos da abordagem do tema inicial: constituição do sujeito [...], relação médico-paciente; concepção psicossomática [...].[27]

Mais dois encontros foram realizados com intervalos de 2 anos: o II em Teresópolis e o III no Rio de Janeiro. Seis anos se passaram até que, em 2004, conseguiu-se realizar o IV encontro Nacional em Goiânia, no qual se produziu a Carta de Goiânia (ver Apêndice).[28] Sobre o campo da psicologia médica, assim se manifesta a carta:

> A psicologia médica, enquanto campo do conhecimento, nas dimensões da produção, transmissão e aplicação, dedica-se ao estudo dos aspectos subjetivos da prática médica, incluindo-se: a relação médico-paciente, a entrevista clínica, os aspectos psicossociais do processo saúde-doença, o apoio aos estudantes (apoio psicopedagógico/tutoria) e às equipes, e o trabalho com as famílias e comunidades.

Na carta, à semelhança das Diretrizes Curriculares, são anunciadas as Diretrizes para o Ensino de Psicologia Médica no Brasil. Faz-se uma delimitação do que deve ou não ser ensinado, em uma tentativa de se propor uma unificação de objetivos e conteúdos temáticos a serem desenvolvidos nas escolas médicas brasileiras. Também são definidos os conteúdos a serem trabalhados na graduação médica.

▶ **Referências bibliográficas**

1. Kretschmer E. *Psicología médica*. Barcelona: Editorial Labor, 1954.
2. Zimerman DE. A formação psicológica do médico. *In:* Mello Filho J. *Psicossomática hoje*. Porto Alegre: Artes Médicas, 1992:70-73.
3. Moreira MCN. Contra a desumanização da Medicina: crítica sociológica das práticas médicas modernas. *Ciência & Saúde Coletiva* 2005; 10(3):780-781.
4. Freud S. Edição standard brasileira das obras psicológicas completas. Traduzida sob supervisão de Jaime Salomão. Rio de Janeiro: Imago, 1986, 24v.
5. d'Épinai ML. *Groddeck: a doença como linguagem*. Tradução de Graciema Pires Therezo. Campinas: Papirus, 1988.
6. Alexander F. *Medicina Psicossomática – princípios e aplicações*. Porto Alegre: Artes Médicas, 1989.
7. Schneider K. *Psicopatologia clínica*. Tradução da 7 ed. alemã de Emanuel Carneiro Leão. 3 ed., São Paulo: Mestre Jou, 1978.
8. Balint M. *O médico, seu paciente e a doença*. Tradução de Roberto Musachio. 2 ed., Rio de Janeiro: Atheneu, 1975.
9. Ey H. Elementos de Psicologia Médica. *In:* Ey H, Bernarde P, Brisset C. *Manual de Psiquiatria*. 5 ed., Rio de Janeiro: Masson, 1981: 3-54.
10. Weider A et al. *Contribuiciones a La Psicologia Médica*. Buenos Aires: EUDEBA, 1962.
11. Zilboorg G, Henry GW. *Historia de La Psicologia Medica*. Tradução de Vicente P. Quintero. Buenos Aires: Ed. Libreria Hachette, 1945.
12. Alonso-Fernández A. *Psicologia médica y social*. 3 ed. Madri: Ed. Paz Montalvo, 1977.
13. Reuler JB, Nardone DA. Role Modeling in Medical Education. *West J Med* 1994; 160:335-337.
14. Wright S, Wong A, Newill C. Role models and medical students. *J Gene Intern Med* 1997; 12:53-56.
15. Goldstein A, Ramoncita R, Fryer-Eduards K et al. Professionalism in Medical Education: an Institutional Challenge. *Academic Medicine* 2006; 81(10):871-876.
16. Neufeld VR. Médico como humanista: ainda um desafio educacional. *Can Med Assoc J* 1998; 159(7):787-788.
17. Perestrello D. *A medicina da pessoa*. 5 ed. São Paulo: Atheneu, 2006.
18. Uchoa DM. *Psicologia médica*. São Paulo: Sarvier, 1976.
19. Mello Filho J. *Concepção psicossomática: visão atual*. 3ª ed. Rio de Janeiro: Edições Tempo Brasileiro, 1983.
20. Mello Filho J et al. *Psicossomática hoje*. Porto Alegre: Artes Médicas, 1992.
21. Mello Filho J et al. *Grupo e corpo – psicoterapia de grupo com pacientes somáticos*. Porto Alegre: Artmed, 2000.
22. Nogueira-Martins LA. *Residência médica: estresse e crescimento*. São Paulo: Casa do Psicólogo, 2005.
23. Meleiro MAS. *O médico como paciente*. São Paulo: Lemos-Editorial, 1999.
24. Botega NJ (org.). *Prática psiquiátrica no hospital geral: interconsulta e emergência*. 3 ed. Porto Alegre: Artmed, 2011.
25. Araújo RNS, Teotonio ALS, Oliveira MN, Medeiros JGM. Avaliação do ensino de Psicologia Médica na Universidade Federal da Paraíba. *In:* VII Encontro de Iniciação Científica da UFPB, 1999, João Pessoa. Ciências da Vida 1999. v. 2.
26. Botega NJ. O ensino da psicologia médica no Brasil: uma enquete postal. *Rev ABP-APAL* 1994; 16:45-5.
27. I Encontro Nacional dos Professores de Psicologia Médica [Rel. final]. 1995 set/out 28 a 1º. João Pessoa.
28. IV Encontro Nacional dos Professores de Psicologia Médica [Rel. final]. 2004 jun 4 a 5. Goiânia.

2 Formação Humanística em Medicina

José Givaldo Melquiades de Medeiros

Situação real
▼

Em 2001, um médico perdeu seu filho recém-nascido que nascera prematuro e recebera o nome do avô paterno, também médico. O pai, então, relata em livro o que chamou de "tragédia pessoal". O prematuro, de 32 semanas, sem apresentar nenhuma complicação e ganhando peso, foi levado a um dos melhores serviços de terapia intensiva para neonatos. A equipe, bastante intervencionista, iniciou nutrição parenteral. Indagados pelo pai, médico, sobre o porquê do procedimento, informaram que se tratava de rotina e que, dessa maneira, a criança ganharia peso mais rápido e deixaria o hospital mais precocemente. Quando chegou para visitar a criança, o pai percebeu uma "algazarra" na incubadeira para, logo depois, ser informado de que o filho morrera. A *causa mortis*, segundo a equipe, fora infecção generalizada. A família pediu necropsia, que apontou o resultado morte por infarto agudo do miocárdio com ruptura de músculo papilar como iatropatogenia da conduta terapêutica. Conclusão do pai: se o filho tivesse nascido no interior, recebido leite e calor humano, cresceria saudável; infelizmente, caíra nas mãos de uma equipe intervencionista, de um hospital superequipado, o que lhe custou a vida. (Relato do livro *Sem anestesia*)[1]

▶ Introdução

Atualmente, há muitos exemplos de profissionais de saúde que, na busca da assistência mais tecnológica possível, acabam por gerar desconfianças e indagações na população geral e, *até mesmo*, entre aqueles que exercem essas profissões. Muitas vezes, como entende o autor do livro que deu origem à situação real apresentada, o doente pode ser vítima do próprio tratamento, ou do olhar rotineiro e restrito ao corpo, em detrimento de uma visão sobre o doente e suas contingências psicossociais.[1]

Certamente por isso, entre o tratamento mais sofisticado tecnologicamente e a cuidadosa técnica do médico no exame do corpo, no diagnóstico da doença e na aplicação dos tratamentos,[1] revela-se animadora a discussão sobre suas posturas éticas e humanísticas diante da vida, da sua profissão e, principalmente, dos seus pacientes e familiares.

Da mesma maneira, entende-se que, na formulação de qualquer projeto pedagógico para um curso de medicina, os aspectos humanísticos se impõem a todas as fases do processo de construção, implantação e avaliação. Seja por imposições ideológicas, éticas ou legais, não se pode subestimar essa discussão, por mais que se entenda a medicina como uma ciência inapelavelmente humana e essencialmente humanística em seus princípios.

Humanismo filosófico

Humanismo, historicamente, remete-nos ao movimento cultural que, voltando-se para os grandes das culturas clássicas grega e romana, visa imitar as formas literárias e artísticas daquela época e, ao mesmo tempo, tende a descobrir e se apropriar dos conteúdos e valores humanos transmitidos por aqueles modelos.[2]

Em sua remota origem, o humanismo se atrelava às ideias de educação e cultura, enquanto elementos formadores do homem ideal, com duas vertentes diferenciais: (a) educação técnica considerada essencial por proporcionar ao homem meios de defesa e desenvolvimento perante a natureza; (b) educação humanística ligada aos valores morais, à justiça, ao pudor e à vida política e, por isso mesmo, considerada indispensável para a convivência humana.[2]

Todo humanismo, cristão ou não, de uma forma ou de outra, tem suas raízes no pensamento da Grécia Antiga. Da Idade Antiga à Idade Média, as figuras que se destacam no pensamento filosófico referenciam seus escritos na influência de Platão e, mais declaradamente, de Sócrates.[2]

O estoicismo dos romanos trouxe a elaboração da lei natural como fonte e justificação da lei humana. É desse preceito áureo que Cícero promulga, na República, que existe "[...] uma lei verdadeira, a reta razão espalhada por todos os seres, sempre de acordo consigo mesma, que nos determina imperiosamente a cumprir os nossos deveres funcionais, impedindo-nos à fraude e ao afastamento dela". Para além, o mesmo filósofo observa que essa lei regerá todas as nações e em todos os tempos e quem não a obedecer, ignorar-se-á a si próprio e, por haver desconhecido a natureza humana, sofrerá o maior dos castigos.[2]

O humanismo literário das idades moderna e contemporânea apresenta, em seus preceitos, um aspecto formal ou filológico, caracterizado pela busca e imitação dessas obras da antiguidade; e um outro, o do conteúdo, que é o que diz respeito ao aspecto filosófico propriamente dito e que se refere à concepção da vida e do mundo, em que o homem é centro e polo de convergência e explicação de todos os outros seres.[2]

Em meio às tantas ideias que reinam nesse universo, infere-nos pensar que esse princípio do Homem como centro e explicação dos seres jamais poderá faltar como alimento e substrato primeiro da mente de qualquer profissional de uma ciência humana ou ciência da vida, destarte para um médico, como componente do seu núcleo de pensamento científico.

Concepções de Hipócrates

Entre tantas concepções de homem legadas pelos antigos, sobrepõe-se, com relação à medicina, os ensinamentos do mais emblemático dos médicos: Hipócrates, considerado o pai e um dos ardentes defensores de concepções humanísticas da medicina.

Contemporâneo de filósofos como Platão, Sócrates e Protágoras, Hipócrates teve seus trabalhos compilados com o título de "corpus hipocráticus".[3] Produziu cerca de 70 livros e 60 tratados, que incluíam aspectos da anatomia, fisiologia, patologia, terapêutica, doenças mentais, obstetrícia e ginecologia.[4]

Definiu os pré-requisitos para o exercício da medicina e, de modo pioneiro, os aspectos morais e éticos sobre o relacionamento médico-paciente e o comportamento moral e social do médico. Combateu governantes que pagavam baixos salários aos médicos, pois assim, dizia, atuavam na deterioração da medicina, da saúde e da própria população, não merecendo, portanto, um mandato popular. Defendeu a seriedade e a honestidade profissional. Entretanto, sua contribuição indissolúvel foi a introdução de um método para o exercício da medicina.[4]

Esse método se caracterizava pela observação criteriosa de tudo que pudesse estar envolvido no desenvolvimento de uma doença, pelo estudo do paciente como um todo e pela conduta honesta, altruísta e idealista do médico.[4] Ou seja, Hipócrates foi o primeiro médico a olhar o paciente de forma integral, incluindo em suas avaliações os aspectos biológicos, psíquicos e socioculturais, temas que constituem o núcleo da preocupação dos que ensinam a medicina na atualidade.

Desenvolvimento tecnológico × humanismo

No contexto de desenvolvimento das ciências modernas, decorrente da revolução cultural da renascença, da revolução industrial do século 18 tendo continuação na era da automação, desenvolvem-se as ciências médicas e as ciências da saúde em geral. Na metade do século 20, a área da saúde se apresenta como campo de transformações com impacto mundial de grandes proporções: mudanças científico-tecnológicas em meio a contradições ideológicas, filosóficas e éticas daí decorrentes.[5]

O desenvolvimento científico aplicado, sustentado pelas tecnologias de informática e automação, aumentou a eficácia dos procedimentos diagnósticos e terapêuticos, de medicamentos, instrumentos de alta precisão, técnicas cirúrgicas avançadas propiciadas por equipamentos ultramodernos. Do mesmo modo, o desenvolvimento tecnológico implica mudanças gerais em função da rápida difusão das novas tecnologias da informação nos países industrializados. Assim, despertou o interesse entre cientistas sociais no sentido de desvendar as características desse fenômeno e as consequências mais visíveis das transformações que se operaram no processo produtivo e no trabalho. Tem-se assistido, dessa maneira, a um intenso debate centrado nos impactos que as novas tecnologias vêm causando sobre o trabalho em relação às suas condições, às questões de emprego, salário e, marcadamente, à qualificação exigida dos trabalhadores.[5]

Na sua histórica passionalidade, facilmente o homem cairia na armadilha de preparar profissionais para o uso da tecnologia e negligenciar outros saberes milenares. Portanto, não constitui surpresa que, no ensino médico e nas residências médicas, prevalecesse a formação de técnicos e, de preferência, especialistas.

Não somente especialistas, mas profissionais especializados em partes do corpo humano cada vez menores e em aparelhos mais precisos, aproximando-se bem mais da bomba cardíaca e seus mecanismos dinâmicos e deixando de lado o coração humano com todos os seus simbolismos; pondo-se mais perto da condução de neurotransmissores e menos atento ao sentimento daquele que sofre; tudo isso sem maldades implícitas, é bem verdade, pois a ciência busca melhorias para a humanidade. É que, muitas vezes, quem a pratica o faz aproximando-se tanto da máquina que esquece do homem a quem está a servir.

É uma espécie de efeito colateral tecnológico: fundamentos e conceitos anteriores de uma medicina baseada na relação cuidadosa do médico com seu paciente, no exame clínico cuidadoso e na consideração da unidade indissolúvel do corpo e da mente, pregados por Hipócrates, foram sendo depreciados a ponto de, enquanto estudantes, termos vergonha, em um serviço de urgência, por exemplo, em meio a médicos e auxiliares, de sermos mais atenciosos com um paciente, pois um conceito ali prevalece: temos que ser rápidos, mesmo se dispusermos de tempo.

Em *Tempos Modernos*, Chaplin faz uma crítica à busca desenfreada do lucro e à sociedade capitalista emergente do século 17, destacadamente depois da revolução industrial que se iniciou na Inglaterra, e imortaliza seu pensamento em uma cena em que o personagem trabalha de forma tão contínua e repetitiva que chega a se sentir uma parte integrante da máquina.[6]

Assim, mesmo não estando no horário do seu trabalho, continua ligado, a reproduzir, indefinidamente, os movimentos físicos, ordenados por sua mente fundida ao maquinário da sua ocupação.

Assistisse Chaplin ao que nos acostumamos a chamar de atendimento médico em nosso tempo e, certamente, não hesitaria em reinventar suas cenas em um novo filme: médicos modernos.

▶ Permanência do humano na medicina

Alvin Tofler teve uma visão futurística quando escreveu, em 1970, sobre "o choque do futuro" que estaria por vir, decorrente do desenvolvimento tecnológico e das mudanças rápidas da humanidade. Haveria, segundo aquele autor, um choque de cultura tão grande que – representado pela imersão dos indivíduos em uma cultura –, devido à rapidez das mudanças, essa nova cultura parecer-lhes-ia estranha. Haveria, em decorrência desse estranhamento, uma neurose coletiva, uma violência desenfreada, com indivíduos incapazes de lidar com o meio ambiente a sua volta.[7]

De fato, tivemos um desenvolvimento tecnológico de dimensões inimagináveis, mas estamos a conviver com a irracionalidade do efeito estufa, catástrofes, recrudescimento de antigas doenças e o aparecimento de novas, como ocorre no campo dos transtornos mentais e psicossomáticos.

Várias dessas doenças têm por trás a mudança de paradigmas sociais, representada por populações assoladas pelo medo de caminhar nas ruas, de ir ao trabalho, de levar os filhos à escola, o que acaba por corromper os mecanismos de defesa do indivíduo e por aniquilar sua capacidade de enfrentamento.

Em contrapartida, procura-se compreender esses novos fenômenos por entre os escombros do desenvolvimento. A ciência médica abre campos de pesquisa para dissecar os novos fenômenos, enquanto sua vertente mais humanística amplia o espaço de observação para compreender as dimensões socioculturais do ser humano no embate com o adoecer e a doença.

A atuação dos humanistas da saúde, no entanto, não afugentou, em muitos momentos, a marca do tecnicismo, do individualismo, do egoísmo dos homens; mas nunca deixou de, por assim dizer, fazer-se presente no cenário da medicina, mesmo quando ela se anunciou marcadamente orgânica e bem pouco psicológica e social.

Foi assim que, no contexto mundial, produziu-se a consciência de que a assistência à saúde das populações do mundo era inadequada. A Organização Mundial da Saúde propôs, em 1977, o lema "saúde para todos" e o ratificou na Conferência de Alma Ata, em 1978, no Cazaquistão.[5]

Países desenvolvidos começaram, então, a trabalhar ideias com relação à saúde como Direito Universal, entre eles, EUA, Canadá, França e Inglaterra. O Brasil inscreveu, na Constituição de 1988,[8] a saúde como direito social, ao lado de educação, trabalho, lazer e segurança, e incorpora várias outras deliberações da 8ª Conferência Nacional de Saúde, a primeira a ter participação popular nas discussões.[9]

Seguem-se a instituição do Sistema Único de Saúde[10] e seus preceitos de universalização, descentralização, integralidade, equidade e participação social e, mais tarde, o Programa de Saúde da Família[11] e a tentativa de uma assistência mais próxima às necessidades dos brasileiros.

▶ Conclusão

Programas não bastam. Precisamos de profissionais que possam, de fato, prestar essa assistência de qualidade, sem opor humanismo e tecnologia, pois a tecnologia, se tomarmos como exemplo o caso da educação, põe-se precisamente a serviço do processo de humanização.[12]

Assim, cabe, dentro da dimensão da educação médica, utilizar os recursos tecnológicos ao seu alcance para levar aos alunos os conhecimentos científicos e os recursos técnicos a serviço do desenvolvimento da medicina, do homem e da coletividade, para que esses ensinamentos mereçam, de fato, o qualitativo de educação.

Não há ciência cuja essência não seja a descoberta do próprio homem ou das coisas que o envolvem para servir ao próprio homem. O problema não está na descoberta ou na execução das técnicas, mas a serviço de quem elas estão e como são executadas por aquele que as manipula.

Nenhum médico pode se utilizar dos conhecimentos científicos adquiridos senão em prol do bem, do desenvolvimento da humanidade, da preservação do planeta. Ciência e humanismo são condições tão intrínsecas ao trabalho e à vida de um médico que, ao fazer o juramento hipocrático, a ele não é dada nenhuma outra escolha, exceto a de se capacitar sempre, tecnológica e cientificamente, em um processo de formação continuada, e nunca largar a defesa da vida e da cidadania.

Fazendo assim, estará praticando o princípio fundamental do seu próprio código de ética, que em seu capítulo primeiro define a medicina como "uma profissão a serviço da saúde do ser humano e da coletividade e que deve ser exercitada sem discriminação de qualquer natureza".[13]

Que assim seja.

Quadro interativo

- Sugestão de filme
  Tempos Modernos (Charles Chaplin).
- Sugestões de livros
1. Carlos Drummond de Andrade. *Amar se aprende amando* (poesias). Rio de Janeiro: Record, 2001.
2. Érico Veríssimo. *Olhai os lírios do campo* (romance). São Paulo: Companhia das Letras, 2005.
3. A. J. Cronin. *A cidadela* (romance). Rio de Janeiro: José Olympio, 1971.
4. Taylor Caldwell. *Médico de homens e de almas.* (romance). Rio de Janeiro: Record, 2001.

Referências bibliográficas

1. Botsaris A. Sem anestesia: o desabafo de um médico – os bastidores de uma medicina cada vez mais distante e cruel. Rio de Janeiro: Objetiva, 2001.
2. Nogare PD. *Humanismos e anti-humanismos: introdução à antropologia filosófica*. 13 ed. Petrópolis: Vozes, 1994.
3. Ribeiro Jr. WA, Cairus HF. *Textos hipocráticos: o doente, o médico e a doença*. Rio de Janeiro: Fiocruz, 2005.
4. Lima DRA. *História da medicina*. Rio de Janeiro: Medsi, 2003.
5. Amoretti R. A educação médica diante das necessidades sociais em saúde. *Rev Bras Educ Med* 2005; 29(2):136-46.
6. Morbidelli JD. Tempos Modernos – Charles Chaplin. Recanto das letras. Citado em: 2010 jun 28. Disponível em: http://recantodasletras.uol.com.br/resenhasdefilmes/86597.
7. Toffler A. *O choque do futuro*. Tradução de Eduardo Francisco Alves. 4ª ed. Rio de Janeiro: Record, 1970.
8. Brasil. Constituição (1988). Constituição da República Federativa do Brasil. Brasília, DF: Senado Federal, 1988.
9. Ministério da Saúde (Brasil). 8ª Conferência Nacional de Saúde. Brasília; 1996. Brasília; 17-21 abr 2006 (acesso em 23 jan 2010). Disponível em: portal.saude.gov.br/portal/saude/cidadao/area.cfm?id...
10. Brasil. Gabinete do Presidente da República. Lei nº 8.080 de 19 de setembro de 1990 (acesso em 23 jan 2010). Disponível em: www.planalto.gov.br/ccivil_03/leis/ℓ8080.htm
11. _____. Gabinete do Presidente da República. Decreto 1232, de 30 de agosto 1994 (acesso em 22 jan 2010). Disponível em: www.brasilsus.com.br/legislacoes/11845-1232.html
12. Perrenoud P. *A prática reflexiva no ofício de professor: profissionalização e razão pedagógica*. Tradução Cláudia Schilling. Porto Alegre: Artmed: 2002.
13. Brasil. Conselho Federal de Medicina. Código de Ética Médica Brasileiro. 2010. Disponível em: http://www.portalmedico.org.br/novocodigo/integra.asp

3 Fontes Teóricas da Psicologia Médica

Alexandre Barbosa Nogueira, Carlos Francisco Almeida de Oliveira e Samuel Robson Moreira Rego

Uma revisão dos principais autores e das principais obras publicadas que alicerçam a psicologia médica leva a crer, em um primeiro momento, que exista certa uniformidade entre as principais fontes teóricas em relação ao que seria o campo desta disciplina; contudo, à medida que se percorre essas obras e autores, observa-se uma heterogeneidade entre os conceitos, em vez de consensualidade.

Para Nobre de Melo,[1] a expressão psicologia médica, apesar de seu uso ser bastante difundido, contém "algo de incerto ou problemático", realçando a "ambiguidade semântica e conceitual de que se reveste, mercê da pluralidade de acepções que lhe vêm sendo atribuídas". Adverte que "tantos e tão frequentes foram os equívocos e confusões que daí se originaram que chega a se afigurar desvantajosa a sua conservação". Reconhece em Ernst Kretschmer "o patriarca da psicologia médica", com quem concorda ao insistir para que não a confundisse com psicopatologia e menos ainda com psiquiatria propriamente dita, para a qual deveria constituir não uma introdução, mas uma espécie de *complemento*, e que seu aprendizado não poderia *jamais preceder, e sim, suceder* ao daquelas disciplinas.

Já segundo Eksterman,[2] a psicologia médica teria origem na medicina psicossomática de Johan Christian August Heinroth (1773-1843), na medida em que esta possibilitou uma terapêutica mais humanística.

Heinroth, em 1818, foi o autor da primeira classificação psiquiátrica de importância no século, fora do âmbito francês. Esse médico austríaco estruturou a sua categorização nosológica com ênfase no aspecto psicológico, tal como Pinel e Esquirol, mas com uma nosografia mais específica, baseada nos *estados mórbidos* de humor típicos de cada gênero, quer sejam as *hiperestenias* (exaltações), *astenias* (depressões) e as *hiperastenias* (estados mistos). Heinroth, de origem germânica, foi o primeiro *alienista* a propor que a *Psiquiatria* fosse reconhecida como disciplina médica distinta, já ocupando desde 1811 esta cadeira na Universidade de Leipzig.[3-5]

Júlio de Mello Filho faz uma associação histórica entre as terminologias "psicossomática" e "psicologia médica":[2]

> "O termo psicossomática surgiu a partir do século passado, depois de séculos de estruturação, quando Heinroth criou as expressões psicossomática (1818) e somatopsíquica (1828) distinguindo os dois tipos de influências e as duas diferentes direções. Contudo, o movimento só se consolidou em meados do século 20 com Alexander e a escola de Chicago. Porém as incertezas sobre a relação mente-corpo se expressam na própria denominação psicossomática ainda utilizada entre os estudiosos destes fenômenos e por médicos em geral."

O aspecto da inter-relação entre a "medicina psicossomática" e "psicologia médica" é, portanto, destacado por Mello Filho, quando da conceituação dos seus universos de atuação:

"Outro elemento a ser considerado é que o ensino de psicologia médica engloba o ensino do que se convencionou chamar de medicina psicossomática. Com essa perspectiva, a psicologia médica ganha um *status* que se estende a toda a medicina, consoante com a atual dimensão de que 'toda a doença é psicossomática'. Lembramos que a 'psicologia médica é a psicologia da relação médico-paciente', conforme nos diz Pierre Schneider (1974). Entretanto, podemos ampliar tal conceituação e concordar com Alonso-Fernández (1974), quando afirma que a 'psicologia médica é a psicologia da prática médica.'"

No sequenciamento histórico, Ernst Kretschmer (1888-1964), considerado consensualmente o protoelaborador da psicologia médica como disciplina do ensino médico, corrobora o pensamento original de Heinroth no sentido de caracterizá-la tal qual uma área da medicina que associa teoria e prática. Desde a primeira edição da "psicologia médica" de Kretschmer em 1922 até a décima terceira, ampliada, revisada e traduzida para o português em 1974, mantém-se o conceito original da *psicologia médica* ancorado na psicologia e na Fisiologia:

"De anos para cá, exige-se uma formação psicológica dos estudantes de medicina. De que forma, porém? Não se pode tratar da psicologia filosófica que proporciona pouca utilidade ao médico. A psicologia aplicada, a ela ligada, se concentra especialmente sobre questões pedagógicas e profissionais, com as quais o médico tem pouco contato [...] ele necessita de uma psicologia surgida da prática médica e que se destina aos problemas práticos de sua profissão... uma psicologia médica deve ser viva, oferecendo, para cada ponto de vista, exemplos práticos [...] a psicologia médica prática deve nascer de uma base sistemática mostrando o mecanismo básico biológico que se repete sempre para a qual pode ser reduzida a amplitude desconcertante da rica vida real [...]."[6]

Kretschmer, quando se refere à *medicina psicossomática*, evidencia o uso abusivo dessa terminologia ao atestar que a *psicoterapia* não é simplesmente *psicologia*, mas também *psicofisiologia*, ou seja, algo que requer uma grande compreensão das "funções fisiológicas" e dos "regulamentos do organismo", assim como sua correlação com as "forças e fatores psíquicos":

"A psicologia médica serve de ligação entre os polos dos quais ela mesma se alimenta. O somático deve compreender que em princípio todo o organismo é penetrado de espírito até a última célula. Os psicoterapeutas devem aprender que os elementos de juízos puramente psicológicos não bastam. Quanto mais penetramos nas profundidades, e isto se aplica especialmente à psicoterapia, tanto mais encontramos elementos psicofísicos, quer dizer, a unidade e totalidade indissolúvel que chamamos de VIDA e o seu ponto mais íntimo, o coração humano, no qual a natureza e o espírito se unem."[6]

No *Tratado de psiquiatria clínica* de Wilhelm Mayer-Gross (1889-1961), revisado e ampliado por Eliot Slater e Martin Roth,[7] é proposto que o entendimento psicológico das doenças somáticas passa necessariamente pela unicidade entre a medicina e a psiquiatria:

"A psiquiatria não só está sendo dividida em um certo número de escolas, mas também, o que é mais lamentável, *separando-se da sua ciência-mãe, a medicina* [...] ultimamente aceita-se cada vez mais o papel evidente dos fatores psicológicos, especialmente as manifestações somáticas das emoções, nas doenças em todo o campo da medicina. O médico emprega métodos físicos de investigação, tais como exame de urina, de sangue e dos reflexos do paciente. Isto não quer dizer que ele deva ignorar os fenômenos de nível mais alto e complexo, nem que deva ficar indiferente a antecedentes da personalidade do paciente [...] o fato de que o aspecto psiquiátrico das doenças físicas nunca possa ser ignorado, não é razão para o encaminhamento de todos os doentes ao psiquiatra, mas sim para que se forneça base psiquiátrica a todos os médicos para o tratamento de seus pacientes."[7]

Em relação à definição do conceito de psicologia médica, Alonso-Fernández,[8] em seu livro *Psicología médica y social*, faz uma distinção entre os termos psicologia médica e medicina psicológica. Em relação ao primeiro, ele afirma tratar-se da psicologia da prática médica e que deve ser "mais formativa que informativa, já que seu aprendizado não é exclusivamente a aquisição de conhecimento, mas sim a preparação humanística para o exercício da medicina." Seu propósito se dirige concretamente a capacitar o médico para compreender seus enfermos. Assim como Nobre de Melo, acredita que a psicologia médica é uma disciplina independente da Psiquiatria e visa, antes de tudo, à formação de *médicos clínicos autênticos*. Ressalta ainda que não se deve confundir a psicologia médica com psicologia clínica, a qual tem atribuições específicas e deve ser desempenhada por um psicólogo clínico.

Por outro lado, no que se refere à *medicina psicológica*, abordada na segunda parte do livro, apesar de furtar-se a uma conceituação formal, desenvolve os seguintes temas: *a posição do homem no cosmos, conceito de personalidade, evolução da personalidade sã e enferma, tipos humanos psíquicos e morfológicos, a organização da conduta humana, modos de reações às vivências, obstáculos frustrantes e condutas de frustração, a dor como experiência psicológica, aspectos específicos da psicologia do enfermo clínico e cirúrgico (a psicologia do enfermo), gestação do movimento psicossomático, correntes psicossomáticas atuais, enfermidades especificamente humanas, o paciente-problema em diálogo com a medicina psicológica, enfoque atual da psiquiatria e classes de doentes mentais, história clínica vivencial e entrevista psicológica, a compreensão do enfermo e sua interpretação pelos métodos psicanalítico, existencial e dialético, testes de inteligência e personalidade, a psicoterapia na prática médica geral, formas especiais de psicoterapia, a palavra e o gesto do médico como fatores iatrogênicos.* Como se vê, são temas pertinentes à disciplina que o uso já consagrou com a denominação de psicologia médica, embora focalize alguns aspectos específicos da psiquiatria e outros também específicos da psicologia.

No Brasil, em seu livro *Introdução à medicina psicológica*, Iracy Doyle[9] enfatiza a necessidade que tem o estudante de medicina em *harmonizar* o conteúdo teórico dos compêndios de Psiquiatria com a prática médica. Para tanto desenvolve os seguintes temas: *história da psiquiatria, desenvolvimento psicológico da personalidade, estudo da normalidade psicológica, etiopatogenia geral, psicogênese, semiologia psiquiátrica, funções psíquicas (normais) e psicopatologia, exame psiquiátrico, diagnóstico e prognóstico em psiquiatria, terapêutica psiquiátrica* (orgânica, de choque e técnicas psicológicas de tratamento, entre as quais a psicanálise e a psicoterapia dinâmica).

Anfrísio Castelo Branco,[10] em seu *Manual de piscologia médica*, denota a nova vertente que psicologia médica passa a seguir, quando afirma que ela é um ramo da psicologia aplicada ao exercício da medicina, não constituindo uma ciência independente. Destaca que o objeto maior da psicologia médica é a relação médico-paciente. Esta se configura em uma relação a dois e que envolve aspectos não só da personalidade do enfermo, como também da personalidade do médico. Acrescenta: "a psicologia médica visa, sobretudo, a preparar psicologicamente o médico para que possa compreender seu enfermo". Assinala, como um de seus objetivos, o de "formar a personalidade do futuro médico, preparando-o para uma atitude psicológica no exercício da profissão". Essa visão permanece vigente, como majoritária, até os dias de hoje, estabelecendo-se preponderantemente o termo "psicologia" como substantivo e o termo "médico" como adjetivo. Jeammet et al.[11] consideram que a relação médico-paciente "é fundamentalmente uma relação de desigualdade": de um lado está o paciente, isto é, a pessoa que padece, e do outro está a pessoa que pode propiciar a cura ou algum alívio à pessoa que está sofrendo. Igualmente, Perestrello[12] reconhece que "a relação médico-paciente é uma situação assimétrica". Como ponto de partida para iniciar uma anamnese, ou iniciar o diálogo no encontro entre duas pessoas, que ocorre na relação médico-paciente, ele propõe que seja substituída a pergunta "Que motivo o trouxe à consulta? ou outra equivalente, por "O que lhe está acontecendo?". Afirma que a doença não é algo que vem de fora e se superpõe ao homem, mas "um modo peculiar de a pessoa se expressar em circunstâncias adversas", constituindo "um modo de existir, ou melhor, de coexistir, já que, propriamente, *o homem não existe, coexiste*". Para ele, "o estudo da pessoa se faz necessário, da pessoa com o seu mundo".

Apesar de outras expressões já terem sido usadas por alguns autores para designar o *encontro médico-paciente durante a consulta* que um paciente faz a um médico a respeito de suas condições de saúde/doença, a expressão mais adequada parece ser *relação médico-paciente*. Trocar a palavra *paciente* por outra como *cliente* ou *usuário*, e/ou *relação* por *interação*, não expressa efetivamente a natureza específica desse encontro. Só se a figura do médico for retirada da expressão, sendo substituída por outros profissionais, empresas ou vendedores de coisas ou serviços. Aí não estariam presentes nem o médico nem o paciente e, então, o encontro seria movido por outros interesses diferentes dos que movem a relação médico-paciente. *Interação* habitualmente pressupõe uma relação entre iguais, o que não corresponde ao que ocorre na relação médico-paciente. A palavra *cliente* está impregnada do significado de freguês, denotando mais uma ideia de relação mercantil, enquanto *usuário* tem significado ambíguo de pessoa "que desfruta alguma coisa pelo direito de uso", ou de pessoa "que serve para o nosso uso", em conformidade com um dos conceitos do dicionário Michaellis: *dizia-se do escravo de que só se tinha o uso, mas não a propriedade*. Esses significados não condizem com o que se passa na relação médico-paciente ou na consulta médica. Para Norell,[14] "o momento em que, na intimidade de uma sala de consultório, uma pessoa que está doente, ou acredita que está, busca o conselho de um médico em quem confia, isto é, uma consulta." Nas palavras de Alonso-Fernández, "a relação médico-paciente foi concebida por Freud como uma interação entre a transferência e a contratransferência. Na transferência, o paciente transfere à imagem da personalidade do médico uma experiência afetiva vivida anteriormente e quase sempre relacionada com seus progenitores. A reação afetiva do psicoterapeuta à transferência constitui-se, segundo Freud, na contratransferência." No entanto, Alonso-Fernández, discordando de Freud, acredita que ocorra o contrário, isto é, que "... o dado primário parte muitas vezes da personalidade do psicoterapeuta: os desejos e as esperanças do psicoterapeuta se transferem ao paciente. A relação dinâmica médico-paciente pode seguir esta via ou a assinalada por Freud, mas sempre é uma recíproca transferência". Acredita-se que quando se aborda o tema *relação médico-paciente* um problema sobre o qual não se deve deixar de comentar é o da *transferência* e *contratransferência*. A transferência deve ser entendida como o fenômeno psíquico que ocorre no paciente, mediante o qual o paciente identifica, na figura do médico, alguém que em seu passado foi de grande significado afetivo, tanto positiva como negativamente. *Mutatis mutandi*, fenômeno idêntico se passa com o médico em relação ao paciente.[8,13-15]

Em outro ponto importante na abordagem médica ao paciente, Alexander e Selesnick[16] discorrem sobre a "fatídica confusão" de que "corpo e mente são partes separadas" no homem, afirmando que esta teoria já existia muito tempo antes que Descartes a codificasse. Enquanto Platão considerava que "a mente governa o corpo, que não é senão o executor de desejos e ideias", Hipócrates reconhecia "os processos psicológicos como nada mais que epifenômenos, insignificantes reflexos dos processos corporais que também estavam sujeitos às leis universais do universo físico". Após citarem Hipócrates contrapondo-se às ideias dualistas de Platão e de Descartes, afirmam os referidos autores que "o método psicossomático na medicina é a primeira tentativa de estender a personalidade passada ao próprio problema mente-corpo".

Michael Balint[17] afirma logo na primeira página de sua obra *O Médico, seu paciente e a doença* que a "droga" mais frequentemente utilizada na medicina é o próprio médico, e que "a experiência e o senso comum ajudarão o médico a adquirir a habilidade necessária para receitar-se a si mesmo." Hoje, admitem-se as terminologias pedagogicamente diferenciadas entre "droga" e "medicamento", tendo em vista a difusão que cada termo ganhou seja na literatura médica ou no senso comum. A esta obra, Portella Nunes se refere como "um clássico de psicologia médica" e elogia a profundidade e a clareza com que examina a relação médico-paciente. Acredita que a "insatisfação crescente da população no que tange aos serviços prestados pelos médicos" não retrata seu julgamento a respeito da qualificação técnica desses profissionais, mas o que está sendo julgado desde o primeiro instante é a "personalidade do médico". Explica que "a doença constitui, para o homem, uma ameaça de dor, de invalidez e de morte" e que tal insegurança "reedita a situação primitiva de relação da criança com a mãe. Todo paciente tem muito de criança medrosa que procura a mãe-médico em busca de apoio".

A importância da "subjetividade" concernente ao estudo da relação médico-paciente e, consequentemente, ao ensino da psicologia médica pode ser evidenciada pelo aforismo do romancista e filósofo português António Alçada Baptista: *Se eu fosse objeto, eu seria objetivo. Como sou sujeito, sou subjetivo.*[18]

Acerca da subjetividade científica, Franz Alexander[19] realça a importância da associação entre a teoria e a prática na medicina Psicológica. Enfatiza a importância de valorizar e entender o efeito psicológico do médico sobre o paciente, dentro de uma base científica, e fazer dele uma parte integral da terapêutica. Lembra que muitas das curas praticadas por médicos, terapeutas leigos e religiosos deve-se, indiscutivelmente, à relação emocional indefinida presente nesses casos.

Lago e Codo[20] detalham essa questão da subjetividade nas relações entre profissionais de saúde e pacientes citando a *empatia* e a *compaixão*.

Quanto à empatia, afirmam que o seu componente emocional refere-se à habilidade de perceber os estados emocionais internos e subjetivos de outra pessoa.

No tocante à compaixão, os autores explicam que existe uma diferença básica com o conceito de empatia. Este último trazendo mais dificuldade em sua definição devido às discordâncias e discrepâncias existentes na literatura, sendo o conceito da compaixão menos controverso, porém carecendo de uma maior quantidade de trabalhos que o enfoque. A principal definição escolhida por esses autores no campo da relação cuidador/paciente é a que compara a compaixão a uma "preocupação empática, delineando-se uma sutil diferença entre os dois conceitos, que é a de considerar que a empatia refere-se a um processo de compartilhamento afetivo, de contágio emocional, enquanto a compaixão refere-se a uma preocupação empática, a um anseio por socorrer aquele que está em sofrimento"[20]

A psicologia médica, mesmo sendo uma disciplina com conteúdo programático definido, deve ter seus temas incluídos nas disciplinas das especialidades médicas, sejam elas clínicas ou cirúrgicas, perpassando e acompanhando-as ao longo da formação médica.

Não há como ensinar psicologia médica se o professor não tem a necessária vivência da relação médico-paciente; é fundamental a experiência e a sensibilidade do médico, em sua intercomunicação afetivo-acolhedora, aliadas ao peso da responsabilidade de quem está assumindo o tratamento do paciente. Os gestos, a entonação da voz, a seriedade, a firmeza, a serenidade, a capacidade de amenizar situações traumáticas ou dolorosas, mas que necessitam de intervenção eficaz, sem omitir os riscos eventuais, mas valorizando as possibilidades de sucesso terapêutico, são qualidades a serem desenvolvidas e incorporadas à formação e à personalidade do médico. A facilitação de acesso, a disposição para ouvir, a gentileza, a amabilidade, a delicadeza, a generosidade e, sobretudo, o respeito humano e o respeito à verdade são atitudes de acolhimento indispensáveis para o estabelecimento de uma boa relação médico-paciente, capazes de proporcionar terreno fértil para uma efetiva adesão ao tratamento, passo importante para a eficácia terapêutica.

Quem quer que tenha tido, por exemplo, a experiência de andar de ônibus, e de ouvir o que conversam os passageiros, certamente já terá observado o quanto as pessoas valorizam a *palavra do médico*. O que o médico diz é fundamental, é o que constitui a verdade sobre o estado de saúde ou doença da pessoa. Portanto, é de suma importância que o médico aprenda a dizer o que diz, a comunicar o que comunica.

Nesse sentido, permanece atual a pesquisa desenvolvida em hospitais públicos de Brasília pela linguista Izabel Magalhães,[21] professora de Letras da Universidade Nacional de Brasília (UNB), publicada em 2000. Nesse trabalho foram analisadas, sob a teoria da comunicação, a emissão e a recepção do discurso entre médicos e pacientes, ou seja, perguntou-se aquilo que o paciente entende quando o médico fala. De um modo geral, concluiu-se que, por não entenderem a fala médica, os pacientes se calam ou demonstram desconfiança com relação às reais intenções dos médicos; que é preciso desenvolver formas de comunicação que considerem os pacientes como pessoas, incluindo o direito de falar e de ser ouvido(a); que a comunicação com os pacientes deva ser clara, evitando-se o uso de jargão médico; e que o contexto do hospital ofereça plenas condições para a relação satisfatória entre médicos e pacientes, o que significa respeito com o espaço e a imagem do "outro", inclusive com a sua linguagem.

▶ **Referências bibliográficas**

1. Nobre-de-Melo AL. *Psiquiatria*. São Paulo: Atheneu, 1979.
2. Mello-Filho J, Burd M. *psicossomática hoje*. Porto Alegre: Artmed, 2010.
3. Pessotti I. *Os nomes da loucura*. Rio de Janeiro: Ed. 34, 1999.
4. Campbell RJ. *Dicionário de psiquiatria*. São Paulo: Martins Fontes, 1986.
5. Oliveira CFA. Evolução das classificações psiquiátricas no Brasil: um esboço histórico. Dissertação (Mestrado em Ciências Médicas) – Universidade Estadual de Campinas, 2003.
6. Kretschmer E. *psicologia médica*. São Paulo: Atheneu, 1974.
7. Mayer-Gross W, Slater E, Roth M. *Psiquiatria clínica*. São Paulo: Mestre Jou, 1972.
8. Alonso-Fernández F. *Psicologia médica y social*. Madri: Paz Montalvo, 1974.
9. Doyle I. *Introdução à medicina psicológica*. Rio de Janeiro: Livraria-Editora da Casa do Estudante do Brasil, 1952.
10. Castelo-Branco ANL. *Manual de psicologia médica*. Teresina: Comepi, 1983.
11. Jeammet P, Reynaud M, Consoli S. *Manual de psicologia médica*. Rio de Janeiro: Masson, 1982.
12. Perestrello D. *A medicina da pessoa*. Rio de Janeiro: Atheneu, 1974.
13. Michaellis Dicionário. Editora Melhoramentos. São Paulo, 2009.

14. Norell JS. Introdução. In: Balint E, Norell JS. Seis minutos para o paciente. São Paulo: Manole, 1978.
15. Nogueira AB. Avaliação da relação médico-paciente em Teresina: assistência pública e privada. Anais do CRM-PI 1999; 3:101-114.
16. Alexander FG, Selesnick ST. História da psiquiatria. São Paulo: Ibrasa, 1968.
17. Balint M. O médico, seu paciente e a doença. Rio de Janeiro/São Paulo: Atheneu, 1988.
18. Baptista AA. Um olhar à nossa volta. Lisboa: Editorial Presença, 2002.
19. Alexander FG. Aspectos psicológicos de la medicina. Revista de psicoanálisis, 1943; 1(1):63-82.
20. Lago K., Codo W. Fadiga por compaixão. Petrópolis: Vozes, 2010.
21. Magalhães I. Eu e tu: a constituição do sujeito no discurso médico. Brasília: Thesaurus Editora, 2002.

Parte 2
Desenvolvimento Pessoal e Social do Indivíduo

4 Genética e Ambiente na Constituição do Indivíduo

Ivanor Meira Lima

"A índole é, muitas vezes, ocultada; outras, subjugada; quase nunca extinta."

Francis Bacon (1561-1626), *in Ensaios Civis e Morais*

Situação real
▼

- **Caso 1**

    Em um domingo, 2 de julho de 1961, o escritor Ernest Hemingway, prêmio Nobel de literatura por livros como *Adeus às armas*, *Por quem os sinos dobram*, *O velho e o mar*, acordou cedo, saiu da cama silenciosamente, deixando a sua esposa dormindo, e foi até outro quarto, onde guardava as armas. Nesse momento, provavelmente retornou na sua mente um velho fantasma familiar. O escritor encostou, então, o cano de uma espingarda de caça em seu palato e apertou o gatilho. Trinta anos antes, o pai dele, o médico Clarence Edmonds Hemingway, tinha cometido suicídio aos 28 anos de idade, no seu consultório, com a velha pistola Smith & Wesson do avô.
    Mais de 30 anos depois, a neta de Ernest, Margaux Hemingway, atriz de cinema famosa nos anos 1980, após alguns fracassos consecutivos na sua carreira profissional e na sua vida afetiva, suicidou-se no dia 2 de julho (mesma data que o seu avô) de 1996, por *overdose* do barbitúrico fenobarbital. Além do pai e da neta, os irmãos de Hemingway Ursula e Leicester também deram fim à própria vida.[1] O comportamento suicida nesta família obedeceria a um modelo familiar aprendido ou seria resultado de determinantes comportamentais herdáveis?

- **Caso 2**

    Você nasceu com os mesmos olhos castanhos de sua mãe, na idade adulta lhe apareceram sinais de uma calvície semelhante à do seu pai, mas, a sua timidez e a habilidade para desenhar você aprendeu convivendo com seu pai, que é introspectivo e também um exímio desenhista, ou já estava predeterminado nos seus genes e se manifestaria independente do convívio com ele?
    Enquanto parece muito claro que algumas características físicas são herdadas, as coisas tornam-se mais obscuras quando se observam comportamentos, habilidades, a personalidade e o jeito de ser e agir do indivíduo. O antigo debate genética *versus* ambiente não parece ter um vencedor e, embora não saibamos quem influencia mais na determinação dos nossos padrões comportamentais, sabemos sem dúvida que tanto a genética quanto o ambiente exercem importante papel em nossa conduta.

A tentativa de compreendermos melhor as reações e atitudes dos seres humanos frente às mais diversas experiências de vida, como, por exemplo, o adoecer, implica voltarmos nossa atenção para os fatores que determinam ou influenciam nosso jeito de ser.

O conjunto de características que nos individualiza e que chamamos de "personalidade" é formado pela influência de fatores hereditários e fatores ambientais; contudo, o peso que cada um desses fatores tem nessa constituição ainda é motivo de uma intensa polêmica entre os estudiosos da personalidade humana.

Esse debate, reconhecido universalmente como "*Nature* × *Nurture*", tem sido sustentado pela coexistência de diversas escolas de pensamento psicológico com perspectivas teóricas, abordagens e metodologias bem distintas para estudo e compreensão do comportamento humano tanto normal quanto patológico.

Mesmo antes de a psicologia alcançar o *status* de ciência, os filósofos já cogitavam sobre uma influência maior ou menor do ambiente sobre o pensamento do indivíduo. Assim, por exemplo, na Grécia antiga, Aristóteles (384-322 a.C.) desenvolveu a "teoria das sensações" na qual afirmava que todos os fatos da alma provinham das sensações, acreditando ele que nada estará no entendimento sem que haja estado antes no sensório.[2]

Mais tarde, o pensamento de Aristóteles foi resgatado com surgimento da corrente filosófica "empirismo", cujo principal representante, o filósofo inglês John Locke (1623-1704), defendia que a mente ao nascimento seria como uma "tábula rasa", uma folha em branco na qual todo o conhecimento humano seria escrito ou adquirido por meio das experiências sensoriais provenientes do ambiente.[2]

A ideia do ser humano como um "produto do meio" foi defendida por diferentes pesquisadores em diferentes épocas e chegou ao seu ápice na primeira metade do século 20 com o surgimento da escola de pensamento psicológico denominada Behaviorismo, que defendia que o aprendizado resultante dos estímulos condicionantes provindos do ambiente seria o principal determinante das reações humanas.

O fundador da escola behaviorista, John B. Watson (1878-1958), acreditava tão fortemente na influência dominante do aprendizado na determinação do comportamento que chegou a afirmar: "Deem-me uma dúzia de crianças saudáveis, bem formadas, e um ambiente para criá-las que eu próprio especificarei e eu garanto que, tomando qualquer delas ao acaso, prepará-la-ei para tornar-se qualquer tipo de especialista que eu selecione – um médico, um advogado, um artista, um comerciante e, sim até um pedinte ou um ladrão, independentemente de seus talentos, pendores, tendências, aptidões, vocações e raça de seus ancestrais".[2]

John Watson submeteu seus próprios filhos a um duro regime de criação, agendando refeições e evitando afetos físicos. Seu primogênito do casamento com sua assistente de pesquisa Rosalie Rayner, na idade adulta, rebelou-se contra o behaviorismo e tornou-se um psicanalista; aos 40 anos cometeu suicídio.[2]

Algumas teorias menos radicais acerca do desenvolvimento humano contemplam, contudo, a possibilidade de uma base genética sobre a qual as experiências ambientais atuariam. É o caso da teoria psicanalítica na qual Sigmund Freud (1856-1939) afirma que as pessoas são significativamente direcionadas por impulsos instintuais inconscientes e herdáveis. Estes comporiam o id que para Freud: "contém tudo o que é herdado, que está presente ao nascimento, já estabelecido na constituição do indivíduo". Esta instância da mente agiria como uma força psíquica, irracional, primitiva, regida pelo princípio do prazer e que, ao se defrontar com as demandas do meio ambiente, com a frustração e as impossibilidades de gratificação imediata, estabeleceria o surgimento de um conflito de forças com papel importante na diferenciação de outras instâncias do aparelho psíquico que ele denominou de ego e superego, estruturando assim a personalidade do adulto.[3]

No desenvolvimento cognitivo do ser humano, o modelo construtivista proposto por Jean Piaget (1896-1980) também considera a presença de uma base biológica composta por reflexos inatos sobres os quais as interações com o ambiente irão atuar. Para Piaget, "o bebê nasce com reflexos inatos, alguns são relativamente plásticos em sua resposta ao ambiente. A interação repetida com estímulos do ambiente possibilita, aos humanos, desenvolver esquemas cada vez mais complexos de adaptação ao ambiente". Segundo Piaget, o conhecimento e a afetividade desenvolvem-se em uma construção progressiva em que esquemas mais simples irão suportar estruturas mais complexas de raciocínio lógico que resultam da interação entre hereditariedade e ambiente.[4]

Por todo o século 20, muitos intelectuais defenderam a tese do homem como produto do meio ambiente. Em alguma parte este posicionamento decorreu de uma forte reação da comunidade científica às consequências advindas dos estudos de genética do inglês Francis Galton (1822-1911) que em 1865 publicou o livro *Hereditary talent and genius*, em que defendia a ideia de que a inteligência é predominantemente herdada e não fruto da ação ambiental. Suas conclusões resultaram no surgimento do movimento denominado "eugenia", definido pelo próprio Galton como o estudo de todas as influências que podem melhorar as qualidades das futuras gerações de uma determinada raça.[5]

O movimento pela eugenia resultou em uma série de atrocidades cometidas, a título de higiene ou profilaxia social, nos anos 1920 nos EUA, na Áustria e na Suíça e em outros países nórdicos nos quais judeus, ciganos, homossexuais e deficientes físicos foram esterilizados ou mortos para impedir que transmitissem sua herança à posteridade. O apogeu trágico dessa tentativa de melhoria racial ocorreu na Alemanha nazista.[6] E provavelmente deixou como herança o receio de muitos cientistas em admitir a influência da genética no comportamento humano e serem confundidos com preconceituosos favoráveis à eugenia.

A descoberta da estrutura do DNA por James Watson e Francis Crick, em 1953, e sobretudo o sequenciamento do genoma humano, em 2000, abriram gradativamente as portas para uma maior compreensão dos genes como unidades biológicas responsáveis por determinar as características de um organismo por meio de informações contidas nestas sequências de DNA, que serão traduzidas em proteínas diversas.

Os avanços da neurociência evidenciaram a participação importante de inúmeras proteínas nos processos de reação emocional dos indivíduos, seja na composição de neurotransmissores, na forma de enzimas de síntese, de enzimas de metabolização, de proteínas transportadoras, seja determinando a estrutura e a afinidade dos receptores. Em última instância, tudo isto implicou aceitar a possibilidade de que variações em nosso código genético podem influenciar o repertório de reações emocionais e comportamentos habituais peculiares a cada indivíduo.

As variações genéticas ou polimorfismos gênicos, ao influenciar uma maior ou menor reatividade do indivíduo frente às experiências de vida, poderiam contribuir para traços temperamentais do indivíduo, considerando-se o temperamento como o componente da personalidade que é herdável, mais estável no decorrer da vida, independentemente de cultura e de aprendizado social e que responde pelo padrão básico, instintivo e automático de reações a estímulos de valor emocional.[7]

Um dos primeiros achados a apoiar a associação de características genética com traços de temperamento foi obtido pela equipe do biólogo alemão Klaus-Peter Lesch, que identificou um polimorfismo no gene que codifica a proteína recaptadora de serotonina (5-HTT). Esse polimorfismo consistia em uma variante longa que se associaria a uma maior síntese dessa proteína e uma variante curta que resultaria em menor tradução desta proteína no cérebro. Lesch e seus colaboradores analisaram inventários de personalidade mais de 500 indivíduos e evidenciaram que aqueles que herdavam no mínimo uma variante curta do gene 5-HTT eram significativamente mais ansiosos do que os portadores de duas variantes longas.[8]

Em 2000, os pesquisadores Comings & Blum, propuseram que uma maior vulnerabilidade de certos indivíduos para desenvolver mais rapidamente o padrão de abuso de drogas que conduz ao fenômeno de dependência poderia decorrer de determinado traços temperamentais associados a polimorfismos em genes codificando proteínas relacionadas com o sistema de recompensa cerebral – como enzimas de síntese, degradação, transportadores e receptores do sistema dopaminérgico. Essas variantes poderiam resultar em certas disfunções ou em subfuncionamento do sistema, ocasionando o que os pesquisadores denominaram de "síndrome de recompensa deficiente", um traço herdável inespecífico que poderia influenciar e direcionar o indivíduo a atitudes compensatórias como a busca contínua de sensações. Um padrão comportamental de risco ou uma personalidade com maior probabilidade de envolvimento na busca de recompensadores "não naturais" e, por conseguinte, mais suscetível ao envolvimento no uso abusivo de drogas, mas também ao comer compulsivo, ao jogo patológico e às compras compulsivas.[9]

E assim, a cada dia, novas descobertas vêm apontando que impulsividade, atração pelo perigo, dependência química, timidez, ansiedade, depressão, agressividade e até comportamento suicida podem ser influenciados por características genéticas do indivíduo. Entretanto é importante ressaltar que um determinado padrão de reação pode ser produto de variantes em múltiplos genes e que sempre necessitarão interagir com fatores ambientais para expressá-lo como determinado fenótipo. Por exemplo, um indivíduo com variantes

Quadro interativo

As iraniananas Laleh e Ladan Bijani eram irmãs gêmeas siamesas idênticas. Ligadas pela cabeça, tinham exatamente os mesmos genes e viveram juntas todas as experiências da vida: permaneceram 29 anos grudadas. Morreram em 2003 na tentativa de serem finalmente separadas por uma cirurgia. Embora soubessem dos riscos, decidiram levar adiante o plano da cirurgia motivadas pela possibilidade de viverem como indivíduos livres. Ledan relatou antes da operação: "Somos dois seres completamente distintos que estão grudados um no outro [...] Temos visões de mundo diferentes, estilos de vida diferentes e pensamos de modo diverso sobre os assuntos". Laleh pretendia se mudar para a capital Teerã e se tornar jornalista, enquanto Ledan almejava apenas ficar em sua cidade natal e exercer a advocacia. Uma era mais simpática; a outra, mais introspectiva. As irmãs siamesas iranianas são um significativo exemplo de que as interações entre as diversas variáveis envolvidas na expressão do comportamento são extremamente complexas e, portanto, nem o ambiente nem a genética conseguem explicar isoladamente a individualidade humana.
(Adaptado de Harris JR)[10]

- Sugestões de filmes

Gattaca
O filme do diretor Andrew Niccol recebeu uma indicação ao Oscar ao levar às telas um mundo onde apenas os geneticamente perfeitos conseguem posições de destaque. Com Ethan Hawke, Uma Thurman e Jude Law. Em um futuro no qual os seres humanos são criados em laboratórios, as pessoas concebidas biologicamente são consideradas "inválidas". Nesta sociedade a discriminação não ocorre por raça ou por dinheiro, mas sim pelo código genético de cada um. O protagonista é Vincent Freeman (Ethan Hawke), um sujeito comum com genes imperfeitos que sonha tomar parte em uma viagem tripulada à lua. Vai atrás de seus objetivos e, com a ajuda de um médico, assume a identidade genética de Jerome (Jude Law), um ex-atleta geneticamente perfeito que depois de um acidente vive em uma cadeira de rodas às voltas com o alcoolismo. Consegue ser escalado para a viagem à lua, mas as coisas se complicam quando o diretor da missão é assassinado e todos começam a ser investigados.

Os Meninos do Brasil
Com Gregory Peck, Laurence Olivier e James Mason no elenco, o filme recebeu 3 indicações ao Oscar. O médico Joseph Mengele (Gregory Peck), que fez milhares de experiências genéticas com judeus (inclusive crianças), vive no Paraguai e planeja o nascimento do 4º Reich. Para alcançar tal objetivo, faz 94 clones de Hitler quando ele era um garoto. Mas isto não é suficiente, pois diversas variáveis precisam ser criadas para alcançar o perfil psicológico de Hitler. Entretanto, Ezra Lieberman (Laurence Olivier), um judeu caçador de nazistas, descobre a trama e tenta impedir que tal plano se concretize.

- Sugestões de livros

Tábula rasa – a negação contemporânea da natureza humana. Steven Pinker. São Paulo: Companhia das Letras, 2004.
O psicólogo evolucionista Steven Pinker, da Universidade Harvard, propõe, neste livro, uma nova ideia de natureza humana, ressaltando a nossa condição biológica e as determinações inescapáveis que a seleção natural depositou em nosso código genético. Para ele, estariam impressas em nosso DNA não apenas as instruções para nossa altura ou cor dos olhos, mas também uma programação básica que nos habilita à condição de seres humanos, como a predisposição para desenvolver características como a linguagem ou senso de justiça.

O gene egoísta. Richard Dawkins. São Paulo: Companhia das Letras, 2007.
Publicado originalmente em 1976, o livro do zoólogo e divulgador de ciência Richard Dawkins ganhou recentemente nova edição brasileira e apresenta uma teoria evolucionária na perspectiva dos genes, e não na do indivíduo. Para o autor o gene é quem comanda, quem busca perpetuar-se. Os organismos são máquinas de sobrevivência construídas pelos genes, em um processo competitivo em busca da máquina mais eficaz. Organismos interagem entre si e com o mundo inanimado, e assim alteram seu ambiente e promovem a propagação de genes presentes em outros corpos. Um dos livros mais aclamados da história da divulgação científica, ele não só apresenta a biologia evolutiva de maneira acessível, mas acrescenta uma metáfora que inspirou gerações de biólogos e simpatizantes: somos apenas instrumentos a serviço dos genes. Desde a sua publicação, foi traduzido para mais de 25 idiomas e foi sucesso de vendas pelo mundo todo.

---

gênicas que favorecem a um comportamento de risco para dependência do álcool pode nascer em uma comunidade religiosa que poderá impedi-lo de ter qualquer contato com essa substância. O nosso DNA codifica características orgânicas que favorecem a determinados tipos de comportamentos, mas nunca é o seu determinante exclusivo. Todos estão sujeitos a influências ambientais que podem mudar a expressão dos genes e fazer com que eles não se manifestem.

Ressalta-se ainda que muitas das características condutuais de uma personalidade são conceitos definidos culturalmente, dependem de um julgamento social, de valores culturais de um determinado lugar ou de uma determinada época para serem percebidos ou identificados como tal no indivíduo. O que se considera impulsividade, timidez, perversão sexual, hipercinesia etc. pode ter sido identificado de uma outra maneira em outras épocas históricas ou em outras regiões do mundo. Assim, torna-se muito mais complexo se tentar relacionar diretamente determinada manifestação comportamental ou fenotípica com uma característica genotípica específica, haja vista que nossos genes influenciam determinadas funções orgânicas que irão redundar em formas particulares de expressão ou reação que poderão receber diferentes nomes e conotações segundo a sociedade em que se vive.

Acredita-se que a influência genética deve estar presente, mesmo não sendo predominante, em virtualmente todos os comportamentos humanos. Não só por meio de traços temperamentais identificados em graus variados na população geral, mas também influenciando características cognitivas e até condutas que são definidas socialmente como delinquência, promiscuidade, beligerância etc.

Uma gama significativa de pesquisadores concorda hoje que as diferenças no comportamento de cada indivíduo são resultado das variações genéticas que geram especificidades biológicas pessoais interagindo dinamicamente com experiências ambientais cumulativas ao longo de uma vida.

▶ Referências bibliográficas

1. Gramary A. Ernest Hemingway: destino, genética e álcool. *Rev Saúde Mental* 2005; 7(4):52-54.
2. Schultz DP, Schultz SE. *História da psicologia moderna*. 8ª ed., São Paulo: Pioneira Thomson Learning Ltda., 2005.
3. Freud S. Esboço de psicanálise. *In*: Freud S. Edição Standard das obras psicológicas completas de Sigmund Freud. Tradução de José Octávio de Aguiar Abreu. Rio de Janeiro: Imago, vol. XXIII. p. 165-181, 1940/1975.
4. Piaget J. *A linguagem e o pensamento da criança*. São Paulo: Martins Fontes, 1986.
5. Galton F. Essay in eugenics. Londres, The Eugenics Education Society (1909) disponível online em: http://www.galton.org/books/essays-on-eugenics/galton-1909-essays-eugenics-1up.pdf.
6. Black E. *A guerra contra os fracos*. São Paulo: A Girafa, 2003.
7. Cloninger CR, Svrakic DM, Przybeck TR. A psychobiological model of temperament and character. *Arch Gene Psychiatr* 1993; 50(12):975-90.
8. Lesch KP, Bengel D, Heils A *et al*. Association of anxiety-related traits with a polymorphism in the serotonin transporter gene regulatory region. *Science* 1996; 274(5292):1527-31.
9. Comings DE, Blum K. Reward deficiency syndrome: genetic aspects of behavioral disorders. *Prog Brain Res* 2000; 126:325-41.
10. Harris JR. *Não há dois iguais*. São Paulo: Globo, 2007.

5 Desenvolvimento e Estruturação da Personalidade

Sidnei S. Schestatsky

▶ Introdução

O significado do conceito de *personalidade,* conforme entendido atualmente, tem uma história relativamente curta tanto na psicologia acadêmica quanto na psiquiatria clínica. Não que a ocorrência de padrões comportamentais regulares e consistentes, característicos para cada indivíduo, fosse desconhecida da literatura relevante ao longo da história. Ao contrário, a existência de *padrões individuais* de comportamento foi notada, desde a antiga Grécia, por filósofos, artistas, escritores e médicos. Hipócrates (por volta do V século a.C.), acreditava que a saúde das pessoas dependia de uma mistura harmoniosa de quatro "humores" (água, terra, ar e fogo).[1] Cinco séculos depois, o médico romano Galeno (131-200 d.C.) expandiu este conceito, propondo que a predominância de um dos quatro humores (*sangue, bile negra, bile amarela* e *flegma*) resultaria em um estilo emocional característico, ou *temperamento,* que formaria o núcleo de quatro tipos básicos de personalidade – aliás, a palavra *temperamento* vem do latim *mistura* (ou seja, as diferenças na mistura dos "humores" resultaria em diferenças no temperamento das pessoas).[2] Com isso, construiu-se o primeiro sistema ocidental de classificação de *temperamentos,* dividido em quatro tipos: *sanguíneos* (alegres, maníacos) refletindo um excesso de sangue; *melancólicos* (tristes, deprimidos), excesso de "bile negra"; *coléricos* (irritados, violentos), excesso de "bile amarela"; e *fleumáticos* (passivo, calmos), um excesso de flegma.* Dois aspectos desta antiga definição permaneceram vivos nas formulações atuais: (a) fatores biológicos estariam subjacentes às características observáveis do temperamento e (b) emoções seriam suas características básicas definidoras.[2]

Já se observava, então, que tais padrões tendiam a ser persistentes e previsíveis ao longo da vida, constituindo-se, por assim dizer, em uma marca ou assinatura pessoal de cada indivíduo, e que se evidenciava mais claramente na interação com as outras pessoas. Durante os quinze séculos seguintes pouco se investigou acerca destas tipologias de modos característicos de ser e se comportar das pessoas, provavelmente porque as noções de indivíduo, e de individualidade, essenciais para o estudo e a compreensão de quaisquer marcas individuais próprias, só começaram a florescer na cultura ocidental

---

* É interessante lembrar que embora esta classificação ingênua esteja há muito superada, a doutrina de substâncias corporais, como os "humores", interferindo no funcionamento do cérebro (substituída agora por hormônios e neurotransmissores) se manteve presente na terminologia atual dos transtornos do *humor.*

a partir do Renascimento,* do final do século 15 em diante. Ainda assim, foi preciso esperar pela confluência, no século 19, de pelo menos três temas intelectualmente dominantes na cultura europeia de então, para que os psiquiatras voltassem a prestar atenção, do ponto de vista da psicopatologia, à importância de padrões comportamentais ou estáveis e persistentes (constituindo estruturas mantenedoras de estabilidade psíquica) ou, se perturbados, criando configurações patológicas próprias (neuroses de caráter, transtornos de personalidade) e predisposição para patologias psiquiátricas mais graves.

Estes temas, concomitantemente com a instalação do período romântico na Europa, foram: (1) uma profunda crença no individualismo, que considerava cada pessoa em si mesma como importante e única; (2) a fascinação geral com a irracionalidade da natureza humana e a existência de processos inconscientes individuais e grupais; e (3) o início da ênfase em metodologias de mensuração na psicologia experimental.[3] Mesmo assim, naquele período e na maior parte do século 20, a definição e a natureza desses padrões de comportamento permaneceram ambíguas e imprecisas, e termos como *temperamento* (com seus fortes matizes biológicos), *caráter* (estrutura basicamente psicológica e influenciada pela psicanálise) e *personalidade* (um sinônimo frouxo e intercambiável para os outros dois conceitos) foram frequentemente usados como equivalentes entre si, sem claras distinções ou consenso entre os autores. Expressando essas incertezas, Gordon Allport, um dos psicólogos pioneiros no estudo dos traços de personalidade, chegou a listar, em 1937, mais de cinquenta definições de personalidade.[4]

Duas tradições distintas se estabeleceram nesta passagem do século 19 para o 20. De um lado, a psiquiatria clássica e descritiva, enraizada nas *crenças* biologizantes da época, atribuía toda patogenia dos fenômenos mentais e dos comportamentos desajustados à degeneração hereditária e considerava os tipos psicopatológicos de personalidade como formas atenuadas (*formes frustres*) das grandes psicoses, como, por exemplo, o caso da personalidade esquizoide, proposta por Kraepelin, em 1907, como um modo de esquizofrenia que não se desenvolvera de todo.* Tipos de temperamento/personalidade descritos na época, dentro desta perspectiva, incluíam o *astênico, atlético e pícnico* (Kretschmer), *autista* (Bleuler) e *ciclotímico* (Kraepelin),[5] todos atualmente descartados.

A outra grande tradição de investigação da personalidade que se desenvolveu foi a psicanalítica. De certa maneira, foram Freud e, posteriormente, seus colegas (Abraham, Reich) quem inauguraram os estudos modernos da personalidade, ao buscarem construir uma teoria (a psicanálise) que ajudasse a compreender os problemas de seus pacientes, teorias que não estavam disponíveis ao conhecimento científico da época. As teorias propostas (e eventualmente revisadas) derivavam de bases empíricas reconhecíveis, através de entrevistas longas, detalhadas e sucessivas com seus pacientes. Os modelos teóricos deduzidos implicavam uma dinâmica de eventos intrapsíquicos, biologicamente ativados e inconscientes (pulsões instintivas), e nas estratégias adaptativas causadas por outras estruturas da mente (ego e superego), para permitir a satisfação destas pulsões (sexuais e agressivas) de maneira socialmente aceitável (através de variados mecanismos de defesa): diferentes estratégias defensivas causariam distintos tipos de traços, organização e estilos de personalidade[6] – o que examinaremos com mais detalhes a seguir.

▶ Definição dos termos temperamento, caráter e personalidade

Temperamento

Como foi assinalado, *temperamento* é, historicamente, o mais antigo dos termos encontrado na literatura sobre personalidade, referindo-se a uma inclinação biológica inata a desenvolver determinados tipos de comportamento e emoções. Uma das definições clássicas do século passado[7] menciona que "temperamento se refere aos fenômenos característicos da natureza emo-

---

* Até a Idade Média, as pessoas eram conscientes de si mesmas apenas como membros de uma raça, de um povo, partido, família ou corporação, isto é, a partir de uma categoria geral de pertencimento e não individualmente, como pessoas autônomas (Burckhardt, 1954, citado por Winter e Barenbaum, 1999).

* Esta classificação é bastante contemporânea por abordar o conceito de patologias-espectro, não considerando a necessidade de separar em eixos diferentes (I e II) quadros psiquiátricos maiores e transtornos de personalidade, como o faz o DSM-IV-TR (APA, 2000).

cional da pessoa, incluindo sua suscetibilidade à estimulação emocional, sua força e velocidade habituais de resposta, a qualidade do seu humor predominante – e todas as peculiaridades de flutuações e intensidades deste humor; todos estes fenômenos devem ser vistos como dependentes da organização constitucional do indivíduo e de origem amplamente hereditária" (p. 54).

Cloninger[8,9] considera que o *temperamento* seja o *"núcleo emocional da personalidade"* (enquanto o *caráter* seria seu núcleo conceitual), e que corresponde aos processos das sensações, associações e motivações que subjazem à integração de habilidades e hábitos baseados na emoção (já o caráter se referiria aos processos de simbolização e abstração, baseado na aprendizagem conceitual). Para Cloninger, o *temperamento* (*respostas automáticas associadas a estímulos emocionais básicos, que determinam hábitos e habilidades*) é um dos domínios da personalidade, sendo o outro o *caráter* (*conceitos autoconscientes que influenciam intenções e atitudes voluntárias*). De acordo com Cloninger, cada um desses domínios se define por modos específicos de aprendizagem e pelos sistemas neurais envolvidos. Assim, o *temperamento* estaria associado a um aprendizado associativo/procedural, incluindo quatro dimensões, cada uma delas ligada a sistemas neurotransmissores específicos: (a) *busca de novidades* (exploração do ambiente, extravagância, impulsividade), associada à dopamina; (b) *evitação de danos* (pessimismo, medo, timidez), associada à serotonina e ao GABA; (c) *dependência de recompensas* (sentimentalismo, apego social, franqueza), associada à norepinefrina; e (d) *persistência* (produtividade, determinação, ambição, perfeccionismo), associada ao glutamato e à serotonina.

Caráter

O interesse inicial de Freud, no início da psicanálise,[10,11] centrou-se em compreender e estudar sintomas neuróticos isolados, como os da histeria, fobias ou os sintomas obsessivo-compulsivos – e deles derivou boa parte do seu primeiro modelo da mente, fundamentado na existência de impulsos instintivos inconscientes, de natureza sexual (e, mais tarde, agressiva), em busca de gratificação imediata, e que ao se defrontarem com forças de censura opostas, pré-conscientes e conscientes, que tentavam mantê-los reprimidos, podiam ser totalmente recalcados ou conseguirem alcançar algum grau de satisfação parcial e substituta por meio da construção de sintomas psíquicos. Em 1908, no entanto, Freud escreve seu clássico trabalho sobre caráter e erotismo anal. Partindo do modelo de impulso-defesa, ele vincula certos traços caracterológicos (ordem, parcimônia e obstinação) ao estágio anal do desenvolvimento psicossexual. Isto é, enquanto os sintomas resultariam de uma falha defensiva parcial, com um "retorno do reprimido", Freud propõe agora que os traços de caráter seriam resultados do uso *exitoso* de mecanismos de defesa como a repressão, formação reativa e sublimação.[12] À medida que, mais tarde, formula seu modelo estrutural (id, ego e superego),[13] ele amplia seu leque de defesas psíquicas para incluir os *mecanismos de identificação*, que adquirem posição central nas suas ideias sobre o desenvolvimento do caráter: à medida que se dá conta que, ao longo do desenvolvimento, as pessoas só abandonam a "fixação" em alguns de seus primitivos objetos afetivamente significativos, identificando-se com eles, ele igualmente percebe que a criança vai construindo seu caráter a partir das sucessivas identificações com as representações mentais dos pais e de outros, integrando-as às representações mentais de si mesmo.[14]

Progressivamente, consolida-se o reconhecimento de alguns fenômenos básicos incluídos na definição de caráter: que ele se constrói a partir do ego, na tentativa de harmonizar exigências pulsionais internas com os limites do mundo externo, e que isso promoveria o desenvolvimento de um modo habitual, característico e repetitivo de lidar tanto com os conflitos psíquicos quanto com a realidade externa.

Personalidade

Uma definição minimalista de personalidade destaca que o conceito se refere a padrões duráveis de cognição, emoção, motivação e comportamento, que são ativados em circunstâncias específicas.[15] Ressaltam-se aqui dois aspectos importantes: (a) que a personalidade é dinâmica e se caracteriza por uma contínua interação entre eventos mentais, comportamentais e ambientais; e (b) inerente na personalidade se encontra um potencial para variação e flexibilidade de resposta, quando ativadas circunstâncias particulares. Com isso parcialmente se relativizam os itens definitórios de que haja necessariamente padrões duradouros, fixos e repetitivos, na apresentação da personalidade e seus transtornos.

Por outro lado, parece consensual que a personalidade se desenvolva por meio da interação de disposições hereditárias e influências ambientais, sendo o resultado final da interação entre as variáveis neurobiológicas inatas do *temperamento*, com experiências psicossociais precoces – principalmente as mencionadas relações com os pais na infância – ou com a ocorrência de traumas e outros estressores ambientais – que contribuiriam para a construção do *caráter* de cada um. Essa combinação única de fatores biológicos, experienciais e ambientais constitui a personalidade da pessoa, seu jeito característico de ser, experimentar e reagir frente a si mesmo e ao mundo, de maneira em geral estável e duradoura. Cloninger e Svrakic adicionam o fator independente da *inteligência*, que impregna tanto os traços constitucionais quanto os psicológicos e sociais da pessoa, podendo modificar as funções mais gerais da personalidade.[9]

"*Traços de personalidade*" (como timidez, desconfiança ou manipulação) se referem ao estilo peculiar que cada pessoa traz *para o seu relacionamento interpessoal e social, e que aí se expressam*. Quando tais traços se exageram, tornando-se rígidos e desadaptados, causando sofrimento, disfunção social, pessoal ou profissional significativa, é que se considera que eles passem a constituir um *transtorno de personalidade* (DSM-IV-TR, 2000). Um dos desenvolvimentos mais importantes na compreensão atual da estrutura da personalidade, e ainda em discussão, é como ela se propõe a ser definida na futura edição do DSM-V (provavelmente em 2013).

▶ Conclusões

Quando se considera a personalidade como disfuncional e se passa a lidar com os chamados transtornos de personalidade (TP), estes constituem fenômenos mentais, comportamentais e sociais tão complexos que nenhuma teoria, isoladamente, pode abrangê-los como um todo. Gabbard, do ponto de vista psicodinâmico, afirma que além dos conhecimentos psicológicos, o psiquiatra que tratar tais pacientes precisará estar "biológica e geneticamente bem informado", se quiser ter melhores chances neste empreendimento.[16] Respeitando as especificidades de todos os modelos, é heuristicamente útil considerar propostas de modelos integradores para melhor compreender e abordar os TP.[4]

Aspectos "temperamentais" da personalidade, biologicamente herdados, estão presentes desde o nascimento, embora sua atualização necessite da interação com o meio ambiente. Diferenças genéticas contribuem com 50% da variabilidade da maioria dos traços de temperamento normalmente distribuídos.[17] Dos outros 50%, 25 a 30% seriam explicado por efeitos não partilhados do meio ambiente (*i. e.*, experiências únicas para o indivíduo) e 15 a 20% por erros de mensuração.[9] Variáveis dependentes de experiências na interação com o meio ambiente familiar, ou da ocorrência de eventos singulares no desenvolvimento (situações traumáticas) de cada indivíduo, determinam a dimensão *caracterológica* desta "equação" da personalidade.

Paris propõe um modelo *estresse-diátese* para apreender melhor o fenômeno. Genes não são causas diretas de doenças mentais, apenas modelam a variabilidade individual de traços e temperamentos: algumas das variantes temperamentais podem vir a se constituir em vulnerabilidade para psicopatologia, mas só se tornarão eventualmente desadaptativas sob o impacto de condições ambientais específicas. A interação é bidirecional, pois a variabilidade genética influencia a maneira como as pessoas respondem a seu ambiente e as variáveis ambientais determinam como, e se, os genes se expressarão.[18]

Fatores genéticos influenciando traços e transtornos de personalidade têm sido apoiados por estudos familiares em patologias dos eixos I e II. Familiares de primeiro grau de pacientes do grupo A* evidenciam anormalidades dentro do espectro da esquizofrenia;[19] familiares de pacientes do grupo B* tendem a ter mais transtornos no controle dos impulsos e transtornos do humor[20] – e familiares do grupo C*

---

* Os transtornos de personalidade são reunidos em três grupos no Manual Estatístico e Diagnóstico da Associação Psiquiátrica Norte-Americana (DSM-IV-TR), com base em características similares. O grupo A inclui os transtornos de personalidade paranoide, esquizoide e esquizotípica. Pacientes com o diagnóstico de um desses transtornos costumam se comportar de maneira estranha e excêntrica. O grupo B inclui os transtornos de personalidades antissocial, *borderline*, histriônico e narcisista. Pessoas com um desses diagnósticos têm em comum, geralmente, um comportamento dramático, emocional e errático. O grupo C inclui os transtornos de personalidade evitativo, dependente e obsessivo-compulsivo. Indivíduos deste grupo são frequentemente ansiosos e amedrontados. Esse manual adverte que, embora esse sistema de *cluster* possa ser útil para o ensino e a pesquisa, ele tem sérias limitações e ainda não foi devidamente validado. Além disso, pacientes *frequentemente* apresentam a co-ocorrência de transtornos de personalidade de diferentes grupos (DSM IV-TR, 2000).

em geral têm história de transtornos de ansiedade.[21] Mesmo sem estabelecer relações diretas de causalidade, há um amplo conjunto de evidências apoiando a percepção de que *adversidades na infância* sejam importantes fatores de risco para disfunções da personalidade.[22,23] Histórias infantis de abuso sexual, físico e emocional – assim como de negligência emocional – têm sido repetidamente documentadas na vida de pacientes com TP *borderline*.[20,22,23]

Eventos traumáticos isolados raramente causam sequelas patológicas a longo prazo. Ao contrário, circunstâncias adversas contínuas é que causam efeitos cumulativos associados a desenvolvimento de futura sintomatologia, o que implica considerar seu impacto dentro de um contexto desenvolvimental. Schestatsky encontrou diferenças significativas entre a quantidade em excesso de eventos traumáticos a que estiveram expostos pacientes com TP *borderline*, na sua infância e adolescência, quando comparados com controles normais, em todas as faixas etárias examinadas (de 0 a 6 anos, 7 a 12 anos, 13 a 16 anos e mesmo dos 17 anos em diante).[23] Além disso, as adversidades ocorreram dentro de contextos familiares percebidos como cronicamente disfuncionais.[23] Pode-se concluir que adversidades na infância, e posteriores, são um dos fatores cruciais que afetam o desenvolvimento dos TP, na medida em que amplificam, de maneira dramática, vulnerabilidades temperamentais previamente presentes.[18]

Tanto fatores genético-temperamentais como psicossociais são condições necessárias para o desenvolvimento dos transtornos de personalidade, mas nenhum deles é suficiente. Efeitos de fatores psicológicos, sociais, intrapsíquicos e relacionais serão maiores em pessoas com temperamentos predispostos à psicopatologia – outras, que não o forem, provavelmente manifestarão *resiliência* aos impactos.[9,24] O transtorno específico que emergir dessas interações dependerá de perfis inatos de temperamento, peculiares a cada indivíduo.[8] O modelo de estresse-diátese no desenvolvimento da personalidade e dos seus transtornos tem implicações importantes para o tratamento dos mesmos, sugerindo que nem sempre uma abordagem puramente biológico-farmacológica, ou puramente psicoterapêutica, venha a ser suficiente no manejo continuado destes casos.

▶ Referências bibliográficas

1. Stone MH. *Healing the mind*. New York: W.W. Norton, 1997.
2. Clark LA, Watson D. Temperament: A new paradigm for trait psychology. *In*: Pervin LA, John OP (eds.). *Handbook of personality: theory and research*. New York: Gilford Press, 1999: 399-423.
3. Winter DG, Barenbaum NB. History of modern personality theory and research. *In*: Pervin LA, John OP (eds.). *Handbook of personality*. New York: Gilford Press, 1999, 3-30.
4. Livesley WJ. Conceptual and taxonomic issues. *In*: Livesley WJ (ed.). *Handbook of personality disorders*. New York: Gilford Press, 2001: 3-38.
5. Oldham JM. Personality disorders: recent history and DSM system. *In*: Oldham, JM, Skodol AE, Bender DS (eds.). *Essentials of personality disorders*. Washington, DC: American Psychiatric Press, 2009: 3-12.
6. Barone DF, Kominars K. Introduction to personality study. *In*: Barone DF, Hersen M, Van Hasselt VB (eds.). *Advanced personality*. New York: Plenum Press, 1998: 3-26.
7. Allport G. *Personality: a psychological interpretation*. New York: Holt, 1937.
8. Cloninger CR, Svrakic DM, Przybeck TR. A psychobiological model of temperament and character. *Arch Gene Psychiatr* 1993;50:975-90.
9. Cloninger CR, Svrakic DM. Personality disorders. *In*: Sadock & Sadock (eds.). *Comprehensive textbook of psychiatry*. 7 ed., Philadelphia: Lippincott, 2000: 1723-1764.
10. Freud S. *Further remarks on the neuropsychoses of defense*. Standard Edition, 3:157-185, 1886. London: Hogarth, 1974.
11. Freud S. *Fragment of an analysis of a case of hysteria*. Standard Edition, 7:3-22, 1905. London: Hogarth, 1974.
12. Freud S. *Character and anal erotism*. Standard Edition, 9:167-175, 1908. London: Hogarth, 1974.
13. Freud S. *The ego and the id*. Standard Edition, 19:1-66, 1923. London: Hogarth, 1974.
14. Gabbard GO. Psychoanalysis and psychoanalytic therapy. *In*: Livesley WJ (ed.). *Handbook of personality disorders*. New York: Guilford Press, 2001: 359-376.
15. Heim A, Westen D. Theories of personality and personality disorders. *In*: Oldham JM, Skodol AE, Bender DS (eds.). Essentials of personality disorders. Washington, DC: American Psychiatric Press, 2009: 13-36.
16. Gabbard GO. *Psiquiatria psicodinâmica na prática clínica*. 4 ed., Porto Alegre: Artmed, 2006.
17. Plomin R, Caspi A. Behavioral genetics and personality. *In*: Pervin LA, John OP (eds.). *Handbook of personality: theory and research*. New York: Gilford Press, 2001: 251-276.
18. Paris J. *Nature and nurture in psychiatry: a predisposition-stress model of mental disorders*. Washington, DC: American Psychiatric Press, 1999.
19. Siever LJ, Davis KL. A psychobiological perspective on the personality disorders. *Am J Psychiatry* 1991;148:1647-58.
20. Zanarini MC, Williams AA, Lewis RE *et al*. Reported pathological chilldhood experiences associated with the development of borderline personality disorder. *Am J Psychiatr* 1997;154:1101-6.

21. Paris J. *Working with traits: psychotherapy of personality disorders*. London: Jason Avoson, 1998.
22. Paris J. Children trauma as an etiological factor in the personality disorders. *J Personal Disord* 1997;11:34-49.
23. Schestatsky SS. Fatores ambientais e vulnerabilidade ao transtorno de personalidade borderline: estudo caso-controle de traumas psicológicos precoces e percepção dos vínculos parentais em uma amostra brasileira de pacientes mulheres. Tese de Doutoramento em Psiquiatria, UFRGS, 2005. Resumo disponível em www.capes.gov.br/serviços/banco-de-teses.
24. Rutter M. Resilience, competence, and coping. *Child Abuse Negl* 2007;31(3):205-9.
25. American Psychiatric Association. Diagnostic and Statistical Manual of Mental Disorders. 4th ed., Text Revision. Washington, DC: American Psychiatric Press, 2000.

6 O Ciclo da Vida Humana

Cláudio Laks Eizirik, Ana Margareth Siqueira Bassols, Marina Bento Gastaud, Ellen Alves de Almeida e Julia Domingues Goi

Situação real

Em uma unidade básica de saúde, um estudante de medicina entrevista uma família constituída por um casal de meia-idade, dois filhos adolescentes e a mãe da esposa. O marido é operário e passa a maior parte do tempo fora de casa, enquanto a esposa é dona de casa e se queixa da ausência do marido e dos filhos, os quais passam o dia na escola ou com amigos. Ela se sente muito só, embora conviva com a mãe, e compara sua situação com a de um ninho que fica vazio após a debandada dos pássaros. A mãe da dona de casa, embora ajude a filha, passa parte do dia em seu quarto, revendo fotos antigas ou vendo televisão. Recorda-se de muitos fatos de seu passado e enumera sucessivas perdas que teve nos últimos anos – os pais, o marido e vários irmãos que morreram. Os filhos adolescentes, um rapaz e uma moça, são alunos aplicados, com bom desempenho escolar. Têm bom convívio social e participam de atividades esportivas e recreativas. Os pais comentam que não conseguem mais acompanhar todas as atividades dos filhos e, às vezes, sentem-se excluídos de suas vidas. Os jovens, por sua vez, demonstram certa ansiedade ao ouvir isso, mas dizem que não sentem vontade de contar tudo aos pais, e acham que devem ter assuntos que lhes sejam privados. O estudante de medicina sente certa afinidade com os adolescentes, pensando que vivera situação semelhante com os próprios pais. Nesse ponto, o operário critica os filhos, lembrando-se de que, quando era jovem, obedecia cegamente aos pais, o que não ocorre nas gerações atuais. A esposa e a avó aliam-se ao pai nesse momento, e formam-se dois subgrupos na família. O estudante de medicina procura manter-se neutro e busca ouvir as razões de cada subgrupo. No entanto, percebe-se, internamente, irritado com os mais velhos e simpatiza com os mais jovens. A avó, tentando mudar o clima da entrevista, relata que duas tardes por semana vai visitar outra filha, que tem um filho de 1 ano e meio, e passa essas tardes cuidando do neto. Ela conta que o menino é muito esperto, que já está caminhando, diz várias palavras, corre pela casa, exige atenção constante, e lhe dá muita alegria. Todos os membros da família comentam as proezas dessa criança animadamente, parecendo que, naquele momento, restabeleceu-se o clima do grupo, unido novamente por um interesse comum. A mãe diz que também quer ter netos, ao que os filhos se olham e sorriem ironicamente, dizendo que ela vai ter que esperar muito, porque "vai rolar muita balada" antes. O pai novamente intervém, alertando os filhos para o perigo das drogas ilícitas e o risco de uma gravidez indesejada se não tomarem cuidado. Novamente surge uma divisão na família, pois, dessa vez, a mãe se alia aos filhos e critica a rigidez e o autoritarismo do marido. O casal começa a discutir asperamente, enquanto os demais escutam. O estudante de medicina não sabe o que dizer, até que a avó intervém, lembrando que a família deverá sair da entrevista dentro de alguns minutos, pois trata-se de dia de jogo do Brasil na Copa do Mundo e todos gostam de assistir juntos às partidas. Eles passam a comentar alegremente como se divertem vendo os jogos, com pipoca e cerveja. O estudante se sente, então, incluído e identificado com eles.

Funcionamento psíquico no contexto do ciclo vital: noções básicas

No estudo do ciclo da vida humana, a primeira noção com importância clínica é a de que o desenvolvimento do indivíduo acontece em estágios descontínuos, com alterações nem sempre nítidas e progressos e regressos ao longo do tempo. Além disso, convém destacar que, na avaliação do desenvolvimento humano, o que se considera normal em um estágio pode estar muito longe da normalidade em outro, o que evidencia a importância de se conhecer as fases do ciclo vital e suas crises vitais normais, nas quais ansiedade, medo e tristeza são reações esperadas. Aqui, o importante é a análise do desenvolvimento psíquico do indivíduo e, para tanto, precisamos compreender um pouco o seu funcionamento mental, que segue dois postulados psicanalíticos. O primeiro é o *determinismo psíquico (princípio da causalidade)*, por meio do qual se entende que todo acontecimento da vida mental é influenciado por eventos anteriores no ciclo da vida; o segundo diz que a vida mental é predominantemente *inconsciente*, em que o consciente é apenas uma porção da vida mental influenciada pelo inconsciente, subjacente, maior, ao qual se tem acesso apenas por meio de sonhos, atos falhos, sintomas ou por transferência. Nesse momento é necessário revisar o conceito de transferência e contratransferência. Esses são fenômenos vistos cada vez mais como acontecimentos interligados, um binômio inerente à atmosfera que se cria entre duas pessoas, fazendo parte, portanto, da relação paciente-médico. Transferência, de maneira geral, são as repetições inconscientes na atualidade de situações originadas no passado, com outras pessoas, em outra fase do ciclo vital; a contratransferência é o conjunto de sentimentos e reações também inconscientes que se originam internamente no médico em resposta ao que se passa com a dupla.

Teorias do desenvolvimento

Sigmund Freud desenvolveu uma teoria de desenvolvimento alicerçada em estágios psicossexuais, por meio dos quais a criança amadurece e constrói sua personalidade (Quadro 6.1). A força propulsora do desenvolvimento psicossexual foi chamada por ele de libido, isto é, uma pulsão sexual e vital instintiva que está investida, durante o desenvolvimento, naquela parte do corpo que é mais sensível e neurologicamente estimulada em cada idade. A fixação da libido (por um trauma ou excesso de gratificação) em determinada fase favorece o estabelecimento de determinados traços de personalidade.

A teoria de Erik Erikson (Quadro 6.2), embora fundamentada nos pressupostos freudianos, não dá tanta ênfase ao impulso sexual, colocando em primeiro plano o desenvolvimento gradativo da identidade, a qual está em permanente construção durante a vida. Cada estágio está centrado em um dilema a ser elaborado pelo sujeito e a resolu-

▼

Quadro 6.1 Características dos estágios psicossexuais segundo a teoria do desenvolvimento humano – Freud.

Estágio	Idade	Zona erógena	Tarefa ou conflito	Características resultantes (traços)
I – Fase oral	0 a 18 meses	Boca, lábios, língua, sucção, prazer oral	Desmame	Voracidade (insaciedade), impulsividade
II – Fase anal	18 meses a 3 anos	Ânus, prazer anal	Controle dos esfíncteres	Ordem, parcimônia, obstinação, rigidez
III – Fase fálica	4 a 5 anos	Genitais	Complexo de Édipo	Vaidade, inquietação, competição, ciúmes, rivalidade
IV – Período de latência	6 a 12 anos	Nenhuma área específica	Inserção social e escolarização	Exogamia, controle, aquisição de conhecimentos, adaptação à cultura
V – Fase genital	13 a 18 anos	Genitais	Sexualidade madura	Empatia, sexualidade genital, onipotência, atuação

Quadro 6.2 Desenvolvimento da identidade segundo teoria de Erik Erikson.

Estágio	Crise psicossocial	Aquisição
I – Bebê	Confiança básica × desconfiança	Esperança
II – Primeira infância	Autonomia × vergonha, dúvida	Vontade, desejo
III – Infância intermediária	Iniciativa × culpa	Objetivo, propósito
IV – Idade escolar	Atividade × inferioridade	Competência
V – Adolescência	Identidade × confusão de identidade	Fidelidade
VI – Adulto jovem	Intimidade × isolamento	Amor
VII – Adulto	Generatividade × estagnação	Cuidado
VIII – Idoso	Integridade × desespero, desgosto	Sabedoria

ção satisfatória dessa crise possibilita a aquisição de determinadas tarefas sociais.

A ênfase no desenvolvimento cognitivo foi dada pelo psicólogo suíço Jean Piaget. Sua teoria tenta explicar o desenvolvimento do pensamento do indivíduo, não o desenvolvimento da personalidade ou da identidade. Teóricos contemporâneos atualizaram a compreensão proposta por ele, tendo em vista a constatação de que habilidades evoluídas são percebidas cada vez mais precocemente no desenvolvimento.[2]

▶ Ciclo vital da família

Em relação ao ciclo vital, é importante uma breve abordagem do ciclo vital da família, em seu contexto socioeconômico. O casamento (ou o ritual que o represente) é o marco da união e o símbolo da intenção de se formar uma família. Ambos sofrem as influências de seus grupos familiares originais e, com essa bagagem histórica, cultural e econômica, formarão um novo grupo familiar. Condições psicológicas de assumir a responsabilidade pelas demandas

Quadro 6.3 Desenvolvimento do pensamento segundo teoria de Jean Piaget.

Idade	Estágio	Descrição
0 a 2 anos	Sensorimotor	Uso de esquemas inatos para compreender o mundo (preensão, sugar e olhar); aprendizagem por ensaio e erro e experimentação; ausência de relações causais e de planejamento; início da capacidade de representação objetal, mas incapacidade de manipular as imagens mentais; ausência de símbolos. Sem linguagem e sem conceitos
2 a 6 anos	Pré-operacional	Capacidade de simbolizar; capacidade de manipular mentalmente os símbolos (a vassoura pode virar um cavalo durante a brincadeira), distingue a imagem do que ela significa; egocentrismo (a criança pressupõe que todos veem o mundo à sua maneira); ausência de conservação (a massinha de modelar em formato esférico é amassada e, mesmo que a criança veja que nenhuma quantidade de massa foi adicionada, ela diz que há mais quantidade no novo formato); início da capacidade de classificação e agrupamento de objetos, mas ausência do princípio de inclusão de classe (rosas são parte da classe de flores, por exemplo)
7 a 12 anos	Operacional concreto	Elaboração de regras e estratégias para compreender o mundo, estruturas lógicas mais gerais; reversibilidade (operações mentais e ações físicas podem ser invertidas – a massinha amassada pode voltar a ficar redonda); operações matemáticas; ordenação seriada; capacidade de investigar hipóteses; lógica indutiva (do particular para o geral) e não dedutiva. Inteligência representativa: pode representar e exercitar ações dentro do pensamento, sob formas de ideias
12+	Operacional formal	Capacidade de previsão, não só de constatação; imaginação de consequências futuras para as ações presentes; pensamento de maneira formal, solução sistemática e metódica de problemas; lógica dedutiva (se as premissas são verdadeiras, então a conclusão é verdadeira); capacidade de abstração; *egocentrismo das operações formais*

básicas dos filhos de cuidados, amor e limites, sem abdicar completamente de suas próprias necessidades são características essenciais para a criação de uma criança e na formação de uma família, na qual o relacionamento afetivo deve ser consistente e flexível, conforme as etapas do ciclo vital e as peculiaridades de cada núcleo.[3]

A estrutura familiar e seu funcionamento modificam-se ao longo do ciclo para adequar-se às necessidades de seus membros. Existem momentos de predomínio das forças centrípetas – quando a família se une em torno de um nascimento – e outros em que imperam as forças centrífugas, como na adolescência dos filhos, com entradas e saídas do sistema familiar. A partir disso, podemos citar algumas fases do ciclo vital da família vistas como modelos que admitem inúmeras variações e etapas concomitantes: o casal sem filhos; o casal com filhos pequenos; a família com filhos adolescentes; a saída dos filhos de casa; o "ninho vazio". Também podemos considerar eventos comuns que modificam as famílias, como os divórcios, os recasamentos, a união de indivíduos com seus filhos de outro casamento, casamentos entre pessoas do mesmo gênero, reunião de diferentes núcleos familiares, enfim, alterações do padrão tradicional do ciclo vital da família que merecem atenção em suas repercussões e evidenciam a crescente complexidade da estrutura familiar atual.[3]

- **Da gestação ao bebê**

Começamos a compreensão do ciclo vital do indivíduo ainda antes do seu nascimento, pois, para entendermos o desenvolvimento psíquico, precisamos observar o momento e o contexto sociocultural e psicológico em que ele foi concebido. Embora isso não seja uma regra, a mulher que teve um desenvolvimento saudável até a gestação, que pôde contar com os pais como exemplos, poderá também formar uma família bem-estruturada. Com o apoio do companheiro, vai superar as dificuldades desse momento da vida. Durante a gravidez, as mulheres experimentam um sentimento de poder, capacidade, realização, sentindo-se, apesar dos temores, plenas e orgulhosas. A fertilidade eleva a sua autoestima e aumenta o respeito e a atenção que recebe do companheiro, da família e da sociedade. As principais elaborações psíquicas desse período relacionam-se com as representações da gestante como mulher e mãe; fantasias sobre o filho e sua identidade futura; antecipações das dificuldades profissionais e no relacionamento com o marido; medo da própria morte e/ou do bebê no parto ou de malformações. Geralmente, essas elaborações são percebidas como um desconforto sem muita compreensão racional, mas esses temores podem mobilizar defesas importantes, como negações, somatizações ou reações maníacas, e por isso é tão importante o apoio psicológico e o esclarecimento adequado sobre os acontecimentos da gravidez. A ambivalência é uma presença forte durante toda a gestação, pois apesar de atestar a fertilidade do casal, também representa uma mudança em suas vidas. A informação de que esse sentimento é normal deve reduzir ansiedades e culpas desnecessárias.

Muitas vezes, acontece um afastamento sexual entre o casal, pelo medo de lesão ao feto, pelas fantasias inconscientes e pelas alterações no corpo da mulher. Isso pode ser pensado como uma revivência edípica do novo pai, que também experimenta abandono e rejeição. No entanto, esses sentimentos podem ser elaborados, evitando dificuldades maiores. A mulher/mãe, por sua vez, no decorrer da gestação, também pode sentir-se rejeitada imaginando que seu corpo não é mais tão atraente, além do desconforto progressivo com a proximidade do parto. Desde quando os movimentos do feto são evidentes existe a percepção de que o bebê não é mais uma parte da mãe e sim uma vida independente crescendo dentro dela, o que aumenta a ansiedade em relação às responsabilidades inerentes ao processo. Quando já existe outro filho, o que acontece com frequência é a animosidade em relação ao irmão com comportamentos regressivos e agressivos, situação que exige manejo cuidadoso por parte da família, ajudando a criança a adaptar-se à nova situação.

Nas últimas semanas de gestação, expectativas acerca do parto se acentuam. Existe a ansiedade de separação pelo afastamento do feto, o temor de ser ferida pelos movimentos do bebê durante o parto e a fantasia da perda dos genitais, que seriam retirados junto com o bebê. Durante o nascimento, misturam-se o triunfo, a ansiedade e os medos de morte, da dor, do uso do fórceps ou de doenças. O parto ideal é aquele assistido pela equipe que acompanhou a paciente no pré-natal, pois a confiança é essencial nesses momentos em que a mãe precisa ser tranquilizada não só pela equipe, mas também pelo companheiro e familiares – principalmente pela mãe da gestante. Após o parto, o sentimento é de alívio pelo sucesso do nascimento, entretanto, nesse contexto, problemas como prematuridade ou a necessidade de uma cesariana podem ser sentidos como um fracasso, levando à culpa e à sensação de incompetência. As modificações bruscas logo após o nascimento são difíceis para a mãe na sua readaptação a uma situação de não grávida, de ter o bebê fora do seu corpo, a ser mãe da criança que agora adquire vida própria. São os momentos de elaboração da perda da gestação, do trauma de separação do bebê e o início da relação maternal com o filho. Algumas fantasias sobre a saúde da criança continuam e até se agravam, mas surgem dúvidas ainda maiores sobre sua capacidade de cuidá-lo e nutri-lo.

O enfoque, então, passa a ser a relação mãe-bebê, a necessidade de se estabelecer um bom vínculo por meio da amamentação, do olhar, do cuidado. Ressalta-se a importância de se observarem sintomas de alterações de humor que possam não ser adequadas ao momento, lembrando que alguma alteração de humor, sono e energia é comum na mãe. Agora, ela vai começar a se comunicar com o seu bebê, sendo que sua atitude depende de fatores como suas experiências infantis, seu desenvolvimento, sua identificação com a própria mãe, a aceitação do papel feminino e outras experiências pessoais. Na medida em que a simbiose pós-parto evolui, a mãe começa a individualizar-se novamente, sentindo-se mais segura em suas capacidades. A maioria dos problemas com a amamentação é de origem psicogênica, que se dá por meio do conflito entre as tendências egoístas e altruístas da mãe, ou ainda pelas temidas sensações sexuais provocadas pela lactação. Já para o pai, o puerpério é uma fase de intensas frustrações e sensação de abandono pela atenção reduzida destinada a ele, além da diminuição da libido da mulher e abstinência sexual. É importante, portanto, que ele possa participar desse momento especial da família.

O bebê nasce em um contexto de expectativas, de fascínio dos pais e com muita energia para iniciar o seu desenvolvimento progressivo – na maioria das vezes, muito rápido. Desenvolvimento esse que está intimamente ligado às interações com seus pais (ou substitutos), às suas comunicações pré-verbais e verbais. A adaptação do bebê é regulada por mecanismos biológicos, sociais e afetivos presentes nas interações entre genótipo, fenótipo e ambiente, sendo este último relativo ao núcleo familiar, condições sociais e vínculos afetivos. O bebê sente de seu pai e de sua mãe, a forma como ele é pego nos braços, a expressão do rosto, a transmissão de segurança, a tensão e a ansiedade. Com o nascimento do primeiro filho, tem início a família, mas a relação pai-bebê é condicionada anteriormente pelo desenvolvimento dos pais e pela qualidade de sua união. Os novos pais deparam-se com as tarefas psicológicas de renunciar sua própria condição de filhos, bem como de mobilizar identificações com seus próprios pais para assumirem o seu papel atual. Nesse momento, existe ainda a necessidade de integrar fantasia e realidade, a adequação do bebê imaginado, fantasiado, passando pela percepção do bebê real, mas não visível ainda na gestação, e, em seguida, o bebê real e visível, que pode ser inclusive pego nos braços. O exercício da função de pai e mãe, como uma fase do ciclo vital, tem em si o potencial de renovação e enriquecimento para a personalidade de cada um.[1]

▪ Desenvolvimento nos três primeiros anos de vida

O desenvolvimento do psiquismo do bebê depende da base segura que ele estabelece com sua mãe, desde antes do nascimento. O conhecimento das capacidades da criança desde sua vida intrauterina coloca em cheque a antiga noção de *tabula rasa* na qual era vista apenas como reagindo aos estímulos ambientais que a moldavam. Seus sentidos já estão em ação mesmo antes do parto e irão desabrochar após, colocando-a como um ser que reage e, ao mesmo tempo, que estimula o meio ambiente, comunicando-se de forma primitiva, mas fazendo-se entender por pais sensíveis e empáticos que a confortarão.[4]

Nesse período inicial, as agressões ambientais podem danificar o aparelho psicológico e genético pela plasticidade do sistema nervoso central (SNC). Ao lado das características do temperamento do recém-nascido (RN), seu aparato psíquico vai se desenvolvendo (Quadro 6.4). Tenta-se manter o equilíbrio entre a fome e a saciedade nessa etapa. A fome desencadeia sentimentos de frustração e ódio, mas quando o bebê vai percebendo a mãe, seu primeiro objeto de amor, como uma pessoa distinta, uma fonte de alimento, prazer e vida, ele se sente culpado, pois percebe que o amor (saciedade) e o ódio (fome) são destinados à mesma pessoa (mãe), o que lhe gera grande ambivalência.[4]

Quadro 6.4 Fases do desenvolvimento da criança.

Idade	Desenvolvimento sensorimotor	Desenvolvimento adaptativo, pessoal e social
0 a 4 semanas	Reflexos; diferencia sons e paladares doce e azedo; acompanha o olhar	Choro; resposta a rosto, olhos e voz da mãe nas primeiras horas; observa objetos em movimento
2 a 4 meses	Cabeça firme e equilibrada	Sorriso direcionado (sorriso social espontâneo)
6 a 8 meses	Senta-se firme; inclina-se para a frente com as mãos	Reação ao estranho; sacode chocalho; segura objetos; leva os pés à boca; toca em sua imagem no espelho; imita sons e ações da mãe
11 a 13 meses	Senta-se sozinho; engatinha; caminha com apoio; controle das pernas e pés, controle fino tipo adulto, aponta com o indicador, levanta-se	Aquisição da negação (fase do não); responde a brincadeiras sociais; segura a mamadeira sozinho; come biscoitos sozinho
13 a 18 meses	Caminha; atira objetos; sobe escadas engatinhando	Procura novidades; ajuda a vestir-se; aponta ou vocaliza desejos
18 a 22 meses	Anda coordenadamente; arremessa bola; sobe escadas caminhando	Rabisca e imita escrita; linguagem; carrega ou abraça brinquedos; puxa brinquedos com cordão
Final do 2º ano	Corre bem, sem cair; chuta bola grande; sobe e desce escadas sozinho; habilidades motoras finas aumentam; imita movimentos horizontais e circulares; veste roupas simples; mímicas domésticas	Articula palavras e frases curtas; controle de ambos os esfíncteres; senso de identidade rudimentar (menino × menina); fase de objeto transicional; individualidade e autonomia; refere-se a si mesmo pelo nome
Final do 3º ano	Anda de triciclo; salta de degraus baixos; alterna pés subindo escadas; calça os sapatos; desabotoa botões; copia círculo e cruz	Narrativa e mecanismos psíquico e cognitivo; independência crescente; uso da fala com expressões próprias; interesse pelo meio ambiente e cultura; expressam preferências e comportamentos discriminatórios; desenvolvimento da constância objetal

- **Fases pré-escolar (3 a 6 anos) e edípica**

São características marcantes desse momento evolutivo as mudanças trazidas pelo desenvolvimento físico e amadurecimento neurológico. A aquisição de habilidades em relação à linguagem e socialização se destaca, e a curiosidade da criança se expressa por meio dos "porquês". Nesse período, também se destaca o brincar como forma de interação social e como via de acesso à dinâmica dos pensamentos, desejos e conflitos inconscientes das crianças; uma forma pela qual ela pode experimentar e elaborar de forma ativa suas experiências. Encontra-se no estágio denominado por Piaget como pré-operacional e ainda não é capaz de compreender conceitos abstratos.

Para Freud, essa é a chamada *fase fálica*, momento no qual a triangulação edípica confronta a criança com a noção de estar excluída da relação entre os pais, gerando sentimentos e fantasias que vão constituir o complexo de Édipo, o qual foi nomeado por Freud com base na tragédia grega de Sófocles (450 a.C.). Utiliza a mitologia para tratar de ansiedades de origem imemorial de aniquilar o genitor do mesmo sexo, em função de desejos sexuais pelo genitor do sexo oposto. A culpa por tais desejos gera um temor à punição. No menino, surge a rivalidade com o pai e a disputa pela atenção da mãe. Na menina, a situação é mais complexa, pois rivaliza com a mãe (cuidadora primária) pela a atenção do pai. A ansiedade característica da fase é o medo de perder o amor dos pais.[5]

Erikson identifica o conflito da idade pré-escolar como o da iniciativa × culpa. Para o autor, a evolução adequada nessa fase vai depender do equilíbrio entre as habilidades e necessidades emergenciais da criança e da capacidade dos pais de protegê-la e ter controle sobre o seu comportamento.[5]

- **Fase escolar e latência (6 a 12 anos)**

Momento anteriormente compreendido como uma latência da sexualidade (por meio da repressão) que voltaria a emergir com força total na adolescência. Atualmente, o trabalho da latência é entendido como um esforço a ser realizado no sentido de maior organização, diferenciação, sofisticação e ampliação do aparelho psíquico devido a uma reordenação dinâmica e estrutural das pulsões. A latência normal se caracteriza pelo atuar conjunto e organizado de diversos mecanismos de defesa com fins claramente sublimatórios. O substrato orgânico adquirido com a mielinização até os 7 anos, e a maturação cerebral até os 10 anos são condições psicológicas necessárias para a entrada na latência: início das relações independentes e interesse pelo mundo e por seus iguais; início da construção da própria identidade; controle da impulsividade; e crescente capacidade de socialização, o que leva a um maior contato com a realidade.[6]

A criança que aprendeu, nos anos anteriores, a confiar (0-1), a ser independente (1-3) e a ter iniciativa (3-6) será uma criança competente na escola e sem complexo de inferioridade perante os colegas. A competência se torna o sentimento principal, o qual resulta em ações eficazes no sentido de resolver a crise básica da fase, descrita por Erikson: produtividade (capacidade de ação efetiva) *versus* inferioridade (fracasso nas ações).[6]

A latência é um momento privilegiado em termos do desenvolvimento de valores afetivos, morais e sociais, graças à utilização de defesas da linha obsessiva-compulsiva, como a intelectualização e a racionalização, com o objetivo de controlar os afetos associados ao desejo de fazer coisas proibidas (masturbação, por exemplo). Os avanços adquiridos pela criança nessa fase impulsionam seu interesse pela escola e pela aprendizagem, um novo mundo se descortina fora do ambiente quase estritamente familiar da idade pré-escolar. Nesse fase, a necessidade da escola deixa de ser dos pais, como na anterior, para ser da própria criança, que interage com seus iguais de uma forma mais independente, mas também mais responsável e consciente. O desenvolvimento moral à custa do surgimento do superego, herdeiro do complexo de Édipo, resulta em uma atitude rígida e busca compulsiva por punição. A ansiedade característica da fase é o medo de desapontar e não ser aceita pelo grupo. Nesse momento, em que o reforço da identidade de gênero depende da identificação com o mesmo sexo, percebe-se o interesse pelo relacionamento com amigos do mesmo sexo, o que leva à separação de meninos e meninas nos conhecidos "clubes do Bolinha e da Luluzinha".[6]

Puberdade e adolescência

Em geral, emprega-se a palavra adolescência para descrever o período que se situa entre a infância e a vida adulta. Na realidade, a faixa etária em que se passa é imprecisa quanto a seus limites, iniciando com as mudanças físicas da puberdade e terminando com uma série de aquisições físicas, psicológicas e sociais que dependem da cultura em que o sujeito está inserido. A puberdade, por sua vez, é uma fase do ciclo vital bastante precisa, pois se caracteriza por uma etapa biológica de mudanças corporais causadas por hormônios: crescimento das mamas e dos pelos (caracteres sexuais secundários), mudança de voz, primeira menstruação, aumento de tamanho do pênis, escroto e testículos (caracteres sexuais primários). A puberdade compreende ainda a aceleração do crescimento esquelético, o chamado "estirão puberal", com mudanças na quantidade e na distribuição de gordura. Durante esse período, a menina começa a ganhar cerca de 5 kg e a crescer de 7 a 10 cm por ano, enquanto os meninos 6 a 7 kg e 10 a 12 cm por ano; a massa muscular e o vigor do menino dobram entre os 12 e os 17 anos. O momento de desaceleração do crescimento, nas meninas, coincide com a menarca (primeira menstruação), por volta dos 12 anos. Nessa fase, os ciclos menstruais geralmente são irregulares e podem ser anovulatórios, em função da imaturidade do sistema. Em geral, as meninas apresentam as mudanças físicas da puberdade em torno de 2 anos antes dos meninos, o que dificulta sua aproximação durante esse período. Todo o processo da puberdade costuma durar de 2 a 4 anos, e o tempo que o jovem demora para passar pela puberdade independe se ela começou cedo ou tarde. Na menina, a menarca e a telarca (aparecimento do broto mamário) são momentos críticos do desenvolvimento, pois indicam desenvolvimento normal e capacidade de reprodução. A satisfação dessa constatação é acompanhada, muitas vezes, por medo e perplexidade, pois há um descompasso entre o estado corporal e o emocional. O equivalente desse momento, para os meninos, seria a gonadarca (aumento dos testículos) e a espermarca (primeira ejaculação), acompanhadas da mesma ambivalência emocional.[7]

Os rituais de passagem da puberdade são marcadamente significativos e celebrados nas diferentes culturas ao longo da história. Os ritos puberais sinalizam para a tribo/sociedade que aquele homem ou mulher atingiu a idade da responsabilidade, fertilidade e produtividade, e a criança passa a ter alguns privilégios dos adultos. Os ritos acentuam as diferenças entre homens e mulheres e fortalecem o tabu do incesto.

Nesse estágio das operações formais, o pubescente passa a se interessar por filosofia, religião, ética e política. Na medida em que o jovem se descobre capaz de dominar novas tarefas cognitivas, pode haver um retorno do pensamento egocêntrico. O pensamento torna-se onipotente e o adolescente sente-se capaz de fazer tudo, de mudar o rumo dos acontecimentos apenas com seu pensamento, superestimando o valor das soluções cognitivas para os problemas (o que foi denominado por Piaget de *egocentrismo das operações formais*).

Nesse período, podem ocorrer rupturas de amizades íntimas em decorrência das diferenças maturacionais, havendo dissolução dos grupos anteriores e formação de novas amizades. A criança menos madura sente-se solitária e negligenciada. Todas as mudanças vivenciadas pelo jovem em um curto espaço de tempo fazem com que ela se recolha ao seu mundo interno na tentativa de canalizar sua energia psíquica na elaboração de uma nova identidade. Devaneios, momentos de isolamento em seu quarto, diários e sentimento de irrealidade são exemplos do funcionamento narcísico (aqui entendido como a incapacidade de se relacionar com aspectos reais do outro, relacionando-se apenas com aspectos próprios projetados no outro) próprio desse período. Apenas depois de uma fase de recolhimento o adolescente poderá voltar-se para o outro, descobrir o outro. Assim, as relações amorosas na adolescência evoluem do narcisismo ao amor objetal, do autoerotismo à genitalidade. Em um primeiro momento, depara-se com um adolescente onipotente, arrogante e portador da onisciência que era atribuída aos pais na latência. Esse estado narcísico permite ao jovem lidar com o medo, a solidão e a ansiedade decorrentes da desidealização e do afastamento dos pais da infância.[8]

A forma como o jovem lidará com o processo de mudança está associada à sua capacidade de elaborar os lutos que a puberdade impõe, que são três:

- Luto pelo corpo infantil que não volta mais
- Luto pela identidade e pelo funcionamento infantis
- Luto pelos pais da infância.[9]

A criança, inconscientemente, carrega a fantasia da bissexualidade e de poder pertencer a ambos os sexos. A puberdade põe em cheque essa fantasia, forçando o jovem a se deparar com a definição e a identidade sexual adulta na busca pelo parceiro. Percebe-se que, em geral, esse adolescente reedita suas vivências edípicas nas escolhas objetais. Inicialmente, as primeiras escolhas relacionam-se de forma muito direta com as figuras parentais do sujeito (que agora pode escolher alguém "como a" mãe ou "como o" pai e não "a" mãe ou "o" pai reais). Essas relações são marcadas por intensa dependência, idealização, triangulação e rivalidade. Dessa forma, o adolescente vai progressivamente elaborando sua renúncia edípica para, então, entrar no mundo adulto.

A relação infantil de dependência com os pais vai gradativamente sendo abandonada, cedendo lugar à visão mais realista deles. O luto pelos pais da infância e a necessidade/possibilidade de perceber os pais agora como indivíduos, com suas qualidades e defeitos, é um momento muitas vezes marcado por tumultos e conflitos familiares. O adolescente percebe, pelo contato com o ambiente extrafamiliar, que não precisa reproduzir os padrões familiares em que estava inserido e que sua identidade não é formada a partir de uma mera cópia de seus pais. Ele precisa construir sua identidade madura a partir do rompimento da relação de dependência, idealização e segurança que tinha com os pais. Essa ruptura psíquica, às vezes, vem acompanhada de confrontos verbais e agressivos, muitas vezes necessários nessa elaboração – uma atuação da necessidade de tornar-se independente e pensar diferente. A idealização da família pode ser transferida ao grupo de pares, os quais cumprem a tripla de função de:

- Diminuir a ansiedade da percepção de que os pais não detêm a verdade

- Socializar as culpas e compartilhar as responsabilidades pelas transgressões que o jovem precisa fazer nesse período
- Livrar o adolescente de seus aspectos indesejáveis por meio da projeção.

O resultado satisfatório da elaboração desses lutos faz com que meninos e meninas busquem laços afetivos extrafamiliares (exogamia) e possam fazer escolhas afetivas, sexuais e profissionais menos alicerçadas no padrão edípico da infância e com maior liberdade criativa. O processo adolescente permite ao indivíduo amadurecer física, social e psicologicamente, além de garantir à sociedade renovação constante dos valores.

Adulto jovem

O indivíduo, com identidade madura solidificada, é agora capaz de lidar com a incerteza, a inconsistência, a contradição, os paradoxos e as imperfeições do conhecimento. É necessário desidealizar-se e traçar objetivos mais adequados à sua realidade. O indivíduo deixa de viver a vida de um personagem que pensa ser e passa a viver a vida da pessoa que é de fato. Em alguma medida, todos têm personagens dentro de si; o grau de distância entre personagem e pessoa pode dar uma medida da saúde ou da doença mental.[10]

O adulto jovem está no auge da sua capacidade reprodutiva (do ponto de vista psicológico e físico) e profissional. As relações afetivas e sexuais alcançaram a maturidade e o indivíduo pode agora escolher um companheiro para casar e ter filhos. Segundo Erikson,[11] o indivíduo seguro da sua identidade pode arriscar-se nas relações de intimidade, definida por ele como a capacidade de se confiar a filiações e associações e de desenvolver a força ética necessária para ser fiel a essas ligações (ou vínculos) mesmo que elas imponham sacrifícios e compromissos significativos. O indivíduo incapaz de experimentar a intimidade vive o isolamento, seja pelo medo de se expor, pelo medo de ser atacado, por vergonha social, por sentir que não precisa de mais ninguém ("eu me amo, eu me basto"), por baixa autoestima, por buscar a perfeição inalcançável no trabalho em detrimento das relações afetivas, por viver na superficialidade, na sedução, na ilusão e na fantasia. Há também o isolamento *a deux*, em que ambos no par amoroso se protegem do envolvimento emocional, criando obstáculos para superar a próxima crise: generatividade *versus* estagnação.[10] A dificuldade com a intimidade é facilmente observada na sociedade contemporânea: a busca da satisfação a curto prazo, o fracasso na lealdade e as dissimulações – tudo isso no âmbito do trabalho, do amor e da sexualidade.

Assim, são tarefas evolutivas do indivíduo nesse período do ciclo vital:[10]

- *Realizar a terceira individuação* (depois da infância e da adolescência) – permite a separação psicológica dos pais da infância e a autossuficiência no mundo adulto, facilitando a relação de reciprocidade com os pais
- *Formar amizades adultas* – com pessoas de diferentes idades e *backgrounds*, amizades mais difíceis de serem mantidas
- *Desenvolver intimidade emocional e sexual* – resultado: amor e filiação
- *Tornar-se pai ou mãe em termos biológicos e psicológicos* – exige conquistas prévias do desenvolvimento: identidade de gênero, identidade sexual, resolução saudável do Édipo
- *Formar identidade profissional adulta* – encontrar lugar gratificante no mundo do trabalho
- *Desenvolver formas adultas de brincar* – atividades artísticas e científicas com base no criar, inventar, descobrir
- *Tomar consciência da morte* – a consciência da limitação do tempo pode possibilitar que a pessoa desenvolva o máximo de suas habilidades.

Meia-idade

Estende-se aproximadamente dos 40 aos 60 anos, sendo que a transição entre a fase de adulto jovem para essa nova fase é lenta e gradual, sem modificações abruptas físicas ou psicológicas. Generatividade designa principalmente a preocupação em estabelecer e orientar a geração seguinte, passando conhecimentos e habilidades. Uma falha nessa capacidade, então, pode significar uma estagnação pessoal. A meia-idade é marcada por uma reavaliação de diversos aspectos da vida, pela necessidade de tomar decisões para a manutenção de diversas estruturas, como o casamento, as amizades e a carreira, que foram construídas ao longo dos anos. Decorrente disso, pode haver um período de crise, estabelecendo-se o conflito entre manter tais estruturas, abdicando de sonhos mais ambiciosos ou fantasias, ou a ruptura delas, para novas tentativas, seja na vida profissional, amorosa ou familiar.

As tarefas evolutivas incluem a aceitação do corpo que envelhece e, consequentemente, a aceitação da limitação do tempo e da morte pessoal, o que pode estimular uma maior apreciação de valor de relacionamentos, uma reavaliação dos objetivos e um ordenamento de prioridades. Há, também, o desafio da manutenção da intimidade a partir da aceitação das alterações corporais próprias e do parceiro e a reavaliação dos relacionamentos, sendo comuns questionamentos sobre continuar ou não com as relações já estabelecidas ou buscar um novo parceiro. O relacionamento com os filhos também sofre alterações, uma vez que há a necessidade de deixá-los se tornarem independentes e adultos, atingindo igualdade com eles, e de integrar novos membros na família, como noras, genros e netos. Além disso, há uma mudança ainda na relação com os pais, sendo que ocorre uma inversão de papéis ao surgir a necessidade de cuidar dos pais idosos e aceitar a possibilidade da morte deles. Em relação às atividades profissionais, essa fase tende a ser uma época de realizações do exercício do poder, resultado de anos de trabalho. Há um possível conflito do instrutor que passa o conhecimento para a próxima geração enquanto reconhece que isso levará ao seu eventual deslocamento. Nas pessoas saudáveis, a raiva e a inveja geradas por essa compreensão não são consumadas; são sublimadas no sentido da generatividade. Em outros, podem ocorrer ataques verbais ou atitudes que visam impedir o desenvolvimento e a progressão do mais jovem. Um acontecimento relevante dessa fase é a aposentadoria, podendo ser vivenciada como perda, tanto no aspecto financeiro como no poder e nas relações sociais, podendo chegar a desencadear crises emocionais e transtornos psiquiátricos, como depressão e abuso de álcool.[12]

Finalmente, uma importante tarefa dessa fase do ciclo vital é a preparação para a velhice, sendo algumas providências essenciais para compensar as perdas ocorridas nesse período, como manter a saúde física com a prevenção de doenças degenerativas, manter a independência econômica, ter seu próprio espaço físico ou moradia, ter laços de amizade e vínculos fortes com a família, manter um relacionamento íntimo com um companheiro, ter um vínculo com a comunidade, manter-se ocupado e com planos para o futuro, se possível com algum vínculo com seu antigo trabalho ou profissão.

▪ Velhice

Mundialmente, tem ocorrido um contínuo crescimento do número de idosos na população, os quais são definidos pela Organização Mundial da Saúde como as pessoas com idade igual ou superior a 60 anos. Diante disso, o conhecimento das características de vida e do estado mental dos idosos faz parte dos esforços atuais em busca de intervenções preventivas e curativas mais eficientes. Muitos acreditam que uma das tarefas evolutivas principais do indivíduo em processo de envelhecimento seja encontrar reparação para as perdas biopsicossociais inevitáveis associadas a esse estágio do ciclo vital. Algumas das perdas mais frequentes são a da saúde física, a diminuição das capacidades, o sentimento de solidão e a perda do cônjuge. A perda do trabalho, o declínio do padrão de vida e a diminuição das responsabilidades também são sentidos como importantes por alguns indivíduos. Um fator marcante é que, diferentemente das etapas anteriores nas quais as perdas principais se referiam a objetos externos, as perdas tendem a centrar-se no próprio indivíduo na velhice.

Erikson designou como tarefa crítica da velhice a aquisição de integridade, no sentido de aceitação do ciclo de vida único de cada pessoa, que inclui a sabedoria de aceitar a realidade e os fatos da existência, como foram e como são. O oposto seria o desespero, a sensação de que uma vida única foi desperdiçada, acompanhando-se tal sensação de amargura para com os outros ou ódio para consigo. Para muitos indivíduos, ser avô ou avó tem um papel bastante organizador nessa faixa etária. A partir dessa relação, podem-se vivenciar vicariamente as conquistas e os progressos dos netos, como prolongamento e reedição de suas próprias vitórias, o que caracteriza um aspecto essencial da velhice sadia.[13]

A manutenção da rede social é fundamental, estando o isolamento social associado ao aumento da mortalidade e elevação do índice de institucionalização dessa população. Várias pesquisas demonstram que idosos com redes sociais mais bem estruturadas apresentam menor sintomatologia depressiva. Além disso, idosos institucionalizados parecem apresentar maior déficit cognitivo do que os que vivem na comunidade. No atendimento dessas pessoas, é importante sempre considerar que existem características emocionais e problemas intrapsíquicos ou sociais peculiares à velhice, que podem despertar diferentes sentimentos, tanto na mente do paciente, quanto na do profissional que o está atendendo. Uma dificuldade comum é o fato de que os sinais físicos de envelhecimento e a proximidade da morte podem produzir o distanciamento do médico ou do estudante de medicina. A evidência das limitações físicas do paciente pode servir como uma forma de confrontação com o seu próprio medo do envelhecimento e da morte. Esse confronto pode ser suficientemente doloroso para que o profissional se abstenha de um contato mais próximo com o paciente. A compreensão dessas peculiaridades contribui para a realização de intervenções mais eficientes e para a ampliação dos conhecimentos sobre a velhice.

- **Morte**

A morte representa, essencialmente, o poder sobre o qual não temos nenhum controle. Teme-se a morte por não se saber como será o encontro com ela, em que momento da vida ocorrerá e o que representará. Esse medo existe em todas as pessoas, ao longo da vida, mesmo que seja negado ou mascarado. Dessa forma, o enfrentamento com a própria morte é a última tarefa do ciclo vital, que pode ser vivida de modo melhor ou pior caso predomine, conforme propõe Erikson, o desespero ou a integridade.[14]

Um importante estudo com doentes terminais realizado pela psiquiatra suíça Elisabeth Kubler Ross[15] permitiu distinguir os estágios de reação à morte pelos quais os doentes passam desde o momento em que tomam conhecimento do seu prognóstico. Esses estágios não se apresentam necessariamente em ordem cronológica e, com frequência, ocorrem ao mesmo tempo. O primeiro estágio é de negação e isolamento. A negação é um mecanismo de defesa simples, mas radical, que funciona como um "para-choque" depois da notícia inesperada e chocante da morte iminente. O segundo é o de revolta. Depois que a negação esgotou-se e que é impossível não ver os sinais da doença, o paciente sente uma extrema revolta, apresentando um profundo ressentimento por aqueles que ficarão e que continuarão vivendo depois da sua morte. Inconscientemente, tem a ilusão de que, por meio de sua revolta, fará com que alguém se compadeça e o livre da sua doença. O terceiro estágio é o da barganha. Barganhar com Deus, pedir algo e dar em troca, significa estabelecer um compromisso que o deixaria ligado à vida e impediria a morte. O quarto é o da depressão. O doente atinge esse estágio quando percebe que, após ter tentado inúmeras barganhas, é impotente, que não tem força alguma perante a morte e que dela não escapará. Nessa fase, imagina tudo que deixará de conhecer, de sentir, de viver. Após o paciente ter vivido tantos sentimentos fortes, não terá mais depressão ou revolta. Uma vez que expressou seus sentimentos de inveja e de perda, está cansado, querendo ficar só, em paz consigo mesmo, junto daqueles a quem ama, esperando a morte chegar. Esse é o quinto e último estágio: a aceitação.[14]

Para os médicos e estudantes de medicina, é difícil lidar com repetidas cenas de dor, sofrimento e tristeza no dia a dia. Assistir a pessoas sofrendo, especialmente quando nada ou muito pouco se pode fazer, torna-se, frequentemente, algo penoso, porque lembra o profissional da saúde de que, como seres humanos idênticos aos pacientes, de que ele também é suscetível a essas situações e que não pode modificar o curso da vida que se encaminha para a morte. Então, para que não se torne insuportável lidar com doenças e morte, lança-se mão de mecanismos de defesa que podem ser bastante úteis, como humor e negação, mas que, por outro

---

Quadro interativo

- Sugestões de livros

    Marcas de Nascença (Nancy Huston, 2007); *O Apanhador no Campo de Centeio* (J. D. Salinger, 1951); *O Animal Agonizante* (Philip Roth, 2001); *O Ateneu* (Raul Pompeia, 1888); *Dom Casmurro* (Machado de Assis, 1899).

- Sugestões de filmes

    O Segredo dos seus Olhos (Juan José Campanella, 2009); *O Filho da Noiva* (Juan José Campanella, 2001); *O Pai da Noiva* (Charles Shyer, 1991); *O Curioso Caso de Benjamin Button* (David Fincher, 2008); *Encontro Marcado* (Martin Brest, 1998); *O Ano em que Meus Pais Saíram de Férias* (Cao Hamburger, 2006); *Elsa e Fred* (Marcos Carnevale, 2005); *A Língua das Mariposas* (José Luis Cuerda, 1999); *A Viagem de Chihiro* (Hayao Miyazaki, 2001); *Olha quem Está Falando* (Amy Heckerling, 1989); *Antes que o Mundo Acabe* (Ana Luiza Azevedo, 2009).

lado, podem tornar o profissional resistente a sentir empatia pelos pacientes. Fica claro, portanto, que a posição ideal consiste em entender o que o doente sente, identificar-se parcialmente com ele, mas não sofrer como se fosse ele, atitude mental, muitas vezes, difícil de alcançar e manter. Para o melhor enfrentamento dessa etapa do ciclo vital, é importante que a morte, presente durante toda a vida, seja uma verdade que desperte no indivíduo o desejo de viver para aproveitar tudo o que lhe é oferecido, lutando ainda pelo que não tem e usufruindo de cada momento de prazer.

▶ Referências bibliográficas

1. Eizirik C, Kapczinski F, Bassols AM (Orgs). O Ciclo da Vida Humana: Uma Perspectiva Psicodinâmica. Porto Alegre: Artmed, 2001.
2. Bee H. O Ciclo Vital. Porto Alegre: Artes Médicas, 1997.
3. Falceto OG, Waldemar JOC. O Ciclo Vital da Família. In: Eizirik C, Kapczinski F, Bassols AM (Orgs). O Ciclo da Vida Humana: Uma Perspectiva Psicodinâmica. Porto Alegre: Artmed, pp. 59-72, 2001.
4. Manfro GG, Maltz S, Isolan L. A criança de 0 a 3 anos. In: Eizirik CE, Kapczinski F, Bassols AMS (Orgs.). O ciclo da vida humana: uma perspectiva psicodinâmica. Porto Alegre: Artmed, pp 73-89, 2001.
5. Bassols AMS, Dieder AL, Valenti D. A criança pré-escolar. In: Eizirik CE, Kapczinski F, Bassols AMS (Orgs.). O ciclo da vida humana: uma perspectiva psicodinâmica. Porto Alegre: Artmed, pp. 91-104, 2001.
6. Ferreira MHM, Araújo MS. A idade escolar: Latência (6 a 12 anos). In: Eizirik CE, Kapczinski F, Bassols AMS (Orgs.). O ciclo da vida humana: uma perspectiva psicodinâmica. Porto Alegre: Artmed, pp. 105-15, 2001.
7. Ceitlin LH, Shiba A, Valenti M, Sanchez P. A Puberdade. In: Eizirik C, Kapczinski F, Bassols AM (Orgs). O Ciclo da Vida Humana: Uma Perspectiva Psicodinâmica. Porto Alegre: Artmed, pp 117-26, 2001.
8. Levy R. O Adolescente. In: Eizirik C, Kapczinski F, Bassols AM (Orgs). O Ciclo da Vida Humana: Uma Perspectiva Psicodinâmica. Porto Alegre: Artmed, pp 127-40, 2001.
9. Aberastury A, Knobel M. Adolescência Normal. Porto Alegre: Artmed, 1986.
10. Osório C. Adultos Jovens, seus *Scripts* e Cenários. In: Eizirik C, Kapczinski F, Bassols AM (Orgs). O Ciclo da Vida Humana: Uma Perspectiva Psicodinâmica. Porto Alegre: Artmed, pp 141-58, 2001.
11. Erikson E, Erikson J. The Life Cycle Completed. New York: WW Norton, 1998.
12. Margis R, Cordioli AV. Idade Adulta: Meia-Idade. In: Eizirik C, Kapczinski F, Bassols AM (Orgs). O Ciclo da Vida Humana: Uma Perspectiva Psicodinâmica. Porto Alegre: Artmed, pp 159-67, 2001.
13. Eizirik CL, Candiago RH, Knijnik DZ. A Velhice. In: Eizirik C, Kapczinski F, Bassols AM (Orgs). O Ciclo da Vida Humana: Uma Perspectiva Psicodinâmica. Porto Alegre: Artmed, pp 169-89, 2001.
14. Eizirik CL, Polanczyk GV, Eizirik M. A Morte: Última Etapa do Ciclo Vital. In: Eizirik C, Kapczinski F, Bassols AM (Orgs). O Ciclo da Vida Humana: Uma Perspectiva Psicodinâmica. Porto Alegre: Artmed, pp 191-200, 2001.
15. Kübler-Ross E. Sobre a Morte e o Morrer. 4. ed. São Paulo: Martins Fontes, 1969.

7 Reação à Doença e à Hospitalização

Neury José Botega

O aprofundamento no estudo das condições biológicas, sociais e psíquicas decorrentes da doença e da hospitalização, das condições de estresse e vulnerabilidade, dos traços de personalidade, dos conflitos emocionais e mecanismos adaptativos, bem como das experiências prévias com doenças, médicos e hospitais deve ser considerado na tentativa de sistematizar uma teoria que, sem ser reducionista ou rotuladora, possa ser de utilidade para os que trabalham com pessoas adoecidas.

Uma tarefa como essa requer não só conhecimentos básicos de biologia, de psicologia e de ciências sociais, como também experiência, empatia e desvelo pelo paciente. Este capítulo aborda conhecimentos que auxiliam a compreender e a lidar com aspectos psicológicos envolvidos no adoecimento agudo e na internação hospitalar.

▶ Doença aguda

Fiz um trato com meu corpo.
Nunca fique doente.
Quando você quiser morrer, eu deixo.
P. Leminski (1995)

Na poesia, o autor parece tranquilo. Declara, taxativamente, que um acordo já foi estabelecido com seu corpo, que resta cativo e obediente. Dentre as possibilidades da vida, a doença que chega sem aviso foi afastada, e a morte acontecerá sem sofrimento, sob autorização. Portanto, problema resolvido; não é preciso mais se angustiar diante de duas grandes incertezas – e sofrimentos – da vida: a doença e a morte.

Quando o corpo está em silêncio, comumente é esquecido, parece algo garantido que pertence ao ser humano. Toma-se por pressuposto que o corpo se submeterá aos desejos e obedecerá às ordens daquele a quem pertence. No íntimo, para muitas pessoas, o corpo também tem outra característica descolada da realidade do ser: é imortal.

A doença serve para lembrar que o corpo existe, que se pode morrer, às vezes até com a noção de que "ele" – o corpo – pode matar o indivíduo. Interessante que, nessa última circunstância, ele pode ser transformado em principal inimigo, ou mesmo levar a culpa por não ter reagido à ameaça de doença.

O sentimento de uma pessoa que, de repente, se vê gravemente enferma é o de que, a partir de seu próprio corpo, deixou de ser dona de si. Imaginemos, por exemplo, o caso de alguém que, em decorrência de um acidente vascular cerebral, deixou de movimentar braço e perna. Tal pessoa, antes, pensava "levante-se!" e via seu corpo levantar-se; ordenava "ande!", e seu corpo andava… Com as limitações da doença, passa a sujeitar-se a seu corpo, e a ele tem que perguntar: "posso…?".

A vivência é de tornar-se escravo do corpo e do tempo. A doença traz essa vivência pungente de quebra de uma linha de continuidade da vida, das funções desempenhadas no dia a dia, de certa previsibilidade que se guarda sobre o dia de amanhã. O impacto da doença imobiliza e congela a existência e, em consequência, a relação com o mundo. Há uma interrupção da continuidade existencial e da referência temporal. É um tempo de suspensão; difícil ligá-lo à vida passada ou conectá-lo ao futuro. As preocupações mais imediatas passam a girar em torno do estado corporal e da passagem das horas.

Essa condição fora enfatizada por Freud, em 1914:[1]

> É do conhecimento de todos, e eu o aceito como normal, que uma pessoa atormentada por dor e mal-estar orgânico deixa de se interessar pelas coisas do mundo externo, na medida em que não dizem respeito a seu sofrimento. Uma observação mais detida também nos ensina que ela também retira o interesse libidinal de seus objetos amorosos: enquanto sofre, deixa de amar. [...] Devemos então dizer: o homem enfermo retira suas catexias libidinais de volta para seu próprio ego, e as põe para fora novamente quando se recupera. (p. 98)

A enfermidade transforma o homem de sujeito de intenções em sujeito de atenção.[2] A internação em um hospital amplia o impacto psicossocial dessa condição de vida. Strain (1978) postula oito categorias de estresse psicológico a que está submetido o paciente hospitalizado por uma doença aguda, tendo por base as fases psicodinâmicas do desenvolvimento:[3]

- *Ameaça básica à integridade narcísica*. São atingidas as fantasias onipotentes de imortalidade, de controle sobre o próprio destino e de um corpo indestrutível. Podem emergir fantasias catastróficas, com sensação de pânico, aniquilamento e impotência
- *Ansiedade de separação*, não só de pessoas significativas, mas de objetos, ambiente e estilo de vida
- *Medo de estranhos*. Ao entrar no hospital, o paciente coloca sua vida e seu corpo em mãos de pessoas desconhecidas, cuja competência e intenção ele desconhece
- *Culpa e medo de retaliação*. Ideias de que a doença veio como um castigo por pecados e omissões, fantasias de destruição de uma parte do corpo enferma, "traidora"
- *Medo da perda do controle* de funções adquiridas durante o desenvolvimento, como a fala, o controle dos esfíncteres, a marcha etc.
- *Perda de amor e de aprovação*, com sentimentos de autodesvalorização gerados pela dependência, sobrecarga financeira etc.
- *O medo da perda de, ou dano a, partes do corpo*. Mutilações ou disfunções de membros e de órgãos alteram o esquema corporal, são perdas equivalentes à de uma pessoa muito querida
- *O medo da morte, da dor*.

▶ Reação de ajustamento

Pacientes reagem diferentemente às doenças e à internação hospitalar. Os fatores que determinam respostas individuais a essas condições não são conhecidos em sua totalidade. Entretanto, o significado pessoal e subjetivo que a doença física desperta parece ser o fator fundamental, modulado por características de personalidade, circunstâncias sociais e pela própria natureza da patologia e de seu tratamento.

Passada a fase de diagnóstico e de terapêutica inicial, demora um tempo para a pessoa se acalmar e, ao longo de um período variável, recompor-se e ampliar seus interesses, voltando a ter ânimo e a planejar o futuro. Em outras palavras, veem-se aqui as mesmas fases observadas em um processo de *luto normal*: passado o impacto da doença e da hospitalização, espera-se que a pessoa retome, aos poucos, a esperança e o comando de sua vida – ainda que isso possa ocorrer apenas na esfera mental, controlando o pessimismo e as emoções.

As ameaças e as frustrações que acompanham o adoecer podem ser intensas; a doença passa a ser a marca da impotência, transforma-se em uma ferida psíquica que não se cicatriza, ainda que, de fato, as coisas estejam dando sinais de melhora. Algumas pessoas têm seu sofrimento prolongado, pois não conseguem elaborar ("digerir") a situação de perda (*luto patológico*).

Outras, acostumadas a manter rigidamente o controle de diversos aspectos de suas vidas, poderão se relacionar exasperadamente com seus cuidadores. Não abrem mão de uma posição de comando, exigindo, a todo o momento, que suas inúmeras solicitações sejam atendidas.

Não raramente, despertam raiva e esgotamento. O profissional de saúde poderá, nesses casos, sentir-se explorado, controlado, e responderá, igualmente, com hostilidades.

As reações de ajustamento constituem um grupo de transtornos frequentes entre pacientes internados no hospital geral. Entre 78 pacientes internados consecutivamente em uma enfermaria de clínica médica do Hospital das Clínicas da Unicamp, 31 (39%) apresentavam sintomas de ansiedade e/ou depressão em uma intensidade a requerer atenção específica. Em um quarto dos casos, os transtornos observados associavam-se a problemas duradouros nas áreas emocional e social. Nesses casos, sabe-se que o risco de cronificação é maior.[4]

Na CID-10, as reações de ajustamento são subdivididas de acordo com sua duração e com os sintomas predominantes. Podem ser tomadas como uma síndrome parcial de um transtorno específico do humor, a meio caminho entre o normal e um transtorno psiquiátrico de maior gravidade. A exemplo do observado na atenção primária, o padrão mais comum de sintomas é de natureza indiferenciada, compreendendo uma combinação de preocupações excessivas, ansiedade, depressão e insônia.

No caso de doenças agudas, como infarto do miocárdio, os sintomas se desenvolvem dentro de dois ou três dias. A ansiedade surge primeiro, principalmente quando não se tem certeza do diagnóstico e da evolução do quadro clínico. Sintomas depressivos aparecem posteriormente e podem durar semanas.

Em geral, os sintomas são transitórios, melhoram com apoio psicológico e boa comunicação. Costumam ceder com a recuperação clínica e a alta hospitalar. Psicotrópicos e psicoterapia conduzida por especialista são raramente necessários. Isso não significa que a detecção e a abordagem dos sintomas possam ser dispensadas. Em quadros sintomatológicos mais graves e prolongados, ou em casos de dificuldade no diagnóstico e no manejo do paciente, a avaliação psiquiátrica é aconselhável.

Em alguns casos, os sintomas persistem por mais tempo. Geralmente, são de natureza depressiva, atingindo níveis de gravidade compatíveis com critérios diagnósticos para episódio depressivo. Na avaliação do paciente, sintomas como perda do interesse e anedonia (falta de prazer em atividades antes prazerosas) devem ser ativamente pesquisados.

Sabe-se que uma parcela significativa dos pacientes detectados com episódio depressivo (*major depression*) no início de uma internação em hospital geral continuará deprimida à época da alta e vários meses após ter deixado o hospital (Egede, 2007). Em um estudo realizado no HC Unicamp, a reavaliação, após seis meses da alta hospitalar, de 50 casos de episódio depressivo diagnosticado durante a internação, mostrou que dois terços continuavam deprimidos. Apenas uma minoria (um terço do total) havia recebido tratamento para depressão na rede pública de saúde.[5]

▶ Mecanismos de defesa

Os mecanismos psicológicos de adaptação à doença e à hospitalização podem ser estudados sob as vertentes psicodinâmica (personalidade, mecanismos de defesa, modalidades de apego), fisiológica (estresse) e cognitiva (*locus* de controle, *coping*).

Ao atender os pacientes, o profissional ouve seus relatos, observa comportamentos e intui suas vivências. Defesas psicológicas, propriamente, são inferidas. A ideia de mecanismos de defesa do ego ocorreu a Freud quando ele se deu conta da resistência que seus pacientes manifestavam contra representações inconciliáveis ("conteúdos penosos") que chegavam à consciência.

Essa atitude defensiva da mente foi reconhecida como o mecanismo principal na etiologia da histeria. O que o ego teme é algo da "natureza de uma destruição ou extinção", segundo Freud.[1] Procurará, então, proteger-se de perigos internos e externos, de forma mais ou menos madura (como na sublimação e na regressão, respectivamente). Vários mecanismos de defesa foram mais aprofundadamente estudados por sua filha, Anna Freud:[6] recalcamento, regressão, formação reativa, isolamento, anulação retroativa, projeção, introjeção, retorno sobre si mesmo, reinversão da pulsão, sublimação, negação, idealização, identificação com o agressor.

As medidas de defesa não são inteiramente obra do ego; algumas delas ocorrem antes mesmo da conformação egoica. Essa ideia foi aventada por Freud e mais trabalhada por Melanie Klein, com as noções de clivagem do objeto, identificação projetiva, negação da realidade e controle onipotente.[7] Esses mecanismos, conhecidos como "primitivos", ganham relevância, por exemplo, entre pacientes com transtorno de personalidade *borderline*, mas podem se manifestar no homem comum, dependendo de sua personalidade e do impacto de certos acontecimentos.

Inicialmente descritos como "defensivos", mecanismos psicológicos de defesa são essenciais na própria constituição do sujeito, de sua personalidade, capazes de proporcionar uma espécie de viabilidade mental na relação do indivíduo com a realidade, incluindo-se sua realidade mais íntima e pessoal, às vezes apenas "sentida" e desprovida de representações mentais.[8]

- ## Negação

Por meio da negação, o paciente passa a agir como se não estivesse sob ameaça. Trata-se de um recurso para evitar sofrimento, medo e desespero. O doente pode postergar ou abandonar o tratamento, bem como desacreditar nos resultados de exames, agir como se nada de grave estivesse acontecendo ou tentar fazer crer que seu problema clínico é de natureza mais branda do que todos estão pensando. Outras vezes, observa-se uma pessoa que, embora submetida a procedimentos invasivos e dolorosos, não faz perguntas sobre a razão de sua internação ou dos remédios que está tomando.

De certa forma, a *racionalização*, outro mecanismo de defesa bastante observado na clínica, apoia-se na negação e no *isolamento* de sentimentos penosos. O paciente poderá querer conversar, às vezes até animadamente, sobre os aspectos técnicos de seu diagnóstico e tratamento. Outra forma de negar conflitos e sentimentos é a *banalização*. Dá-se a um problema sério apenas alguma importância, o assunto logo é mudado, ou segue-se uma brincadeira.

O paciente, estranhamente e fora do que o médico em geral esperaria, parece pouco impressionado com seu estado de saúde. Características como as descritas podem constituir traços de caráter mais ou menos integrados à personalidade. São sintomáticas, no entanto, quando parecem, aos olhos do examinador, rígidas e forçadas.

Essas posturas de defesa precisam ser respeitadas, pois significam, afinal, a impossibilidade de suportar a carga emocional advinda da situação de doença. Para muitos pacientes, certo grau de negação é um mecanismo útil para enfrentar a ansiedade despertada pela enfermidade e pela cirurgia iminente. Esse comportamento é considerado, por alguns autores, um fator de proteção entre pacientes internados em unidades coronárias.[9]

É preciso respeitar o "tempo interno" do paciente e não forçá-lo a encarar "verdades".[10] Arrombar-lhe portas e janelas do ego, impondo-lhe os fatos, é uma atitude violenta. Tal conduta responde mais à angústia e ao despreparo do médico do que a uma necessidade de franqueza com o paciente e de eficiência na tarefa médica.

As clássicas perguntas "revelar ou não o diagnóstico?", "quando?", "como falar?" devem ser respondidas com um convite para ouvir um pouco mais o paciente antes de decidir o que, como e quando falar, prestando atenção em sua linguagem verbal e não verbal, até que se possa intuir o que ele deseja e suporta saber.

São comuns situações nas quais a "negação" de um diagnóstico foi compactuada entre médico e familiares, que decidiram não comunicar algo penoso, mesmo quando o paciente se encontra em plenas condições mentais de lidar com os sentimentos que tal revelação provocaria. A observação, no paciente, de instabilidade afetiva, com crises de choro, irritabilidade, insônia, bem como demanda exagerada e desnecessária de atenção, pode indicar a falência do mecanismo de negação; um sinal de que a pessoa já pode – e necessita – abrir-se com alguém.

- ## Regressão

O impacto psicológico da doença, aliado às próprias condições de uma internação, na qual o paciente recebe cuidados básicos de higiene, alimentação e medicação, favorece o mecanismo de regressão. A atualização de um modo de funcionamento ligado a etapas mais precoces do desenvolvimento permite satisfações de necessidades afetivas primitivas. Por outro lado, o paciente pode adotar uma posição muito passiva, não demonstrar força para reagir, "regredindo" em seu comportamento e suas necessidades, chegando, às vezes, a fases não verbais e não motoras.

A regressão nada tem de anormal em uma situação grave e aguda, na qual o paciente tem que se colocar nas mãos da equipe médica e deixar-se cuidar. Aliás, a incapacidade de entregar-se a certo grau de regressão, forçando-se a uma "perfeita adaptação" à doença, pode, com o tempo, ser prejudicial. Quando se prolonga, no decorrer do tratamento, a regressão aumenta desnecessariamente a permanência no leito, incentiva a dependência e retarda a convalescença, podendo chegar ao *hospitalismo* (ver adiante). Tal comportamento impede-o de usar recursos pessoais mais maduros para enfrentar as dificuldades presentes, imprimindo a ideia de que participação mais ativa no tratamento implicará maior sofrimento.

A regressão é favorecida pela situação real de dependência na qual a pessoa se encontra e pela atitude dos familiares e da equipe assistencial, quando passam a tratar o paciente como criança. Essa modalidade de relação, quando preponderante, poderá reforçar a regressão, passando para o paciente a impressão de que o julgam realmente incapaz. Uma impressão de que não adianta se esforçar, pois não conseguirá.

A atitude oposta ("Vamos lá! Só depende de você!") é igualmente inadequada. Imagine como se sente uma pessoa acamada e deprimida, sem motivação, ao ouvir alguém dizer que só depende dela. Provavelmente, vai se sentir mais incapaz, mais só, sem apoio e sem compreensão. É preciso tratar o adoentado com delicadeza, mas sem infantilizá-lo. O paciente necessita de "gotas de otimismo", não de uma ordem quase eufórica e condenatória. A esse respeito, é ilustrativo o trecho de uma entrevista dada por Federico Fellini no hospital, após ter sofrido um acidente vascular cerebral e passado duas semanas em coma:

> Durante meses, você é inserido em lugares aparentemente protetores, com hierarquias, histeria e acessos de raiva que não são seus, em um vórtice de dias que não são seus. Você é tratado como um jogador de futebol: "Vamos lá, não desista. Você tem que conseguir. Onde está sua coragem? Você precisa cooperar, vamos lá...". Ou então como se fosse um bebê: "Agora eu quero que você venha e pegue este lápis com sua mão esquerda...". E você não consegue nem sequer fazer isso. [...] Você é mergulhado em um ambiente infantil, de berçário. "Agora vamos lavar nosso rosto. Será que queremos um pouco de queijo em nossa sopinha? Agora vamos tomar nosso comprimido, nosso comprimido para dormir, nosso tranquilizante". Mas o único "eu" nesse "eu", o único que é obrigado a lutar e sofrer, é você memo. A doença torna você dependente. Essa dependência faz você regredir à infância.[11]

- **Deslocamento**

Em algum momento no curso do tratamento, o paciente poderá deslocar sua raiva contra um familiar ou contra a equipe médica, culpá-los pela doença ou por algum acontecimento, tentando aplacar a angústia e a revolta que não consegue conter. Geralmente, essa reação é passageira, correspondendo a uma fase em que o doente se encontra sob o impacto de um diagnóstico ou de alguma notícia adversa.

Em um estágio posterior, na medida em que for aceitando sua condição, o paciente poderá mostrar-se mais triste, rememorando passagens de sua vida, tentando compreender e aceitar seu destino e, pelo menos nos casos em que não houver um prognóstico sombrio, planejando sua vida após a alta.

A atitude do paciente enraivecido por sua condição de doença e de dependência poderá ser de arrogância e desprezo, ou exigirá tal nível de dedicação que afastará as pessoas dele. A equipe assistencial passará a colocá-lo "no gelo" ou mesmo, de alguma maneira, a agredi-lo de forma sádica (ainda que passivamente). É importante lembrar-se de que, em casos como esse, costuma haver um processo de "contaminação", no qual os sentimentos do paciente, principalmente suas necessidades mais primitivas, podem influenciar e modificar o modo de as pessoas agirem em relação a ele. Adiante, sob o título de "pacientes-problema", reabordaremos o assunto.

▶ **Estresse e coping**

A noção de estresse veio da física, referindo-se ao grau de deformidade que uma estrutura sofre quando é submetida a um esforço; chegou à medicina, relacionada com as reações adaptativas de um organismo vivo quando submetido a agentes nocivos (dor, frio, fome, estados tóxicos e infecciosos). Em psicologia, o estresse é relacionado com o cumprimento de tarefas de responsabilidade, a reações a eventos inesperados, a situações de expectativa e de contato com o novo.[12]

> Tal como a maioria dos animais, reagimos a qualquer espécie de desafio mobilizando nosso organismo, em preparação para a luta física ou para a fuga; mas, na maioria dos casos, essas reações deixaram de ser úteis [...]. Sendo civilizados, tentamos enfrentar o desafio de um modo socialmente aceitável, mas as partes "velhas" de nosso cérebro continuam mobilizando o organismo para respostas físicas inadequadas. Se isso acontecer repetidas vezes, nós provavelmente adoeceremos.[13]

O homem reage não só a um perigo real e atual, mas também a ameaças de perigo (potenciais ou imaginadas) relativas tanto a situações pessoais como a condições de um ambiente inseguro, criado por nosso sistema social e econômico. O que determina a patologia é a reação do organismo, e, com muita frequência, a gravidade da enfermidade deve-se, primariamente, à violência dos mecanismos de defesa orgânicos. O estresse prolongado afeta o sistema imunológico do corpo e suas defesas naturais contra infecções e outras doenças.

Há muitos elos desconhecidos na cadeia de eventos iniciada por acontecimentos que têm um caráter simbólico, provocando respostas psicológicas, chegando a alterações fisiológicas. Ainda assim, o conhecimento dos fatores que contribuem para intensificar ou minorar o estresse pode propiciar a elaboração de estratégias a serem utilizadas em tratamentos individuais ou coletivos, de caráter preventivo. Esses fatores dependem de:[14]

- Personalidade (dados biográficos e contextuais)
- Modo como algo é percebido e avaliado (crenças, expectativas, sentimentos)
- Desenvolvimento e evolução dos sintomas e da conduta problemática
- Magnitude, intensidade, frequência, duração e previsibilidade de um evento
- Experiência anterior do indivíduo com situações semelhantes
- Fatores socioculturais (imagem da doença, rede de apoio social)
- Motivação para a mudança de atitude.

De acordo com modelos cognitivos do comportamento, as pessoas podem ser divididas em duas grandes categorias, em relação à maneira como enfrentam as doenças (*coping*): "orientadas para o problema" ou "orientadas para a emoção". As primeiras, ao lidarem com situações de doença, tenderão a buscar informações, procurarão trocar ideias com médicos, amigos, grupos de autoajuda, a fim de alterarem suas concepções, seus hábitos, bem como as características do ambiente em que vivem. Tudo isso com a finalidade de reassumirem o controle de suas vidas, tornando as consequências da doença mais toleráveis.

As pessoas "orientadas para a emoção" estarão mais preocupadas em lidar com suas emoções, reduzindo-lhes o impacto. Terão mais dificuldades para se focalizarem em alternativas cognitivas. Esses pacientes responderão mais "emocionalmente", usarão mais mecanismos de defesa, sentirão mais desesperança, desamparo e depressão, necessitando de estratégia de apoio psicológico por parte da família, de amigos e da equipe assistencial.[15]

A imagem que o paciente faz da doença e de seu tratamento deve ser pesquisada em seus elementos concretos e subjetivos. Ideias errôneas ou distorcidas precisam ser desfeitas. A título de exemplo, um estudo prospectivo com 143 pacientes que haviam sofrido infarto do miocárdio demonstrou que o comparecimento às sessões de reabilitação associou-se à crença, durante a internação, de que a doença poderia ser curada ou controlada. O retorno mais rápido ao trabalho associou-se à percepção de que a doença duraria pouco e traria menos consequências negativas. Os que faziam má ideia dela e de suas consequências tiveram pior desempenho nas medições de atividades de lazer e vida social. Ou seja, as percepções iniciais que os pacientes tinham de seus problemas foram importantes determinantes em sua recuperação.[16]

É crucial o apoio social recebido pelo paciente, mais em termos da qualidade do que da quantidade. Apoio social é um constructo teórico com muitos componentes, e uma distinção deve ser feita entre o apoio de fato disponível e a percepção que a pessoa faz em relação à adequação desse apoio. De qualquer modo, a associação com redução da mortalidade sugere que uma rede de apoio social adequada pode, de fato, repercutir organicamente na redução do estresse e, em consequência, dos agravos à saúde.[14]

O profissional de saúde, juntamente com o paciente, deve procurar tornar situações ameaçadoras em mais seguras e auxiliar no reconhecimento e na expressão dos sentimentos vivenciados, compreendendo-os e oferecendo apoio psicológico. A provisão de informações, na medida necessitada e compreendida pelo paciente, é fundamental. Devem ser explicadas a natureza e a razão dos diversos procedimentos, e ideias errôneas devem ser desfeitas.[12] Os familiares também estarão angustiados com uma enfermidade surgida de modo abrupto, precisando ser tranquilizados. É aconselhável identificar aquele que se encontra mais disponível, tanto para funcionar como um elo entre a equipe assistencial e a família como para permanecer, se necessário, mais tempo ao lado do paciente.

- ## Pacientes-problema

A adaptação ao estresse e às limitações decorrentes da hospitalização se torna crítica nos casos de pacientes que sofrem de certos distúrbios mentais, ou que têm alguns traços marcantes de personalidade. Algumas das características encontradas entre esses pacientes costumam dificultar ou impedir a adaptação: desconsideração pelo próximo, violação de regras de convívio social, repetidas acusações e ameaças, dependência excessiva, comportamento impulsivo, tendência a manipular as pessoas, egocentrismo, instabilidade na autoimagem, nos afetos e nas relações interpessoais, grandiosidade, necessidade de admiração, incapacidade de estabelecer um relacionamento empático.[17,18]

As defesas psicológicas utilizadas são consideradas mais primitivas, características de um ego imaturo, e geradoras de problemas no relacionamento com a equipe assistencial (Quadro 7.1). Indivíduos com transtorno *borderline* de personalidade conformam o paradigma dos pacientes-problema (Quadro 7.2), provocando estragos na boa relação terapêutica, algo que eles tanto reivindicam. É preciso lembrar, no entanto, que nem todos os indivíduos com transtorno de personalidade são pacientes-problema.

De modo geral, o paciente deve ser auxiliado a reconhecer as limitações da realidade. Ele certamente necessitará de apoio de um elemento da equipe, de modo mais constante (evitar esquemas de rodízio de profissionais) e de limites para que se adeque ao ambiente e às limitações do tratamento. Isso deverá ser feito de maneira firme, sem agressividade e sem um sentido de punição. O estabelecimento de limites auxiliará o paciente que funciona primitivamente a manter seu controle interno. Deve-se evitar, no entanto, a confrontação, de acordo com as seguintes recomendações:[19]

- Reconhecer os estresses pelos quais o paciente está passando
- Respeitar os mecanismos de defesa de que o paciente precisa
- Evitar o estímulo às demandas por cuidados e proximidade
- Não incitar o paciente a reações de raiva
- Evitar confrontar as prerrogativas que o paciente narcisisticamente se atribui.

Nos casos em que as ameaças do paciente denunciarem a iminência de comportamento violento, a segurança do hospital deve ser acionada, entre outras providências a serem tomadas, como medicação e até contenção no leito. Atentar para as seguintes características, que indicam a iminência de uma explosão de violência: exigências são feitas de modo crescente e veemente; manifestação de raiva; linguagem inadequadamente hostil; agitação e ideação paranoide; sentimento de medo da equipe.

▼

Quadro 7.1 Mecanismos de defesa primitivos em pacientes internados no hospital geral.

- *Clivagem* (splitting). Separação completa de ideias opostas, juntamente com os sentimentos a elas associados. Membros da equipe são divididos entre "bons" e "maus". Paciente não concebe a ambivalência, reconhecendo que seres humanos têm limites, com "boas" e "más" qualidades presentes em uma mesma pessoa
- *Identificação projetiva.* O paciente encara o cuidador dentro da seguinte "lógica": 'Eu sou mau e você cuida de mim, então você deve ser detestável: se não o fosse, não cuidaria de mim'. O cuidador pode, inconscientemente, passar a agir dentro dessa lógica, com hostilidade, ou sensação de desamparo e desesperança
- *Negação psicótica.* O paciente expulsa da consciência algum aspecto angustiante de sua realidade, substituindo-o por outro, de caráter oposto: ele pode negar a gravidade de sua doença e pedir alta do hospital onde ele poderia ser tratado
- *Idealização primitiva.* Tendência a conceber o médico ou outro profissional como alguém extremamente "bom", a fim de proteger-se dos "maus" profissionais da equipe ou dos perigos da doença
- *Onipotência e ataques.* A relação com uma equipe vista como poderosa, com poderes mágicos (idealização), pode cair por terra diante da primeira frustração. A equipe passará, então, a ser odiada, encarada como impotente

Com base em Vaillant (1971) e Groves (1978).

Quadro 7.2 Critérios diagnósticos para transtorno de personalidade *borderline* (DSM-IV).

Um padrão marcante de instabilidade nos relacionamentos interpessoais, autoimagem e afetos, e acentuada impulsividade, que começa no início da idade adulta e está presente em uma variedade de contextos, como indicado por cinco (ou mais) dos seguintes critérios:

(1) Esforços frenéticos para evitar um abandono real ou imaginado

(2) Um padrão de relacionamentos interpessoais instáveis e intensos, caracterizado pela alternância entre extremos de idealização e desvalorização

(3) Perturbação da identidade: instabilidade acentuada e persistente da autoimagem ou do sentimento de si mesmo

(4) Impulsividade em pelo menos duas áreas potencialmente prejudiciais à própria pessoa (p. ex., gastos financeiros, sexo, abuso de substâncias, direção imprudente, compulsão alimentar)

(5) Recorrência de comportamento, gestos ou ameaças suicidas ou de comportamento automutilante

(6) Instabilidade afetiva devido a uma acentuada reatividade do humor (p. ex., episódios de intensa disforia, irritabilidade ou ansiedade, geralmente durante algumas horas e apenas raramente mais de alguns diais)

(7) Sentimentos crônicos de vazio

(8) Raiva inadequada e intensa, ou dificuldade em controlar a raiva (p. ex., demonstrações frequentes de irritação, raiva constante, lutas corporais recorrentes)

(9) Ideação paranoide transitória e relacionada com o estresse ou graves sintomas dissociativos

Além do risco de violência contra terceiros, é imprescindível avaliar o risco de suicídio. Considerar as características associadas à maior risco (tentativa de suicídio prévia, viver só, idade avançada, comorbidade com transtornos psiquiátricos etc.) como também mudanças na situação atual do paciente que poderiam levá-lo a uma situação de desespero. Os casos de suicídio em hospital geral dão-se menos por depressão e mais em resposta a sentimentos de desamparo (sentir-se abandonado pela equipe, sem o apoio de familiares, notadamente em finais de semana e feriados) e desesperança (atenção a situações de agravamento do quadro clínico, de insucesso terapêutico, de comunicações dolorosas).

Alguns pacientes com traços paranoides, que vivenciam sua situação de dependência e passividade como algo muito ameaçador, *projetam* sua raiva e desconfiança nos que deles se aproximam, forçando-os a reagirem agressivamente. Assim, poderão continuar agressivos, "no controle", sem as angústias de quem se sente submetido, amedrontado e desamparado. Em situações como essa, o paciente instiga atitudes violentas contra si próprio.

Algumas recomendações a respeito de como lidar com esses "pacientes-problema", como aqui descritos, são resumidas a seguir:[17]

- *Comunicação*. O paciente tenta colocar uns contra os outros, "semeia a discórdia". A equipe assistencial deve, então, reunir-se diariamente, por alguns instantes, para alcançar um consenso sobre como proceder diante de situações criadas pelo paciente

- *Acompanhamento*. O paciente entra em pânico quando não identifica aliados. Idealmente, um profissional deveria estar mais próximo, ser o porta-voz da equipe assistencial e negociar com ele. Como isso é impossível na prática, então, no início de cada turno, um profissional deveria se apresentar, perguntar como as coisas estão caminhando e dizer por quanto tempo permanecerá ali trabalhando

- *Direitos e prerrogativas*. O paciente aferra-se a eles, pois teme a situação ameaçadora em que se encontra. Por fazer muitas exigências, enerva a equipe. É aconselhável não entrar em confronto franco com o paciente, ainda mais se movido por raiva. Em vez disso, reconhecer, reiteradamente, as necessidades e incômodos pelas quais ele passa, garantindo que ele merece toda a atenção etc. Acrescentar, no entanto, que, para o próprio bem dele, serão seguidas as normas da enfermaria e as técnicas resultantes do conhecimento médico e da experiência da equipe

- *Estabelecimento de limites*. Se o paciente não é atendido em suas exigências, costuma "descompensar" emocionalmente, fazer ameaças, ofender. Isso pode colocar os membros da equipe em uma armadilha, movidos por seus sentimentos contratransferenciais. Estabelecer limites, calma e firmemente. Se houver ameaças de auto ou heteroagressão, assegurar ao paciente que todas as medidas serão tomadas para protegê-lo.

Hospitalismo

O termo hospitalismo tornou-se mais conhecido após os trabalhos de Spitz, referindo-se a quadros de apatia e depressão (depressão anaclítica), nos primeiros 2 anos de vida, em crianças que se encontravam em instituições, com privação de maternagem.[20] No meio médico, o termo é utilizado para referir-se a quadros de reinternações ou de permanência hospitalar, além da média prevista para o quadro clínico, nos quais há o desejo consciente ou inconsciente de o paciente ser cuidado pela instituição, mediante agravamento e prolongamento de queixas físicas ou psicopatológicas.

Os benefícios auferidos com essa situação abarcam os cuidados recebidos no ambiente hospitalar, bem como a legitimização do papel de doente, junto a familiares e pessoas mais próximas. Não se incluem nessa concepção os casos em que a reinternação ou permanência prolongada devem-se à falência do sistema de saúde, ao mau gerenciamento institucional, ao abandono familiar, à manutenção da internação por interesse científico, ou às internações que se dão sob forte pressão institucional, ainda que essas condições possam contribuir para o que se trata aqui por hospitalismo.

Esses pacientes, às vezes, deixam o hospital para retornarem algumas horas mais tarde ou no dia seguinte.[21,22] Geralmente são pacientes de idade mais avançada, acometidos por doenças invalidantes crônicas, que apresentam, frequentemente, transtornos psiquiátricos e problemas psicossociais (família, moradia, trabalho, finanças etc.). Os critérios operacionais para um diagnóstico psiquiátrico nem sempre são preenchidos. Nos casos em que não se evidencia uma doença orgânica, o diagnóstico diferencial deve ser feito com os transtornos somatoformes, transtornos factícios e com a simulação.

As famílias ficam apreensivas e desestabilizadas com as constantes pioras do quadro respiratório. Frequentemente, a instituição acaba por facilitar a perpetuação do problema, ao permitir que, a cada reinternação, novo médico assista o paciente. Há, nesses casos, a necessidade de um programa de apoio após a alta hospitalar que inclua suporte ao paciente e familiares, com visitas domiciliares, quando necessário. Em um subgrupo desses pacientes, com doença pulmonar obstrutiva crônica,[23] detectou-se a pressão familiar como principal desencadeante de repetidas internações.

▼

Quadro 7.3 Medidas que facilitam a aceitação da alta.

- Informar o paciente, ao ingressar no hospital, sobre os objetivos da internação
- Manter uma boa relação médico-paciente-família
- Programar a alta com antecedência, transmitindo isso ao paciente e familiares
- Disponibilidade para ouvi-los e ajudá-los em suas necessidades
- Prover atendimento especializado nos casos em que se detecta transtorno psiquiátrico
- Acionar o serviço social nos casos necessários

Para a consternação da equipe assistencial, é frequente o agravamento do quadro clínico às vésperas da alta hospitalar, ocasião que provoca insegurança e exigências de pacientes e de familiares, que passam, então, a se opor à alta. Essa oposição pode vir matizada de expectativas irreais em relação aos benefícios do prolongamento da hospitalização. Tal ocorrência poderia ser evitada ou minimizada se, desde o início, pacientes e familiares fossem bem informados a respeito do objetivo da internação e de como dar-se-á a continuidade do tratamento em nível ambulatorial (Quadro 7.3).

Há outros problemas, surgidos no momento da alta, os quais desencadeiam solicitação de interconsulta psiquiátrica, como, por exemplo, a percepção da família de que o paciente apresenta algum distúrbio de comportamento, até então não suspeitado ou valorizado pela equipe assistencial. Ou então, descobre-se que o paciente não tem para onde ir, ou que sua família não reúne condições mínimas para dispensar-lhe os necessários cuidados. Nessas condições, é imprescindível a discriminação das responsabilidades comumente aceitas nos distintos campos profissionais do médico assistente, do psiquiatra e da assistente social (Quadro 7.4).

Quadro 7.4 Áreas de responsabilidade nos problemas suscitados por ocasião da alta hospitalar.

Médico assistente	Psiquiatra	Assistente social
Desacordo com o cumprimento dos objetivos da internação	Transtornos psicopatológicos associados	Problemas sociais, familiares ou de moradia
Presença de transtornos físicos	Encaminhamento a serviços de psiquiatria	Encaminhamento a centros de apoio social

Com base em Cañete Crespillo (1977).

▶ Referências bibliográficas

1. Freud S (1974). Sobre o narcisismo: uma introdução [1914]. Edição Standard das Obras Completas, v. 14, Rio de Janeiro: Imago.
2. Gala C, Bressi C. Psichiatria di consultazione. Milano: Utet, 1997.
3. Strain JJ. Psychological interventions in medical practice. New York: Appleton, 1978.
4. Botega NJ, Bio MR, Zomignani MA et al. Transtornos do humor em enfermaria de clínica médica e validação de escala de medida (HAD) de ansiedade e depressão. Revista de Saúde Pública 1995, 29(5): 355-363.
5. Gaspar KC, Santos Jr. A, Azevedo RC, Mauro ML, Botega NJ. Depression in general hospital inpatients: challenges for consultation-liaison psychiatry. *Rev Bras Psiquiatr* (em avaliação).
6. Freud A (1977). O ego e os mecanismos de defesa. São Paulo: Civilização Brasileira, 1977.
8. Laplanche J, Pontalis J-B. Vocabulário de psicanálise. São Paulo: Martins Fontes, 1985.
9. Hackett TP, Cassem NH. Massachusetts General Hospital: Handbook of General Hospital Psychiatry. Chicago: Year Book Medical Publishers, 1987.
10. Spitz L. As reações psicológicas à doença e ao adoecer. Caderonos IPUB (Saúde Mental no Hospital Geral) 1997, 6: 85-97.
11. Folha de São Paulo. O misticismo do sofrimento ainda me irrita. Edição de 1/11/1993.
12. Weinmann J.. An outline of psychology as applied to medicine. Bristol: Wright, 1987.
13. Capra F. O ponto de mutação. São Paulo: Cultrix, 1982.
14. Henderson AS. An Introduction to Social Psychiatry. Oxford: Oxford Medical Publications, 1990.
15. Lazarus, RS. Patterns of Adjustment. New York: McGraw-Hill, 1976.
16. Petrie KJ, Weinman J, Sharpe N, Buckley J. Role of patiens' views of their illness in predicting return to work and functioning after myocardial infarction: longitudianl study. *BMN* 1996; 312:1191-4.
17. Wise MG, Rundell JR. Concise guide to consultation psychiatry. Washington: American Psychiatric Press, 1988.
18. Gunderson JG. The borderline patient's intolerance of aloneness: insecure attachments and therapist availability. American Journal of Psychiatry 1996, 153(6): 752.758.
19. Adler G, Buie DH. The misuses of confrontations with borderline patients. Int J Psychoanal Psychother 1972, 1: 109-120.
20. Spitz R. Anaclitic depression. Psychoanal Study Child 1946, 2: 313.
21. Williams EI, Fitton F. Factors affecting early unplanned readmission of elderly patients to hospital. British Medical Journal 1988, 297: 784-787.
22. Rabinowitz J, Mark M, Popper M et al. Predicting revolving-door patients in a 9-year national sample. Social Psychiatry and Psychiatric Epidemiology 1995, 30(2): 65-72.
23. Galizzi HR. Hospitalismo: diagnóstico psiquiátrico. Jornal Brasileiro de Psiquiatria 1994, 43(7): 373-376.

Parte 3
O Médico na Relação com o Paciente

■

8 Entrevista Médica e História Clínica

Mario Alfredo De Marco

As questões a seguir foram extraídas de situações reais e ilustram alguns dos desafios que se apresentam para a realização da entrevista médica. Quando esses desafios não são enfrentados de maneira apropriada, há prejuízo do aprendizado e da capacitação para a realização da entrevista, cristalizando procedimentos inapropriados e pouco eficientes e efetivos.

- "Achei a situação muito mecânica. Fiquei muito preso ao roteiro"
- "Eu acho muito complicado perguntar sobre a vida pessoal do paciente, principalmente sobre a sexualidade e a situação econômica"
- "Não entendo porque é necessário ficar perguntando sobre a vida pessoal do paciente"
- "O que faço se o paciente começar a chorar?"

Como enfrentar esses desafios? É necessário/possível um preparo?

Vale a pena ressaltar que um obstáculo importante para o aprendizado de técnicas para a realização da entrevista médica é uma ideia de que não precisamos aprender a entrevistar (como se fosse inerente ao profissional saber fazê-lo) ou de que entrevistar é algo que não pode ser ensinado.

Antes de tudo é imprescindível questionar essa postura e transformar essas ideias (certezas?) em questões: a técnica para realizar uma entrevista exige aprendizado específico? É possível aprender essas técnicas ou isso depende exclusivamente de características pessoais? Esse aprendizado deve ser parte do currículo médico?

Em caso afirmativo, como inserir esse aprendizado no currículo?

Na realidade, a questão primeira a ser abordada é: existe a possibilidade de ensinar as habilidades para a realização da entrevista ou isso tem base em características pessoais que não dependem de aprendizado e treinamento? A validade de todas as outras perguntas (modo de realizar esse treinamento, inclusão no currículo etc.) está sujeita à resposta que dermos a essa questão básica.

Resultados de muitos trabalhos voltados para o treinamento têm contribuído para que se chegue a uma resposta e, hoje, pode-se afirmar com segurança que um grande conjunto de pesquisas[1-4] e uma experiência longamente acumulada têm demonstrado sobejamente que essas habilidades podem ser ensinadas e treinadas.

Mais detalhadamente, essas pesquisas e observações têm aportado importantes contribuições, as quais têm permitido afirmar que:

- A qualidade da entrevista e da relação entre o profissional e o paciente dependente das habilidades do profissional para conhecer e manejar o processo de comunicação (provavelmente, disso já se sabia – ou pelo menos desconfiava-se)

- A qualidade da entrevista e da comunicação favorece a adesão ao tratamento e à evolução
- Habilidades de comunicação podem ser ensinadas e aperfeiçoadas (nesse tópico podem surgir mais dúvidas).

Essas confirmações nos remetem a outras observações e questionamentos:

- Como incluir esse tipo de preparo na formação profissional?
- Como saber se já estou preparado? (é possível que muitos se considerem preparados e isso pode ser creditado, em parte, a um desconhecimento da complexidade do tema e do preparo que envolve, e ao fato, já mencionado, de assumirem acriticamente ser inerente ao profissional de saúde já saber entrevistar)
- Como alcançar o preparo e o aperfeiçoamento nesse tópico?

Para responder a essas questões é necessário, antes de tudo, situar o modelo que nos orienta, pois é isso que vai permitir discriminar o "que" o "quando" e o "como".

Para facilitar ainda mais essa discriminação, é possível dividir a questão em dois tópicos distintos: o aprendizado da entrevista e a aplicação dela no campo da medicina.

Aprender a técnica de entrevistar pessoas é relativamente independente do que se pretende pesquisar e depende basicamente do estudo e da aplicação dos conhecimentos acumulados no campo da comunicação humana (é claro que isso também depende dos modelos de comunicação tidos como referência).

Por outro lado, os conhecimentos necessários para a aplicação no campo da medicina dependem do modelo desse campo utilizado como referência.

Os modelos mais importantes que caracterizam o ensino e o exercício da prática médica são o biomédico e o biopsicossocial. No biomédico, de acordo com seu foco, o campo de interesse é o organismo biológico e as doenças, sendo suficiente o aprendizado dos conteúdos relacionados com o funcionamento biológico do organismo e suas perturbações, os quais podem se manifestar na forma de doenças.

Portanto, para uma entrevista a partir do modelo biomédico, os conhecimentos necessários se referem ao funcionamento biológico do organismo. É preciso ter conhecimentos que permitam visualizar as ramificações para as quais cada queixa, sinal ou sintoma físico direciona a sua entrevista.

Por exemplo, uma queixa de febre alta acompanhada por vômito e conjuntivas amareladas vai levar o profissional na direção de hipóteses que dão ensejo a uma série de perguntas que não são óbvias para quem não tem o conhecimento que o habilita a relacionar tais eventos.

Portanto, na perspectiva biomédica, você se apoia nos conhecimentos de anatomia, fisiologia, fisiopatologia etc. para formular as hipóteses que vão ajudar a direcionar sua entrevista.

Evidentemente, para a entrevista ter maiores possibilidades de sucesso tanto na exploração como na sua dimensão resolutiva, um conhecimento da pessoa do paciente é necessário também para quem funciona a partir do modelo biomédico.

Esse conhecimento ajuda a detectar e manejar as atitudes, as defesas e resistências (se está inibido, se está omitindo informações, se está disposto a cooperar ou não etc.).

No modelo biopsicossocial – cujo foco é a pessoa e o processo de adoecer –, o conhecimento do funcionamento biológico é necessário, mas não suficiente. É preciso conhecer a pessoa (que inclui as dimensões biológica, psicológica e social e suas interações).

Para uma entrevista calcada em um modelo biopsicossocial, o conhecimento da pessoa é duplamente necessário. De um lado, para a realização da entrevista e de outro, pela mudança que traz no próprio objeto de investigação e de ação.

Além dos conhecimentos da dinâmica dos mecanismos biológicos, faz-se necessário conhecer as dinâmicas dos mecanismos psicológicos e sociais.

Na realidade, é necessário conhecer não só essas dinâmicas, mas a interação entre elas. O estudo e a abordagem dessa interação deu ensejo à formulação de uma perspectiva centrada em processos – perspectiva processual do adoecer – (característica do modelo biopsicossocial), em oposição a uma perspectiva centrada na doença (característica do modelo biomédico).[5]

A partir de exemplos extraídos da prática, serão ilustradas as diferenças que surgem na aplicação de um ou outro modelo.

Uma criança de 2 anos está internada com um quadro de meningite bacteriana. A mãe acompanha o paciente na internação e passa quase todo o tempo no hospital a seu lado.

Se você funciona a partir de um modelo biomédico, centrado na doença, você fez uma entrevista na internação (uma boa entrevista, supondo que você teve uma boa formação nesse tópico), na qual você fez todas as investigações que possibilitaram formular o diagnóstico da doença (queixa e duração, história pregressa da moléstia atual etc.) e propor o tratamento. Por outro lado você, também levantou as possibilidades de contaminação (como se contaminou, que outras pessoas estiveram expostas à contaminação etc.) e tomou as medidas necessárias do ponto de vista preventivo. Também investigou outros problemas de saúde que a criança apresentou ou apresenta (histórico de doenças, interrogatório complementar etc.). Agora, você está acompanhando a evolução do tratamento, avaliando a eficácia das medidas terapêuticas e atento a possíveis complicações.

Se você funciona a partir de um modelo biopsicossocial centrado no processo, o que você já fez é necessário, mas não suficiente. Nessa perspectiva ampliada, a doença e suas consequências são dependentes de uma série de eventos que envolvem as dimensões biológica, psicológica e social em uma interação dinâmica. Veja, a título de exemplo, o quadro (um pequeno resumo) que obtivemos a partir da investigação ampliada desse caso:

Um menino é o filho mais velho de uma prole de dois (o irmão mais novo tem 4 meses de idade). O pai tem 26 anos e trabalha na construção civil. A mãe, de 24 anos, trabalhava como doméstica e parou de exercer a função com o nascimento do segundo filho.

Veja quantos outros fatores podem ser adicionados ao quadro de eventos que contribuíram para a instalação da doença:

- O menino passou a apresentar, após o nascimento do irmão, algumas perturbações como: sono agitado e comportamentos regressivos (ficou "manhoso", voltou a usar chupeta, a ter enurese noturna)
- A perda da renda da mãe trouxe restrições ao orçamento familiar com repercussões na qualidade de vida, de alimentação etc., além de perturbações emocionais para o pai e a mãe.

Esses eventos que produziram perturbações emocionais na família e no paciente podem ter desempenhado algum papel na instalação da doença (fatores facilitadores).

Por outro lado, uma vez instalada, a doença gera também uma série de eventos que podem repercutir em todo o contexto. No caso, só a título de exemplo, citamos as consequências que o afastamento da mãe estava trazendo para o equilíbrio familiar: a criança de 4 meses já estava adoecendo e o pai, atrapalhado com a condução do sustento da casa (estava sendo ajudado pela sogra, com quem não tinha um bom entendimento), já apresentava sinais de esgotamento, com repercussões em seu bem-estar e no trabalho.

Esse quadro, mesmo bastante resumido, já permite delinear as diferenças que as duas perspectivas produzem tanto para a investigação quanto para as condutas e procedimentos.

Só para exemplificar, uma intervenção muito importante neste caso foi fruto de um diálogo com a família mostrando a necessidade de manter alguma presença da mãe também junto ao outro filho e ao marido. Como resultado, a mãe passou a dividir sua função no hospital com a avó materna, ficando liberada para estar mais presente em casa. Esse procedimento ajudou a restaurar um equilíbrio que foi benéfico tanto para o paciente internado como para todos os outros protagonistas.

Em uma perspectiva com base na doença, todos esses aspectos e suas consequências (esgotamento da mãe com repercussões no próprio filho internado, desequilíbrio no núcleo familiar com repercussões na saúde dos outros membros etc.) passariam despercebidos e desatendidos, pois a atenção estaria concentrada primordialmente na terapêutica da doença do paciente internado. O profissional nem mesmo perceberia que deixou de realizar ações que poderiam ajudar tanto no tratamento do paciente como a evitar a instalação de outras doenças e complicações em outros membros da família e do entorno social.

Então, se você percebe as vantagens de funcionar a partir de uma perspectiva biopsicossocial, de que preparo você precisa?

Para o exercício da (boa) medicina, tanto a partir da perspectiva biomédica quanto da biopsicossocial, você precisa desenvolver uma série de capacidades e habilidades necessárias para otimizar a entrevista e a comunicação.

Na perspectiva biopsicossocial, outros conhecimentos são necessários. Nessa perspectiva, é preciso agregar aos conteúdos exigidos pela perspectiva biomédica (funcionamento da máquina biológica) conhecimentos relacionados com a dimensão psicológica e social. Resumidamente, além de conhecer os dinamismos biológicos da doença, é preciso conhecer os dinamismos da pessoa e sua influência no processo saúde-doença.[5]

Mas, como conhecer pessoas?

É claro que uma boa parte desse aprendizado vem das observações e das experiências que a própria vida proporciona. Isso não exclui a necessidade de uma sistematização e aprofundamento desses conhecimentos, bem como o treinamento das habilidades.

Em relação aos conhecimentos, a pergunta é: quais são os campos de conhecimento que podem ajudar para esse fim?

A resposta é que a contribuição pode ser encontrada tanto no campo científico, por meio das disciplinas psicológicas, sociológicas e antropológicas como, complementarmente, a partir de disciplinas paralelas (como mitologia e história) ou manifestações mais ligadas à arte, como literatura, teatro e cinema.

Por exemplo, por meio dos textos de Psicologia você vai aprender sobre o desenvolvimento da personalidade, os momentos críticos, as progressões e regressões desse processo, de forma a alcançar uma série de conhecimentos que ajudem a detectar fatores e situações de risco que contribuem para a saúde e a doença. Você também vai poder encontrar informações que o auxiliem a perceber como se sente e se comporta uma pessoa quando adoece.

Esses mesmos conhecimentos podem ser muito enriquecidos pelo contato com as manifestações ligadas à arte. Por exemplo, se você quer um retrato vivo de como se sente e o que se passa com um doente e o seu entorno a leitura de *A morte de Ivan Illitch*, de Tolstoi, pode ser muito enriquecedora.

Nos textos de psicologia você vai encontrar mais informação conceitual. Na literatura (nos bons escritores) você vai encontrar mais a "vida como ela é".

Se também quiser saber mais sobre o médico, sua personalidade e as vicissitudes do exercício da Medicina, você pode estudar uma série de textos (psicológicos, sociológicos, antropológicos), mas se complementar isso com a leitura do mito de Asclépio e seu tutor Chiron (o curador-ferido) com certeza sairá bastante enriquecido.[6] Por outro lado, se você quer saber como se sente um médico quando adoece, uma leitura obrigatória é O *médico doente*, de Dráuzio Varela. Diversos filmes também podem servir para esse propósito: por exemplo, se você assistir ao filme *Golpe do destino* vai poder formar uma boa ideia do golpe e das transformações que podem ocasionar uma doença grave na vida de um profissional da saúde.

E as capacidades e habilidades? Como desenvolvê-las?

Nesse tópico, é importante repetir que, embora tais capacidades dependam de muitos fatores pessoais e são construídas a partir das experiências da vida, podem ser aperfeiçoadas por meio do estudo e da prática. A intenção é fornecer uma estrutura conceitual que possa prover os meios pelos quais o processo de comunicação pode ser observado e oferecer vocabulário para descrevê-lo. É necessária a identificação dos componentes que constituem um currículo de habilidades de comunicação. Eles podem incluir, dentre outros:

- Habilidades básicas de entrevista médica
- Comunicação de más-notícias, consentimento informado
- Educação em saúde, motivação para mudanças de comportamento
- Técnicas para lidar com violência, saúde mental, saúde sexual
- Comunicação transcultural, comunicação com crianças, com pessoas com distúrbios de aprendizado
- Manejo de queixas e comunicação interprofissional.

O campo é bem amplo, e, a seguir, serão explicadas algumas das capacidades que consideramos mais importantes e algumas técnicas gerais, úteis para o processo de comunicação.[5]

- Encontrando com o outro:
  - Para que um encontro efetivo ocorra é importante manter a mente aberta – você não conhece a pessoa com a qual você está interagindo. É importante, portanto, não se deixar influenciar por imagens prévias ou preconceitos
  - Cada pessoa é um universo muito amplo, desconhecido, em grande medida, para a própria pessoa. Da mesma forma, você vai poder ter acesso somente a uma parte muito pequena desse ser.
- Lembre-se:
  - Todo contato produz ansiedade, seja em quem está entrevistando, seja em quem

está sendo entrevistado. É importante que isso seja levado em conta, aceito e observado
  ○ É útil, então, que você respeite o fato que todo encontro entre pessoas desperta algum tipo de tensão. A tendência, quando não há uma percepção adequada das angústias despertadas no encontro, é a pessoa ficar "armada"
  ○ Os níveis de ansiedade que surgem em cada encontro são variados e podem ser um indicador importante a ser considerado.
- Observação
  ○ A observação exige, antes de tudo, *presença*. Se você está presente fisicamente, mas sua atenção está ausente, voltada para seus pensamentos, lembranças etc., será impossível realizar uma observação adequada
  ○ Todos estamos carregados de imagens prévias, resultado de uma série de experiências e também de nossas fantasias. Temos imagens sobre tudo e todos. É importante, então, para aprimorar o processo de observação, tentar não confundir as imagens com a pessoa real que está à sua frente. Por exemplo, a imagem que você tem de um paciente pode ter muito pouca relação com o paciente que está na sua presença
  ○ É útil, quando você está realizando observações, deter-se a observar a forma como você está observando
  ○ Observar o que acontece com você também pode ser muito útil. As impressões, sensações e emoções despertadas pelo contato podem ajudar, quando adequadamente interpretadas, a perceber o que está se passando com a pessoa com a qual você está em contato e qual a natureza do vínculo que está sendo estabelecido.

Lembre-se: se observarmos mal, vamos perceber e nos comunicar mal! Quanto menos corretamente observamos, mais nos aproximamos do monólogo e nos distanciamos do diálogo, pois vamos interagir mais com nossas impressões e imagens pré-concebidas do que com o interlocutor. Por exemplo, podemos muitas vezes falar com o paciente como se já o conhecêssemos (na verdade estamos nos relacionando com alguma imagem pré-estabelecida, derivada de nossas experiências prévias). Isto faz parte dos estereótipos que carregamos: todos nós temos entendimentos e atitudes estereotipadas; estereótipos muito polares estabelecem relações enrijecidas, com padrões pouco flexíveis (podem ocorrer em qualquer estrutura vincular: por exemplo, mãe-criança, pai-filho adolescente).

Não se pode desfazer facilmente um padrão estereotipado, mas sua percepção nos ajuda a deixá-lo sob observação e isso é benéfico para a relação e o processo de comunicação.

- Identificação de perspectivas
A capacidade de identificar diferentes perspectivas é um complemento da capacidade de observação. É a percepção de que não existe uma forma única de observar e vivenciar determinada realidade. Por exemplo, a noção e as vivências que o paciente vai ter sobre sua doença são próprias dele (dependem de sua constituição, de sua história etc. e seguramente são diferentes das noções e vivências do profissional) e é muito importante para perceber o outro e comunicar-se efetivamente que o profissional procure conhecer e respeitar essa perspectiva
- Criação e ampliação da continência
Essa é uma capacidade da maior importância para um contato mais efetivo e eficiente. Continência é a capacidade de permanecer com aquilo que é sem tentativas prematuras (geralmente em função de ansiedade) de se "resolver" ou se "livrar". Por exemplo, poder permanecer com dúvidas diagnósticas; poder permanecer em contato com estados emocionais do paciente (tristeza, raiva etc.); poder permanecer em contato com os próprios estados emocionais
- Criação e ampliação da empatia
A empatia está muito associada à capacidade de continência. É a capacidade de se identificar com o outro, conseguindo se aproximar vivencialmente do que o outro está experimentando e expressar (verbal ou não verbalmente) solidariedade emocional. Por exemplo, poder permanecer junto a um paciente que está triste comunicando, de alguma forma, que aceitamos e compreendemos esse seu estado. Empatia é, muitas vezes, confundida com reasseguramento (p. ex., dizer ao paciente que tudo

vai correr bem ou, se o paciente está triste, dizer que isso não é nada etc.). No entanto, não existem coisas mais distintas.

- Os canais de comunicação
  - É importante ter presente que a *linguagem verbal* é uma forma evoluída de comunicação, que funciona lado a lado com outras formas mais primitivas (gestos, expressões corporais etc.) ou de natureza distinta (escrita, pintura, música etc.)
  - A linguagem verbal é um instrumento que pode ser usado tanto para revelar como para encobrir os fatos
  - A linguagem verbal tem um *conteúdo* e um *corpo* denominado *paralinguagem,* que se refere ao som ou qualidade de voz que acompanha a fala (altura, tom e ritmo). A *paralinguagem* revela muito sobre a situação que a pessoa que fala se encontra
  - A *linguagem não verbal* compreende várias formas e canais de expressão. Os principais são:
    - as expressões, gestos, contato visual, posturas corporais (cinésica)
    - uso do espaço, distâncias, território (proxêmica).

  Tanto a paralinguagem como a comunicação não verbal são cruciais no processo de comunicação. É importante perceber as inconsistências entre os dados verbais e os não verbais. Estes costumam ser mais confiáveis. Por exemplo, um paciente que diz estar bem, chorando ou com os olhos marejados, está lutando, tentando manter distantes as emoções que acabam por se manifestar por meio da linguagem não verbal.
- O que perguntar?
  - As perguntas, evidentemente, são consequência do objetivo que você tem em mente. Se seu foco está voltado para a investigação da doença, você deve ter um roteiro e conhecimentos que o possibilitem relacionar sintomas que aparentemente podem parecer não relacionados
  - Da mesma maneira, quando o foco está voltado para a pessoa, você precisa ter um roteiro que ajude a focar características de personalidade e vivências significativas. Nesse campo, há alguns conhecimentos que são intuitivos e experienciais; outros dependem de um preparo prévio. Por exemplo, pela própria vivência, você sabe que, quando uma pessoa adoece, tende a ficar mais fragilizada emocionalmente. É possível, então, fazer perguntas e observações para verificar o quanto a pessoa está fragilizada.
- Como perguntar?
  - Quanto ao conteúdo, é importante evitar perguntas que induzem respostas ou perguntas muito amplas, que acabam produzindo respostas formais
  - Quanto ao modo como é formulada, existem perguntas que são feitas formalmente e que não devem ser respondidas (p. ex., um "como vai" formal é sempre respondido por um "tudo bem" também formal. Aliás, brinca-se que, uma das definições de chato é do sujeito que você pergunta "como vai" formalmente e ele realmente responde). É importante, então, você ter presente se está perguntando formalmente ou se está de fato interessado na resposta. Isso vai influenciar a qualidade das respostas que você vai ter
  - Procure evitar perguntas fechadas, pois, geralmente, as respostas não são significativas. Por exemplo, se você pergunta: você está informado sobre sua doença? A resposta, seja afirmativa ou negativa, vai fornecer informação irrelevante. É mais proveitoso perguntar, por exemplo: que informações você já tem sobre sua doença?
  - Perguntas sobre a vida pessoal, podem despertar angústias tanto nos pacientes como nos profissionais. Uma forma de defesa comum em relação a essa situação é "para que ele está me perguntando isso?"
    - Por que é importante perguntar sobre a vida pessoal? É importante, então, que você tenha clareza quanto à necessidade dessas perguntas: saber que, para a efetividade e eficiência de uma intervenção médica, o conhecimento da pessoa não é um quesito acessório, mas fundamental, pois o adoecer sempre tem a participação de fatores físicos, psicoemocionais e sociais. Tanto o adoecimento como

o modo como a pessoa vai lidar com a doença e com o tratamento depende de todos esses fatores.

Quanto à dinâmica, temos algumas técnicas e orientações mais gerais para a realização da entrevista:

Evite formalismos! Uma entrevista tem mais possibilidades de ser bem-sucedida e alcançar seus objetivos quando conduzida como uma conversa informal (mas, veja bem: a informalidade – embora o nome assim possa sugerir – não é a perda de qualquer forma, mas *uma forma de conduzir a conversa*; não deve ser confundida com a perda das referências. O objetivo da entrevista e o papel que você está desempenhando devem sempre ser o fio condutor).

Existe uma série de técnicas[7,8] que você pode utilizar para apoiar a narrativa do paciente. Eis algumas muito úteis:

- *Baixa reatividade*: deixar um lapso de tempo entre a intervenção do paciente e a sua. Um pequeno intervalo (um ou dois segundos) entre a fala do paciente e a sua intervenção, evita interrupções e é uma condição imprescindível para favorecer a livre narração do paciente
- *Silêncio funcional*: abrir a possibilidade de aceitar/criar momentos nos quais cessa a comunicação verbal com o intuito de proporcionar um tempo de meditação ao paciente, ajudar sua concentração, ou atuar como catalisador de determinadas reações emocionais no curso da entrevista
- *Facilitação*: adotar algumas condutas verbais ou não verbais que facilitem o paciente a prosseguir ou iniciar o seu relato, sem indicar nem sugerir os conteúdos do mesmo. Para isso, pode fazer gestos de assentimento com a cabeça que indicam "continue, estou ouvindo com atenção" ou sons que carreguem um significado semelhante. Outras vezes, pode indicá-lo mais explicitamente: "continue por favor", "o que mais" etc.
- *Empatia*: adotar conduta verbal ou não verbal que expressa solidariedade emocional sem prejulgar ética ou ideologicamente (um contato, um sorriso, "compreendo como se sente")
- *Frases por repetição*: repetir palavra ou frase acabada de pronunciar pelo paciente a fim de orientar a atenção do mesmo para aquele aspecto. "Então, você me dizia que foi depois daquela discussão que teve essa forte dor de cabeça que o está preocupando"
- *Assinalamento*: tornar mais explícitas e manifestas emoções ou condutas do paciente. Pode ser feito por meio de observação do estado de ânimo do paciente: "parece que você ficou um tanto aborrecido comigo." ou: "estou observando que você foi ficando triste...".

Lembre-se de que se, de fato, entender a importância de todas essas recomendações e orientações, com o tempo irá internalizar os conhecimentos e as atitudes correspondentes. Sua evolução levará um tempo, mas, desde o começo, poderá notar as mudanças que a atenção e a discussão desses tópicos trarão para o seu desempenho.

Para ilustrar como esse progresso já vai ocorrendo desde as primeiras experiências, eis alguns trechos de relatórios elaborados por alunos (do segundo ano cursando o módulo "Semiologia Integrada") em duas entrevistas realizadas com duas semanas de intervalo (entre uma entrevista e outra ocorrem duas discussões da atividade realizada):

- 1º relatório
  - "Concluí que a situação foi muito mecânica, não sei se porque ficamos muito presos ao questionário e inseguros ou porque era algo novo para todos nós."
  - "Acredito que a única dificuldade que tivemos foi conseguir direcionar a conversa, pois nosso paciente, se assim posso dizer, gostava bastante de conversar e, não raras vezes, perdia-se em suas histórias."
  - "Achei que algumas perguntas do roteiro são um pouco desconfortáveis, como por exemplo, as que dizem respeito à renda familiar, se o paciente consegue se alimentar corretamente com a renda mensal."
  - "Conseguimos coletar todos os dados com base no roteiro, mas de uma maneira muito mecânica e rápida."
- 2º relatório
  - "De uma maneira geral, notei que aquela tensão da aproximação com uma pessoa estranha diminuiu muito;

> **Quadro interativo**
>
> - Sugestão de filme
>   *Um golpe do destino (The Doctor)*
>   Jack McKee (William Hurt) é um médico completo: bem-sucedido, rico e sem problemas na vida. Até receber o diagnóstico de que está com câncer de garganta. Agora, ele passa a ver a medicina, os hospitais e os médicos sob uma perspectiva de paciente.

eu não fiquei pensando que ela poderia ser grossa conosco e nem fui armado como na outra anamnese."

- "As maiores dificuldades foram para fazer as perguntas mais delicadas, sobre sexualidade principalmente. Senti que tanto nós, alunos, quanto a paciente, ficamos um tanto intimidados, mas perguntamos e ela respondeu com certa tranquilidade."
- "Particularmente, estava bastante tranquila na entrevista, não sei se devido ao fato de ser a segunda vez ou se devido à receptividade da paciente. Na primeira anamnese, fiquei constrangida de perguntar algumas coisas, fato que não ocorreu nesta."
- "Até aquelas perguntas que considerávamos constrangedoras tornaram-se mais fáceis de serem formuladas e perguntadas, a ponto de transformá-las em 'normais.'"

▶ Referências bibliográficas

1. Bartlett EE, Grayson M, Barker R, Levine DM, Golden A, Libber S. The effects of physician communications skills on patient satisfaction; recall, and adherence. J Chronic Dis, 1984; 37:755-764.
2. Henwood PG, Altmaier EM. Evaluating the effectiveness of communication skills training: a review of research. Clin Perform Qual Health Care 1996; 4:154-8.
3. Hulsman RL, Ros WJG, Winnubst JAM, Bensing JM. Teaching clinically experienced physicians communication skills. A review of evaluation studies. Medical Education, 1999; 33 (9): 655-668.
4. Kruijver IPM, Kerkstra A, Francke AL, Bensing JM, Wiel HBM. Evaluation of communication training programs in nursing care: A review of the literature. Pat Educ Couns, 2000; 39:129-145.
5. De Marco MA. Do Modelo Biomédico ao Modelo Biopsicossocial: Um Projeto de Educação Permanente. Revista Brasileira de Educação Médica, 2006; 30:(1)60-67.
6. De Marco MA. A Evolução da Medicina. In: De Marco MA (org). A Face Humana da Medicina. São Paulo: Casa do Psicólogo, p. 23-41, 2003.
7. Ruiz Moral R. Relación clínica. Barcelona: Semfyc ediciones, p. 387, 2004.
8. Roter DL. The enduring and evolving nature of the patient–physician relationship. Patient Education and Counseling Volume 39, Issue 1, January 2000, p. 5-15.

9 O Acadêmico de Medicina e o Desafio da Entrevista com o Paciente

Leonardo Rocha Carneiro García-Zapata
e Suellen de Paula Silva

Situação-problema
▼

Para boa parte dos alunos de medicina, o primeiro contato com o paciente é motivo de desejo e curiosidade, mas também de ansiedade, insegurança e dúvidas. Não saber como se apresentar, o que falar e como agir perante o paciente e seus familiares é algo bastante natural. Nesse momento, a existência de modelos de profissionais que possam ser seguidos é essencial. Como exemplo, pode haver um familiar médico ou um bom professor, cuja importância será discutida posteriormente.

Ao ingressar na faculdade, existe a fantasia do primeiro contato com o paciente quase como um "batismo" para que o estudante sinta-se um futuro médico. Essa necessidade ocorre porque, nos primeiros anos, as cadeiras básicas não costumam oferecer essa oportunidade. No entanto, se por um lado busca-se esse contato, ao mesmo tempo teme-se a recusa, a discriminação e o constrangimento por parte de pacientes e familiares pela falta de experiência do novo médico e por seus poucos conhecimentos sobre a moléstia envolvida. Soma-se a isso o medo de adquirir alguma doença no contato com o paciente, sentimento comum a vários estudantes da área da saúde.[1,2]

O acadêmico sente que pode estar incomodando o paciente em seu descanso e imagina que, como não irá colaborar com o diagnóstico ou a terapêutica, a sua conversa não trará nenhum benefício a ele. Mal sabe esse aluno muitos pacientes precisam de uma conversa agradável, de alguém que possa ouvir suas angústias.

O professor é, sem dúvida alguma, peça fundamental para o estudante nesse primeiro contato com o paciente, uma vez que se torna um referencial e um exemplo a ser seguido. Esse jovem aluno, ainda tão imaturo, vê no professor um modelo para guiar os primeiros passos na relação estudante-paciente. Essas primeiras orientações dadas pelo professor são importantes para que o aluno forme um modelo de relação médico-paciente (RMP) que será aperfeiçoado e modificado ao longo do tempo. Esse modelo herdado do professor será a base para a formação de profissionais mais humanos e mais capacitados para lidar com o paciente.

Desse modo, percebemos como é importante que essa primeira conversa com o paciente se faça de forma bastante natural e atraente para ambos. Sem dúvida, esses primeiros contatos vão nortear a postura do acadêmico diante do paciente em toda sua vida profissional. E sendo esta uma situação-problema, podemos buscar e sugerir algumas soluções.

▶ Introdução

É fato conhecido que uma boa RMP é fundamental para a satisfação do paciente, do profissional e, o mais importante, na adesão ao tratamento e nos resultados clínicos.[3-5]

Desenvolver um bom relacionamento e realizar uma entrevista satisfatória podem ser tarefas fáceis para alguns acadêmicos e um pouco mais trabalhosa para outros. Estabelecer empatia com o paciente não é uma garantia, mas há maneiras de contribuir para o desenvolvimento de algumas habilidades no acadêmico.[3]

As entrevistas clínicas e a RMP, dentre outros aspectos subjetivos da prática médica, encontram-se no campo da psicologia médica como mencionado na "Carta de Goiânia".[6]

Assim, em vários cursos de medicina, a disciplina de psicologia médica vem se tornando a referência em orientar o acadêmico a abordar o paciente corretamente e estabelecer, desde o primeiro contato, uma boa RMP (ou, neste caso, relação estudante-paciente).

Essa prática tem sido estimulada de forma cada vez mais precoce ainda nos primeiros anos de faculdade, ao contrário do que ocorria anteriormente.[7] Isso parece contribuir para reduzir a ansiedade entre os estudantes, como apontam alguns estudos.[8]

No passado, para a maioria das escolas médicas, havia uma transição abrupta ao sair do ciclo básico e iniciar o ciclo clínico a partir do 3º ano. Não havia a preocupação em ensinar-lhes competências e habilidades específicas para lidar com essas situações, e, com isso, tornar os estudantes mais confiantes ao se aproximarem dos pacientes.

Capacitar o aluno para essa situação relacional tem sido uma preocupação atual e fica cada vez mais claro que a experiência prática e a discussão supervisionada em um contexto clínico ou social acrescentam muito à formação do profissional da saúde.[9,10]

▶ Entrevista clínica e relação estudante-paciente

Várias estratégias têm sido criadas com o intuito de orientar o acadêmico em seu primeiro contato com o paciente. Dentre as mais citadas estão seminários, palestras, pequenos grupos de discussão, exibição de vídeos, teatro, música e jogos de simulação.[3,6,10] Na faculdade de medicina, além dessas estratégias, têm sido realizadas, com sucesso, visitas aos pacientes nas enfermarias acompanhadas por professores e monitores da disciplina de psicologia médica.

O ensino das ciências do comportamento, da comunicação e de suas aplicações médicas ainda é relativamente novo nos currículos médicos.[4] O treinamento em habilidades comunicativas na faculdade ajuda a moldar a forma do estudante interagir com o paciente em toda a sua carreira.[7]

O ser humano geralmente se esquece, mas comunica-se com o corpo todo. Estudos sobre comunicação não verbal sugerem que apenas 7% dos pensamentos se transmitem por palavras, enquanto 38% são transmitidos por sinais paralinguísticos (entonação de voz, velocidade da fala) e 55% pelos sinais do corpo.[11]

Em geral, os que pensam que já se comunicam bem têm uma postura negativa diante das disciplinas que buscam ensinar essa habilidade por não conhecerem a complexidade do tema. Entretanto, mesmo os que já tiveram experiências de comunicação com pacientes, sentem-se inseguros ao lidar com situações delicadas, como notícias difíceis ou assuntos constrangedores.[7]

Além do seu valor diagnóstico, que colabora com o exame físico e os exames complementares, a entrevista médica tem um papel terapêutico importante, pois cria um fundamento estrutural para uma RMP que motiva a cooperação do paciente.[12]

A melhor forma de ensinar RMP tem sido muito pesquisada. Várias dificuldades são encontradas, já que se mesclam habilidades técnicas e pessoais, sem contar com a personalidade dos dois envolvidos e das situações transferenciais e contratransferenciais que ocorrem durante a entrevista.[5]

Um dos principais pontos de discussão em vários estudos é como conseguir e como manter uma boa empatia. Esse é um conceito de difícil definição, pois envolve a sensibilização do médico pelas mudanças sentidas e refletidas, momento a momento, pelo paciente.[5] Em outras palavras, é a experiência de colocar-se no lugar do paciente temporariamente.[4]

O valor da empatia é dado pelo paciente, que, ao notar a transferência de segurança, compartilha mais naturalmente seus problemas, sintomas ou dúvidas.[3] Infelizmente, estudos apontam que essa empatia parece diminuir durante a graduação e residência[3] e que os médicos frequentemente perdem a oportunidade de responder às emoções dos pacientes e, com isso, reforçar a RMP.[13]

As falhas são mais frequentes quando o médico ignora o que o paciente disse e desenvolve respostas limitadas, como frases feitas e tentativas simplistas de resolver o problema.[13]

A existência de modelos de referência associada a um contato precoce parece ser essencial para transmitir empatia. Mais do que com leituras ou explicações, o acadêmico aprende com bons exemplos.[5] Todo esse conjunto colabora em reduzir a ansiedade e agregar segurança, motivação e autoconfiança aos acadêmicos.[8,9]

É muito importante que nos seus primeiros contatos o estudante possa se expressar e realizar uma troca aberta de suas ideias com outros colegas e professores. Isso evita que ele oculte suas ansiedades e incertezas e torne-se um profissional inseguro no relacionamento com pacientes.[4]

A RMP também é influenciada pelos fenômenos de transferência e contratransferência. Na transferência, o paciente traz para a RMP sentimentos e conflitos originários de relacionamentos anteriores. Assim, ao entrar em contato com o médico, o paciente revive, em nível inconsciente, sentimentos nascidos e vivenciados em relações primárias como se fossem situações novas.[14]

A transferência é considerada positiva quando o paciente vivencia o relacionamento de maneira agradável, geralmente atribuindo a esse profissional sentimentos de bondade e confiança. No caso de transferência negativa, o paciente pode revelar sentimentos de desconfiança, raiva e inveja em relação ao médico, além de, muitas vezes, ser consequência de uma má apresentação, pressa e indiferença por parte do profissional.[15]

O fenômeno de transferência também pode ser observado do médico para o paciente – a chamada contratransferência. Quando positiva, é útil para o desenvolvimento de uma boa RMP, porém, quando negativa, pode deformar o raciocínio médico sobre o caso, fazendo com que ele, geralmente, refira-se ao paciente como sendo chato, irritante ou enjoado.[16]

Na faculdade de medicina, após as visitas às enfermarias, há uma reunião para discutir sobre os medos, dificuldades e aprendizados dos estudantes, o que se mostra de fundamental importância por seguirem aprendendo uns com os outros, além de se observar a evolução no contato com o paciente ao longo da disciplina.

Ainda hoje, a preocupação com o paciente parece ficar evidente para o estudante apenas no internato, quando o contato é inevitável e as condutas e vida do paciente estão também na dependência da avaliação do interno. O senso de responsabilidade é, muitas vezes, o maior determinante para um cuidado maior com o paciente.

▪ Ao iniciar a entrevista

O início da entrevista é de fundamental importância para o desenvolvimento de uma boa RMP. Caso seja tratado com respeito e interesse desde o começo, consegue-se conquistar a confiança do paciente e a entrevista se desenvolverá com facilidade.

Para que seja possível uma entrevista agradável, o estudante deve estar corretamente apresentável e demonstrar, entre outras características, cordialidade, interesse, espontaneidade e, como já foi extensamente discutido, empatia. Deve estar atento também para o ambiente de entrevista. É recomendável que seja um local iluminado, confortável, que permita que ambos estejam na mesma altura. Um ponto essencial é que o local seja privativo e que o estudante dê liberdade para que o paciente se expresse sem receios quanto ao sigilo das informações. Como nem sempre nos deparamos com um ambiente adequado devemos aprender a nos adaptar às diferentes situações e não permitir que isso interfira na relação com o paciente.

Após essa avaliação, o próximo passo é cumprimentar o paciente e se apresentar como acadêmico de medicina e informar o ano que está cursando. No mesmo instante, deve ser solicitada autorização explícita para a entrevista pelo paciente – o que o estudante esquece com frequência.

Para alguns autores, ela deve ser solicitada pelo professor separadamente e reafirmada na presença dos estudantes.[17] Solicitada ou não pelo acadêmico, considera-se que essa seja parte essencial na entrevista, já que muitos pacientes desconhecem a qualificação dos estudantes e o que eles estão autorizados a fazer.

Nessas situações, chamar o estudante de médico ou doutor diante do paciente é muitas vezes um motivo de ansiedade ainda maior.[18] Quando recebe essa denominação, o estudante imagina que, como doutor, o paciente espera que ele saiba responder corretamente às suas necessidades e aos seus questionamentos. Essa prática pode levar a um constrangimento e, por isso, é desencorajada aqui.

Pode ocorrer que alguns pacientes não estejam interessados em conversar naquele momento e, nesse caso, não se deve tentar impor a presença do estudante, mas sim agradecer ao paciente e mostrar que todos estarão à disposição caso ele se interesse em conversar posteriormente.

Deve-se estar atento para a utilização de uma linguagem clara e simples, adequada à condição socioeconômica do paciente. Vocábulos ou termos médicos devem ser evitados, pois podem aumentar a ansiedade do enfermo por não entender o que está sendo dito.

Algumas atitudes – como colocar em dúvida o relato do paciente, fazer julgamentos e opinar sobre questões religiosas ou políticas – devem ser evitadas, pois podem corromper uma relação que apenas começou a ser construída. Essas atitudes e preconceitos, às vezes instintivos para o estudante, são extremamente prejudiciais para a RMP.

Recomenda-se, dentre outros aspectos, que o estudante empaticamente encoraje o paciente a falar, demonstrando maior atenção ao inclinar-se para a frente ou assentindo com a cabeça, indicando que um determinado ponto foi ou não entendido. A cada momento, faz-se necessário observar se o paciente sente-se à vontade ao conversar e se é possível prosseguir com o assunto.

Encontrar-se com o paciente é mais do que apenas estar com ele em um determinado espaço e período de tempo. O verdadeiro encontro interpessoal reside no respeito mútuo e no afeto. É possível gostar do paciente sem invadir sua privacidade, bem como permitir que ele "ame" o profissional/estudante também sem invasão.

- **Tomada de notas**

A tomada de notas é um dos pontos de maior dificuldade. Uma notação muito minuciosa pode trazer desconfiança para o paciente, que pode restringir seu relato ou até mesmo mudá-lo por se sentir invadido em sua privacidade. Acrescenta-se ainda que o ato de escrever também limita a capacidade de ouvir, o que é essencial para uma boa RMP.[19]

Por outro lado, não anotar nada ainda na fase de treinamento, é um tanto arriscado, pois vários fatos podem ser esquecidos no momento de registrar definitivamente. Além disso, alguns pacientes podem se sentir ofendidos pensando que seus relatos não são interessantes.[19]

Sugere-se que seja comunicado ao paciente que alguns dados, como nomes, lugares, datas e fatos mais importantes podem ser anotados durante a entrevista para evitar que essas informações sejam perdidas.[12] O melhor momento para o estudante organizar sua história é logo após o término da entrevista, ainda com as informações bem recentes na memória.

Na verdade, olhar o paciente face a face, prestar atenção à sua história, indagar pertinentemente sobre sua historia de vida, interessar-se pelos aspectos de sua vida sociofamiliar, podem trazer a mágica da boa interação e construir uma relação de apreço, solidariedade, compaixão, limites e encontro humano.

- **As primeiras perguntas**

Uma boa maneira de iniciar é perguntar a razão pela qual o paciente está internado, o que aconteceu para ter procurado o médico.[12] Pergunte como ele se sentiu a partir do início (ou descoberta) da enfermidade e como está se sentindo naquele momento. Procure compreender que impacto a enfermidade lhe trouxe e como isso tem afetado sua vida e a de sua família. O que mudou em sua vida após o diagnóstico? Como tem lidado com essas mudanças?

É essencial que o estudante saiba dirigir a entrevista, que deixe o paciente falar livremente e que, ao mesmo tempo, tenha controle para que a entrevista não se torne repetitiva ou se distancie dos seus objetivos.

Para facilitar esse início, sugere-se que, inicialmente, sejam feitas perguntas abertas sobre assuntos mais fáceis para o paciente (e também para o estudante), indo posteriormente para perguntas mais específicas e assuntos neutros e, por fim, temas mais delicados, ou mesmo constrangedores (também para o estudante e/ou o paciente), esclarecendo os pontos que ainda não ficaram claros.[12,20]

Não prossiga a entrevista se o relato está um pouco confuso, pois isso compromete sua autenticidade. Nesses casos, faça uma interrupção e/ou solicite que o paciente, ou familiar/acompanhante esclareça os detalhes que faltam.[20]

É importante o cuidado com as perguntas prontas, pois elas podem deixar a entrevista enfadonha e artificial. Procure dar um colorido pessoal na sua entonação da voz, no balançar assertivo da cabeça e na formulação da pergunta, e evite aquelas questões que envolvam mais de um tema simultaneamente.[12,20]

- **Desenvolvimento da observação psíquica**

Procure conhecer a história de vida do paciente (a chamada curva vital), dando início pela sua situação atual. Descreva suas relações interpessoais mais relevantes (pais, irmãos, namorada[o], cônjuge); sua vida afetiva e sexual; vida escolar e/ou profissional; amizades e lazer.[20]

Também é importante fazer notações sobre a situação de vida passada. Questione sobre a infância e adolescência, fase adulta, suas características evolutivas, aspectos de maior importância no desenvolvimento de acordo com o paciente. Procure acontecimentos sociais, familiares e profissionais que possam contribuir para o atual estado do paciente, assim como outras doenças, e maneira de reação diante dessas situações, estabelecendo um comparativo com a atual.

- ### Ambiente hospitalar

Pergunte como o paciente está se sentindo no ambiente hospitalar e o que está achando do atendimento de médicos e enfermeiros, internos e demais profissionais da saúde. Observe quem o está acompanhando no hospital e se ele tem gostado das visitas. Questione como tem sido a relação dele com os estudantes de medicina. O paciente se incomoda? Sente-se bem? Sente-se envergonhado ou irritado? O que ele pensa a respeito das entrevistas feitas pelos estudantes?

Relate a participação do paciente no seu tratamento – como esperava e como recebe o atendimento, forma como colabora, envolvimento com a equipe que o atende, sentimentos e emoções diante da internação. Questione a reação do paciente em ser também "objeto" de estudo.

Relacione os exames complementares, as informações que o paciente recebeu antes de realizá-los, os procedimentos terapêuticos e sua efetividade. Destaque as interconsultas perguntando como o paciente se sentiu diante de cada uma e se foi ou não avisado de sua necessidade.

- ### Fatores que podem dificultar a entrevista

Diversos estudos sugerem que os pacientes se sentem bem em participar do aprendizado dos estudantes. Eles conseguem conversar um pouco sobre suas condições, aprendem um pouco mais sobre suas doenças, sentem satisfação pessoal ao poder ajudar e ainda recebem a gratidão desses estudantes.[17]

No entanto, alguns aspectos podem inibir a sua participação, como uma experiência prévia ruim com acadêmicos, temor quanto ao mau uso de informações sigilosas e, sobretudo, início da entrevista sem o consentimento explícito do paciente (isso causa uma impressão negativa para aproximadamente 80% dos pacientes).[17]

Por vezes, o estudante de medicina estará diante de um paciente hostil, que não deseja ser entrevistado, que finge dormir para que não o incomodem ou que não coopera durante a entrevista utilizando-se de respostas breves. Um modo de tentar quebrar o gelo na relação é questionar o que parece estar incomodando o paciente ("sente-se incomodado com minhas perguntas?" ou "o Sr.(a) já deve ter falado isso várias vezes. Ainda consegue falar um pouco mais ou prefere não falar?"). Se, de fato, o paciente não estiver interessado e houver outras opções, é recomendado não insistir.[12]

É importante não se sentir frustrado ou rejeitado diante de uma negativa do paciente. Deve-se entender o ocorrido como um desafio para o aprendizado e amadurecimento, porque ao longo do curso e do exercício da profissão poderão ocorrer muitos "nãos" e torna-se importante estar apto a superá-los da melhor forma possível.

Um dos motivos mais frequentes de insatisfação do paciente é quanto à pressa do médico, a qual silencia o paciente e não permite que ele se expresse de maneira natural. Evite olhar muito para o relógio, parecer impaciente e interromper repetidas vezes o paciente. Mesmo se houver pouco tempo, procure se mostrar tranquilo e disponível para ouvi-lo.[21] Alguns assuntos podem despertar ansiedade, vergonha, culpa, ou depressão no paciente, e não é incomum que alguns chorem durante a entrevista. O choro não deve ser contido; em geral, é superado e a entrevista pode continuar. O médico deve permitir ao paciente essa oportunidade e, no máximo oferecer um lenço para que enxugue as lágrimas. Apenas quando o paciente retomar parte do controle, o médico deve buscar esclarecer a causa do choro de forma apropriada.[12,21] (Para mais detalhes, veja o Capítulo 10.)

Muitas vezes, ocorre um verdadeiro silêncio durante a entrevista e é quando surge a pergunta: o que eu falo agora? Não se preocupe! Provavelmente, todo acadêmico de medicina já teve "um branco" diante do paciente. Situações como essa, apesar da ansiedade que provoca em ambos, são importantes, por permitirem uma reflexão, sobre o que foi falado. Todavia, o silêncio pode sugerir que o paciente esteja com dificuldades em discutir algum tema que lhe é difícil e isso deve ser investigado, conforme mencionado.[20]

O silêncio prolongado, por outro lado, deve ser evitado, pois pode desencadear um aumento progressivo do grau de dificuldade e provocar mais ansiedade e tensão, caso ocorra. É importante que o estudante tente desvendar o que pode estar acontecendo na comunicação. Em determinadas doenças mentais ou mesmo traços de personalidade, o silêncio pode ser interpretado como sintoma do próprio quadro psicopatológico que o paciente apresenta.[20]

- **Relação médico-paciente-família**

O processo de adoecimento do paciente envolve toda a estrutura familiar. É principalmente no âmbito familiar que o ele encontra forças necessárias para a busca, manutenção e recuperação da saúde. Por sua fundamental importância, o médico/estudante deve sempre considerar a influência dos familiares nas decisões para o paciente.

Muitas vezes, os estudantes, adotam uma postura de distanciamento em relação aos familiares do paciente, talvez por não saber o que falar ou ainda por pressa, uma vez que a conversa com a família pode demorar muito.

É importante lembrar que a família também passa por momentos de muita angústia e ansiedade e que, assim como o paciente, precisa de amparo. Para o desenvolvimento de uma boa relação com a família não é necessário que o estudante saiba explicar sobre o diagnóstico ou sobre a doença do paciente, pois isso, provavelmente, já foi feito pelo médico assistente. Então, mantenha a calma! Nesses momentos é mais importante a sensibilidade do que o conhecimento científico.

É recomendável praticar e aperfeiçoar tanto a RMP quanto a relação com a família. Procure abordar o paciente como um todo e de modo individualizado, pois isso é parte daquilo que fará de você um excelente profissional.

- **Encerramento/despedida**

A despedida do paciente não deve ser menosprezada pelo aluno, pois toda uma relação de confiança e empatia construída ao longo da conversa com o paciente pode ser comprometida caso esse momento não se realize de forma adequada. Saber terminar aquela relação é importante eticamente e para o aprendizado, mas, sobretudo, para aquele ser humano em tratamento. Assim, fechar a entrevista de forma empática, indagando a possibilidade de outro possível encontro, desejando-lhe melhoras e agradecendo é uma boa maneira de finalizar esse encontro.

▶ Conclusão

Além do anseio em conhecer a medicina na prática e do impulso por esclarecer suas dúvidas, percebe-se que a maioria dos estudantes envolve-se emocionalmente com cada caso. Consequentemente, o interesse em aliviar a angústia que a doença tem causado ao paciente tem sido bastante verificada em relatórios individualizados e diários de alunos de medicina, e isso parece aumentar o interesse na disciplina.

É muito importante que o estudante se dedique, após o encontro com o paciente, em descrever, em relatórios clínicos pessoais, como se sentiu diante da forma como foi recebido, seu próprio sentimento diante da doença, da personalidade e do jeito de ser daquele paciente. É recomendável descrever tudo o que foi vivenciado na relação, a fluidez da entrevista, o envolvimento afetivo que aconteceu durante todo o atendimento, como se saiu de situações constrangedoras, a correlação que conseguiu entre os conhecimentos teóricos que está adquirindo e a situação prática.

Realizar essa autocrítica é essencial para que o estudante verifique como está assimilando e praticando a comunicação e adquirindo outras novas habilidades. Comunicação efetiva e estilo "empático, agradável" mostram melhores resultados clínicos. Pacientes que se sentem ouvidos estão mais propensos a explicar com clareza seus sintomas e confiar detalhes pertinentes aos seus médicos. Por esses motivos, a boa comunicação é uma habilidade que deve ser posta em prática não só durante a faculdade, mas ao longo de toda a carreira.

Como vimos em outras partes deste capítulo, comunicar é a capacidade de trocar e discutir ideias, de dialogar, e seu sucesso depende das reações e expectativas dos comunicantes. É importante que o estudante aperfeiçoe a sua capacidade de relacionar-se com o paciente, o que vai proporcionar uma integração proveitosa que beneficiará ambas as partes.

Não fique desanimado caso se depare com algumas dificuldades nas primeiras entrevistas. Todo encontro gera algum tipo de tensão e saber como controlá-la é uma questão de tempo e treinamento.

O aluno deve entender que, para o desenvolvimento de uma relação estudante-paciente satisfatória, não é necessário um grande esforço uma vez que sua base não depende de conhecimentos científicos elaborados. O principal é o desejo, especialmente por parte do estudante, de desenvolver essa relação na sua forma mais ampla, enxergando o paciente de forma integral.

▶ Referências bibliográficas

1. Fiorotti KP, Rossoni RR, Borges LH, Miranda AE. Transtornos mentais comuns entre os estudantes do curso de medicina: prevalência e fatores associados. *J Bras Psiquiatr*. 2010;59(1):17-23. [citado 27 Dez 2010]. Disponível em: http://www.scielo.br/pdf/jbpsiq/v59n1/v59n1a03.pdf
2. Dias A, Cyrino EG, Lastória JC. Conhecimento e necessidades de aprendizagem de estudantes de Fisioterapia sobre a Hanseniase. *Hansen Int* 2007; 32 (1): 9 a 18. [citado 27 Dez 2010]. Disponível em: http://www.ilsl.br/revista/index.php/hi/article/viewFile/298/293
3. Stepien KA, Baernstein A. Educating for Empathy: A Review. *JGIM*. 2006 May; 21(5): 524 a 530. [cited 2010 Aug 24] Available from: http://onlinelibrary.wiley.com/doi/10.1111/j.1525-1497.2006.00443.x/pdf
4. Tähkä V. O ponto de partida do médico. In: Tähkä V. *Relacionamento médico-paciente*. Trad. JOA Abreu. Porto Alegre: Artes Médicas; 227p., 1988.
5. Costa FD, Azevedo RCS. Empatia, relação médico-paciente e formação em medicina: um olhar qualitativo. *RBEM*. 2010; 34 (2): 261 a 9. [citado 30 Aug 2010]. Disponível em: http://www.scielo.br/pdf/rbem/v34n2/a10v34n2.pdf
6. Carta de Goiânia – Diretrizes para o Ensino da psicologia médica no Brasil. IV Encontro Nacional de Professores de psicologia médica; Goiânia.05 de junho 2004.
7. Wright KB, Bylund C, Ware J et al. Medical Student Attitudes Toward Communication Skills Training and Knowledge of Appropriate Provider-Patient Communication: A Comparison of First-Year and Fourth-Year Medical Students. *Medical Education Online* [serial online]. 2006 [cited 2010 Aug 24]. Available from: http://www.med-ed-online.net/index.php/meo/article/view/4594
8. Zuardi AW, Prota FDG, Del-Ben CM. Reduction of the anxiety of medical students after curricular reform. *Rev. Bras. Psiquiatr.* [online]. 2008 Jan; 30(2): 136 a 8. [cited 2010 Aug 23]. Available from: http://www.scielo.br/pdf/rbp/v30n2/2560.pdf
9. Dornan T, Bundy C. What can experience add to early medical education? Consensus survey. Learning in practice. BMJ. 2004; 329(7470): 834. [cited 2010 Aug 24]. Available from: http://www.bmj.com/content/329/7470/834.full.pdf
10. Válková L. First early patient contact for medical students in Prague. *Family Practice*. 1997; 14 (5): 394 a 6. [cited 2010 Aug 23]. Available from: http://fampra.oxfordjournals.org/content/14/5/394.full.pdf+html
11. Silva MJP. O bê-á-bá da comunicação. In: Silva MJP. *Comunicação tem remédio. A comunicação nas relações interpessoais em saúde*. 4ª Edição. São Paulo: Edições Loyola; 129p., 2006.
12. Tähkä V. A entrevista médica. In: Tähkä V. *Relacionamento médico-paciente*. Trad.: Abreu JOA. Porto Alegre: Artes Médicas; 227p., 1988.
13. Avdi E, Barson P, Rischin I. Empathic communication skills in CALD medical student interviews. *Prospect: An Australian Journal of TESOL*. 2008; 23(3): 4 a 10. [cited 2010 Aug 24]. Available from: http://www.ameprc.mq.edu.au/docs/prospect_journal/volume_23_no_3/23_3_Art_1.pdf
14. Dias HMM. Contratransferência: um dispositivo clínico psicanalítico. Tese de doutorado apresentada ao Programa de Estudos Pós-Graduados em Psicologia Clínica, do Núcleo de Psicanálise, Laboratório de Psicopatologia Fundamental. Pontifícia Universidade Católica de São Paulo. São Paulo 2007. p. 124-126.
15. Nascimento Júnior PG, Guimarães TMM. A relação médico-paciente e seus aspectos psicodinâmicos. *Bioética* nº 11. 2003. P 101.
16. Martins, C. Caminhos- Ensaios psicanalíticos. Porto Alegre, Movimento/Instituto Cyro Martins, 1993.p. 147 e segs. Texto originalmente publicado como Introdução a *Perspectivas da RelaçãoMédico-Paciente*. Porto Alegre: Editora Artes Médicas, 1979.
17. Howe A, Anderson J. Involving patients in medical education. Learning in practice. BMJ. 2003 Aug; 327(7410): 326 a 8. [cited 2010 Aug 23]. Available from: http://www.bmj.com/content/327/7410/326.full.pdf
18. Martins CM. O estudante de medicina frente ao paciente. In: Martins CM. *Perspectivas da relação médico-paciente*. Porto Alegre: Artes Médicas; 183-7p., 1981.
19. Sadock BJ, Sadock VA. Exame clínico do paciente psiquiátrico. In: Sadock BJ, Sadock VA. *Kaplan & Sadock Compêndio de Psiquiatria: Ciência do comportamento e psiquiatria clínica*. 9ª Ed. Porto Alegre: Artmed; 259-280, 2007.
20. Cordioli AV. *Avaliação do paciente em psiquiatria: a entrevista psiquiátrica*. 20p. Texto atualizado em 31/08/2005. [citado 1 Nov 2010]; Disponível em: www.ufrgs.br/psiq/entrevis.pdf
21. Tähkä V. Fatores que influenciam o relacionamento médico-paciente. In: Tähkä V. *Relacionamento médico-paciente*. Trad.: Abreu JOA. Porto Alegre: Artes Médicas; 227p., 1988.

10 A Relação Estudante-Paciente

José Givaldo Melquiades de Medeiros, Mireille Coêlho de Almeida e *Patrícia Cavalcanti Ribeiro*

Situação-problema
▼

Não há mais médicos como antigamente...
Na última semana de aula, o curso Evolução propôs um debate sobre a escolha de profissão. João iniciou o debate, dizendo que havia escolhido direito porque admira muito o trabalho de um promotor em defesa da Lei. Outros dois participantes escolheram letras e comunicação pelas habilidades com as "redações". A escolha que mais gerou polêmica foi a de Andresa. Disse que seria médica – "se Deus quiser" – porque sempre pensou em ajudar as pessoas. Alguns colegas riram. Um sussurrou:- "ajudar, eu sei" (e fez um gesto de contar dinheiro para o colega ao lado). Esse mesmo aluno disse que os médicos não ajudam; que são mercenários; que sua avó precisou ir ao médico e ele não a atendeu bem, recebeu o dinheiro da consulta e passou um remédio que fez mal a ela. Toni concordou e acrescentou que, se a pessoa não tiver dinheiro, morre à míngua, sem atendimento, que é o que se assiste nos jornais de TV. "Os pacientes morrem nas portas dos hospitais, erros médicos matam pessoas, nunca se vê um médico fazendo algum bem", completou Toni, exaltado. "Isso é verdade", interrompe Aline, "e olha que a medicina foi uma das ciências que mais evoluíram na atualidade". Fred, então, interveio de forma veemente: "Não existe mais médico como antigamente, que era como um sacerdote, que se dedicava, não pensava em dinheiro, se doava inteiramente aos seus pacientes". Andresa retoma a palavra: "Mas eu tenho um sonho. Eu vou ser diferente de todos esses médicos que vocês falaram...". Nem terminou de se expressar e Toni a interrompeu: "Todos dizem isso!" Andresa, então, irrita-se: "Eu vou ser uma médica sem fronteiras, ou trabalhar no PSF. Vou ser diferente, sim, vocês vão ver!".

▶ Breve recado ao estudante de medicina

Sabe-se que parte dos estudantes não gosta de temas que os levem a refletir. Por um hábito adquirido na sua formação, prefere assistir às aulas, absorver conhecimentos e, depois, restituir saberes. Faz isso sem se perguntar muito o por quê. Decerto porque desenvolver um trabalho de reflexão sobre a prática durante o aprendizado exige maior envolvimento pessoal, presencial e nos obriga a correr mais riscos de avaliações externas ao emitirmos nossas opiniões.

Sabe-se, porém, que apenas os saberes teóricos e práticos adquiridos em uma formação não são suficientes. É preciso uma disposição interior e um olhar reflexivo para todas as coisas que nos envolvem, ou seja, ser um profissional reflexivo, o qual Perrenoud[1] define como o que tem o "habitus" sistematizado da reflexão em sua prática, que se apresenta como um realista, com postura humilde, como deve ser todo homem do conhecimento, além de sabedor das suas limitações.

Por mais que se tenha estudado como se examina um paciente e por mais que o tenha feito, o aprendizado será deficiente se o estudante não discutir como se sente, como reage aos sentimentos do paciente, como ele se sentiu, qual seu grau de entendimento sobre as reações do paciente e como ele contrarreage a essas emoções.[1]

Por isso, nunca é demais a reflexão sobre o curso, sobre a prática e, principalmente, sobre si mesmo. É assim que se constrói um médico sensível aos sentimentos humanos.

▶ Formação psicológica e ética do estudante de medicina

A formação psicológica e ética do estudante de medicina foi a demanda do ensino médico que suscitou, no início dos anos 1950, a introdução, nos antigos currículos, da disciplina psicologia médica. Essa formação, por demais abrangente, envolve muitas possibilidades de reações por parte dos estudantes e de abordagens por parte dos formadores.

Martins[2] refere a existência de um conjunto de situações estressantes ao longo do curso médico e destaca, no início da formação: as mudanças metodológicas ocorridas entre a experiência anterior no ensino médio e as primeiras experiências na universidade; o desamparo do estudante com relação ao poder dos professores; as provas e exames; a competição entre colegas; o encontro com o cadáver e a experiência do contato com a morte nos laboratórios de anatomia; a decepção com as primeiras notas, dentre outras.

Neste capítulo, pretende-se levantar várias dessas experiências, procurando ora discuti-las, ora encaminhá-las como sugestões para reflexão de estudantes, orientadores e facilitadores da formação médica.

No momento inicial do curso de medicina, essas situações-problema (ou situações reais) servem como conteúdo exploratório, uma das maneiras mais adequadas para abordar esses temas. Funcionam como disparadoras do processo de reflexão e teorização do grupo de estudantes no primeiro período. Favorecem a relação com a realidade dos participantes e a identificação de necessidades de aprendizagem, visando o desenvolvimento de capacidades para melhor enfrentar a situação apresentada e a construção de novos significados e saberes que possibilitem o desenvolvimento de competências.[3]

De acordo com a experiência com alunos iniciantes, percebe-se que é necessário aprender com eles, renovar-se, estar sempre atento ao tipo de demanda que surge. Por exemplo: em uma avaliação final do módulo, muitas foram as reclamações. Entre elas, alguns estudantes falavam, repetidamente, que queriam discutir temas de medicina e, ali, nada disso tinha ocorrido. O que diziam, nas entrelinhas, era que não se havia discutido quadros clínicos, falado de pacientes reais. Um estudante definiu o sentimento: "A gente perde tempo e não estuda medicina". Daí veio a primeira questão a discutir com os grupos futuros: o que é a medicina e qual é o papel do médico?

Para alguns, a resposta seria óbvia: a medicina é o estudo das doenças e dos doentes e o médico é o profissional que os trata. No módulo, trabalhavam-se as percepções e frustrações do estudante, futuro médico, no entanto, o que interessava àquela visão de uma prática médica "de ouvir dizer" era estudar doenças; o que o estudante pensa de si ou do profissional médico pouco acrescentaria à sua prática futura, segundo essa lógica.

O perfil do profissional definido pelas Diretrizes Curriculares Nacionais do Curso de Graduação em Medicina[4] combina bem com a discussão de "quem é o médico": "Aspira-se, como produto da escola médica, um profissional com formação geral, humanista, crítico e capaz de refletir sobre sua ação e atuar de forma ética em todos os atos que pratique como médico. Mais ainda: ser capaz de atuar em qualquer nível de atenção, com ações de promoção, prevenção, recuperação e reabilitação. Por fim, cobra-se desse médico ser formado com responsabilidade social, compromisso com a cidadania e que seja um exímio promotor da saúde integral do ser humano."[4]

"O médico é formado para lidar com o processo saúde-doença, sim, mas a ele também é imputada a responsabilidade de, aliado a outros profissionais de saúde, favorecer a saúde integral dos seres humanos, não apenas do doente, e exercitar a promoção da saúde no nível individual e coletivo."[4]

O primeiro alvo do ensino médico, no tocante à formação geral, deve ser, portanto, o estudante de medicina. Além de não saber claramente sobre sua escolha profissional, os que ocupam o primeiro semestre do curso são indivíduos que ainda estão tentando finalizar a tarefa básica da adolescência, representada pela aquisição de identidade pessoal e individuação como sujeito, adquirindo também uma identidade sexual.[5]

Esse estágio da vida, em que ainda existem dúvidas sobre si próprio, decerto não é um bom momento para tomar consciência, por si, por quais elementos é constituída a identidade profissional de um médico. Cabe ao educador, pois, o papel de facilitador desse processo de descoberta.

Assim sendo, todos os temas suscitados por Martins[2] e observados por aqueles que ensinam no curso médico, devem tomar parte nas discussões. Vejamos alguns:

- A primeira questão é a escolha da profissão. Para Jeammet,[6] pulsões inconscientes marcadas pelo desejo de ver o interior do corpo, o desejo de curar como tentativa de reparar os danos fantasiosamente imputados à mãe, como resultado da pulsão agressiva, ou o desejo de poder, estariam no universo dessa escolha. De modo geral, o mesmo autor salienta a influência de pais médicos, o desejo de curar uma pessoa doente da família, a identificação com um médico que tem ascensão sobre a família;[6] além da busca por uma profissão que, para alguns, ainda é tida como liberal e financeiramente promissora
- Todos esses aspectos são importantes para iniciar o indivíduo no ofício de médico
- Outros temas a serem trabalhados: lidar com cadáveres, a ética diante do aprendizado com cadáveres, a competição entre colegas e seus limites com a deslealdade, a medicina da pessoa ou aquela voltada para a população, campos de ação e limites da profissão médica.

▶ Encontros com pacientes

▪ Contato com o paciente na semiologia

"Quando uma pessoa faz a escolha por uma profissão como a medicina, ela deve ter em mente e no seu coração o desejo real de ajudar a quem necessita de cuidados. Eu tenho esse desejo muito forte no meu coração, então as minhas expectativas em relação a esse primeiro contato com o paciente são as melhores possíveis. Estou com muita vontade de por em prática tudo o que sempre sonhei, todo o amor que tenho à profissão. Tratar o paciente não apenas como o seu órgão doente, mas como um ser humano no estrito valor do termo. Mas, ao mesmo tempo, tenho muitas dúvidas, curiosidades e certa parcela de medo. Afinal, vidas humanas estarão em nossas mãos." (Aluna do 4º período, antes da primeira anamnese)

O texto trata do significado, para o estudante, dos primeiros contatos com o paciente, em que se dará início à realização da história clínica. Mistura de razão e emoção, do desejo de brilhar e do medo de não conseguir; mistura de sonho e amor, de curiosidades, apreensões coloridas com tintas que pintam seres humanos, homens e mulheres que, enfim, poderão estar em suas mãos.

A semiologia médica cumpre seu objetivo de ensinar a coleta de dados na anamnese, com base em um roteiro universal, em busca dos sintomas do paciente e da identificação dos sinais, por meio da ectoscopia e do exame físico para, então, treinar o estudante nos primeiros exercícios de juntar esses dados para pensar em termos de uma síndrome clínica.

O trabalho da psicologia médica – se possível, integrado à semiologia – ajudará o estudante a lidar com os aspectos subjetivos muitas vezes não abordados diretamente pelos que ensinam a iniciação ao exame clínico, melhorando seu perfil profissional futuro.

Em primeiro lugar, entendemos a medicina do mesmo modo que Moreira:[7] uma profissão relacional. Ela acontece, realiza-se, fundamentalmente, na relação com o outro. Não há prática médica sem a presença daquele que se coloca como paciente, com suas expectativas de cura ou de alívio; do outro lado situa-se o médico, com suas expectativas de realização pessoal ou profissional.

No entanto, o que pensar de quem, ainda aprendiz, coloca-se no lugar daquele que será no futuro? Pode ser que aqui se manifeste o desejo de uma perfeição que, até então, não foi possível realizar; e, dessa idealização, apareçam muitos conflitos para serem administrados.

Entre as inúmeras possibilidades de reações, sentimentos, apreensões que poderão surgir, destacaremos algumas, que são do interesse de todos.

Nos pontos levantados por Nogueira-Martins,[2] salientamos: os primeiros exames e o contato com o corpo do paciente; a anamnese vivida como uma invasão ao paciente, à sua intimidade corporal e emocional; o receio de contrair doenças ao executar procedimentos médicos; o primeiro contato com pacientes psiquiátricos, além de dúvidas e preocupações sobre sua capacidade de absorver todos os ensinamentos ao longo do curso.

Também interessante, o estudo de Pitkälä e Mäntyranta,[8] por meio de questões colocadas para estudantes iniciando seus estudos clínicos, sobre os tipos de sentimentos que emergiam dos respectivos portfólios. Aqueles autores encontraram uma diversidade de reações, algumas já bastante conhecidas entre nós:

- Ambivalência quanto à própria competência, conhecimentos e habilidades para realizar anamneses
- Vergonha para abordar áreas da vida íntima do paciente
- Vergonha e indecisão para examinar áreas do corpo do paciente
- Sentimentos incômodos relativos ao corpo do paciente (quando exala mau cheiro, por exemplo)
- Sentimentos de desamparo frente a pacientes agonizantes ou moribundos
- Sentimentos de desamparo diante da morte
- Compaixão pelo que sente o paciente: a dor, a agonia, o desespero.

De modo geral, quase todas as reações derivam do encontro com o paciente, sendo que, o estudante, agora posto no lugar daquele que irá conversar e descobrir a doença, assume um papel ativo e testa suas próprias aptidões. Encontro idealizado, esperado desde os primeiros dias do curso de medicina e que, finalmente, irá se realizar em um clima de incertezas, medos, ansiedades, expectativas, fantasias, receios e promessas por parte do estudante.[9]

Não poderia ser diferente. No cenário das primeiras anamneses, encontram-se o paciente e o estudante. O aprendiz, com tudo o que ouviu dizer lá fora da medicina, ouviu de professores, viu em suas caminhadas por comunidades e hospitais, de como seria atender um paciente, examiná-lo. Só que, agora, é ele no lugar de quem vai examinar. Confronto de tudo o que ele, estudante, idealizou ser, com o que, de fato, é nesse momento.

O próprio ator descreve sua cena:

"No pequeno caminho até o meu número (enfermaria) pensei em tudo que já tinha ouvido sobre a impessoalidade no serviço de saúde, sobre a forma como os pacientes se sentem quando são estudados com tantas pessoas ao redor e, nesse momento, eu me perguntei se seria capaz de não reproduzir tudo o que ouvi falar de ruim." (Estudante do 4º período)

- ### Sentimento de desamparo diante das demandas dos pacientes

Esse sentimento comumente está ligado às dificuldades do estudante em lidar com demandas do paciente, as quais ele deduz que irão surgir, como a expectativa de que o doente lhe faça perguntas para as quais, nesse momento da sua formação, ainda não terá respostas. Por exemplo: qual é o meu diagnóstico?; eu vou ficar bom?; minha doença é grave?

Por outro lado, acompanha-o um pensamento perturbador: "se estou 'usando' o paciente, preciso dar-lhe algo como compensação". E o que lhe ocorre fazer para compensar o paciente é algum gesto como se médico fosse: ajudando no diagnóstico, no tratamento etc.

Importante realçar, para o estudante, nesse momento, o valor da escuta como elemento constitutivo do ato médico, lembrando-lhe que, para além das queixas clínicas, encontra-se a subjetividade do indivíduo: pensamentos, desejos, fantasias, prazer, dor e tristeza.

Enfatizar a escuta como uma atitude ativa de ouvir atentamente tudo o que o doente diz sobre seus sintomas, sua vida e seus sentimentos. Não se ater a valorizar apenas as informações que lhe são importantes para o diagnóstico da doença, deixando de fora todas as outras informações que são passadas tanto na fala quanto em outras linguagens do paciente.

Assim, é bom lembrar que a escuta do paciente e seus familiares constitui uma intervenção de ajuda em si mesma. Isso ocorre porque possibilita a quem sofre tanto extravasar como ventilar seus sofrimentos. Infelizmente, essa ajuda, na maioria das vezes, não é vista como uma atitude médica para estudantes que imaginam um ato médico sempre técnico, objetivo e intervencionista.

- ### Compaixão pelo sofrimento e empatia

A compaixão pelo sofrimento do paciente é o resultado de um processo de identificação* que ocorre com o estudante. Entende-se que sentir o sofrimento do doente sem um anteparo que o proteja, pode ser um dos fatores responsáveis pelo esfriamento sentimental progressivo no qual vai passar, inicialmente, o estudante; depois, o interno, o residente, até a configuração de um médico frio e distante na relação com o paciente. Sofrer junto com os pacientes pode se tornar uma dor contínua e intolerável. Apreender o conceito de empatia** e exercitá-la desde o início da formação, ajudará o estudante a se colocar no lugar do paciente, mas sem se identificar, afetivamente, com seu sofrimento; valorizando mais a compreensão do estado dele e as formas de ajudá-lo.

É importante ressaltar essa relação específica com o paciente está longe de prescindir de técnicas de comunicação,[10] de conhecimentos sobre entrevista, de maneiras de como abordar determinados temas, de como se comportar em uma consulta, ou até coisas bem simples, como de que maneira deverá se vestir.

- **A espera por um paciente-padrão**

  "Espero que o paciente seja uma pessoa de fácil diálogo e que me forneça as informações necessárias para o meu aprendizado." (Aluno do 4º período, antes da 1ª anamnese)

É comum vermos o estudante dividindo os pacientes entre bons, aqueles de fácil comunicação e que informam tudo, e os que informam mal. Devemos considerar que, desde então, irá se construir um conceito do paciente no aluno e é, por demais importante, que ele perceba que cada paciente, para além de suas características individuais, reagirá, no contexto relacional, de acordo com a abordagem que lhe for feita.

É oportuno intervir na dimensão subjetiva da formação, de modo que se possa desfazer essa ilusão inicial, que poderá vir a ser um conceito sólido para o futuro médico: que o paciente é bom ou ruim, por si, e que isso independe do médico, do estudante ou da equipe de saúde.

Um mesmo paciente pode ser considerado "ruim" por um estudante e "muito bom" por outro. De fato, no primeiro caso, o doente pode ter sido "ruim" com aquele estudante desinteressado, que o abordou de forma insensível, que o tratou de maneira impessoal e fria. No segundo caso, ele foi "bom" com o outro estudante que lhe atendeu de maneira educada, respeitosa e comunicativa.

Assim, antes de pensar no tipo de paciente que irá atender, o estudante deve pensar no tipo de médico que está representando. Desse modo, a indagação poderá ser invertida: estou sendo um bom ou mau "médico" para esse paciente?

▶ Crescimento pessoal e profissional

Por tudo o que foi relatado até aqui, é possível apreender que há um conflito muito presente no estudante: a idealização de uma profissão, a fantasia de realizações de atitudes do bem, reparadoras do ponto de vista emocional, e sempre bem vistas pela ideologia de um jovem estudante. Na outra face do confronto, posta-se uma realidade que sempre frustra, que nunca é aquilo que ele espera. E não o é mesmo, pelo menos da forma em que foi idealizada inicialmente.[7]

Por outro lado, a passagem por cada uma dessas frustrações, por cada confronto com a realidade, desde que não ultrapasse a capacidade integrativa do indivíduo, será benéfica para o seu amadurecimento e lhe proporcionará oportunidades para desenvolver elaborações e adaptações na vida e na prática médica.[7]

Embora tenham sido ressaltados os conflitos neste capítulo a fim de melhor trabalharmos o enfrentamento deles, chama-se a atenção para o fato de que os primeiros contatos com o paciente não se revestem apenas de sentimentos inadequados. Há também a alegria por aprender coisas novas, o sentimento de estar começando a medicina na sua dimensão semiológica, o desejo de ser útil de alguma forma ao paciente,

---

*Identificação – Segundo a concepção psicanalítica, é um processo psicológico pelo qual um indivíduo assimila um aspecto, uma propriedade, um atributo do outro e se transforma, total ou parcialmente, segundo esse modelo.[23] No que concerne ao capítulo, seria o indivíduo sentir a dor ou o sofrimento do paciente como se fosse a sua dor.

**Empatia – Para D'Andrea,[24] "empatia é a compreensão do outro dentro do seu próprio esquema, isto é, a apreciação de como ele se sente internamente, como as coisas são para ele, não querendo isto dizer que os sentimentos e dificuldades do indivíduo passem a pertencer a quem deseja compreendê-lo. É o reconhecimento, pelo médico, dos sentimentos, emoções, desejos, conflitos e ansiedades existentes por trás dos sintomas do doente, como se fossem seus, embora sem tê-los experimentados pessoalmente. Desse modo, a empatia pode ser considerada como uma identificação intelectual em contraposição a uma identificação afetiva (simpatia)" (p.168).

o contato maior com profissionais, internos e residentes, prazer em estar com pacientes; além da vivência mais direta no hospital, ambulatórios e unidades de saúde, experiências gratificantes – e até emocionantes – com as quais o estudante contrapõe-se às dificuldades.

Nesse confronto, a expectativa é de que ele consiga assimilar e integrar essas reações de forma positiva em prol do seu crescimento pessoal, profissional e de uma adaptação propositiva no tocante à sua formação como médico.

▶ Final do curso | Internato

"A formação do médico incluirá, como etapa integrante da graduação, estágio curricular obrigatório de treinamento em serviço, em regime de internato, em serviços próprios ou conveniados, e sob supervisão direta dos docentes da própria escola/faculdade. A carga horária mínima do estágio curricular deverá atingir 35% da carga horária total do curso de graduação em medicina proposto, com base no parecer/resolução específico da Câmara de Educação Superior do Conselho Nacional de Educação."[4]

Mais amadurecido, mais adaptado ao sistema didático-pedagógico da escola, mais treinado nas metodologias, o período de estudos clínicos até o início do 5º ou 6º períodos é, sabidamente, o de maior interesse do estudante. Período de preparação para, enfim, ingressar no internato, cuja proposta é ser constituído eminentemente por atividades práticas, com duração de 1 a 2 anos.

Para Saadeh,[11] "Em termos profissionais, é no quinto ano que o amadurecimento pessoal será posto à prova, pois, neste momento, define-se uma transformação no ensino, no aprendizado, na postura e nas vivências"(p. 20).

O internato, portanto, tem sido considerado um dos momentos críticos da formação médica, ao lado da entrada na faculdade e no hospital, no que diz respeito à presença de estresse e ansiedade.[11-13] Para Milan,[12] o internato é um momento de transição entre o modelo acadêmico e o vir a ser profissional, em que o estudante percebe o quanto não sabe.

Essa vivência intensiva em tempo integral acabaria por levar o aluno, segundo Ramos-Cerqueira et al.,[14] a deparar-se, súbita e cotidianamente, com situações difíceis: o seu próprio limite, os limites de seu paciente e os limites da medicina.

Ao perceber que pouco sabe, vem a necessidade de uma residência médica, com vagas limitadas para o universo dos recém-formados; além do medo de cometer erros médicos e a insegurança para exercer a profissão que se anuncia, caso não consiga dar continuidade ao aprendizado em uma pós-graduação.

▶ Crises e assistência

No excelente livro *O universo psicológico do futuro médico*, desenvolvido pelo Grupo de Assistência Psicológica ao Aluno da Faculdade de Medicina da Universidade de São Paulo (GRAPAL), Milan et al.[15] classificam as crises emocionais pelas quais passa o estudante de medicina em:

- *Fase de euforia*: momento de inflação egoica do estudante depois de haver passado no vestibular, marcado pelo entusiasmo da família e pela valorização social do recém-aprovado, que apresenta negação das dificuldades futuras e certa defesa maníaca
- *Fase do desencanto*: quando inicia seus estudos e reclama de aulas intermináveis, da mal didática de professores, o volume de estudo excessivo e a sensação de que os estudos iniciais terão pouca valia para sua vida profissional futura. Aumenta o desencanto e a sensação de não ter uma visão abrangente da anatomia, da fisiologia, pois essa integração só poderá vir com o tempo e com conhecimentos que possibilitarão integrar conhecimentos.

Somam-se a essas dificuldades outras que podem levar o estudante a crises de desistência

- *Internato*: com suas exigências de dedicação integral e as situações já relatadas, levam o estudante para um estado de reclamações crônicas. Ele não aproveita o que lhe é oferecido, tampouco sabe o que quer ou do que necessita.

Esses autores[15] fazem uma revisão bibliográfica de pesquisas em que são apontadas rupturas da capacidade integrativa do estudante, durante sua formação, apresentando quadros psicopatológicos de depressões, transtornos de ansiedade, uso de álcool e drogas e surtos psicóticos.

> **Quadro interativo**
>
> - Sugestões de livros
> - *Residência médica – estresse e crescimento*/Luiz Antonio Nogueira Martins – 1ª Ed. – São Paulo: Casa do Psicólogo, 2005.
> - *Quem cuida do cuidador: uma proposta para os profissionais da saúde*/Eugenio Paes Campos – Petrópolis, RJ: Vozes, 2005.
> - *O universo psicológico do futuro médico – vocação, vicissitudes e perspectivas*/Luiz Roberto Milan et al. São Paulo: Casa do Psicólogo, 1999.
> - *O médico como paciente*/Alexandrina Maria Augusto da Silva Meleiro – São Paulo: Lemos-Editorial, 1999.
> - Entidades e *sites* nos quais se encontram referências ao tema
> - Associação Brasileira de Educação Médica: http://www.abemeducmed.org.br
> - Associação Brasileira de Psiquiatria: http://www.abpbrasil.org.br/departamentos. Clicar em Psicologia Médica.
> - Conselho Federal de Medicina: http://www.portalmedico.org.br

Bons trabalhos foram desenvolvidos no Brasil, entre eles o de Costa,[16] na Universidade Federal de Sergipe e, em outros países, o de Loureiro,[17] em Portugal.

Do mesmo modo, questões relativas ao trabalho médico e ao estresse profissional que acometem os profissionais de saúde têm sido alvo de trabalhos científicos que demonstram, sobretudo entre médicos, prevalência de estados de estresse que complicam doenças orgânicas ou os levam a um estado de reação psicorgânica, que atinge a exaustão.[18-21]

Com essa compreensão, conclui-se que, além das estratégias pedagógicas para facilitar a assimilação por parte do aluno das vicissitudes de sua formação, devemos propiciar-lhes acompanhamento por meio de programas de tutoria e de assistência psicopedagógica. Por fim, é importante lembrar que "se é verdade que o amor como sentimento básico não precisa ser ensinado, a conduta amorosa, esta sim, deve e precisa ser aprendida."[22] (p. 9)

► Referências bibliográficas

1. Perrenoud P. *A prática reflexiva no ofício de professor: profissionalização e razão pedagógica*. Trad. Cláudia Schilling. Porto Alegre: ARTMED Editora; 2002.
2. Nogueira- Martins LA. *Residência médica: estresse e crescimento*. São Paulo: Casa do Psicólogo; 2005.
3. Ministério da Saúde (Brasil). Curso de Especialização em Ativação de Processos de Mudança na Formação Superior de Profissionais de Saúde - Caderno situações-problema: especializando. Rio de Janeiro: FIOCRUZ; 2005.
4. Ministério da Educação (Brasil). Resolução Nº 4, de 7 de novembro de 2001. Institui Diretrizes Nacionais do Curso de Graduação em Medicina. Diário Oficial da União 09, 2001; seção 1.
5. Osório LC. *Medicina do adolescente*. Porto Alegre: Artes Médicas; 1982.
6. Jeamet P, Reynaud M, Console S. *Psicologia médica*. 2. Ed. São Paulo: Médica e Científica; 2000.
7. Moreira AA. *Teoria e prática da relação médico-paciente*. Belo Horizonte: Interlivros; 1979.
8. Pitkälä KH, Mäntyranta T. Feelings related to first patient experiences in medical school – A qualitative study on students' personal portfolios. *Patient Education and Counseling*. 2004; 54(2):171-177.
9. Nogueira- Martins LA. *Residência médica: um estudo prospectivo sobre dificuldades na tarefa assistencial e fontes de estresse*. São Paulo. Tese [Doutorado em Psiquiatria e Psicologia Médica] – Universidade Federal de São Paulo; 1994.
10. Almeida HO, Alves NM, Costa MP, Trindade EMV, Muza GM. Desenvolvendo competências em comunicação: uma experiência com a Medicina Narrativa. *Rev Bras Educ Méd* 2005; 29(3): 208-216.
11. Saad A. *Internato em Medicina: estudo da interação estudante-paciente*. São Paulo. Dissertação [Mestrado em Psiquiatria] – Faculdade de Medicina da Universidade de São Paulo; 1995.
12. Millan LR, De Marco OLN, Souza EL, Rossi E. Assistência ao Estudante de Medicina. In: Marcondes E, Gonçalves EL. *Educação Médica*. São Paulo: Sarvier; 1998. p. 340-54.
13. Rocco RP. Relação Estuda de Medicina-Paciente. In: Mello Filho J. *Psicossomática hoje*. Porto Alegre: Artes Médicas; 1992. P. 57-63.
14. Ramos-Cerqueira ATA, Lima MCP, Torres AR, Reis JRT, Fonseca NMV. Era uma vez... Contos de fadas e psicodrama auxiliando alunos na conclusão do curso médico. *Interface* (Botucatu); fev 2005 [acessado em 10/julho/2010]; 9(16): 81-89. Disponível em: http://www.scielo.br/scielo.php?script=sci_arttext&pid=S1414-32832005000100007&lng=en.
15. Millan RM, De Marco OLN, Rossi E, Arruda PCV. *O universo psicológico do futuro médico – vocação, vicissitudes e perspectivas*. São Paulo: Casa do Psicólogo; 1998.
16. Costa EFO. *O ofício de tornar-se médico e suas implicações na saúde mental do estudante de Medicina da Universidade Federal de Sergipe*. Sergipe. Dissertação [Mestrado] – Universidade Federal de Sergipe; 2007.
17. Loureiro EMF. *Estudo da relação entre o stress e os estilos de vida no estudante de Medicina*. Porto. Dissertação [Mestrado em Psicologia da Saúde] – Universidade do Minho; 2006.
18. Machado MH, coordenador. *Os médicos no Brasil: um retrato da realidade*. Rio de Janeiro: Fiocruz; 1997.
19. Conselho Federal de Medicina. *O médico e o seu trabalho*. Brasília: CFM; 2004.
20. Meleiro AMAS. *O médico como paciente*. São Paulo: Lemos; 1999.
21. Campos EP. *Quem cuida do cuidador*. Petrópolis: Vozes; 2005.
22. Lemos P. *Educação afetiva – porque as pessoas sofrem no amor*. 8. Ed. São Paulo: Camara Brasaileira do Livro; 1994.
23. Laplanche J, Pontalis B. *Vocabulário de psicanálise*. 10. Ed. São Paulo: Martins Fontes; 1988.
24. D'andrea FF. *Desenvolvimento da personalidade*. 4. Ed. São Paulo: Difel; 1980.

11 Comunicações Dolorosas ao Paciente e aos Familiares

Vera Lúcia Bidone Lopes

"The miserable have no other medicine but hope."
(William Shakespeare. *Measure for measure*, 1603)

▶ Introdução

- Como é, doutor, estou com câncer mesmo? Sei que estou, e morrendo por causa dele. Mas me diga, por favor!
- É verdade que minha filhinha morreu? Não me deixaram entrar na CTI e estou desesperada...
- Não me diga que não vou poder caminhar mais! Não quero cadeira de rodas. Vou largar tudo, vou me matar!
- Seu filho, mesmo que esteja terminando o curso de direito e seja tão jovem... é fortemente dependente de crack.

Como os jovens estudantes de medicina se sentirão diante de situações como essas?

1. Serão, efetivamente, esses diálogos um dos maiores dilemas que enfrentaremos em nossa prática médica?
2. Mas será que precisamos falar, ou responder, sobre isso mesmo? Para quê?
3. Talvez seja mais adequado que o médico assistente, o psiquiatra ou, quem sabe, o padre aborde isso.
4. O que é preciso fazer antes dessas comunicações, para serem bem-sucedidas?
5. E, então, deve haver fórmulas, dicas para se enfrentar essa barra pesada!
6. Para a família deve ser mais fácil falar dessas coisas. Será?

Neste capítulo procuremos buscar, basicamente, respostas a estas difíceis circunstâncias da prática médica.

As assim chamadas "comunicações dolorosas" são verbalizações que transmitem situações graves ou de morte próxima. Um importante componente desta definição é que as más notícias podem variar em sua gravidade objetiva e subjetiva.

Martins (1994) verificou as situações que provocaram ansiedades nos estudantes de medicina de sete especialidades, em ordem decrescente de intensidade.[1] As três primeiras circunstâncias se referiam ao *atendimento de parada cardíaca*, a *ser acusado de erro médico* e a *conversar com pacientes terminais*. Em oitavo lugar, entre os dez momentos mais angustiantes listadas, citaram o de *responder perguntas difíceis dos pacientes*.

Apesar de todos os avanços das ciências da saúde no que se refere ao atendimento médico, várias situações clínicas ainda atemorizam tanto os médicos quanto os pacientes e as suas famílias. Várias doenças, detectadas através da história, propiciaram tal impacto negativo, mas o tempo e o desenvolvimento da medicina como um todo têm conseguido atenuá-lo.

São alguns exemplos dessas patologias, ou eventos clínicos adversos:

- A gravidez, a esterilidade e o abortamento indesejados
- As pestes de antigamente, a hanseníase, a tuberculose e as doenças venéreas
- O câncer e a AIDS
- Os distúrbios mentais mais graves (como a esquizofrenia) e, mais recentemente, a dependência de drogas ilícitas como o crack
- As doenças neurológicas ou neuropsiquiátricas degenerativas graves, como a doença de Alzheimer
- O advento de limitações físicas ou psicológicas importantes
- As circunstâncias que englobam sentimento de desesperança, ameaça ao bem-estar físico ou psicológico, prejuízo a estilo de vida estabelecido, ou que dê poucas chances de escolha
- A morte de pessoas queridas e, principalmente, a iminência da própria morte.

Conforme Zaidhaft (1997), não é exatamente o lidar com a morte a situação mais difícil, mas sim o acompanhar o paciente vivo que irá morrer.[2] Pode advir daí o sentimento de culpa que muitos médicos experimentam ao falecer alguns de seus pacientes: além de se culparem pela morte do paciente, que creem que poderia ter salvo, também se culpam por seu afastamento dele ainda vivo. Fica a sensação de ter morto (na mente) o paciente antes da sua morte real.

Há fortes indícios de que os médicos, provavelmente, têm mais medo da morte do que outros profissionais, ainda que de forma inconsciente, e pode este medo ser um dos motivadores da escolha profissional, na opinião de Cassorla (2006).[3]

Souza et al. (2009) ressaltaram que a internação do filho na UTI neonatal também é percebida pelos pais como algo assustador.[4] Nessa circunstância, surgem as dificuldades por eles enfrentadas no processo de comunicação com a equipe, já reveladas em estudos realizados com mães acompanhantes de filhos prematuros. Consideraram a comunicação entre médicos e pais de um bebê um monólogo, no qual os profissionais falam e os pais escutam e os acatam. Essa situação é revelada na fala seguinte:

> Cada médico tem seu método de trabalho, cada enfermeiro também.
> Tem uns que são mais agradáveis, tem uns que não são, mas dá pra levar.
> Tem uns profissionais que não sabem chegar e você já está ali, jogada às traças do sofrimento mesmo; mas vai dando certo, a gente tem mais é que aceitar e seguir de acordo com o que mandam. (Uma mãe)

No processo de comunicação repercute também o aspecto não verbal, que pode gerar interpretações equivocadas, não condizentes com a realidade. Essa situação pode ser identificada em momentos impactantes que bloqueiam a escuta dos significados das palavras e buscam outros aspectos da comunicação como gestos e posturas comportamentais:

> Às vezes eu quero perguntar uma coisa e vejo alguns com a cara meio assim, trancada, e penso que vou ter uma resposta ruim. Mas nem sempre é assim, quem vê rosto não vê coração. Então, se a curiosidade é minha, vou fundo até que eu tenha uma resposta boa ou ruim, mas eu vou fundo, é um direito meu. (Um pai)

Cabe destacar que a especialização necessária aos profissionais das UTI favorece o surgimento das relações hierárquicas e de submissão. O uso de termos técnicos não condizentes com o entendimento dos familiares faze com que os profissionais sejam percebidos como detentores do saber e do poder, sendo assim aptos a determinar o que é o melhor para seus pacientes.

Então, as comunicações dolorosas, como diálogos ou monólogos, são uma das maiores dificuldades que enfrentamos em nossa prática médica.

▶ Comunicações dolorosas: indicações e contraindicações

O médico deve questionar-se, suficientemente, antes de abordar o paciente. Por exemplo:

- O que o doente já sabe e de que maneira interpretou esse conhecimento?
- O que ele deseja saber?
- O que precisa saber, para receber o tratamento correto?
- E, fundamentalmente, detectar se ele pode saber.

Se o médico conseguir responder de maneira abrangente e responsável essas questões, automaticamente saberá se é conveniente ser falada toda a verdade, ou não, ao seu paciente. O que ocorre muito são as tendências automáticas e impensadas: com a premência de falar, pode o médico se esquecer de ouvir. O paciente nos sinaliza, de maneira mais – ou menos – clara, o que quer ouvir; devemos perceber e acatar isso. Nota-se bastante na prática clínica que, de alguma maneira, o paciente já sabe o que lhe acontece. Só não se anima, ou não quer dizer. Seja para não sofrer mais, enfrentando a dor, seja para preservar a família e os amigos em relação a ele.[5]

Afirmativa: os pacientes nada perguntam aos seus médicos. Isto é sinal de que não desejam saber seu diagnóstico? Muitas vezes os médicos ocupam tanto o tempo da consulta interrogando os pacientes que eles não têm tempo para perguntar o que querem.

Em pesquisa realizada por esta autora, Lopes (2000), foram, centralmente, estudadas as adequações das comunicações do diagnóstico de câncer e da terminalidade feitas por médicos.[6] A maioria dos pacientes entrevistados foi favorável à transmissão do diagnóstico e desfavorável à da terminalidade. Esses resultados vieram ao encontro dos presentes na literatura e na bioética médica. Dessas posturas dos pacientes depreendeu-se a necessidade de serem encorajados a ter esperança, mesmo que essa seja focada na ausência ou na minimização de sofrimento. Também são facilitadas essas comunicações, em geral, quando o paciente apresenta uma crença religiosa.

O objetivo de manter a esperança não significa ser menos verdadeiro. No caso de morte iminente, os autores sugerem que a esperança se verifica ao ser assegurada a habilidade do médico de controlar os sintomas e minimizar o desconforto. O importante é comunicar ao paciente que nem tudo está perdido, que não vão abandoná-lo por causa do diagnóstico, que é uma batalha que devem travar juntos, paciente, família e médico, não importando o resultado final. Devem ser evitados prognósticos de tempo de vida, pois ninguém pode saber com exatidão quanto tempo alguém viverá. É um segredo que ninguém detém; e os pacientes nos mostram isso a todo o momento.

Antes da década de 1970, os médicos quase nunca contavam aos pacientes prognósticos difíceis, como o da terminalidade. Blumenfield e Tiamson-Kassab (2010) acreditam que alguns médicos sabiam o que dizer aos seus pacientes; o que eles não sabiam era como falar e ouvir sobre essas importantes circunstâncias da vida.[7]

Receber a notícia do diagnóstico de uma doença terminal, por exemplo, pode ser traumatizante se não houver uma preparação adequada, e não falar a verdade pode soar desrespeitoso para quem deseja ser informado detalhadamente sobre o seu estado de saúde. As dúvidas sobre contar ou não o diagnóstico, o momento mais adequado e como fazê-lo podem influenciar no manejo da doença e repercutir no estado psicológico da pessoa doente.[8]

De acordo com Oliveira Jr. (2003), no hospital em que trabalha, a maioria das queixas e críticas aos médicos – e aos demais membros da área da saúde – tem sido relacionada com dificuldades de comunicação, e não à competência científica. Por isso, na opinião dele, é fundamental que o médico estabeleça um vínculo emocional com os pacientes e seus familiares, o que significa oferecer-se como ser humano, não somente um ouvinte disposto a receber suas palavras, mas também seus sentimentos. Ser continente significa ouvir, ouvir até mesmo o silêncio, e aqui entra em jogo a fundamental empatia.[9]

Escutam-se experiências de colegas que não comunicam diagnósticos delicados, pois já viveram experiências negativas. Alguns pacientes logo após saberem o diagnóstico passaram mal; existem casos até que chegaram ao suicídio. Nesses episódios, muito provavelmente, faltou uma avaliação dos aspectos emocionais do paciente, para ser mais bem detectada sua capacidade de ouvir essa verdade. Também é necessário, além da percepção das condições emocionais que o paciente apresenta, saber se ele tem uma rede de apoio para ajudá-lo a elaborar sua angústias.

Pode ser muito difícil para o profissional da saúde trabalhar com pacientes terminais, se ele não conseguir aceitar, com mais naturalidade, a morte e também a sua morte.

O médico que trabalha em um campo vinculado a uma situação tão altamente nociva se encontra sujeito a um estresse profissional grave, produzido por uma identificação automática com o paciente. A impotência maior é sentida quando o médico toma consciência de que também é um ser humano, e que ele não pode resolver tudo com os recursos que estão a seu dispor. Suas ansiedades se reduzem quando eles percebem a função terapêutica do seu vínculo emocional, e notaram que o paciente raramente quer respostas do médico (pois sabe que este não as tem), precisando apenas de um apoio compreensivo para as suas ansiedades.

Comunicar ao paciente a gravidade de sua doença implica assumir a responsabilidade de apoiá-lo. O que se percebe nos serviços públicos, em geral pela enorme demanda, é que os médicos evitam comprometer-se a dar mais informações aos pacientes não só por resistências, mas pela pouca disponibilidade de tempo para atendê-los.[8]

As reações emocionais, decorrentes do diagnóstico de uma enfermidade crônica, podem consistir em um maior desafio do que a necessidade de lidar com as manifestações físicas da doença. Mas tem-se mostrado fundamental que o paciente tenha conhecimento de seu estado, não só para que assuma as medidas terapêuticas indispensáveis, mas também para poder tomar as providências econômicas, sociais, religiosas e outras necessárias.[8]

É importante que a informação seja dada em momento oportuno, acompanhada de apoio, esclarecimentos e orientações. Deve-se levar em conta as tradições e os costumes de nossa cultura, associados a algumas doenças.

A comunicação da morte do paciente aos familiares requer bom-senso, habilidade em perceber e pressentir o comportamento da família por parte do médico que constatou o óbito. Ele deve permanecer, ao máximo, ao lado ou à disposição dos que o necessitarem. A falta de relacionamento prévio entre o médico e a família dificulta a comunicação do óbito do familiar.

O detalhamento da verdade ao paciente deve ser bem avaliado em cada situação particular. O que lhe disser deve ter sempre a finalidade de ajudar, seja em que plano for.

Na opinião de Paula (2003), o que o paciente e a família querem saber é o após do diagnóstico, se há certeza de cura.[10]

▶ Cuidados prévios à comunicação de más notícias

Existe uma indicação importante para que seja feita uma avaliação psiquiátrica do paciente que está por receber uma comunicação dolorosa, para verificar se ele pode recebê-la.

Examinando-se sintomas sugestivos de depressão, deve-se saber diferenciá-los da tristeza normal presente nesse contexto. As declarações comuns sobre estarem sobrecarregando seus familiares injustamente, causando-lhes maior dor e inconveniências, são menos prováveis de representar um sintoma depressivo do que se eles sentissem que suas vidas nunca tiveram qualquer valor ou que estão sendo punidos pelas coisas más que realizaram.[11]

Antes de ser comunicado o diagnóstico de câncer ou de qualquer outra doença ou situação grave, deve ser feito também o diagnóstico situacional, que é a apreciação da situação do paciente e do contexto que o cerca. Deve-se cuidar, no entanto, para que se evitem atitudes superprotetoras.

Essa preocupação com a avaliação prévia do paciente foi manifestada também por vários dos pacientes entrevistados, quando respondiam sobre a conveniência de serem comunicadas más notícias. Por vários momentos, foi pontuado *"depende se o paciente tem condições"* ou *"cada um é cada um"*.

Foi percebido que o sentimento de impacto ao diagnóstico de câncer é bem pior quando um familiar, que teve a mesma doença, sofreu muito há pouco tempo ou quando a pessoa está fragilizada por luto, por exemplo. Revisando-se esses aspectos, nota-se que as atitudes dos pacientes frente à doença diferem em várias situações; dentre elas, a experiência prévia com a patologia; também a relação com o meio sociocultural, sexo, idade, ocupação e religiosidade e conhecimento ou experiência prévia com a patologia.[6]

Frequentemente, o paciente conserva razoável capacidade cognitiva a respeito das questões práticas de sua vida, de sua doença, do seu tratamento. Quando coexiste um componente depressivo, tudo é difícil e até insuperável.[12]

Por serem os transtornos depressivos os problemas psiquiátricos mais frequentes encontrados no paciente portador de problemas graves, é imperativa a melhor avaliação do seu estado afetivo. Enquanto em certos pacientes o humor pode ser facilmente observável, em outros é preciso uma técnica cuidadosa para trazer à tona o verdadeiro estado de humor. A "depressão mascarada" é um exemplo. Outros sentimentos, como raiva, ódio e hostilidade, são, às vezes, bem ocultados pelo paciente, por medo de ser rejeitado pelo examinador.

Devem ser avaliados, por exemplo:

- Expressão fisionômica, mímica
- Tipos de reações afetivas expressas
- Vínculo do estado afetivo com a realidade do paciente
- Padrão habitual das reações afetivas
- Tipo de alteração afetiva apresentada
- Curso dessa alteração: episódio, fase, processo
- Evolução do quadro de alteração afetiva.

Na afetividade, deve-se ainda distinguir se a disposição é mais ou menos permanente, o humor de base e as modificações transitórias.

O examinador deve anotar se o paciente comenta voluntariamente sobre seus sentimentos ou se é necessário perguntar-lhe como ele se sente. Também deve ser entendido o que provocou grandes emoções no paciente.

É igualmente importante coletar dados de sua história, visando identificar alterações de personalidade e da autoimagem. Deve-se saber como reagiu a crises anteriores ou a perdas, se tentou suicídio alguma vez, se usa eventualmente ou é dependente de drogas ilícitas, se apresenta patologias psiquiátricas e se algum parente sofre do mesmo problema. É interessante, também, averiguar que tipo de relação o paciente estabelece com o médico: dependência, evitação, desconfiança.

Em crianças de 4 a 5 anos, as doenças graves podem ser sentidas como temor de separação; de 6 a 10 anos, como agressão ou mutilação; de 10 ou mais anos, como a própria morte, abandono, vergonha. Um paciente idoso, por sua vez, pode aceitar melhor seus diagnósticos.

Também deve-se avaliar as condições emocionais e relacionais do familiar com quem é feito o contato. Segundo Mellilo e Ojeda (2005),[13] deve-se considerar também um familiar apto a receber essas comunicações, aquele que demonstrar um sentimento positivo de afeto e de preocupação em relação ao paciente, despertando neste reciprocidade e confiança. Além disso, eles devem saber conversar e chegar a acordos, particularmente a respeito do que é adequado, ou não, na terapêutica proposta, por exemplo.

▶ Outras recomendações quanto às comunicações dolorosas

Para comunicar o diagnóstico ao paciente realmente não existem fórmulas, pois dependerá dele, do médico e da situação que é encontrada.

Dizem o bom senso e a ética médica que é direito inalienável do cidadão ter acesso às informações que lhe dizem respeito, principalmente sobre a sua saúde. Mas deve-se levar em conta que o ser humano, por natureza, receia a verdade, esconde-se dela, se pressente que possa lhe causar desconforto ou sofrimento emocional. Uma maneira de evitar precipitações é devolver a pergunta ao interlocutor, quando esse questionar se ele está com a doença "x", que sabe ser terminal. Precisa-se, porém, estar preparado para as mais diferentes reações a perguntas dos pacientes.

Cabe ao médico dirigir-se ao paciente com sensibilidade, firmeza e realismo e, ao mesmo tempo, permitir-lhe a integridade do seu uso da negação. Essa é um mecanismo de autoproteção que pode ser usado construtiva ou destrutivamente. Reconhecer a sua própria negação e o medo em relação à morte é o primeiro passo que o profissional deve dar para poder ajudar o paciente.

Algumas recomendações de ordem prática:

- *Local*: pequeno, silencioso, confortável e reservado
- *Estrutura*: diálogo amigável e objetivo, sem interrupções, tempo suficiente para toda informação necessária, contato direto pessoalmente, olhar nos olhos do paciente e sentar próximo a ele, evitando barreiras físicas
- *Pessoas*: identificar a existência ou não da rede social de apoio, que pode inclusive estar presente, se for interessante para o paciente ou para o médico
- *Preparação*: o paciente deve ser preparado, receber um pequeno aviso para ser identificado o que ele já sabe. Deve ser transmitida alguma medida de esperança, explorando a reação do paciente, permitindo-se a expressão emocional e perguntas

- *Como é dito*: de modo caloroso, empático, respeitoso e interessado. A linguagem deve ser simples, com cuidadosa escolha de palavras, direta, evitar jargões médicos, acompanhar o ritmo do paciente. Tocar o paciente, dar-lhe a mão ou até abraçá-lo, quando adequado, auxilia muito o vínculo nesse momento. Massei e Shakin (1996) pensam que é melhor responder à mensagem, não à palavra.[14] *Sinto muito que você esteja nervosa. Sei que isso é muito difícil...*

As recompensas ou apoios imediatos são importantes e precisam estar presentes após as revelações.

Na abordagem sobre a morte, existem sugestões que podem ser válidas. De acordo com Yalom (2006), é preferível falar sobre a morte de maneira direta e natural.[15] Ele sugere as seguintes perguntas a serem formuladas ao paciente, entre outras:

- Quando foi a primeira vez que você tomou consciência da morte?
- Com quem você discutiu o assunto?
- Como os adultos de sua vida responderam às suas perguntas?
- Que mortes você vivenciou?
- Tem crenças religiosas referentes à morte?
- Quais suas fantasias ou sonhos marcados sobre a morte?

Deve ficar claro que assistir às necessidades do paciente dessa maneira pode ter alguns custos potenciais para o médico, e que ele tem que se sentir confortável com isso para ser eficiente. É provável que a percepção do paciente a respeito da eficiência do médico será menos positiva se o médico estiver se sentindo ansioso, deprimido, irritado ou pressionado. Essa é uma das situações em que a comunicação das más notícias deve ser adiada.

O doente exige do médico posições paradoxais: de Deus poderoso e de cúmplice de suas fraquezas humanas. A tentação, por parte do médico, de assumir cada um desses aspectos pode acarretar consequências graves. O médico está ali como colaborador, nunca podendo ser visto pelo paciente (ou por si próprio) como culpado ou responsável. O bom entendimento dessa situação fornecerá o equilíbrio da relação e o andamento do caso.

▶ Atitudes em relação à família

Assim como não é fácil para o paciente receber más notícias, sua família pode sofrer igualmente frente a elas. Precisam também ser consideradas as vicissitudes, como no caso de más relações familiares, onde o familiar pode ser afetado em seu comportamento, ora se afastando do paciente, por conflitos entre eles, ora o superprotegendo, por sentimentos de raiva e culpa. A família e a equipe passam pelas mesmas etapas emocionais do paciente, descritas por Kübler-Ross (1998).[5] Mas tanto quanto o paciente, o médico deve poder avaliar previamente se aquele familiar tem condições emocionais adequadas para receber essas chamadas más notícias.

As manifestações adversas por parte da família, como abandono e descaso ao paciente, acusações ao médico e à equipe costumam ocorrer quando as necessidades de informação e de apoio da família não são entendidas ou atendidas, ou quando a família está enfrentando muitos problemas.

Na terapia familiar, há o que aprender com grupos mais resistentes, para ensinar a outros essa força. Espiritualidade e resiliência estão próximas. A resiliência, na família, refere-se aos processos adaptativos da mesma, a maior e melhor capacidade de enfrentar os sofrimentos. O que define uma família saudável é sua habilidade em resolver problemas.[13]

O médico deve ser o mais sincero possível ao comunicar o diagnóstico à família e, preferencialmente, evitar que o paciente o saiba por ela. Quando o paciente não está apto a receber seu diagnóstico, e isto pode atrapalhar o tratamento, a família é acionada.

A tristeza do paciente é uma reação normal, e a família deve aceitá-la. A família deve ter uma atitude honesta e aberta na comunicação com o doente, principalmente nas primeiras semanas após o diagnóstico. Ela deve também entender a raiva que o paciente lhe direciona, pois o que ele sente, predominantemente, é raiva pela sua situação difícil. É mais fácil ficar enraivecido do que triste. É importante a presença amorosa e disponível ao lado do enfermo.

Na fase final, o paciente pode surpreender a família, por precisar reviver coisas pendentes, como tentar a reconciliação com entes queridos afastados.

A maioria das famílias solicita que não se conte a verdade aos pacientes, o que, em geral, decorre de não quererem que a dor que o conhecimento lhes está causando atinja o doente, com isso "protegendo-o". Essa aparente proteção pode levar a uma "conspiração benevolente" entre a família e a equipe, incentivando o paciente a acreditar que está melhorando. Em consequência disso, encontram-se muitos pacientes que sofrem sozinhos com sua verdade. Confrontado com a evidência de sua crescente deterioração, o paciente pode concluir que, se todos estão tentando negar os fatos, é porque estes são realmente terríveis, aumentando seus medos e suas fantasias.

O período terminal é extremamente importante para a família, pois ele a capacita a se preparar para a perda de um de seus membros e resolver, ainda junto a ele, falhas, culpas e ambivalências que afetaram a relação. Incentivar a família a cuidar do paciente auxilia nesse processo; caso contrário, pode confirmar a crença que ela é incapaz de fazer qualquer coisa, fazendo-a sentir-se duplamente culpada.

É principalmente o *não saber* o que torna as famílias inseguras.

Os terapeutas de família buscam contribuições nos grupos familiares, que apresentaram características que poderiam passar despercebidas, como a criatividade, o cuidado e as transações de apoio, na opinião de Minuchin e Fishman, (2003). Esses autores relataram que médicos que trabalharam com pacientes com câncer ou outras doenças graves olharam para as famílias como reservatórios de cura e de força.[16]

Kübler-Ross (2005) expôs uma situação vivida e relatada por um profissional de sua equipe, que logo teria feito a sua autocrítica.[17]

> Sei que ele queria conversar comigo, mas eu sempre procurava amenizar as coisas, fazendo um gracejo ou dando uma evasiva que não funcionava. O paciente sabia disso e eu também, mas como percebia as minhas tentativas desesperadas de escapar, tinha pena de mim e guardava para si o que queria compartilhar com outro ser humano. E então morria e não me incomodava.

▶ Considerações finais

Busca-se com este texto fornecer aos estudantes de medicina, principalmente, assim como aos médicos em geral, subsídios para a importante, fundamental, difícil, triste e temida tarefa denominada comunicação dolorosa ou de más notícias. Esta é ou será, sem dúvida, uma missão que os médicos, assim como os demais trabalhadores na área da saúde, precisaram exercitar.

Saber ouvir é o melhor recurso para se saber quando ou como falar. Mas, e depois de escutar, o que se responderá? Cada pessoa é uma pessoa e, para cada situação, uma abordagem diferente deve ser usada, não há fórmulas prontas ou milagrosas.

A relação médico-paciente deve ser humana, aberta, flexível, de mutualidade, de respeito e de responsabilidades recíprocas. Isso é benéfico tanto para o médico quanto para o paciente, que se torna capaz de julgar e de opinar conscientemente.

Quem já viveu a experiência de acompanhar um familiar ou amigo em estado terminal sabe como é difícil falar com ele sobre a sua doença ou a sua morte, em uma tentativa de ajudá-lo. Então, pode-se entender, e não culpar o médico ou a equipe por apresentarem dificuldades nessa situação ou por não conviverem mais proximamente com o paciente. Além de ser um trabalho muito desgastante emocionalmente, os profissionais têm suas vidas geralmente muito atribuladas e seus próprios problemas pessoais; inclusive, em geral, não apresentam o envolvimento afetivo comum aos familiares e amigos do paciente, em relação a este.

Outras abordagens a serem lembradas: a esperança deve ser sempre alimentada, assim como uma boa crença religiosa. E, por fim, lembremos o que a cantora Bárbara Streisand diz no início de uma canção: "...in time of catastrophes we realize that we are just people; people who needs people."

▶ Referências bibliográficas

1. Martins LAN. Residência médica: um estudo prospectivo sobre dificuldades na tarefa assistencial e fontes de estresse [tese]. São Paulo: Escola Paulista de Medicina; 1994.
2. Zaidhaf S. O ensino da morte nas escolas de saúde. *Ars Cvrandi* 1997; 30(4):71-83.
3. Cassorla RMS. A morte e o morrer. *In*: Botega NJ (Org.). *Prática psiquiátrica no hospital geral: interconsulta e emergência*. 2ª ed. Porto Alegre: Artmed, 2006: 417-29.
4. Souza NL, Araújo ACPF, Costa ICC, Carvalho JBL, Silva MLC. Representações de mães sobre hospitalização do filho prematuro. *Rev Bras Enferm* 2009; 62(5):729-738.

5. Kübler-Ross E. *Sobre a morte e o morrer*. 8ª ed. São Paulo: Martins Fontes, 15-41, 1998.
6. Lopes VLB. Paciente oncológico "fora de possibilidades terapêuticas": comunicações dolorosas e conduta médica [dissertação]. Rio de Janeiro: Universidade Federal do Rio de Janeiro; 2000.
7. Blumenfield M, Tiamson-Kassab M. *Medicina psicossomática*. 2 ed., Porto Alegre: Artmed; 54-72, 2010.
8. Lopes VLB. *Doutor, estou com câncer? Conduta médica e familiar nas comunicações dolorosas*. 2 ed., Porto Alegre: AGE, 2005: 51-57.
9. Oliveira Jr. W. Relação médico-paciente em cardiologia. In: Rodrigues Branco RFG (Org.). *A relação com o paciente*. Rio de Janeiro: Guanabara Koogan, 2003: 138-147.
10. Paula CI. A relação médico paciente na oncologia. In: Rodrigues Branco RFG. (Org.). *A relação com o paciente*. Rio de Janeiro: Guanabara Koogan, 2003: 220-225.
11. Koseki NM. Pacientes terminais. In: Fráguas Jr. R, Figueiró JAB (Orgs.). Depressões em Medicina Interna e em outras condições médicas: depressões secundárias. São Paulo: Atheneu, 2000: 317-331.
12. Daudt V. *Não aguento mais doutor!* 2 ed., Porto Alegre: Mercado Aberto, 1998: 73-79.
13. Mellilo A, Ojeda ENS (Orgs.). *Resiliência: descobrindo as próprias fortalezas*. Porto Alegre: Artmed, 2005: 73-85.
14. Massie MJ, Shakin EJ. Management of depression and anxiety in cancer patients. In: Breitbart W, Hollland JC (Orgs.). *Psychiatric aspects of symptom management in cancer patients*. Washington: American Psychiatric Press, 1996: 1-21.
15. Yalom ID. *Os desafios da terapia: reflexões para pacientes e terapeutas*. Rio de Janeiro: Ediouro, 2006: 124-126.
16. Minuchin S, Fishman HC. *Técnicas de terapia familiar*. Porto Alegre: Artmed, 25 -273, 2003.
17. Kübler-Ross E. *Viver até dizer adeus*. São Paulo: Pensamento, 2005: 19-26.

▶ **Leitura complementar**

Baile WF, Buckman R et al. SPIKES – A Six-Step Protocol for Delivering Bad News: Application to the Patient with Cancer. *Oncologist* 2000; 5:302-311. Disponível em: http://theoncologist.alphamedpress.org/content/5/4/302.full.

Brasil. Ministério da Saúde. Instituto Nacional do Câncer. Sociedade Beneficente Israelita Brasileira Albert Einstein. Comunicação de Notícias Difíceis: compartilhando desafios na atenção à saúde. Rio de Janeiro, 2010. Publicação que aborda de modo abrangente o tema da comunicação de más notícias. Descreve a experiência de treinamentos de equipes de saúde com metodologia própria, fruto de uma parceria do INCA/Ministério da Saúde com o Hospital Albert Einstein. http://www1.inca.gov.br/inca/Arquivos/comunicando_noticias_dificeis.pdf.

Costa GP. *Conflitos da vida real*. 2 ed., revisada. Porto Alegre: Artmed, 173-180, 2006.

Garcia Diaz F. Comunicando malas noticias en Medicina: recomendaciones para hacer de la necesidad virtud. *Medicina Intensiva*. 30(9):452-9, 2006. Disponível em: http://bibliovirtual.files.wordpress.com/2009/07/comunicando-malas-noticias-en-medicina-recomendaciones-para-hacer-de-la-necesidad-virtud.pdf. O autor descreve de forma didática o protocolo Spikes, proposto por Baile, Buckman e colaboradores (2000).

Lino CA. Uso do protocolo Spikes no ensino de habilidades em transmissão de más notícias. *Rev Bras Educ Med*, 35(1)1:52-57. Rio de Janeiro Jan./Mar. 2011. Disponível em: http://www.scielo.br/pdf/rbem/v35n1/a08v35n1.pdf. Artigo que analisa o ensino do protocolo Spikes a estudantes de Medicina do terceiro ano.

Von Roenn JH, Von Gunten CF. Setting goals to maintain hope. *Journal of Clinical Oncology*, 21(3): 570-74, (February 1), 2003. Disponível em: http://jco.ascopubs.org/content/21/3/575.full.pdf. Nesse artigo os autores descrevem o relacionamento médico-paciente em diversas etapas do tratamento de pacientes com câncer, destacando as distintas demandas que surgem a cada momento.

Zaidhaft S. *A morte na formação médica*. Rio de Janeiro: Francisco Alves Editora, 1990.

12 Dinâmica da Relação Médico-Paciente

Paulo Roberto Zimmermann e *José Givaldo Melquiades de Medeiros*

―――――――――― Situações-problema ――――――――――
▼

- **Caso 1**

    Luis é um homem de 52 anos, casado e com filhos. O empresário, muito bem-sucedido, chega à emergência do hospital com níveis de tensão sanguínea de 220 × 140 mmHg. É hospitalizado e recebe 50 mg de captopril e a medicação regular que vinha utilizando. Não ocorrera nenhum fator novo em sua vida. No final do segundo dia, seus níveis pressóricos estavam normalizados. A equipe levantou a hipótese de uso inadequado da medicação. Ao ser confrontado, o paciente reagiu de forma muito infantil, inicialmente negando para, em seguida, envergonhado e chorando, concordar que não estava utilizando as medicações há alguns dias.

- **Caso 2**

    Carmen é uma estudante de 16 anos, solteira, muito bonita, que chega ao hospital depois de um acidente doméstico no qual sofreu queimadura de segundo grau no rosto. Ao ser questionado, o médico que a atendia afirmou-lhe que era possível que ficasse alguma diferença na coloração da pele após a recuperação da paciente. Nessa hora, Carmen chorou muito e se desesperou de modo muito desproporcional frente ao ocorrido, uma vez que a queimadura não fora muito perto do olho e não havia o risco sério de comprometimento grave da visão.

▶ Fatores que interferem na relação médico-paciente

A relação médico-paciente (RMP), tem sofrido, nas últimas décadas, uma invasão de métodos terapêuticos e diagnósticos que se interpõem entre esses personagens. Com o advento de planos de saúde, o médico é o "do plano" e não o da escolha do paciente. Além disso, a pressão por produtividade tem reduzido cada vez mais o tempo de contato entre essas duas partes.

Sabe-se que as expectativas do paciente com relação ao médico têm início com suas ações no sentido de marcar uma consulta ou procedimento. Então, é fácil imaginar algumas interferências subjetivas na relação, antes mesmo de chegar ao médico: se o paciente não confia no seu plano, possivelmente não confiará no médico para o qual foi indicado.

Em outra situação, nos serviços públicos de saúde, a descrença e a desconfiança são sentimentos frequentes entre os pacientes. Isso porque o médico e os profissionais de saúde constituem verdadeiros anteparos entre os pacientes, os quais se queixam de suas doenças (a física ou mental e a doença social), e a instituição ou os gestores do estado que quase nunca dispensam o melhor atendimento para os seus usuários.

Além desses, outros fatores se interpõem na RMP, como o local em que se realiza o atendimento, em um PSF, em um consultório conveniado, em um hospital, em uma urgência, em uma emergência etc.

▶ O paciente

A seguir serão abordados alguns aspectos relativos ao paciente.[1,2]

- *O paciente tem um nome* – que muitas vezes nem é sabido –, o qual significa muito para ele, uma vez que constitui parte importante de sua identidade. Além disso, esse nome pode ter outros significados vinculados a sua história pessoal ou familiar. Desde o paciente que tem o nome do pai ou do avô, passando por aquele cujo nome é praticamente igual ao de algum irmão (como as gêmeas idênticas que se chamavam Eliane e Elaine), até nomes de ocasião, como o de um jogador de futebol ou de um artista de novela etc.
- *Ele tem uma idade* – e, diante disso, existem várias expectativas e conceitos. Por exemplo, espera-se que uma criança chore, mas não se aceita tão fácil essa conduta em um adulto. As consequências de uma doença crônica limitante são diferentes em um paciente jovem, que ainda tem tudo para construir na vida, daquelas que ocorram em um paciente da terceira idade e que já realizou grande parte de sua obra de vida.
O impacto de uma doença que altere a forma corporal pode ser muito maior em um adolescente do que em um adulto como no exemplo do início deste capítulo. O estudo do ciclo vital (veja o Capítulo 6) nos mostra as ansiedades respectivas de cada etapa da vida
- *Ele tem um sexo* que também influencia a relação frente a expectativas. Retomando o choro, esse é melhor aceito em uma mulher do que em um homem, cuja expectativa cultural é a de que ele suporte a dor sem se queixar. As alterações hormonais na mulher também podem influenciar a capacidade de relacionamento, sendo, como exemplo mais comum, a tensão pré-menstrual
- *O paciente tem uma raça*, embora, cada vez menos, isso influencie essa relação, seja por parte do médico ou do próprio paciente. Pesquisas realizadas nos EUA demonstraram que pacientes afro-americanos e de outras minorias étnicas, quando em relações raça-discordantes (isto é, um paciente afro-americano atendido por um médico branco) com seus médicos, relatam menor envolvimento nas decisões médicas, menos parcerias, baixos níveis de confiança no profissional e níveis baixos de satisfação com o atendimento.[3] Enquanto isso, o relatório do Instituto de Medicina sobre desigualdades raciais e étnicas na saúde sugere que vários aspectos da RMP podem contribuir para as grandes disparidades que são vistas nos cuidados de saúde nos EUA[4]
- *A profissão e o grau de instrução do paciente* podem facilitar muito a comunicação ou obstruí-la, e isso deve ser sempre levado em conta para que o estudante ou médico se lembre de se adequar à linguagem do paciente. De outro modo, profissões e graus de instrução mais próximos daqueles do médico permitem identificações maiores
- *A naturalidade e a procedência do paciente* nos mostram a cultura em que ele está inserido e, sendo assim, influencia não só a RMP como também o modo de o doente se relacionar com a doença. Por exemplo, pessoas do meio rural estão mais acostumadas a lidar com a dor uma vez que esta faz mais parte de seu dia a dia
- *A religião* – a depender da interpretação dos seus clérigos – pode ser crucial na aceitação pelo paciente do diagnóstico, ou da tarapêutica instituída pelo médico. Isso se torna mais problemático em doenças de origem psíquica, como a depressão, que é sempre atribuída a uma "doença espiritual". Portanto, é mais uma dificuldade que deve ser vencida pelo médico
- *O paciente é originário de uma família* com características particulares, passou por inúmeras experiências pessoais que deixaram marcas (positivas ou não), e ele reagiu a elas com recursos próprios, o que nos dá uma ideia de como ele reagirá a experiência de estar doente. Estabeleceu relações e assim fará com o médico; apresenta determinados recursos internos

para lidar com tudo isso; tem (ou não) uma personalidade consolidada com sua autonomia e vive em um momento específico de sua vida dentro de um contexto familiar/grupal atual
- *Quebra da onipotência*. O mais comum em uma pessoa até então hígida é que ela tenha de lidar de imediato com a quebra da onipotência. É muito comum acharmos que as doenças existem, mas só acometem os outros. O choque de perceber-se vulnerável, muitas vezes, é muito difícil para um paciente
- *Lidar com mudanças corporais impostas pela doença* é outra área particularmente sensível para o doente. Nossa imagem corporal internalizada é construída ao longo da vida e permite que nós a acrescentemos em nossa identidade. Com alguma mudança, essa imagem interna, construída por tanto tempo, necessita mudar e isso leva algum tempo e demanda um trabalho interno muito importante
- Do ponto de vista subjetivo, *o paciente tem expectativas* para com seu atendimento, seu médico e com os resultados do tratamento. Moreira (1979) descreve algumas delas derivadas da sua condição de portador de uma doença e de como ele vivencia a doença:[5]
    - Expectativa de alívio no caso de um sofrimento agudo físico ou mental, como uma dor. No caso, só o presente importa, o passado e o futuro ficam em *stand by* até que o alívio venha. Nesse caso, é para esse ponto que o médico deve voltar seu interesse e atenção
    - Expectativa pelo diagnóstico – Medo, ansiedade e, ao mesmo tempo, necessidade de saber o que tem, principalmente na esperança de que não seja nada grave
    - Expectativa da cura – A busca da cura não é algo tão fácil ou sem empecilhos como se gostaria que fosse. A doença e o próprio tratamento impõem restrições ao paciente, dificultando-lhe, muitas vezes, seguir as recomendações médicas. Então, o desejo de cura passa a competir com outras necessidades de satisfação. O médico é chamado a lidar com outro problema antes de curar: a adesão ao tratamento pelo paciente.

Prescrever uma terapêutica e ignorar as dificuldades do paciente em segui-la pode ser o primeiro passo para o insucesso
- Expectativa de atenção interessada e de aceitação – Em um mundo de relações frias e pragmáticas, pode ser o médico a pessoa a quem o paciente levará suas dúvidas e segredos. No entanto, espera-se que o médico, na sua postura profissional, seja competente na comunicação com o paciente de modo que ele se sinta seguro quanto ao acolhimento daquele, ao sigilo e, sobretudo, sua escuta, caracterizada por uma atitude de atenção interessada, de disposição interior para ouvir o paciente, e de aceitação da sua fala sem restrições ou julgamentos.

Tudo isso deverá influenciar a qualidade da relação que o doente – com tal doença, com tal família, com tal história, com seus recursos pessoais, nesse momento específico de seu ciclo vital, ou seja, um paciente único (e não uma doença), terá com seu médico.

Sendo assim, apenas um olhar cuidadoso na identificação do paciente já nos permitirá ir muito além do que saber seu nome e idade, caso contemplemos outras questões de sua pessoa e apreendamos os vários pontos de entrave e os pontos positivos que esse paciente terá na relação dinâmica com seu médico.

▶ O médico

Tudo o que foi dito sobre o paciente também se aplica ao médico. Ele tem sua identidade com as mesmas áreas que a identidade do paciente: tem nome, idade, sexo, raça, profissão, desejos e expectativas.

Esse médico também tem uma história pessoal e familiar e conta com recursos próprios para enfrentar suas situações de vida e de trabalho dentro de um certo momento de sua própria vida.

Ele, como o paciente, também tem expectativas. Expectativa de prestígio social, de ganho econômico, de satisfações pessoais como uma perfeição científica ou desfrute imediato dos seus benefícios. Nesse caso, "na tentativa de realizar necessidades frustradas (aspectos de sua personalidade) à custa da atividade profissional pode levá-lo a manipular a relação com os pacientes em bases irreais e inadequadas, porque aos motivos lógicos e racionais acrescenta os afetivos e suas fantasias."[6]

Além disso, é sobre ele que irão pesar as expectativas do paciente, dos seus familiares e da própria cultura, exigindo-lhe resultados que, muitas vezes, ele não pode atender, com eventuais frustrações para ambos os lados.

Mais ainda, o médico, frequentemente, estará cada vez mais submetido a cargas de trabalho exaustivas, má remuneração, dificuldades em manter-se atualizado, dentre outras situações de seu mercado de trabalho.

▶ A relação

É do encontro desse paciente único e desse médico específico, cada um com suas características, que surge a RMP. Essa relação tem algumas características: é assimétrica, em que, de um lado, está o médico, que tem um poder que lhe é conferido de se "intrometer" na vida do paciente, perguntar-lhe o que achar necessário, examiná-lo, muitas vezes expondo seu corpo e sua intimidade, indicar-lhe tratamentos, modificações ou restrições em sua vida. A própria posição de exame na qual o médico está em pé e o paciente deitado no leito é um exemplo concreto dessa assimetria.

Além disso, os médicos são os representantes de Apolo, um dos deuses do Olimpo, na terra. Isso pode fazer com que a cultura os veja como semideuses e dar sentido a expressões como: "É Deus no céu e o senhor na terra", ou então "que suas mãos sejam guiadas por Deus". Isso reforça essa assimetria. Existe o risco de o médico se identificar com essas idealizações, com sérios riscos para o bom andamento da RMP.

Pelo lado do paciente, temos uma pessoa desvalida, doente, muitas vezes dependente que se submete ao exame e às indicações do médico, expondo sua intimidade pessoal e todas as suas fragilidades. Assim se completa a relação assimétrica.

Essa relação assimétrica, na qual um é visto como poderoso e o outro como frágil, pode estimular a regressão do paciente. Não são raros os casos de adultos que, tendo uma doença mais grave, tornam-se muito dependentes e agem, muitas vezes, como crianças.

Essa regressão faz com que antigos conflitos – não resolvidos, ou mal resolvidos – possam ser reativados, ressurgindo no cenário da RMP. É comum um paciente hostil agir dessa forma por estar muito assustado e/ou por ter reativado conflitos com figuras importantes do seu passado. Em geral, aquele que teve pais confiáveis e consistentes no seu passado, com quem estabeleceu uma relação de confiança, provavelmente será capaz de fazer o mesmo com seu médico nesse momento. O inverso também é verdadeiro.

Dá-se o nome de *transferência* quando sentimentos relacionados com uma situação ou pessoa do passado são transferidos para a situação atual ou ao médico. Esse fato também pode acontecer no sentido oposto, a partir do médico, e recebe o nome de *contratransferência*.[7,8]

▶ Transferência e contratransferência

Dentro das várias contribuições trazidas pela psicanálise para o cerne da prática médica, há um conceito essencial ao entendimento da RMP que são as noções de transferência e contratransferência.

O termo transferência foi empregado, pela primeira vez, em 1895, no texto *Psicoterapia da histeria*. Segundo Freud, ocorreriam sentimentos do paciente com relação ao médico devido a uma "falsa conexão" entre pessoas que foram objetos de desejo no passado e o profissional da saúde. Ou seja, a transferência constitui-se de sentimentos que eram dirigidos aos pais na infância, foram excluídos da consciência do paciente e emergiram, no presente, na relação com o médico representante dessas imagos do passado. Isso ocorre, dentre outras coisas, devido ao fenômeno da regressão, que afeta a pessoa que se encontra doente.

Em um texto denominado *Dinâmica da transferência*, Freud (1912) faz um exame mais completo do assunto. Afirma, então, que a transferência não é apanágio apenas dos neuróticos (aqueles pacientes em que ele havia observado o fenômeno inicialmente), ao contrário, ocorre em todas as pessoas e se manifesta em todas as relações. Estaria presente não somente na RMP, mas também na professor-aluno, analista-analisando, entre outras possibilidades.

A transferência, segundo salientou, teria duas formas de apresentação: a positiva, que se manifesta por meio de sentimentos de amor, apego, confiança, ternura, respeito; e a transferência negativa, na qual se manifestariam, grosso modo, sentimentos que se baseiam no ódio, em qualquer de suas modalidades ou derivativos. Assim sendo, poderia aparecer ira, hostilidade, desconfiança, censura, ressentimento, aborrecimento etc.

A importância desses fatos para a relação médico-paciente é que, com a transferência, o paciente fornece aspectos irracionais ou imaturos de sua personalidade, reforçando seu grau de dependência, sua onipotência ou seu pensamento mágico sobre a situação da doença, do tratamento e do próprio médico. Por outro lado, tendo ele sentimentos positivos para com seu médico, aumenta a possibilidade de adesão ao tratamento, a confiança nos resultados e a esperança.

Já a contratransferência constitui as respostas emocionais do médico às manifestações do paciente, ou seja, todos os sentimentos que o paciente desperta no médico.

Esses sentimentos dependem, em grande parte, da história de vida do médico e dos muitos fatores que salientamos anteriormente com relação a esses profissionais. A contratransferência, no entanto, não deve ser entendida como fator perturbador da relação. Ela é imanente à RMP e deve ser observada pelo profissional durante a consulta, para que possa utilizá-la de forma positiva mesmo que os sentimentos sejam "negativos".

A observação atenta, por parte do médico, tanto das manifestações transferenciais do paciente quanto das suas reações contratransferenciais muito ajudará no crescimento de ambos os participantes dessa relação.

- **Empatia**

No interjogo de papéis entre o médico e o doente, o papel de paciente é definido pela sua disposição de pedir e aceitar ajuda, e do médico pela sua disposição de ouvir o pedido e querer ajudá-lo. Só, então, a RMP acontece de fato e, consequentemente, um dos fenômenos mais importantes da RMP: a empatia.[9]

Empatia é a capacidade que o médico tem de se colocar intelectualmente no lugar do paciente para olhar o que acontece em seu corpo e sua vida e tentar entender, a partir dessa identificação total, o que, de fato, as queixas e relatos significam para ele.

É o "se colocar no lugar do outro", tão comumente falado no dia a dia. No entanto, no caso do estudante de medicina que está começando na RMP e, mesmo, no caso do médico já formado, essa identificação não pode ser afetiva. Senão o médico sucumbirá com o sofrimento do paciente. A identificação afetiva geralmente é feita por um filho com relação ao sofrimento da mãe, pelo pai diante do sofrimento de um filho, ou seja, situações em que existem laços afetivos.

Outro aspecto importante é que a identificação afetiva com o paciente. Além de doer na própria pele do médico, pode bloqueá-lo no sentido de tomar as melhores decisões sobre procedimentos diagnósticos e terapêuticos com relação à cura do paciente – valendo-se do seu conhecimento técnico, de seu saber e do seu senso de humanismo.

Vejamos um exemplo: em um atendimento se encontram o preceptor (um otorrinolaringologista), um residente de 1º ano e um interno. A paciente, jovem mãe de 38 anos, acompanhada da filha de 15 anos, relata que procurou o serviço porque vem apresentando, há cerca de 1 mês, uma rouquidão inexplicável. Chega a perder quase totalmente a fala. O médico residente que faz a história indaga sobre os vários aspectos do sintoma e outros problemas da garganta. Faz o exame, encontra a região hiperemiada. Diz para a paciente que ela tem uma faringite com comprometimento da laringe e a medica com um antinflamatório.

A filha acompanhante fala para o preceptor: "ela está assim desde que meu irmão morreu". Antes de acabar a consulta, o preceptor habilmente faz com que ela continue e abre o problema: "sua filha falou que a senhora perdeu um filho recentemente...".

A paciente dispara em um choro inconsolável, e conta que o filho foi assassinado a pauladas por três bandidos próximo à sua casa e que uma coisa não lhe sai da cabeça: contaram-lhe que, na hora em que estava prestes a morrer, o filho gritava desesperadamente por ela: "mãe me salve, mãe, mãe..." Nessa hora, a interna se emociona e sai disfarçadamente da sala. O médico residente permanece impassível. O preceptor diz à mãe que ela está sofrendo muito, que foi um episódio inumano e que ela pode contar com a equipe. "Se precisar, volte! Estamos aqui."

Depois, pede para o residente encaminhá-la ao ambulatório de psiquiatria para uma avaliação.

Nesse caso, temos três exemplos: o médico faz uma identificação total com a paciente, põe-se no lugar de quem perdeu um filho, reconhece seu sofrimento, permanece com uma postura aberta para recebê-la outra vez, além de se preocupar em encaminhá-la para avaliação de um especialista. Ou seja, ele foi empático.

O residente fez uma identificação parcial, apenas com o problema da faringe/laringe da paciente, ignorou outros problemas da vida dela e permaneceu "frio" durante seu relato. Ele não foi empático com a paciente.

A interna fez uma identificação afetiva e não conseguiu que a avalanche do sofrimento de uma mãe que teve o filho assassinado lhe invadisse a alma. Sofreu junto com a mãe. Devem ter ocorrido sentimentos de pena, de compaixão, mas não de empatia.

- ### Estratégias para lidar com a doença (copping)

Tais estratégias também são de fundamental importância. Os pacientes podem lidar com a doença como se ela fosse um desafio a ser enfrentado e se empenham nisso; ou como um inimigo, lutando ferrenhamente contra ela; como uma punição, sentindo que ela é motivada por atos errados no passado e que eles são merecedores da enfermidade; como um alívio, usando a doença para evitar situações conflitivas ou difíceis; como uma fraqueza, ao sentirem-se diminuídos por isso; como uma estratégia para conseguir algumas coisas; como uma perda irreparável, por acharem que, após a doença, sua vida não poderá voltar a ser boa; e, por fim, como um valor com o qual o paciente sente-se engrandecido e diferenciado por ter a doença (veja o Capítulo 7).

▶ ## Conclusão

Como fica claro, a relação de um médico com seu paciente não é algo simples ou superficial. Pelo contrário, pode ser muito profunda e reativar situações do passado. Sendo assim, ela pode também ter uma ação psicoterapêutica, pois o paciente, ao reviver situações do passado, tem a chance de entender melhor o que aconteceu e promover mudanças. É o paciente que não teve uma relação satisfatória com seus pais, por exemplo, e que, em uma boa relação com seu médico, corrige vivências anteriores. É a experiência emocional corretiva: uma experiência com conteúdo emocional muito importante e que corrige vivências anteriores.

O médico está sempre apreendendo e adquirindo experiência. Parte desse conhecimento adquirido é denominado senso clínico (ou olho clínico) e, habitualmente, não é visto como um conhecimento muito válido porque não pode ser medido diretamente. Quantos pacientes passam pela vida de um médico? Milhares! Alguns deixam mais lembranças, outros menos; com alguns, há maior identificação, outros são muito distantes da realidade etc. Mas cada um deles vai deixando alguma marca no inconsciente do profissional. Um novo paciente faz lembrar dos pacientes passados, levando a uma sensação de familiaridade ou estranheza, com origem no inconsciente.

Se a medicina é uma profissão que trabalha dentro do sofrimento do outro, ela também permite entrar em contato com o que há de mais humano no outro. O paciente se despe não só de suas roupas físicas, mas também das emocionais. Nesse momento, o médico está diante do que existe de mais íntimo no paciente. Sofre-se muito com ele, há a "comoção", mas também apreende-se muito e, guardando a imagem internalizada de muitos deles, há importante enriquecimento interno, povoado de imagens que fizeram parte de ambos, com a verdadeira importância e gravidade dessas relações.

▶ ## Referências bibliográficas

1. Martins C. Psicodinâmica da consulta médica. *In*: Martins C et al. *Perspectivas da relação médico paciente*. Artes Médicas: Porto Alegre, 1981.
2. Tahka V. *O relacionamento médico-paciente*. Artes Médicas: Porto Alegre, 1986.
3. Lisa AC, Roter DL, Johnson RL et al. Ann Intern Med 2003;139(11):907-16.
4. Institute of Medicine. Unequal Treatment: Confronting Racial and Ethnic. Disparities in Health Care. Washington, DC: National Academy Press, 2003.
5. Moreira AA. *Teoria e prática da relação médico-paciente*. Rio de Janeiro: Interlivros, 1979.
6. Souza E. Anotações sobre a relação médico-paciente (um ponto de vista psicanalítico). *In*: Gonzales RF, Branco R. *A relação com o paciente – teoria, ensino e prática*. Guanabara Koogan: Rio de Janeiro, 2003.
7. Freud S (1895). *Psicoterapia da histeria*. Obras completas. Rio de Janeiro: Imago, 1986.
8. Freud S (1912). *A dinâmica da transferência*. Obras completas. Rio de Janeiro: Imago, 1986.
9. Mello JF. Concepção psicossomática – visão atual. Tempo Brasileiro: Rio de Janeiro,1983.

13 Ética e Bioética na Prática Médica

José Álvaro Marcolino (in memoriam) e José Givaldo Melquiades de Medeiros

"O remédio mais usado em medicina é o próprio médico, o qual, como os demais medicamentos, precisa ser conhecido em sua posologia, reações colaterais e toxicidade."

(Michael Balint)

Situação real
▼

A internação de uma índia da etnia ianomâmi em um hospital de Manaus está criando uma crise institucional no Amazonas. Os pais da criança querem retirá-la do hospital e levá-la para a aldeia. A direção do hospital acionou o Conselho Tutelar que, diante das suspeitas de que a criança seria sacrificada por ser portadora de deficiência física, acionou o Ministério Público Estadual (MPE) pedindo a permanência da criança no hospital. Nesta quinta-feira (16), a juíza Carla Reis, da 2ª Vara da Infância e da Juventude, concedeu pedido de providências ordenando que a menina fique no hospital até que seu quadro clínico seja considerado satisfatório. A decisão causou indignação do administrador regional da Funai em Manaus, Edgar Fernandes. "Ela (Justiça Estadual) não tem prerrogativa para julgar esse caso. Questões envolvendo índios têm de ser resolvidas na Justiça Federal. Vamos recorrer ao MPF (Ministério Público Federal) para interceder a favor da família", disse Edgar. Para a médica diretora do hospital, Glória Chíxaro, o estado clínico da menina é estável, mas a interrupção de seu tratamento pode levá-la à morte. "O quadro dela, hoje, é estável, mas se for retirada do hospital, seu tratamento será seriamente comprometido e ela pode morrer na aldeia", disse completando que a menina será submetida a uma cirurgia para drenar o líquido de sua cabeça. Edgar Fernandes discorda do entendimento da diretora e diz que o desejo dos pais da menina de levá-la para sua aldeia é legítimo e amparado pela Constituição Federal. Para Fábio Menezes, conselheiro tutelar que acompanha o caso, retirar a menina do hospital é sentenciá-la à morte. "Na cultura deles, quem tem deficiências deve ser sacrificado. Eles já disseram à Funai que irão fazer isso. A própria Funai já admitiu que isso pode acontecer", disse Menezes. (Acessado em UOL Notícias. 16/04/2009.)

▶ Introdução

A medicina, organizada dentro de um corpo teórico e prático tem, em nossos tempos, motivos para orgulhar-se de seus surpreendentes avanços no conhecimento da estrutura e do funcionamento das partes que integram o organismo humano, de seus métodos para identificar as disfunções dos órgãos e determinar sua patologia e, ainda mais, de seus recursos para evitar e combater doenças. Tais avanços refletem, de certa maneira, a contínua procura do ser humano para encontrar soluções que lhe assegurem um melhor bem-estar e soluções para os problemas que lhe trazem incômodos.

Por outro lado, este mesmo notável progresso no campo das ciências biomédicas tem obrigado os pesquisadores, e o próprio médico, a enfrentarem novas situações que lhes exigem um questionamento a respeito de qual conduta é mais correta e para quem se deve adotá-la. Esse mesmo desenvolvimento tem colocado para quem o constrói, ou para aquele que o aplica, a obrigação de se posicionar dentro de uma determinada atitude ética. Cada passo e cada conquista da medicina são frutos de uma atitude ética, no sentido de que comportam uma discussão do que é bom ou ruim para alguém, exigindo, portanto, uma reflexão quanto às consequências desta mesma atitude, o que retorna em nova interrogação, geralmente, também de fundo ético.

Poderíamos afirmar que todas as transformações por que tem passado o conhecimento médico trazem consigo novos conflitos éticos e obrigam a novas responsabilidades. A conduta médica não está determinada por um conjunto de regras absolutas que regem ações em circunstâncias especiais, mas sim constitui uma verdadeira e constante atitude no desenvolvimento da vida e no desempenho profissional.

Neste sentido, várias questões têm sido trazidas à discussão. O emprego de órgãos para transplante, incluindo o uso de bancos de órgãos e tecidos, e as situações conflitantes nas quais intervêm os receptores, os doadores, os familiares e os membros da equipe médica; a inseminação artificial, com a consequente dificuldade de definir a legitimidade, o problema das relações familiares e os direitos de herança; a manipulação genética ao nível experimental da organização molecular da matéria viva; o desenvolvimento de novos produtos farmacológicos e os aspectos éticos da experimentação em seres humanos ou a possibilidade da clonagem humana. Todos são exemplos de questões éticas surgidas com o desenvolvimento de novas tecnologias.

Assim, este capítulo objetiva refletir sobre os aspectos éticos e bioéticos da prática médica, desde o ponto de vista ético-filosófico até o deontológico. Para tanto, estuda os conceitos da bioética que são colocados em relação ao campo da psicologia médica, elegendo-se a prática clínica do médico como o lugar em que se dá o encontro desses dois campos. Nessa prática, a utilização dos conhecimentos, que tantos benefícios trouxeram e trazem para a humanidade, tem de ser feita de acordo com certas regras conhecidas e estipuladas pela coletividade, de maneira a assegurar o respeito à pessoa humana.

▶ Da moral à ética

Desde a mais remota antiguidade, o ser humano vem propondo diversas questões sobre o bem e o mal, quais são os significados destes termos e se, de seu conhecimento, podem desprender-se normas de conduta que assegurem o bem pessoal e coletivo e que o eximam dos padecimentos que possam causar a si mesmo e aos demais, caso venha a ignorá-los.[1]

▪ Da moral

A ética tem origem no grego *ethikós*; e a moral, no latim *mores*,[2] sendo que ambos os termos se referem a costume, hábitos ou comportamento. Segundo Frankena,[3] a ética é um ramo da filosofia; é a filosofia moral ou pensamento filosófico acerca da moralidade, dos problemas morais e de juízos morais. Consiste em saber o que é correto ou incorreto, virtude ou vício, bondade ou maldade na conduta do ser humano ou entre um grupo de indivíduos.

Já a moralidade, para esse autor, é, sob certo aspecto, uma empresa social e não apenas uma descoberta ou invenção individual para orientação própria. Como a língua, o estado, a igreja, ela precede o indivíduo, que a ela se acomoda, dela participa, em maior ou menor escala, e continua a existir mesmo depois de o indivíduo desaparecer.

Dessa maneira, o conceito de moralidade se apresenta como algo que guarda certa característica de exterioridade em relação aos indivíduos e faz exigências a eles que, inicialmente, ao menos, lhes são exteriores.

Isso se confirma no pensamento de Frankena,[3] quando certifica que a moralidade não é social apenas no sentido de se constituir em um sistema que regula as relações de um indivíduo para com os outros, mas que é social também no que diz respeito às suas origens, sanções e função, constituindo-se em um instrumento do qual se vale a sociedade, como um todo, para orientação de grupos menores e de indivíduos.

A moralidade surge, então, como um conjunto de objetivos culturalmente definidos e de regras que governam a consecução de tais objetivos, os quais permanecem mais ou menos exteriores ao indivíduo e nele se impõem ou inculcam como hábitos. As regras morais são por ele incorporadas por meio de uma identificação com pessoas que têm significado em sua vida, as quais reforçam a noção do que é correto, ou sanciona o que é incorreto.

Então, como assegura Frankena,[3] a filosofia moral, campo de interesse da ética, surge quando se ultrapassa o estágio em que o indivíduo se deixa dirigir por normas tradicionais e ultrapassa também o estágio em que essas regras se entranham nele tão profundamente a ponto de se sentir dirigido a partir do seu íntimo, e ingressa em um período em que pensa por si mesmo, em termos gerais e críticos, alcançando uma espécie de autonomia na condição de agente moral. Nessa concepção, a ética adquire um caráter de interioridade em relação ao indivíduo e transmite a noção de desenvolvimento.

De outro ponto de vista, e partindo de uma visão psicanalítica, Cohen e Segre[4] comparam a moral com a função que a psicanálise atribui ao *superego*. Este, por sua vez, para Laplanche & Pontalis,[5] constitui uma das instâncias da personalidade e tem uma função comparável à de um juiz ou censor em relação ao ego. O superego, segundo esses autores, forma-se pela introjeção das exigências e proibições paternas. Seguem a indicação de Freud quando afirma que o superego é composto, essencialmente, pelas representações de palavras, sendo que os conteúdos que o constituem provêm do mundo externo ao indivíduo.

Ainda dentro dessa perspectiva dinâmica, Cohen e Segre[4] afirmam que a moral pressupõe três características: (a) seus valores não são questionados; (b) seus valores são impostos; (c) a desobediência às regras pressupõe um castigo.

- **Da ética**

Já a ética é definida, por esses mesmos autores, como sendo algo a ser apreendido pelo indivíduo, vindo a se constituir como algo interno. Em uma mesma comparação com a teoria psicanalítica, caberia ao *ego* cumprir a função ética, pois é essa instância psíquica que lida com as pulsões advindas do *id* (*com todos os desejos de transgressão*), as proibições do *superego* e as exigências da realidade, funcionando como um mediador e unificador destas forças de interesses diversos.[4]

Cohen e Segre[6] apontam que o indivíduo deva ser considerado ético apenas quando tiver uma personalidade bem integrada, quer dizer, quando tiver uma maturidade emocional que lhe possibilitava lidar com emoções conflitantes, força de caráter, equilíbrio de vida interior e um bom grau de adaptação à realidade do mundo. Mais ainda, eles consideram que a ética se vincula a três pré-requisitos: (a) percepção (consciência) dos conflitos, (b) autonomia (condição de posicionar-se entre a emoção e a razão, sendo que essa escolha é ativa e autônoma) e (c) coerência.

Nesse sentido, o desenvolvimento de uma atitude ética para o indivíduo passa pela percepção de inúmeros conflitos, propostos pelo que diz o coração e o que a cabeça pensa. Ser ético é poder percorrer um caminho, indicado pela emoção e pela razão, na busca de uma atitude mais integrada, podendo o indivíduo se posicionar na parte deste percurso que considerar mais adequada. Essa vivência deve ser experimentada na prática da vida, onde se é capaz de levar em conta ambos os vértices, quando já se pode ser responsabilizado pelos atos praticados. Assim, a percepção do conflito psíquico, a liberdade e a coerência são as características fundamentais da ética.

Nessa concepção, um posicionamento ético constitui-se em um problema, pelo simples fato de que o indivíduo não nasce ético, e sim, vai tornando-se ético com o seu desenvolvimento. Dito de outra maneira, o processo de humanização vai levando no seu interior à ética.

Para Freud,[7] pode-se rechaçar que exista uma capacidade original, ou natural, por assim dizer, de distinguir o bem do mal. Já Herrmann[8] assegura que todos os catálogos éticos sempre contêm algum tipo de ordem contrária à natureza, senão nem valeria a pena escrevê-los. De outro modo, ou são formulados por uma comissão de elite, que não sofre das premências do vulgo que os deve cumprir, ou o são em uma região diferente e com exigências diversas daquelas em que se pretende aplicá-los.

O que se depreende desses pensamentos é que não há, intrinsecamente, na natureza humana, nada ético, e que a ética é um epifenômeno surgido de uma variedade de atitudes conflitivas nas quais o básico corresponde ao instinto (ou pulsão, como chamou Freud), ao desprazer, aos impulsos agressivos, ao desejo de existir e outros fatores análogos.[1]

Como lembra Tenembaum,[9] "a ética está ligada à noção de conscientização", ou seja ao desenvolvimento egoico. A ética não exige submissão; princípios éticos não são impostos, mas sim alcançados; as leis sim, são impostas. A moral é imposta, a ética é percebida.[10]

▶ Da ética médica

Em uma sociedade considerada livre, onde os direitos humanos sejam reconhecidos e respeitados, o desenvolvimento dessas novas possibilidades na área médica propiciou também a modificação da posição do paciente em relação ao que lhe é proposto pelo médico, em função do acesso dele, paciente, a informações sobre a existência de novos recursos diagnósticos ou terapêuticos postos a sua disposição, o que o leva a questionar a sua utilização, bem como exigir ser suficientemente esclarecido a respeito dos benefícios ou prejuízos obtidos com as novas tecnologias. Tähkä[11] afirma: "O paciente de hoje não se vê mais no papel tradicional de se submeter sem queixas e sem perguntas a quaisquer medidas que o médico supostamente infalível ache melhores. Ele espera que a sua individualidade seja respeitada e, graças aos veículos de comunicação, acha-se muito mais bem informado sobre assuntos médicos do que as gerações anteriores".

Nesse ponto, chega-se às exigências da ética médica. Em seu relato, Moura Fé[12] ressalta que a necessidade ético-moral sinalizou parâmetros de comportamento em todas as esferas da atividade humana e, naturalmente, tinha de alcançar o exercício das profissões. Desse modo, a medicina logo demonstrou preocupação com os ditames morais de sua prática, tendo um dos primeiros códigos de ética profissional conhecidos. Sendo uma profissão em constante contato com situações que envolvem a vida, a saúde, a doença e a morte, a atividade médica enseja, inevitavelmente, um campo propício às reflexões sobre o próprio sentido da existência. Ao mesmo tempo, por sua notável e necessária capacidade de inferência na vida das pessoas, traz a prática médica para o cotidiano das grandes questões da responsabilidade e dos limites de sua utilização.

Acompanhando este sentimento, o Código de Ética Médica,[13] na sua sexta versão, que entrou em vigor a partir de abril de 2010, aprimorou normas deontológicas concernentes ao tema, em vários dos seus capítulos, destacando-se aquele dedicado aos Direitos Humanos. Nele, impede-se ao médico efetuar qualquer procedimento sem o devido esclarecimento e o consentimento prévios do paciente ou de seu representante legal (consentimento livre e esclarecido), além de assegurar, ao paciente, o livre direito de decidir sobre sua pessoa e seu bem-estar (princípio da autonomia). Também regulamenta questões polêmicas como doação de órgãos e transplantes e pesquisas médicas envolvendo seres humanos.

▶ Da bioética

O ser humano, até então olhado como "coisa" pela ciência médica, passa a exigir que a mesma medicina tenha que estruturar uma atitude que leve em consideração sua exigência de ser reconhecido como "sujeito". O ser humano enfermo, estudado em sua enfermidade de maneira "objetiva", torna-se, em um dado momento, um sujeito, com quem o médico vai estabelecer uma relação humana e com quem passa a discutir as possibilidades que lhe são oferecidas.

Neste caminho de reatualização das atitudes, também o médico deixa de ser "coisa" na relação com o outro.

Poderíamos relembrar a discussão a respeito do próprio "consentimento informado", onde o médico deve prestar ao paciente todos os esclarecimentos necessários com relação a um determinado procedimento, para que o paciente possa determinar se consente ou recusa a sua realização, situação esta que possibilita ao paciente interagir com as propostas do médico. Importante recordar também os permanentes conflitos pelos quais passam os médicos, tomando aqui como exemplo os intensivistas, ao terem de optar, em situações extremas, qual paciente terá sua vida mantida por aparelhos. Poderíamos trazer ainda de volta o fato de que, desde que se possibilitou tecnicamente a realização de transplantes de órgãos, o profissional da saúde, envolvido com esta prática, não deixou de ter de lidar com o choque de valores dele, profissional, do doador ou de sua família.

Poder-se-ia, neste ponto, sugerir o nome de "Ética do Sujeito", para exprimir tanto a dimensão humana do paciente quanto do médico.

Esses questionamentos possibilitaram que a bioética viesse a se constituir em uma disciplina que procura integrar a cultura técnico-científica das ciências naturais com a cultura humanística. É assim que a entende Reich,[14] quando afirma que se pode definir a bioética como "o estudo sistemático da conduta humana na área das ciências da vida e dos cuidados da saúde, na medida em que esta conduta é examinada à luz dos valores e princípios morais".

Já Clotet[15] a define como a expressão crítica do nosso interesse em usar convenientemente os poderes da medicina para conseguir um atendimento eficaz dos problemas referentes à vida, saúde e morte do ser humano.

Essa nova vertente da ética, aplicada às ciências biomédicas, apresenta um enfoque não só normativo, como é o caso dos códigos de ética, mas também um enfoque de pesquisa, a fim de que os aspectos normativos das éticas padronizadas possam ser reavaliados por meio de estudos multidisciplinares.

A bioética, ao procurar desenvolver e compreender esta integração, estrutura-se tendo como base alguns princípios, dentre eles: o princípio da autonomia, o princípio da beneficência e o princípio da justiça.

- O princípio da autonomia, denominação mais comum pela qual é conhecido o princípio do respeito às pessoas, exige que aceitemos que elas se autogovernem, ou sejam autônomas, quer na sua escolha, quer nos seus atos. Esse princípio requer que o médico respeite a vontade do paciente ou do seu representante, assim como os seus valores morais e crenças. Reconhece o domínio do paciente sobre a própria vida e o respeito à sua intimidade. Limita, portanto, a intromissão dos outros indivíduos no mundo da pessoa que esteja em tratamento
- O princípio da beneficência requer, de modo geral, que sejam atendidos os interesses importantes e legítimos dos indivíduos e que, na medida do possível, sejam evitados danos. Na bioética, de modo particular, esse princípio se ocupa da procura do bem-estar e interesses do paciente por intermédio da ciência médica e de seus representantes ou agentes. Fundamenta-se nele a imagem do médico que perdurou ao longo da história, e que está fundada na tradição hipocrática: "usarei o tratamento para o bem dos enfermos, segundo minha capacidade de juízo, mas nunca para fazer o mal e a injustiça"; "no que diz respeito às doenças, criar o hábito de duas coisas: socorrer, ou ao menos não causar danos"
- O princípio da justiça exige equidade na distribuição de bens e benefícios no que se refere ao exercício da medicina ou área de saúde. Uma pessoa é vítima de uma injustiça quando lhe é negado um bem ao qual tem direito e que, portanto, lhe é devido. Assim como o princípio da autonomia é atribuído, de modo geral, ao paciente, e o da beneficência ao médico, o da justiça pode ser postulado, além das pessoas diretamente vinculadas à prática médica (médico, enfermeiro e paciente), por terceiros, como poderiam ser as sociedades para a defesa dos direitos da criança, em defesa da vida, ou grupos de apoio à prevenção da AIDS, cujas atividades e reclamações exercem uma influência notável na opinião pública através dos meios de comunicação social.

Vistas essas questões colocadas à discussão pela ética médica, e em particular, pela bioética, vamos agora lançar esses questionamentos aos aspectos ligados à relação médico-paciente e à prática médica.

▶ Campo comum: a relação médico-paciente

Como ponto de partida para apresentar essa questão, toma-se a clássica frase do médico inglês Michael Balint, em que ele compara o médico com os demais medicamentos usados em medicina, apontando para a importância de sua utilização na prática médica, ressaltando a necessidade de se compreender o seu emprego e também os seus efeitos colaterais.

Observando um pouco mais atentamente a expressão "*o remédio mais usado em medicina*", pode-se apreender uma dupla conotação. Ao se procurar o significado de "usado", chama a atenção que esta palavra pode ser entendida como sinônimo de "usual, habituado, acostumado, afeiçoado ou deteriorado pelo uso: gasto".[2]

Desse modo, "usado" poderia ser entendido de duas maneiras. Em primeiro lugar, como a expressão da ação e interferência da pessoa do médico na vida de seu paciente, de onde se deva conhecer suas indicações e efeitos colaterais. Um segundo sentido apontaria para o uso da pessoa do médico na relação com seu paciente, só que desta feita o médico sofreria e seria atingido por essa relação.

Estas duas maneiras de abranger a utilização da "substância-médico" revelam a participação do médico e do paciente como agentes ativos e passivos de um mesmo processo. Pensamos que este modo de compreender a utilização do médico conduz a uma concepção mais humanizada e mais real da relação médico-paciente, pois assenta tanto o médico quanto o paciente em uma posição de sujeitos que interferem, ao mesmo tempo, um na vida do outro.

De acordo com Clotet,[15] a bioética pode ser entendida como a expressão crítica do nosso interesse em usar convenientemente os poderes da medicina para conseguir um atendimento eficaz dos problemas referentes à vida, saúde e morte do ser humano ao discutir o campo de aplicação e de verificação dos princípios da autonomia do paciente, da beneficência dos atos da medicina e o da justiça da relação entre estes agentes.

Portanto, estaria nela incluída o estudo das ações e reações, tanto do médico quanto do paciente.

Ao mesmo tempo, a relação do médico com seu paciente faz parte do campo de estudo de outra disciplina, a psicologia médica, já conceituada em capítulos anteriores e em cujo campo de estudo se encontra, no entendimento de Muniz e Chazan,[16] a psicologia do estudante, do médico, do paciente, da relação entre estes, da família e do contexto institucional destas relações.

Pode ser observado, então, que ambas as disciplinas lançam um questionamento sobre o que poderíamos chamar de "utilização da substância médico".

Do ponto de vista da prática médica, alguns autores nos têm chamado a atenção para a possibilidade de sobreposição destas duas perspectivas, ou seja, da discussão de temas ligados à bioética e à psicologia médica.

Nogueira-Martins et al.[17] afirmam que "os dilemas éticos em medicina se dramatizam na relação médico-paciente" e nos apresentam alguns exemplos típicos de situações hospitalares em que se podem observar este contexto:

- O paciente oferece resistência a uma intervenção cirúrgica, mutiladora, necessária e impostergável
- O paciente, por motivos religiosos, não aceita a transfusão de sangue
- A família do paciente que quer retirá-lo do hospital e ameaça a equipe médica, acusando-a de negligência ou omissão
- O paciente com AIDS, gravemente enfermo, que de maneira ambivalente, pede alta hospitalar
- O pedido de avaliação psiquiátrica para indicar ou não uma intervenção cirúrgica ou um transplante de órgão
- O pedido de avaliação psicológica para indicar ou não uma cirurgia de alteração do sexo
- O médico que se recusa a prestar assistência a pacientes com AIDS ou a um paciente que o agrediu verbalmente
- O médico que pede ajuda frente a situações em que tem de fazer comunicações dolorosas aos pacientes, como por exemplo: paciente com AIDS. Como contar? A quem contar? E principalmente, o que contar?

Exemplos como esses, comuns à prática clínica diária, trazem a interrogação sobre questões como as que envolvem os critérios para definir a necessidade de uma intervenção cirúrgica, dilema a respeito da qualidade de vida de um paciente com doença crônica, das questões morais e religiosas que se sobrepõem aos determinantes científicos, sobre o envolvimento emocional entre médico e seu paciente, sobre o papel do estado emocional nas decisões de um paciente, ou ainda, sobre o médico que se vê obrigado a lidar com suas limitações.

Todos esses exemplos suscitam discussão sobre quais são os limites da autonomia do paciente, que critérios definem a beneficência dos atos médicos e, mais ainda, sobre o que se pode considerar como justo no que se refere à distribuição dos cuidados à saúde, questões estas que buscam tradução mediante a bioética.

Evidenciam também o surgimento de um campo dinâmico psicológico, que se desenvolve na interação entre o médico e seu paciente, a família do paciente e a equipe médica, entre todos os membros da equipe de saúde e a instituição assistencial, de todos com os financiadores da saúde (governos, planos de saúde, seguros etc.) e do próprio médico para com ele mesmo, debatendo o papel da utilização do trabalho médico, temas estes que envolvem, como vimos, a psicologia médica, em cujo terreno este livro objetiva trazer para debate alguns enfoques fundamentais.

▶ A ética (em formação) do estudante de medicina

Dos ensinamentos aqui apresentados, podemos destacar alguns que nos parecem

> **Quadro interativo**
>
> Esse tema pode ser visitado em vários números da Revista Bioética, do Conselho Federal de Medicina. Acessível em: http://revistabioetica.cfm.org.br/index.php/revista_bioetica/issue/archive.

particularmente interessantes para um estudante de graduação.

- A ética de um médico é algo a ser apreendido na sua formação, tendo como apoio e sustentáculo sua formação pessoal, até que um dia seja algo intrínseco a si e sentido como seu
- Para ser considerado ético é preciso que o indivíduo já tenha atingido uma maturidade de sua personalidade, o que significa que nossos jovens, ao chegarem à universidade no final da adolescência, ainda não as possuem como algo terminado, e é preciso ter a oportunidade de integrar sua personalidade e de a ela integrar tanto a formação médica quanto a formação ética
- O desenvolvimento de uma atitude ética para o indivíduo passa pela percepção de inúmeros conflitos, propostos pelo que diz o coração e o que a cabeça pensa. Por isso a importância do debate, da discussão, da análise de situações reais ou situações-problema para que o estudante treine sua mente para integrar os aspectos da emoção, razão e da realidade na sua tomada de decisão como futuro médico
- Se ninguém nasce ético, é preciso desenvolver atitudes éticas e a escola médica é um bom lugar para futuros médicos terem esse desenvolvimento
- Essa vivência (da ética) deve ser experimentada na prática da vida, quando já se pode ser responsabilizado pelos atos praticados. Isso nos serve de alerta. Quando jovens, julgamos com frequência as tomadas de decisão de mestres e médicos mais experientes, atribuindo-lhes, muitas vezes, erros éticos; no entanto, somente na vivência da prática, tendo aquele paciente ou situação sob nossa responsabilidade, é que podemos, definitivamente, experimentar nossa capacidade de sermos ou não éticos.

▶ Referências bibliográficas

1. Klimovsky G, Dupetit S, Zysman S. El origen de los conceptos éticos en Freud. In: XVIII Congresso Latino Americano de Psicanálise – FEPAL, Rio de Janeiro, ago, 1990. p. 20-5.
2. Ferreira ABH. *Novo dicionário da língua portuguesa*. Rio de Janeiro: Nova Fronteira, 1986.
3. Frankena WR. *Ética*. Rio de Janeiro: Zahar, 1981.
4. Cohen C, Segre M. Breve discurso sobre valores, moral, eticidade e ética. *Bioética* 1994; 2(1):19-24.
5. Laplanche J, Pontalis JB. *Vocabulário de psicanálise*. Rio de Janeiro: Martins Fontes, 1970.
6. Cohen C, Segre M. Definição de valores, moral, eticidade e ética. *In*: Segre M, Cohen C (Org.). *Bioética*. São Paulo: Edusp, 1995: 13-22.
7. Freud S. O mal-estar da civilização. *In*: Edição Standard Brasileira das Obras Completas. v. 21. Rio de Janeiro: Imago, 1976.
8. Herrmann F. Psicanalética. *Rev Ide – SBPSP* 1995: 27:10-9.
9. Tenenbaum D. Crônica de um hospital geral V – criando monstros. *Rev Ide – SBPSP* 1995; 26:88-91.
10. Cohen C, Marcolino JAM. Aspectos éticos. *In*: Cordás TA, Moreno RA (Ed.). *Condutas em psiquiatria*. São Paulo: Lemos Editorial, 1995: 37-46.
11. Tähkä V. *O relacionamento médico-paciente*. Porto Alegre: Artes Médicas, 1988.
12. Moura Fé IA. Prefácio. In: Desafios Éticos. Brasília, CFM, 9-11, 1993.
13. Conselho Federal de Medicina. Código de Ética Médica Brasileiro. 2010. Disponível em: http://www.portalmedico.org.br/novocodigo/integra.asp
14. Reich WT (Ed.). *Encyclopedia of bioethics*. Nova York: Free Press, 1978.
15. Clotet J. Por que Bioética? *Bioética* 1993; 1:13-9.
16. Muniz JR, Chazan LF. Ensino de psicologia médica. *In*: Mello Filho J (Ed.) *Psicossomática hoje*. Porto Alegre: Artes Médicas 1992: 37-44.
17. Nogueira-Martins LA, Marco MA, Manente MLF, Noto JRS, Bianco MB. Dilemas éticos no hospital geral. *Bol Psiquiatria* 1991; 24:28-34.

Parte 4
O Médico diante de Situações Específicas

■

14 Cuidados Paliativos em Psiquiatria

Vanessa de Albuquerque Citero e Silvia Carneiro Bitar

Situação real
▼

- **Caso 1**

Sr. A, 64 anos, tem câncer ósseo disseminado. Apresenta dor incoercível, humor irritadiço e depressivo, refere desejo de morrer. Sabia que estava fora de possibilidade terapêutica, mas sempre que seu médico propunha algum tratamento para a dor (p. ex., radioterapia), não aceitava, dizia que o deixassem morrer em paz ou que se jogaria pela janela. Não aceitava a visita dos familiares, dizia que eles tinham que se desapegar dele. Seu oncologista tentava sempre explicar que ele estava fazendo a família sofrer assim, com este comportamento evasivo, e que embora não houvesse cura para sua doença, ele poderia ter boa qualidade de vida sem a dor, por um bom tempo. Após várias consultas com o médico, aceitou a avaliação de um psiquiatra e psicólogo, tendo sido diagnosticado com depressão. Após algumas consultas e com piora da dor, aceitou iniciar tratamento para a depressão. Após 1 mês tomando medicação antidepressiva e fazendo psicoterapia psicodinâmica breve, aceitou tratar a dor em procedimento radioterápico, com excelente resposta. Teve alívio importante da dor e, consequentemente, aumento da qualidade de vida, pois voltou a ter uma vida social com a família e amigos. Faleceu após 8 meses do término da radioterapia.

- **Caso 2**

Sra. B, 45 anos, ficou viúva há 6 meses. Seu marido faleceu de complicações da AIDS, e foi durante esta internação que a sra. B soube que também era portadora do HIV, porém sem manifestação clínica. Desde o óbito do marido, a Sra. B não saía mais da cama, ficava no quarto escuro e se recusava a se alimentar, não aceitando fazer nenhum tratamento. Rapidamente evoluiu com emagrecimento e infecções oportunistas (pneumonia fúngica e neurotoxoplasmose). Foi internada em caráter de urgência e informada da gravidade da sua situação clínica e do tratamento medicamentoso que precisava fazer. No entanto, ela continuava a se recusar a seguir as orientações médicas, solicitando que a deixassem morrer como seu marido.

O que acontece com os pacientes que apresentam doenças graves que ameaçam à vida, quando percebem que não apresentam boa evolução clínica? As duas situações apresentadas têm em comum o desejo de morte para não sofrer. Nem todo paciente lida desta maneira diante do sofrimento, mas as situações descritas servem para lembrar que o sofrimento diante da doença pode ser grande e insustentável para muitos pacientes, principalmente quando lidam com o fantasma de ter uma vida abreviada.

E qual o papel do médico diante dessas situações? Ele deve respeitar o desejo do paciente, deve impor um tratamento, deve brigar com seu paciente? Com certeza não, não deve brigar nem se impor, mas conversar, amparar e orientar o paciente para que as melhores decisões possam ser alcançadas, preferencialmente em conjunto com o paciente. Muitos aspectos podem ser abordados sobre este tema, mas neste capítulo discutiremos o que é cuidado paliativo e os aspectos psiquiátricos diretamente relacionados com o manejo de um paciente em cuidado paliativo. Adiante discutiremos as situações apresentadas no início do capítulo.

Definição de cuidado paliativo

Segundo a definição da Organização Mundial da Saúde,[1] revista em 2002, cuidado paliativo é "uma abordagem que promove a qualidade de vida do paciente e seus familiares, que enfrentam doenças que ameacem a continuidade da vida, por meio de prevenção e do alívio do sofrimento. Requer identificação precoce, avaliação e tratamento da dor e outros problemas de natureza física, psicossocial e espiritual".

É recomendado que os cuidados paliativos devem se iniciar o mais precocemente possível, de preferência a partir do diagnóstico de uma doença potencialmente letal, e está baseado nos seguintes princípios:

- Promover o controle impecável da dor e de outros sintomas desagradáveis
- Afirmar a vida e considerar a morte um processo normal da vida
- Não acelerar nem adiar a morte
- Integrar os aspectos psicológicos e espirituais no cuidado ao paciente
- Oferecer um sistema de suporte que possibilite ao paciente viver tão ativamente quanto possível até o momento de sua morte
- Oferecer um sistema de suporte para auxiliar os familiares durante a doença e o luto
- Oferecer abordagem multiprofissional para focar as necessidades do paciente e seus familiares, incluindo acompanhamento ao luto
- Melhorar a qualidade de vida e influenciar positivamente o curso da doença
- Iniciar o mais precocemente possível o Cuidado Paliativo, juntamente com outras medidas de prolongamento da vida, como quimioterapia e radioterapia, e incluir todas as investigações necessárias para melhor compreender e controlar situações clínicas estressantes.

Segundo o manual Cuidado Paliativo publicado pelo Conselho Regional de Medicina do Estado de São Paulo,[2] os seguintes termos devem ser compreendidos pelo médico:

- *Paciente em processo de morte*: aquele que apresenta sinais de rápida progressão da doença, com prognóstico estimado de semanas de vida a 1 mês. Esse período também pode ser chamado de *terminalidade*
- *Fase final da vida*: aquele período em que supostamente o prognóstico de vida pode ser estimado em horas ou dias
- *Paliação*: toda medida que resulte em alívio de um sofrimento do doente
- *Ação paliativa*: qualquer medida terapêutica, sem intenções curativas, que visa diminuir, em ambiente hospitalar ou domiciliar, as repercussões negativas da doença sobre o bem-estar do paciente. É parte integrante da prática do profissional de saúde, independentemente da doença ou de seu estágio de evolução.

Quando se trabalha com cuidados paliativos se fala sobre ajudar o paciente a ter uma "boa morte", mas afinal o que é uma boa morte? Apesar de ser muito difícil de conceituar, inclusive por questões culturais, alguns critérios podem ser considerados como característicos de uma boa morte:[3]

- Conflitos internos, como o medo da perda de controle, devem ser reduzidos ao máximo
- O senso de identidade individual do paciente deve ser mantido
- Relacionamentos complicados devem ser melhorados ou mantidos no menor nível de estresse possível
- O paciente deve ser encorajado a estabelecer e desenvolver objetivos de vida significativos e alcançáveis.

Considerando a ousadia da proposta de oferecer apoio e conforto para o paciente ao promover o conceito da "boa morte", deve-se refletir: qual o papel do psiquiatra nesse conjunto de ações?

Pacientes com câncer avançado, AIDS, demência e outras doenças em fase de terminalidade apresentam risco aumentado para o desenvolvimento de transtorno psiquiátrico, além de uma sobrecarga emocional decorrente do impacto que os sintomas físicos e psíquicos causam.[4]

O psiquiatra experiente na área de interconsulta e de medicina psicossomática pode contribuir como especialista no ensino sobre o manejo da depressão, ansiedade, *delirium* e dor; além disso, pode contribuir com o gerenciamento da integração dos aspectos psicológicos, sociais, espirituais e éticos. Ele também ajuda o paciente e seus familiares a se confrontarem com a dura realidade de ser portador de uma doença incurável ou controlável. Facilita a comunicação entre paciente, família e equipe de saúde, para que eles expressem a emoção do que vivem, e diagnosticam e tratam as comorbidades psiquiátricas que complicam o curso da doença. Essas ações em geral são desenvolvidas em equipe multiprofissional, na qual profissionais de saúde médicos e não médicos cuidam do processo paliativo para o paciente e sua família.

▶ Aspectos psiquiátricos de pacientes sob cuidados paliativos

Os pacientes em estágios avançados da doença (câncer, AIDS, insuficiência cardíaca, demência etc.) tendem a apresentar maior prevalência de transtorno psiquiátrico devido a questões psicológicas (sofrimento com o adoecer, enfrentamento da finitude), biológicas (alterações metabólicas, morte celular etc.) e sociais (perda de atividades, afastamento de vínculos etc.).

• Ansiedade

A prevalência de transtornos de ansiedade em pacientes com câncer ou AIDS em estágio avançado varia de 15 a 28%.[5] Diante da realidade angustiante, os pacientes em estágio terminal podem reagir com tensão, agitação, hiperatividade autonômica, insônia, hiperpneia e outros diversos sintomas relacionados com a descarga adrenérgica. Esse conjunto de sintomas ajuda o médico a identificar a necessidade de avaliar aspectos psicológicos do paciente. Muitos médicos consideram que é normal o paciente relatar ansiedade nesta fase do tratamento, porém esta percepção não é correta nem útil para lidar com o paciente. A ansiedade pode ser um transtorno mental (transtorno de ansiedade), pode ser sintoma de outro transtorno mental (transtorno do humor) ou pode ser uma reação psicológica normal e saudável para lidar com a adversidade.[6]

Ansiedade em pacientes sob cuidado paliativo também pode ocorrer como adaptação à mudança de vida, transtorno de ajustamento, ansiedade relacionada com a doença ou ao tratamento, e exacerbação de transtorno ansioso preexistente:[5]

- Ansiedade leve, resultando do impacto psicológico, por medo do isolamento ou da morte
- O transtorno de ajustamento nestes pacientes é relacionado com a adaptação à crise existencial e às incertezas sobre o prognóstico e o futuro
- Pacientes com transtorno ansioso prévio têm maior chance de reativarem os sintomas devido ao impacto emocional da perspectiva concreta da terminalidade da vida
- A ansiedade pode surgir como consequência a sintomas da própria doença, por exemplo, secundária a dor subtratada, relacionada com fenômenos metabólicos (hipoxia, hipoglicemia, desequilíbrio hidroeletrolítico, sepse, sangramento etc.)
- A ansiedade pode ser consequência ao uso de medicamentos, por exemplo, corticoides, antiemético, broncodilatador, abstinência a opioides e benzodiazepínicos.

O desconforto causado pela ansiedade no paciente, principalmente quando na forma de transtorno de ansiedade generalizada, deve ser tratado, buscando sempre o bem-estar do paciente, seja por meio de medicamentos ou por ações não farmacológicas (psicoterapia), ou preferencialmente por ambas as formas terapêuticas.

• Depressão

O transtorno depressivo maior em pacientes com câncer sob cuidado paliativo varia na prevalência entre 9 e 18%.[7] A presença de história prévia de depressão pessoal ou familiar aumenta o risco de desenvolver um episódio depressivo nessa fase da doença. Estudos recentes têm mostrado que a perda de significado na vida e o baixo bem-estar espiritual estão associados a sintomas depressivos, sugerindo que a relação entre angústia existencial e depressão na terminalidade deve ser mais bem estudada.[8]

Também é relatada a estreita relação entre depressão, presença de dor e prejuízo da funcionalidade, sendo a depressão muitas vezes secundária aos demais problemas. Outro fator a ser considerado é que muitos dos medicamentos utilizados para o tratamento das doenças, como os corticoesteroides, quimioterápicos e procedimentos radioterápicos também podem causar sintomas depressivos.

Ao avaliar o paciente deve-se considerar que o humor depressivo e a tristeza podem ser respostas apropriadas na terminalidade da vida, expressando assim o luto antecipatório da perda de autonomia, dos entes queridos e da própria saúde. No entanto, o fato de ser comum não significa que não deva ser tratado ou aliviado. Percebe-se que há o subdiagnóstico e subtratamento dos sintomas depressivos, e um motivo geralmente referido pelos médicos é a crença de que utilizar antidepressivo só vai trazer efeitos colaterais para o paciente.[9] Isto não é verdade, desde que o antidepressivo seja corretamente indicado.

Como em todas as comorbidades entre depressão e doenças clínicas, no caso de pacientes sob cuidados paliativos o diagnóstico de depressão será feito utilizando principalmente sintomas psicológicos e cognitivos, e não os sintomas somáticos e neurovegetativos. Isto se deve ao fato de que os sintomas somáticos podem ser causados também pela doença clínica, de maneira que dados como insônia, inapetência e fadiga não devem ser considerados para o diagnóstico de depressão. Por sua vez, a desesperança, perda de significado na vida, descrença nas melhorias, perda de gosto pelas coisas que em geral gostava, são sintomas que devem ser valorizados.

Os sentimentos de desesperança, desvalorização e ideação suicida no paciente que está próximo a morte deve ser explorado em detalhe. Não se trata de abordar a esperança na cura, uma vez que o paciente está em cuidados paliativos (fora de possibilidade terapêutica), mas de falar com o paciente sobre a esperança de se sentir melhor, aliviar os sintomas, fazer coisas que gosta. Esperança pode ser definida como a habilidade de achar, continuamente, um significado na existência do dia a dia. Assim, a desesperança pode ser entendida como uma sensação de desespero e, portanto, como um sintoma depressivo. Pacientes desesperançosos geralmente referem que estão sendo um peso para suas famílias, sendo inconvenientes. Da mesma maneira que a desesperança, o sentimento de que sua vida nunca teve valor ou de que a doença é um castigo, e mesmo a presença de ideação suicida leve, devem ser considerados sintomas depressivos.

As duas situações apresentadas no início deste capítulo se referem a esse tópico. Na situação 1, o sr. A apresenta claramente sintomas depressivos como desesperança, desejo de morte, sensação de sobrecarregar a família. No entanto, os sintomas depressivos surgiram na presença de dor importante, sugerindo que fossem secundários ao fenômeno doloroso. A abordagem psiquiátrica possibilitou que o paciente melhorasse o humor depressivo o suficiente para aceitar o tratamento paliativo da dor, o que teve um impacto importante na qualidade de vida do paciente.

Já na situação 2, a sra. B apresenta uma forma mais crônica de depressão. Ela conviveu com o marido doente e o viu falecer, sem também aderir a um tratamento adequado. Tendo o mesmo diagnóstico que o marido, a paciente age da mesma maneira, não aderindo ao tratamento. Após a morte dele fica evidente a instalação de um episódio depressivo maior, o que a torna frágil fisicamente, possibilitando a evolução rápida do quadro completo de AIDS. O desfecho da situação da sra. B foi o seguinte:

> Diante do pedido de que a deixassem morrer, a equipe de saúde solicitou a avaliação da equipe de cuidados paliativos do hospital. Após o primeiro contato com a paciente, o médico paliativista solicitou avaliação psiquiátrica, a qual mostrou que desde que seu marido fora diagnosticado com AIDS, há 1 ano, ela apresentava quadro depressivo e sintomas ansiosos importantes, sendo que após a sua morte ela havia evoluído para um episódio depressivo maior. Diante da própria situação clínica, a paciente não via perspectiva de enfrentar a doença, apesar de os médicos afirmarem que ela tinha condições de se tratar. A abordagem psiquiátrica possibilitou à equipe de cuidados paliativos perceber que o desejo de morte da paciente era fruto não propriamente de uma escolha consciente, por isso não aceitaram o caso, orientando que a equipe de saúde original providenciasse o manejo psiquiátrico da paciente, concomitante ao tratamento das doenças oportunistas e da AIDS. Com o tratamento antidepressivo em andamento, remissão das doenças oportunistas e, principalmente, a inclusão da irmã da paciente nas orientações sobre a doença e o tratamento, a paciente começou a se interessar pela melhora clínica que apresentava e a aceitar a ajuda da irmã com o tratamento. Após a alta, aderiu ao uso do coquetel medicamentoso contra o HIV, tornando a ficar assintomática.

• Delirium

O *delirium* é a complicação neuropsiquiátrica mais comum e grave em pacientes com doenças em fase de terminalidade. Nas últimas semanas de vida, a prevalência deste quadro de rebaixamento de consciência secundária a alguma alteração cérebro orgânica varia entre 25 e 83%.[4] Ele pode se apresentar sob a forma hipoativa (com apatia, sonolência e diminuição da psicomotricidade) ou hiperativa (com agitação psicomotora, alucinações ou ilusões visuais, pensamento desconexo), mas em ambos os tipos o *delirium* é altamente estressante para o paciente. O *delirium* geralmente é agudo e reversível, porém, em situações de terminalidade, pode se cronificar e se tornar irreversível. Isto ocorre devido à progressiva falência de órgãos do indivíduo.

Sempre que se diagnostica o *delirium* deve-se procurar a causa orgânica que o desencadeou, a fim de tratá-la, mesmo se o paciente está em cuidados paliativos, pois o foco é a qualidade de vida do paciente. No entanto, quando falamos de *delirium* em pacientes terminais, em seus últimos dias ou horas, a investigação do foco é controversa, pois pode apenas fazer o paciente sofrer, tendo que fazer novos exames e iniciando novos tratamentos. Por isso a experiência clínica e a participação dos familiares nas decisões são elementos que contribuem para a tomada de decisão.

> **Quadro interativo**
>
> Sr. C, 82 anos, viúvo, reside em uma casa de repouso para idosos, não tem família. Apresenta lesão em membro inferior esquerdo, tendo sido confirmado tratar-se de um melanoma. Tem também uma lesão única no fígado e outra no pulmão, com lavado brônquico positivo para células oncológicas. Há 60 anos faz consumo de álcool, e tem aumentado o padrão de uso, tendo apresentado quedas por estar alcoolizado. No entanto, o sr. C não reconhece ter um problema com a bebida, e muitas vezes deixa de tomar seus remédios. Após três tentativas de abordar o paciente, a equipe de saúde não via possibilidade de fazê-lo aderir adequadamente ao tratamento orientado, parando de beber e seguindo as demais recomendações. Em reunião clínica da equipe de saúde, discutiu-se que à medida que insistiam no tratamento oncológico, o sr. C aumentava a frequência de consumo de álcool. Decidiu-se então conduzir o tratamento dentro da proposta de cuidados paliativos, favorecendo o bem-estar do paciente.
>
> - Sugestões de filmes
>   *Uma prova de amor* (*My Sister's Keeper*). Direção: Nick Cassavetes, 2009
>   *Uma lição de vida* (*Wit*). Direção: Mike Nichols, 2001
> - Sugestão de livro
>   Oliveira RA (Coord.). *Cuidado paliativo*. São Paulo: Conselho Regional de Medicina do Estado de São Paulo, 2008. Acesso gratuito pelo site: http://www.cremesp.org.br/library/modulos/legislacao/integras_pdf/livro_cuidado%20paliativo.pdf

▶ Aspectos psicológicos de pacientes sob cuidados paliativos

Alguns aspectos devem ser considerados pelo médico diante do manejo de pacientes em cuidados paliativos. Sem dúvida, a comunicação médico-paciente é crucial para o estabelecimento de uma boa relação durante esta fase do cuidado. Honestidade e sinceridade devem ser aliadas do médico ao comunicar notícias difíceis, porém não se trata de simplesmente despejar a notícia sem ter empatia com o momento que o paciente está vivendo e perceber sua capacidade de compreensão. O médico deve ser continente às emoções expressadas pelo paciente, e ter a ajuda da família do paciente é sempre favorável. Mas o médico não deve delegar sua função para a família, pois é nele que o paciente deposita a confiança sobre sua saúde.

Outro fator que deve ser considerado pelo médico é a avaliação das razões para que o paciente não tenha adesão plena ao tratamento e a consideração de que tais razões podem não ser racionais. Não cabe ao médico convencer o paciente a se tratar, mas entender as dificuldades que o paciente está passando e ajudá-lo a superá-las. Muitas vezes sintomas psiquiátricos estão por trás da má adesão terapêutica, como já apresentado na descrição do caso da sra. B.

▶ Referências bibliográficas

1. World Health Organization. Cancer Pain Relief and Palliative Care: Reports of a WHO Expert Commitee (Technical Bulletin 804). Geneva, Switzerland: World Health Organization, 1990.
2. Oliveira RA (Coord.). *Cuidado paliativo*. São Paulo: Conselho Regional de Medicina do Estado de São Paulo, 2008.
3. Weisman AD. *On dying and denying: a psychiatric study of terminality*. New York: Behavioral Publications, 1972.
4. Breitbart W. Diagnostic and management of delirium in the terminally ill. In: Bruera E, Portnoy R (Eds.). *Topics in palliative care*, vol. 5. New York: Oxford University Press, 303-321, 2001.
5. Kerrihard T, Breitbart W, Dent K et al. Anxiety in patients with cancer and human immunodeficiency virus. *Semin Clin Neuropsychiatry* 1999; 4:114-132.

6. Holland JC. Anxiety and cancer: the patient and the family. *J Clin Psychiatry* 1989; 50 (suppl):20-25.
7. Breitbart W, Chochinov H, Passik S. Psychiatric symptoms in palliative medicine. *In*: Doyle D, Hanks G, Cherny N et al. (Eds.). *Oxford textbook of palliative medicine*. 3 ed. New York: Oxford University Press, 746-771, 2004.
8. Nelson CJ, Rosenfeld B, Breitbart W et al. Spirituality, religion, and depression in the terminally ill. *Psychosomatics* 2002; 43:213-220.
9. Block SD. Assessing and managing depression in the terminally ill patient. *Ann Intern Med* 2000; 132:209-218.

15 O Paciente com Dor Crônica

Carolina Buzzatti Machado, Débora Schaf, Ellen Alves de Almeida e Rogério Aguiar

Dor: "Experiência sensorial e emocional desagradável associada ou relacionada à lesão real ou potencial dos tecidos".
"Cada indivíduo aprende a utilizar esse termo através das suas experiências anteriores."
(IASP – *International Association for the Study of Pain*)

Situação-problema

▼

Paciente, sexo masculino, 50 anos, psicoterapeuta, refere dor lombar há cerca de 1 ano, sem irradiações, de caráter intermitente; às vezes tem a sensação de que a coluna está travada e tem limitação na flexão da coluna, dor é mais intensa logo pela manhã, melhorando à tarde desde que não fique no consultório atendendo durante muitas horas. Essa é a primeira consulta que faz relativo a sua lombalgia.

▶ Introdução

Dor é a queixa que mais frequentemente leva uma pessoa a procurar tratamento médico. Médicos de muitas especialidades encontram seguidamente pacientes que descrevem a dor como a condição primária pela qual buscam tratamento (cefaleia crônica e dor lombar), ou como uma complicação de um transtorno clínico subjacente (artrite reumatoide ou câncer).[1]

A dor pode ser considerada como um sintoma ou manifestação de uma doença ou afecção orgânica, mas também como expressão de um quadro clínico mais complexo. É um importante sinal de alarme que alerta o indivíduo para a presença de alguma lesão ao organismo. Ainda nessa função adaptativa, a sensação dolorosa desencadeia comportamentos que buscam alívio e remoção da agressão à vida ou à integridade do indivíduo. Além disso, por meio de expressões, faz o indivíduo comunicar aos outros que não está bem. Muitas vezes, a dor aguda cumpre essas funções adaptativas. Entretanto, uma mistura de fatores orgânicos, psicológicos e sociais pode concorrer para a gênese, manutenção e expressão da dor, tornando-a um fenômeno muito mais complexo, principalmente quando ela se torna crônica.[1]

Dor crônica é uma condição comum a uma população bastante variada de pacientes com diferentes diagnósticos médicos. Apresenta uma alta prevalência e um alto custo para os serviços de saúde. Embora muitos episódios de dor resolvam-se dentro de 6 semanas, aproximadamente metade dos pacientes com dor tem sintomas que persistem e os debilitam por anos. A dor se torna crônica quando persiste por mais de 3 meses.

A abordagem ao paciente com dor crônica requer habilidades específicas, incluindo a sua avaliação abrangente e o desenvolvimento de um tratamento interdisciplinar, programado para enfrentar a dor e os problemas físicos, sociais e comportamentais associados.[1]

Para melhor compreensão da abordagem indicada nesses pacientes, serão expostos alguns conceitos básicos sobre o estímulo doloroso e sua percepção, os tipos de dor mais frequentes e os aspectos psiquiátricos e psicodinâmicos envolvidos.

▶ Classificação

Existem muitas maneiras de se classificar a dor. Considerando a duração da sua manifestação, ela pode ser de três tipos:

- *Dor aguda*: é a que se manifesta transitoriamente durante um período de minutos a algumas semanas, associada a lesões em tecidos ou órgãos, ocasionadas por inflamação, infecção, traumatismo ou outras causas. Normalmente desaparece quando a causa é corretamente diagnosticada e quando o tratamento recomendado pelo especialista é seguido corretamente pelo paciente[2]
- *Dor crônica*: é a que se estende de vários meses a vários anos e que está quase sempre associada a um processo de doença crônica. A dor crônica pode também ser consequência de uma lesão já previamente tratada. Exemplos: paciente com câncer, que após o tratamento da doença persiste com dor no local[2]
- *Dor recorrente*: apresenta períodos de curta duração que, no entanto, se repetem com frequência, podendo ocorrer durante toda a vida do indivíduo, mesmo sem estar associada a um processo específico. Um exemplo clássico deste tipo de dor é a enxaqueca.[2]

▶ Mecanismos da dor

Diante da extensão do dano tecidual, a dor pode ser considerada pelo clínico como menor, apropriada ou maior do que a esperada. Isto pode ser clarificado pela distinção entre nocicepção e dor. Nocicepção é a atividade produzida no sistema nervoso por um estímulo potencialmente lesivo, que pode ser mecânico, químico ou térmico. Dor é a *percepção da nocicepção*, mas que, como outras percepções, é modulada por fatores de gênero, culturais, circunstanciais e afetivos.[1]

As síndromes dolorosas podem ser nociceptivas, neuropáticas, idiopáticas, psicológicas e aquelas ainda em investigação. Em geral, as nociceptivas são congruentes com o grau de lesão tecidual, ao passo que as neuropáticas costumam ser aberrantes, induzidas por lesões no próprio sistema nervoso, periférico ou central.[1]

▶ Fatores relacionados com a dor

Diversos fatores biológicos, sociais e psicológicos influenciam no mecanismo da dor. Os fatores biológicos são aqueles determinados pelo grau de lesão tecidual, os quais causam alterações na condição física do paciente. Esses fatores, em geral, respondem bem ao tratamento medicamentoso. Os fatores sociais estão relacionados com o suporte social e familiar e são largamente determinados pelas influências culturais, ambientais e raciais. Finalmente, dentre os fatores psicológicos envolvidos estão o comportamento, o tipo de personalidade e grau de instrução e de sofisticação psicológica do paciente. Esses fatores podem contribuir para o agravamento da dor e para sua perpetuação. Assim, cabe ao clínico identificá-los para uma melhor abordagem do problema.[3]

Sabe-se que pacientes com pouco suporte familiar, história de exposição repetida a traumas, baixo grau de entendimento sobre o seu problema e história de doença psiquiátrica em geral apresentam quadro clínico mais exacerbado.[4] O tipo de resposta emocional de cada indivíduo ao estímulo doloroso real ou potencial, incluindo ansiedade antecipatória, depressão, medo e raiva, pode predizer a gravidade da dor.[4]

Processos cognitivos determinam a natureza da experiência de dor, incluindo as crenças, significados atribuídos àquela experiência, expectativas, atenção, capacidade de distração em relação à dor, grau de preocupação somática e comportamento aprendido.[3] O grau de disfunção e o nível de atividade estão associados, mas não são necessariamente proporcionais à intensidade da dor. Outros fatores importantes são a maneira pela qual o paciente enfrenta ativamente seus problemas e busca informações e suporte diante dos seus sintomas de dor.[3]

▶ Epidemiologia

Episódios significativos de dor afetam pelo menos 30% dos indivíduos durante algum momento da sua vida e, em 10 a 40% deles, têm duração superior a um dia. Constitui a causa principal de sofrimento, incapacitação para o trabalho e ocasiona graves consequências psicossociais e econômicas. Muitos dias de trabalho podem ser perdidos por aproximadamente 40% dos indivíduos. Não há dados estatísticos oficiais sobre a frequência da dor no Brasil.[2]

A incidência da dor crônica no mundo oscila entre 7 e 40% da população e, como consequência, cerca de 50 a 60% destes ficam parcial ou totalmente incapacitados, de maneira transitória ou permanente, comprometendo de modo significativo a qualidade de vida.[2]

▶ Diagnóstico

Situação-problema ilustrativa
▼

Paciente do sexo feminino, 28 anos, chega ao serviço de emergência com quadro de dor torácica de início há seis meses. Refere dor recorrente em pontada na região torácica à esquerda. Já buscou atendimento diversas vezes em serviços de emergência. Fez uso de analgésico sem alívio. Sem história de doenças clínicas prévias.

- **Conduta inicial**

Embora, do ponto de vista orgânico, nesse caso, a idade e o sexo da paciente não estejam incluídos entre os maiores fatores de risco para uma causa cardíaca, o médico pode optar por investigá-la imediatamente, junto a uma avaliação rápida para uma causa pulmonar ou musculoesquelética, enquanto providencia uma cuidadosa anamnese.

O processo de diagnóstico de dor pelo profissional da saúde tem como objetivo principal a identificação do(s) agente(s) causal(is), a origem, a intensidade e a influência de fatores psicossociais sobre a dor, visando determinar o método mais adequado para seu tratamento.

É necessário fazer anamnese e histórico completos do quadro clínico. São coletadas informações sobre como aconteceu a dor, sua duração e periodicidade, a localização, como evoluiu, fatores que podem ter contribuído para o seu agravamento ou alívio.

Também se procura verificar as repercussões da dor nas atividades diárias do paciente, fatores que podem contribuir para a dor, uso de medicamentos e outras terapias previamente utilizadas e seus resultados.[2]

Escalas de dor ajudam na avaliação do quadro de dor e sua intensidade (Figura 15.1).

Situação-problema ilustrativa
▼

- **Caso 1**

Enquanto aguarda os resultados dos exames complementares iniciais, o médico realiza uma anamnese e um exame físico mais detalhados. A anamnese, o exame físico e os exames complementares poderão evidenciar se alguma das causas cardíaca, pulmonar ou musculoesquelética justifica o quadro apresentado.

Nos casos de dor crônica é dada especial atenção a outros fatores que podem ter contribuído para o aparecimento da dor, tais como atividades físicas ou sobrecargas exercidas pelo paciente (importante para determinar as doenças osteomusculares relacionadas com o trabalho [DORT]), bem como as posições do corpo ao deitar-se, sentar-se, alterações comportamentais, tipo de sono, atividade sexual, apetite, hábitos alimentares, atividades domiciliares e laborativas, atividades de lazer e muitas outras.[2]

Fazer um exame físico completo é fundamental para a busca do diagnóstico, tentando delimitar áreas dolorosas, consistência muscular, alterações em órgãos internos e presença de pontos-gatilho, que são pequenas áreas de dor intensa, localizadas em músculos muito tensos.[2]

Exames complementares se fazem necessários em alguns casos devido a sua complexidade. Entre eles podemos citar os eletrofisiológicos, como a eletroneuromiografia, o exame de ondas positivas e a presença de fibrilações; exames de imagem, como a radiografia simples, a tomografia computadorizada, a ultrassonografia, o mapeamento ósseo e estudos funcionais de imagem. Entre os exames laboratoriais, os exames de sangue são importantes para detectar ou excluir anormalidades inflamatórias, metabólicas e degenerativas.[2]

- **Caso 2**

Diante da exclusão de causas orgânicas, deve-se investigar se fatores psicológicos estão envolvidos no quadro ou se esse pode estar associado a transtornos psiquiátricos, como ansiedade ou depressão, por exemplo. Dor crônica parece estar mais frequentemente associada a quadros depressivos, enquanto a dor aguda, com quadros ansiosos.

Entre os transtornos psiquiátricos caracterizados por uma dor crônica, pode-se dar destaque ao transtorno doloroso. Sua prevalência ao longo da vida é de cerca de 12%, podendo iniciar em qualquer idade. Para o manual estatístico e diagnóstico de transtornos mentais da Associação Psiquiátrica Norte-americana (DSM-IV) a característica essencial do transtorno doloroso é uma dor que se torna o foco predominante da apresentação clínica, sendo suficientemente grave para indicar uma atenção clínica (critério A). É a dor que causa sofrimento clinicamente significativo ou prejuízo no funcionamento social ou ocupacional ou em outras áreas importantes do funcionamento (critério B). Fatores psicológicos supostamente exercem um papel significativo no início, gravidade, exacerbação ou manutenção da dor (critério

Escala de categoria numérica
A pessoa quantifica a intensidade de sua dor em uma escala de 0 a 10.

Escala de categoria verbal
O paciente classifica sua dor segundo as categorias: nenhuma dor, dor leve, moderada, forte, muito forte ou dor incapacitante.

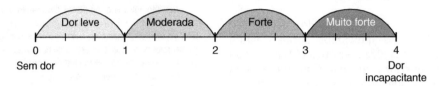

Escala de faces

Escala visual analógica
O paciente marca na linha uma indicação da gravidade da dor que sente no momento.

O profissional verifica no verso o valor correspondente ao indicado pelo paciente.

Figura 15.1 Escalas de avaliação de dor.

C). A dor não é intencionalmente produzida ou simulada como no transtorno factício ou na simulação (critério D). O transtorno doloroso não deve ser diagnosticado se a dor é mais bem explicada por um transtorno do humor, de ansiedade ou psicótico, ou se a apresentação dolorosa satisfaz os critérios para dispareunia (critério E).[5]

O transtorno doloroso tem três no eixo III da classificação diagnóstica da DSM-IV. Quanto à duração da dor, eles podem ser codificados como agudos, com duração inferior a 6 meses, ou crônicos, com seis ou mais meses.[5]

A classificação internacional de transtornos mentais (CID-10) identifica o transtorno doloroso somatoforme persistente como parte dos transtornos somatoformes, em que a principal queixa do paciente são as dores persistentes, angustiantes e que não se consegue explicar, seja por um processo fisiológico ou por alguma doença física. De maneira geral, pode-se identificar que são dores psiquicamente decorrentes de problemas psicossociais ou em associação a conflitos emocionais importantes, cujo desfecho pode ser um aumento de atenção e suporte tanto por parte da família quanto do(s) médico(s) assistente(s). Aqui, como na DSM-IV, o diagnóstico diferencial com dores de causa orgânica deve ser observado, possibilitando uma boa orientação ao paciente, que, de regra, tem dificuldade em compreender a transformação de seus conflitos emocionais em sensações dolorosas fisicamente inexplicáveis.[6]

► Comorbidades

A associação mais frequente com dor crônica é a de sintomas depressivos, sendo relativamente alta (25%) a prevalência de depressão clínica ao longo da vida de um doloroso crônico. Outros diagnósticos associados a frequência são transtornos de ansiedade, de somatização, de conversão e factícios. As evidências clínicas de condições predisponentes ao desenvolvimento do comportamento doloroso crônico várias vezes fazem com que seja difícil saber se a dor crônica precedeu ou sucedeu os sintomas psiquiátricos associados em um determinado paciente. Assim, o critério de exclusão de transtorno do humor para transtorno doloroso segundo o DSM-IV encontra frequentemente dificuldade de ser aplicado na prática clínica.[5]

Mesmo sendo a depressão e a ansiedade síndromes frequentemente associadas à dor crônica, não há um diagnóstico psiquiátrico exclusivo. Qualquer diagnóstico pode acompanhar a dor crônica. Os pacientes com dor crônica apresentam associação significativa com abuso de substâncias psicoativas, como álcool, benzodiazepínicos e opioides, e principalmente aqueles com doenças progressivas apresentam maior risco de suicídio.[7]

Como é frequente a concomitância de transtorno do humor depressivo em casos de dor crônica, é recomendável avaliar a presença de sintomas neurovegetativos de depressão, como padrão de sono e apetite, e a capacidade afetiva de responder a estímulos emocionais, como obter lazer ou sorrir.[8]

A presença de depressão em pacientes com dor está associada ao aumento de queixas relacionadas com a dor e a piora funcional. Da mesma maneira, a presença de dor em pacientes com depressão leva a piora da qualidade de vida, menor capacidade para o trabalho e aumento da demanda por atendimentos em saúde.[8]

► Aspectos psicológicos

O momento de entrevista requer habilidade para poder se comunicar mais profundamente com o paciente, identificar traços de personalidade e mecanismos de defesa. Frequentemente estes pacientes mostram um julgamento pobre em relação a procedimentos médicos de risco, negam sentimentos agressivos e rapidamente se alternam entre a idealização e a desvalorização da equipe médica. Estimular a falar de sentimentos como a raiva é tão importante quanto estimular a falar da insônia ou da hérnia de disco.[9]

Vários pacientes desenvolvem, ao longo do tempo, mecanismos de defesa que aumentam sua capacidade de conviver com a dor, mesmo que, do ponto de vista fisiopatológico, a continuidade do estímulo nociceptivo possa diminuir o limiar de percepção dolorosa. Esses pacientes, perante o clínico, podem contar uma longa história de dor intensa sem as manifestações de sofrimento esperadas em um paciente com dor aguda. A capacidade de adaptação ao sofrimento, ironicamente, conduz esses pacientes a uma situação desfavorável diante do examinador, que pode duvidar de sua veracidade.[10]

Também é comum que os pacientes que foram adotando o chamado comportamento doloroso crônico se apresentem com necessidades urgentes, pressionando os clínicos. Estes logo identificam que a dor que parecia aguda e urgente é, na verdade, de longa duração.[10]

Muitas vezes o paciente com dor crônica apresenta necessidades infantis de dependência e passividade acentuada. Verbalizam pobremente as emoções, tendem a permanecer preocupados com experiências somáticas em detrimento dos conflitos psíquicos e têm grande dificuldade para vivenciarem luto.[11]

A presença de uma condição física bem estabelecida não descarta a importância de fatores emocionais associados. Uma lesão tecidual ou uma doença física podem ser utilizadas inconscientemente para obter satisfação de necessidades, como, por exemplo, livrar-se das exigências do trabalho ou afetivas. Por outro lado, a presença de conflitos psíquicos identificados não afasta necessariamente a presença de fatores orgânicos responsáveis pela dor, pelo seu agravamento ou pela sua manutenção. A arte e o desafio de tratar o paciente com dor crônica se constituem na capacidade de discernir a importância de cada um desses componentes.[11]

► Dor "real" versus dor "emocional"

Frequentemente os psiquiatras são chamados para fazer o diagnóstico diferencial entre uma dor "real" ou "emocional". Na verdade, este é um falso dilema: *se o paciente se queixa de dor, há dor, com a única exceção dos simuladores.* O simulador é aquele que mente conscientemente. Ele não está sentindo dor, sabe disto, apenas inventa uma falsa informação, em geral com o objetivo de obter algum ganho do tipo imediato, financeiro ou outro. Nos demais casos, a pessoa que se queixa de dor está realmente percebendo uma sensação desagradável que identifica como dor, seja conversiva, hipocondríaca, alucinatória ou por uma lesão tecidual em sua origem. O que varia é o percentual de fatores psicológicos e orgânicos na gênese e manutenção da dor.[12]

Situação-problema
▼

Diante da idade da paciente (28 anos), não foi surpreendente que o exame físico e os exames complementares não evidenciaram nenhuma anormalidade. Logo, a paciente expressou o medo de que estivesse tendo um infarto, já que ficou sabendo, há poucos dias, do caso de uma vizinha que morreu subitamente em casa por infarto agudo do miocárdio (IAM). Além disso, relata vir, há 3 meses, com palpitações e tremores eventuais e dificuldade para iniciar a dormir. Refere problemas no trabalho, no qual tem sido muito exigida e teve desentendimento com o chefe. Quando questionada, pôde perceber que o início dos sintomas coincidiu com o início dos problemas no trabalho. Refere muito medo de perder o emprego, já que cria sozinha a filha de 5 anos e ajuda financeiramente os pais. Após reassegurada de que não estava apresentando um IAM ou outro problema orgânico importante, saiu da consulta percebendo a necessidade de procurar atendimento psicológico.

▶ Tratamento

O primeiro passo para o tratamento adequado dos processos dolorosos é o diagnóstico e a resolução de suas causas desencadeantes, quando elas são identificáveis por meio de exame clínico e exames complementares. É importante também individualizar o tratamento, avaliando em cada caso todos os fatores que possam estar envolvidos influenciando no processo doloroso.[13]

No caso da dor aguda, a resolução de sua causa, associada ao uso de analgésicos adequados, fisioterapia e psicoterapia, geralmente são suficientes para o restabelecimento completo do indivíduo em suas atividades normais.[13]

Nos casos de dor crônica, o tratamento pode demandar cuidados mais prolongados e que abordem diversos fatores que podem estar envolvidos no processo, tendo como objetivo não somente o desaparecimento da dor, como também o controle de sintomas, redução de desconforto, desenvolvimento de autoconfiança, eliminação de possíveis medos, mortificação de crenças distorcidas, diminuição do uso abusivo de medicamentos e reintegração às atividades sociais e profissionais.[13]

- *Farmacoterapia*: as medicações utilizadas com maior frequência são analgésicos e anti-inflamatórios, auxiliando no combate à dor e às inflamações teciduais. Outras classes de medicamentos também são utilizadas como adjuvantes, como alguns antidepressivos que têm efeito analgésico, como a amitriptilina, e que melhoram o sono e o apetite. Os neurolépticos e os anticonvulsivantes também são adjuvantes no alívio da dor. Em situações especiais, também podem ser utilizados corticosteroides e miorrelaxantes[13]
- *Fisioterapia*: dispõe de diversas técnicas para auxiliar no tratamento da dor[13]
- *Psicoterapia*: estimular o paciente a desenvolver novos hábitos de comportamentos e atitudes frente à doença, ajudando a ter um enfrentamento mais positivo da dor e de suas consequências. É importante abordar sintomas de ansiedade, depressão, medo, pânico, fobias, e quaisquer outras manifestações psiquiátricas. A longo prazo também podem ser utilizadas técnicas psicoterápicas, abordando os aspectos emocionais ligados à dor e que podem estar influenciando no seu curso. No caso do tratamento psicodinâmico, o foco é principalmente as experiências de relacionamentos precoces do pacientes. No caso de pacientes com dor crônica, o mais importante não reside nos significados simbólicos das experiências dos pacientes, mas em perceber a dor do paciente como um registro de experiências interativas que ele teve em seus primeiros anos de vida[14]
- *Outros*: há outras maneiras de tratamento que podem auxiliar de acordo com as características de cada indivíduo. A Acupuntura proporciona relaxamento muscular e tem efeito anti-inflamatório.

As atividades artísticas são um meio de reabilitação e de diminuir o isolamento social causado pela dor[14]
- *Tratamento multidisciplinar*: o tratamento da dor, dada sua complexidade, merece um tratamento multiprofissional, envolvendo psiquiatras, médicos gerais, psicólogos, terapeutas ocupacionais, enfermeiros e assistentes sociais, propiciando o enfoque dos diversos aspectos que podem afetar o paciente. É fundamental que os diversos profissionais mantenham-se em contato.[13]

Situação-problema

▼

Homem de meia-idade, solteiro, procurou atendimento no Serviço de Dor por piora de um quadro de enxaqueca e cefaleia tensional crônica. Somente após várias sessões pôde relacionar a piora da dor com a perda de um relacionamento amoroso importante. Inicialmente, ele apenas se preocupava em relatar seus sintomas físicos e queixar-se que não percebia alívio da dor, negando qualquer sentimento importante quanto à interrupção de sua relação amorosa. Quando ficou claro que o paciente não tomava as medidas terapêuticas necessárias para alívio da dor, percebeu-se que ele estava mantendo a dor física a fim de não se defrontar com a dor da perda. Ao compreender essa correlação, o paciente conseguiu mudar o foco de suas sessões, centrando-se em sua decepção e sua raiva da ex-companheira. Essa mudança de foco possibilitou que ele pudesse expressar e elaborar seus sentimentos em relação à dor da perda e tomar as medidas adequadas para um alívio efetivo de suas dores físicas. Trata-se, aqui, de um nítido uso defensivo da dor física para evitar os sentimentos e os significados mais dolorosos em um nível psíquico.

- **Sugestão**

Observe casos semelhantes na enfermaria ou no ambulatório geral, descreva-o e apresente ao professor para discussão no seu grupo.

▶ Referências bibliográficas

1. Portenoy RK, Cheville AL. Chronic pain management. *In*: Stoudemire A, Fogel BS, Greenberg DB (Ed.). *Psychiatric Care of the Medical Patient*. 2 ed., Cambridge: Oxford University Press, 2000: 199-225.
2. Sociedade Brasileira para Estudos da Dor, 2008. www.dor.org.br
3. Cherlton JE. Core Curriculum for Professional Education in Pain. Psychosocial and Cultural Aspects of Pain. Seatle: IASP Press, 2005.
4. Casey CY, Greenberg MA, Nicassio PM, Harpin E, Hubbard D. Transition from acute to chronic pain and disability: A model including cognitive, affective, and trauma factors. *Pain* 2008; 134:69-79.
5. American Psychiatric Association. *Manual Diagnóstico e Estatístico de Transtornos Mentais (DSM-IV-TR)*. 4ª edição revisada. Porto Alegre: Artmed, 2002.
6. OMS. *Classificação dos Transtornos Mentais e de Comportamento da CID-10. Descrições clínicas e diretrizes diagnósticas*. Porto Alegre: Artes Médicas, 1993.
7. Sadock BJ, Sadock VA. *Kaplan & Sadock's synopsis of psychiatry: behavior sciences/clinical psychiatry*. 10 ed., 2007.
8. Bair MJ, Robinson R, Katon W, Kroenke K. Depression and pain comorbidity. *Arch Intern Med* 2003;163:2433-45.
9. Lantsheere B. Une approche psychanalytique de la douleur chronique. *Rev Med Brux* 2000; (4)A:214-8.
10. Aguiar RW, Branchtein LC. Avaliação psiquiátrica do paciente com dor crônica: relato e discussão de um caso clínico. *Cad IPUB* 1997; (6):155-61.
11. Greenberg DB (Ed.). *Psychiatric care of the medical patient*. 2 ed., Cambridge: Oxford University Press, 2000: 199-225.
12. Aguiar RW, Caleffi L. Dor crônica. *In*: Fráguas Jr. R, Figueiró JAB (Eds.). Depressões em medicina interna e em outras condições médicas – Depressões secundárias. São Paulo: Atheneu. 2001, 407-18.
13. Cherlton JE. Core Curriculum for Professional Education in Pain. Psychiatric Evaluation and Treatment. Seatle: IASP Press, 2005.
14. Lakoff R. Interpretive psychotherapy with chronic pain patients. *Can J Psych* 1983; 28:650-53.

16 Somatização na Prática Clínica

Munira Aiex Proença e Alicia Navarro de Souza

▶ Para reconhecer a questão

Pacientes somatizantes, tradicionalmente conhecidos no meio médico como funcionais, constituem um grupo heterogêneo no que se refere às apresentações clínicas. Os médicos se deparam com aqueles que se apresentam muito preocupados com a saúde, com queixas somáticas inespecíficas e variadas. Mas também são procurados por outros que se apresentam relativamente incapacitados, com quadros clínicos de longa duração, trazendo exames e diagnósticos referentes a patologias sem mecanismo fisiopatológico bem estabelecido, como por exemplo, fibromialgia.

No exame físico e/ou complementar não se evidenciam sinais compatíveis com a(s) patologia(s) sugerida(s), mas não se trata de imaginação ou simulação, já que os pacientes não exercem controle voluntário sobre seus sintomas. Como os exames clínicos e laboratoriais não detectam alterações anatomopatológicas, os médicos passaram a considerar a somatização um diagnóstico de exclusão.

Durante as consultas, médicos e pacientes experimentam algum grau de desconforto um com outro. A maior parte dos profissionais da saúde considera que as dificuldades assistenciais decorrem do fato de que os padecimentos estão referidos a uma ação anormal da mente sobre o corpo e que a resolução dessa situação clínica ultrapassa os limites de sua formação e competência. Acrescentam que não se sentem à vontade ao serem confrontados com as questões socioculturais e/ou familiares expressas na somatização sem que exista suficiente consenso sobre como diagnosticar e, muito menos, um protocolo de intervenção preconizado pelo saber médico.

Os médicos tendem a transferir os pacientes para psiquiatras e psicólogos por perceberem aspectos emocionais envolvidos nos quadros clínicos. Os pacientes tendem a recusar o encaminhamento proposto por se sentirem desrespeitados e sem resposta para suas queixas somáticas. Instala-se uma situação de não assistência, uma assistência equivocada ou até uma conduta iatrogênica.

Os pacientes somatizantes são numerosos e sempre procuram atendimento. De 10 a 30% das consultas realizadas nas unidades de atenção primária dos sistemas de saúde, assim como nos atendimentos ambulatoriais de qualquer especialidade médica ou cirúrgica, referem-se a quadros de somatização.[1] Consultar novos médicos ou mudar de profissional frequentemente – *doctor shopping* – são atitudes corriqueiras desses pacientes, além de sua insistência nas solicitações por exames e encaminhamentos a especialistas.

Parcela significativa dos custos diretos do atendimento em saúde de qualquer país desenvolvido – 10 a 20% – tem sido atribuída a essa clientela pela excessiva utilização dos serviços de atendimento bem como pela realização de múltiplos exames e procedimentos que não confirmam as hipóteses diagnósticas. O absenteísmo no trabalho e os correspondentes pagamentos do auxílio-doença ou aposentadoria por invalidez se constituem como despesas indiretas a serem acrescidas ao custo total dessa população para o sistema como um todo.[2]

O objetivo deste capítulo é apresentar o entendimento atual sobre somatização e pacientes somatizantes, contribuindo na superação das dificuldades enfrentadas pelos profissionais e estudantes no acompanhamento adequado dessa clientela.

A parte inicial do capítulo recupera a perspectiva histórica sobre somatização e o conhecimento mais recentemente reunido sobre a questão a partir das contribuições das neurociências, antropologia social e psicanálise. Na sequência, são apresentadas as categorias diagnósticas aplicadas aos pacientes somatizantes pela medicina interna e pela psiquiatria.

A seguir, são apontadas as condições para reconhecimento e agrupamento dos pacientes somatizantes na prática clínica como agudos ou crônicos e as correspondências com os esquemas classificatórios da medicina interna e da psiquiatria. Destacam-se as situações clínicas que podem ser confundidas com a somatização.

Por fim, são apresentados os quadros clínicos que devem ser imediatamente encaminhados ao psiquiatra, diferenciando-os daqueles encontrados nos pacientes somatizantes atendidos nas emergências e dos que deverão permanecer inicialmente sob a responsabilidade do trabalho clinicopsiquiátrico integrado. Enumeram-se os aspectos básicos do atendimento compartilhado e os cuidados a serem observados quanto ao encaminhamento para tratamento psicológico e/ou psiquiátrico, caso seja necessário.

▶ Perspectiva histórica e abordagens clássicas

A *história da medicina* registra que os conhecimentos sobre somatização se articulam com os conceitos vigentes em cada época sobre mente, funcionamento mental e relações corpo/mente. Sabe-se que, embora tenham ocorrido modificações através dos tempos, esses temas sempre despertam controvérsias.[3] Nos primórdios da civilização, investigar o corpo ou a mente significava profanar território sagrado uma vez que a interioridade, reconhecida como alma, estava vinculada à religiosidade.

No Renascimento (1450 a 1650), promove-se uma distinção de termos e domínios. A *mente* passa a ser considerada tema de interesse filosófico; a *alma*, assunto religioso, e as *emoções* passam a ser ignoradas no que se refere ao seu papel no adoecer. Trata-se de uma reação contra tudo que pudesse estar contaminado pelos conceitos religiosos. Nesse contexto, descarta-se como não científico o conhecimento reunido pela medicina egípcia e o registrado no *Corpus hipocraticus* sobre a ação psíquica no corpo.

No século 19, as concepções que desvinculam o corpo da mente continuam a predominar no saber e na prática médicas, mas, ao mesmo tempo, acumulam-se as informações sobre padecimentos em que as emoções dos pacientes alteram o funcionamento corporal. Os clássicos trabalhos de *Claude Bernard*, em 1850, sobre a capacidade do ser vivo em manter a constância do meio interior, e os de *Pavlov*, em 1876, sobre o papel do condicionamento nas emoções, foram marcantes para o desenvolvimento das pesquisas no campo da somatização.

Freud, no final do século 19, a partir de trabalhos sobre paralisias e afasias sem causa orgânica detectável, formula a hipótese de conversão de uma excitação endógena em inervação somática – histeria – afastando a hipótese de danos na estrutura neuroanatômica como causa daqueles padecimentos.

Tornam-se igualmente clássicas as contribuições de *Cannon*, em 1927, e as de *Selye*, em 1945. Cannon descreve as modificações fisiológicas provocadas pela secreção emergencial de epinefrina, desencadeada pelos sentimentos de medo, dor, fome ou raiva. Selye formula o conceito de estresse e descreve a síndrome geral de adaptação do organismo às percepções estressoras, com mobilização das catecolaminas, corticosteroides e vários hormônios. As regiões cerebrais articuladas com as vivências emocionais seriam o sistema límbico, o hipotálamo e as estruturas corticais superiores.

O termo *somatização* aparece na literatura médica com Steckel, em 1927, designando um processo no qual uma neurose profundamente estabelecida podia produzir transtornos corporais. Na década de 1930, desenvolve-se a concepção da "causalidade psicológica" de algumas doenças – *as doenças psicossomáticas*. Em particular, os trabalhos de Alexander propõem a presença de "conflitos básicos", "conflitos típicos" da hipertensão arterial, úlcera duodenal, asma brônquica etc.[4] Para a racionalidade dominante na medicina daquele tempo, que trabalhava com o conceito de causalidade linear, o conflito psicológico desempenha o papel de *agente causador da alteração corporal*.[5,6] O entendimento reunido até então aponta para o reconhecimento de que havia uma intercomunicação corpo/mente e que os pacientes somatizantes apresentariam anormalidades no funcionamento orgânico derivados da *ação patogênica da mente sobre o corpo*.

Atualmente, a medicina reconhece que não há como separar as dimensões biológica, psicológica e social envolvidas nos processos de saúde/doença. Há sempre uma articulação de modo tal que, em todas as doenças e na saúde, os campos biológico, psicológico e social estão representados em arranjos específicos. Trabalha-se, hoje, com a perspectiva da causalidade multifatorial.

▶ Perspectiva multidisciplinar contemporânea

Nas últimas décadas, multiplicaram-se as indagações sobre esses pacientes. Uma delas, ao reconhecer a ocorrência de queixas somáticas em quadros ansiosos e depressivos, bem como em situações psicológicas de maior tensão, questiona a *delimitação entre normalidade e processo patológico*. Cabe destacar que, *normalmente, o organismo exibe as inscrições das emoções e tensões por meio de modificações corporais simultâneas*, sem que se possam estabelecer relações de causalidade ou anterioridade em nenhuma das direções.[7]

O *equipamento biológico adaptativo reunido pela espécie* responde por essa inequívoca integração corpo/mente concretizada pela transcrição concomitante dos fenômenos da vida mental no funcionamento do sistema nervoso central e periférico, além das privilegiadas ligações com o sistema endócrino e imunológico.

Sentir prazer ou dor é ser afetado no corpo. Sentimentos são afetos e implicam um *registro da série prazer/desprazer na dupla face mental e corporal*. Viver uma emoção implica inscrições orgânicas correlatas. As expressões: "morrer de medo; de amor; de raiva; de vergonha"; "meu coração disparou na hora do gol"; "senti meu rosto vermelho e a mão seca ao lado dele"; "tive que correr para o banheiro depois da prova" exemplificam esse fato. Assim, enquanto seres dotados de corpo e mente, todos nós sentimos e reagimos integradamente, ou seja, *há sempre uma modificação corporal concomitante ao transcurso da vida mental*. Muitas dessas alterações são imperceptíveis e, quando se tornam perceptíveis, as pessoas em geral não as registram como sinais indicativos de patologias. Outras, associam-nas com doenças.

Como se dá esse peculiar processo associativo entre sensações corporais e patologias? O fenômeno da somatização ultrapassa a dimensão biológica e se explica pela singular capacidade dos humanos de *"simbolizar"* e *"produzir"* sua concepção da realidade. O real simbolizado transcende a materialidade: o desenho de uma árvore não é a árvore; uma cena produz sensações e registros diferentes entre as pessoas que a presenciam; uma percepção de alteração de frequência cardíaca desencadeia ideias e sentimentos diferentes entre os pacientes. O ser humano capta a realidade com seus órgãos sensoriais e *a interpreta*, lançando mão dos *significados que lhe foram transmitidos por seu grupo social e dos que ele próprio cunhou ao longo de sua existência*. Isso ocorre em relação aos estímulos do mundo exterior, bem como com os advindos do interior do corpo e, ainda, a tudo que se refira ao adoecer e tratar.

Assim, estudos clínicos e pesquisas atuais destacam que a somatização deve ser entendida como *resultante de um processo* estabelecido a partir de múltiplas forças localizadas no próprio paciente, mas também envolvem aspectos inerentes às concepções predominantes acerca de doença, saúde, direitos do doente, intervenções técnicas etc. produzidas no seu entorno familiar, na sociedade, na cultura em geral e na cultura médica em particular.

Nessa perspectiva, muitos pesquisadores passaram a se pronunciar a respeito do que é somatização. No dizer de Rosen, trata-se da "articulação de problemas emocionais e estresse social por meio de sintomas físicos".[8] Kleinman define somatização como "a expressão de mal estar pessoal e social em um idioma de queixas corporais com procura de ajuda médica".[9] Para Lipowski, somatização é o fenômeno clínico em que ocorre presença de sintomas físicos atribuídos pelo paciente a causas orgânicas, desencadeando uma demanda de cuidado médico para sua solução.[10] O médico considera os sintomas relatados sem justificativa anatomopatológica e percebe sua associação com sofrimento emocional ou, às vezes, com transtornos mentais, sem que o paciente reconheça essa ligação.

Atualmente, a maior parte dos estudiosos aceita a definição de Lipowski, sublinhando a existência de três componentes na somatização:

- O registro perceptivo do fenômeno corporal
- A interpretação formulada pelo paciente
- As atitudes do paciente à procura de solução.

Kirmayer cunhou a expressão *padrão de atribuição* para enfatizar que os pacientes somatizantes devem ser definidos pela forma como explicam e pelo sentido que atribuem às suas queixas, ultrapassando a identificação clássica da somatização como um diagnóstico de exclusão.[11] A característica que se destaca nos pacientes somatizantes é o fato de que eles atribuem a um sintoma um determinado significado, o qual se articula com sua vida pessoal e sua inscrição cultural.

Botega et al. referem-se ao processo no qual ocorre "apresentação de queixas somáticas decorrentes de causas psicológicas, mas que são atribuídas pelo paciente a uma causa orgânica".[12] Acrescentam que somatização não se refere a uma entidade patológica, embora se vincule a diversos quadros psiquiátricos.

Fortes destaca que os sintomas sem explicação médica e a somatização são uma maneira de comunicação do sofrimento, um tipo de *mal-estar* (*illness*).[13] Esse conceito, formulado por Eisenberg em 1977,[14] diz respeito à experiência subjetiva da doença por parte de quem a sofre, contrapondo-se à *doença* (*disease*), objeto do saber e prática dos profissionais de saúde. O adoecimento envolve a subjetividade de quem adoece, as concepções sociais e culturais quanto ao papel de doente, bem como a significação do processo saúde/doença.

Nas últimas décadas, os pesquisadores têm aplicado o conhecimento produzido pelas neurociências, pela antropologia social e pela psiquiatria psicodinâmica na compreensão dos quadros clínicos. Tanto na pesquisa quanto na clínica tornou-se relevante a aplicação de um *enfoque multidisciplinar* para o entendimento do fenômeno da somatização. O modelo linear de causa/efeito se mostrou insuficiente, sendo substituído pelo *complexo arranjo de aspectos neurológicos, psiquiátricos e psicossociais contextualizados no ambiente cultural no qual o paciente se encontra inserido.*

- **Neurociências e psiquiatria**

As neurociências estão empenhadas em detalhar os mecanismos, vias e estruturas neurológicas envolvidas na relação corpo/mente. Os pesquisadores rastreiam as alterações cerebrais correspondentes quando existem evidências clínicas de anormalidades. Em quadros de somatização crônica, foram localizadas alterações na atividade do eixo hipotálamo hipofisário, incidindo sobre os níveis de cortisol.

Estudos apontam alterações fisiopatológicas em funções e mecanismos neuroquímicos, bem como processos de hipersensibilização neuronal, levando à *"amplificação somatossensorial"*. Barsky (1992) descreveu a amplificação somatossensorial como *tendência a experimentar sensações corporais de modo intenso e nocivo*, considerando-a como o possível mecanismo patogênico da hipocondria e um concomitante não específico de vários transtornos psiquiátricos caracterizados por sintomas somáticos proeminentes.[15] Sugeriu também que a variabilidade dos sintomas somáticos encontrada nas síndromes somáticas funcionais possa ser explicada por essa experiência. Kirmayer (2006) aponta que, nesses casos, a somatização funciona como um indicador de uma *manifestação psicopatológica* tal como acontece em certos pacientes com determinados *traços de personalidade*.[16]

- **Antropologia social**

A abordagem da antropologia social se refere aos fenômenos inerentes à interpretação dos sintomas – o *padrão de atribuição*. Os estudos se concentram nos valores dominantes na cultura, no sistema médico, nas famílias e nos indivíduos a respeito de saúde e doença e seus desdobramentos psicossociais.

Nas culturas dominadas pela dicotomia cartesiana – *separação corpo/mente*, muitas vezes se percebe que essas fronteiras se diluem quando os pacientes elaboram suas concepções sobre o adoecer e *o sofrimento psíquico pode frequentemente ser comunicado pelos seus equivalentes corporais*. Por exemplo, latino-americanos, em estudos multicêntricos, foram diagnosticados, muito frequentemente, como portadores de transtornos de somatização quando procuraram unidades básicas de saúde com queixas somáticas.[17]

Já entre os chineses, transtornos mentais se apresentam predominantemente a partir de queixas físicas, e não psicológicas, porque essa cultura não estimula a expressão de sentimentos centrados no próprio indivíduo.[17] Pesquisas realizadas demonstram que algumas culturas desaprovam que se fale das emoções por nelas identificarem indícios de fraqueza pessoal, descontrole e perda do pragmatismo. Nessas circunstâncias, os pacientes se concentram nos correlatos orgânicos das emoções, desvinculando-os da situação vivenciada.[18]

Estudos antropológicos realizados no Brasil apontam que o profissional da saúde deve atentar para o fato de que, em determinados grupos, o corpo se constitui como meio de expressão preferencial para qualquer sofrimento, uma vez que é ao seu redor que se organiza a vida.[19] Isso não significa que esses pacientes sejam limitados quanto ao uso de recursos verbais ou de abstração e, sim, uma valorização de formas mais concretas de expressão de sua vida mental. O clínico, comprometido com outra maneira de ver o mundo, tem que redobrar sua atenção para garantir a precisão do diagnóstico e a consequente qualidade do atendimento.

Kirmayer et al.,[20,21] em estudo realizado no Canadá, perceberam que o *sintoma somático pode ser o modo de apresentação de um transtorno mental*, principalmente do *transtorno do humor*. Os autores pesquisaram a forma de apresentação de 700 pacientes que receberam o diagnóstico de *depressão maior ou transtorno do pânico*, quando procuraram a clínica de medicina de família. Entre os resultados, *15% dos pacientes abordaram diretamente com os clínicos suas questões de ordem psicossocial enquanto 85% apresentaram o transtorno mental por meio de queixas somáticas*.

Entre esses 85%, 60% reconheceram suas questões psicossociais com um maior empenho do médico no diálogo, enquanto os 25% restantes permaneceram rejeitando qualquer relação entre as queixas somáticas e fatores psicossociais. Considerando-se os 60% que reconheceram, 34% relataram uma possível causa psicossocial quando perguntados sobre o porquê de suas queixas, enquanto 26% responderam afirmativamente à pergunta se os nervos ou preocupações teriam relação com as queixas somáticas.

Esse estudo demonstra que, nos sistemas de saúde marcados pela cultura da racionalidade científica moderna, o *médico poderia ser coautor do comportamento somatizante ao mostrar-se limitado na captação dos sinais de transtornos mentais*, ao não atentar para a comunicação verbal ou não verbal do sofrimento psíquico valorizando somente as referências corporais. Nesse caso, sua conduta profissional estaria orientada pelo entendimento de que, segundo o dualismo cartesiano, cabe ao médico diagnosticar e decidir medidas terapêuticas para o corpo.

Nessa maneira de pensar, os médicos não psiquiatras não se sentem autorizados para se aproximar da vida psíquica dos pacientes, preferindo não explorar os sinais ou comunicações que possam conduzir a manifestações psicológicas ou psiquiátricas, o que, muitas vezes, resulta em erros diagnósticos seja por inadequação ou omissão. Os pacientes, por sua vez, ao perceberem que os médicos tratam do corpo, não se sentem autorizados a mencionar outras dores que não as físicas.[22]

Acrescente-se que padrões de atendimento sem o estabelecimento de vínculos entre médicos e pacientes incentivam a desvalorização do olhar clínico e sua substituição pela tecnologia no exame do corpo, favorecendo a somatização[13] e a patologização do que os estudiosos chamam de *expressão idiomática de mal-estar* (*idiom of distress*).

O médico alheio a isso pode levar a uma patologização excessiva de sintomas sem perceber que os pacientes estão se utilizando de códigos culturais para expressar níveis subclínicos de mal-estar ou questões pertinentes ao grupo social. Para Kirmayer et al., o sintoma somático pode ser *comunicação de mal-estar psíquico que não se constitui como transtorno mental*, devendo ser compreendido como uma forma de expressão própria a *todo um sistema cultural, que não só indica o sintoma, mas também situa e explica o significado do sofrimento*.[23] O estudo de Nichter sobre as mulheres Havik Bramanes do sul da Índia descreve como sintomas vagos digestivos podem expressar ansiedade ligada ao medo de envenenamento em função de conflitos nas relações familiares, os quais não podem ser comunicados de outro modo.[24]

Fortes *et al.* reafirmam que as queixas sem explicação médica são um meio de o paciente apresentar seu sofrimento para o profissional, uma busca de cuidado, mais do que uma doença específica.[13] Frequentemente, estão presentes em quadros ansiosos e depressivos, bem como em situações de estresse, sem que, por si, possam ser consideradas patológicas, uma vez que alterações físicas fazem parte dos processos mentais.

É importante destacar que muitos mal-entendidos na relação médico-paciente se devem ao fato do médico considerar as *construções metafóricas* que o paciente utiliza ao comunicar sua experiência de adoecimento como descrições literais sobre o corpo biológico, objeto do saber médico. Quando um paciente nos fala sobre dor no peito ele pode estar utilizando uma metáfora evocativa que traz em si todo um significado emocional específico.[11] Isso nos remete à proposição de Balint da "organização da doença" podendo ser uma construção da relação médico-paciente, sobretudo quando o paciente se encontra em uma fase inicial "não organizada" da doença.[22]

Quanto às relações familiares e papéis sociais, a interpretação acerca da normalidade/anormalidade das sensações corporais não é a mesma em diferentes culturas e em diferentes famílias de uma mesma cultura; cada família se apropria do valor cultural de forma específica e singular e o transmite a seus membros. Os pesquisadores ilustram e confirmam que o padrão somatizante é reproduzido pelo paciente, a partir de suas experiências familiares: crianças e adultos somatizantes captaram as preocupações com a saúde de seus pais e as reativam ao longo da vida.

Craig *et al.* realizaram um estudo longitudinal com pacientes atendidos na atenção primária, que apresentaram sintomas somáticos de início recente.[25] Os autores se interessaram em investigar, dentre outras questões, se os pacientes somatizantes agudos compartilham com pacientes deprimidos certas "experiências etiológicas" durante a infância. Esses autores afirmaram ter sido possível estabelecer um vínculo entre *falta de cuidado parental, mal-estar físico na infância e comportamento somatizante na idade adulta*. Kirmayer *et al.* (1998) valorizam esses achados de Craig *et al.*, enfatizando como um mecanismo psicopatológico possível para somatização a ocorrência de eventos na infância que reforçam mal-estares somáticos como uma maneira legítima de buscar ajuda e resolver conflitos.[23]

As limitações ou adaptações que podem advir de sintomas somáticos podem ter a função de reconfigurar relações familiares ou outros papéis sociais. Quando uma doença se instala, muitas famílias cercam o paciente de cuidados exagerados em relação ao que é aceito em seu grupo social. *O doente passa a ocupar um lugar central*, com deslocamento de tudo e todos para a periferia. Além da atenção a mais normalmente inspirada pelo adoecer, o paciente passa a usufruir do chamado ganho secundário: suas necessidades são satisfeitas sempre por outrem, mesmo quando não há razão médica para tal, gerando isenção de responsabilidade com o tratamento e com a vida em geral. Outras vezes, a dinâmica do grupo familiar se organiza em torno de uma figura forte, cabendo aos demais o lugar da submissão legitimado pela condição de doente.[27]

No entanto, isso não implica que a pessoa, ao apresentar os sintomas somáticos, o faça intencionalmente. Em vários estudos envolvendo grupos sociais em circunstâncias opressivas, os sintomas somáticos foram entendidos como *formas de resistência ou recursos utilizados pelas pessoas em situação de pouco poder* para chamar a atenção, para questionar relações que não poderiam ser atingidas de outro modo.[23] Os pesquisadores têm apontado que, na conformação depressiva e ansiosa comum aos pacientes somatizantes, encontra-se, frequentemente, histórias de violência física ou sexual, de submissão e conformismo.[26,27] Mais recentemente, também têm sido relatadas histórias de assédio moral no trabalho.[28]

Psicanálise

O sintoma somático enquanto comunicação simbólica nasce como proposta pioneira em Freud, no final do século 19, a partir do trabalho com pacientes que, pelos critérios atuais, seriam portadores de transtornos conversivos. As paralisias, parestesias e distúrbios visuais dos pacientes com manifestações conversivas decorrem, simbolicamente, do mal-estar produzido por *conflitos* que o doente busca expressar.

As contribuições da psicanálise se referem ao fato de que a realidade externa e a interna passam a ser "a realidade daquele sujeito", registrada mentalmente a partir do estímulo da realidade e das palavras utilizadas para a sua nomeação. A transmissão dos códigos simbólicos acontece ao longo do desenvolvimento de cada ser, envolvendo todos os que com ele lidam, mas cada ser humano, no contato com a natureza e com os outros humanos, "processa" a realidade enquanto a registra, assimilando-a.

Assim, *o código assimilado pelo novo ser não é completamente igual ao que lhe foi oferecido*, constituindo-se como a *singular dimensão psicológica humana*. O ser humano transcende sua dimensão biológica, tornando-se *autor, sujeito de sua existência* pela forma singular com que registrou aquilo que lhe foi transmitido nas circunstâncias histórico-sociais, pela cultura e pela família, nas quais se encontra inserido.

Os psicanalistas sublinham que os registros da realidade – representação – são instalados enquanto o novo ser recebe os cuidados do meio ambiente, ocorrendo um processo de comunicação simbólica com ou sem palavras. O recém-nato emite um sinal de tensão – chora – e alguém se apresenta para prestar os cuidados que se fizerem necessários. A criança recebe do cuidador a proteção, o alimento, o aquecimento, podendo registrar diminuição da tensão (satisfação) ou sua permanência (insatisfação).

Quando o cuidador acompanha seus atos com palavras, o nome fica associado à sensação orgânica, isto é, o registro mental inclui o nome e a sensação. O cuidador se valeu do seu próprio código simbólico *ao nomear e ao escolher o que e como fazer*. Agiu segundo o seu entendimento e, ao realizar esses atos, pode sentir prazer, indiferença ou desprazer. Estamos diante do núcleo básico das subjetividades. Há mobilização da *subjetividade de quem emite o símbolo* e da incipiente *subjetividade do ser a quem o símbolo é proposto*.

▶ Classificação de pacientes somatizantes

No âmbito médico, os pacientes somatizantes têm sido atendidos e estudados tanto pela medicina interna quanto pela psiquiatria. Entretanto, em ambos os campos, inúmeras dificuldades foram encontradas para incluí-los nas categorias diagnosticas elaboradas apontando para questões conceituais. Ressalte-se que a designação paciente somatizante não pressupõe uma uniformidade na apresentação do quadro clínico e, muito menos, uma constituição psicológica típica dessa clientela.

▪ Medicina interna e síndromes somáticas funcionais

A demanda dos pacientes somatizantes sempre foi dirigida, majoritariamente, aos clínicos. Inicialmente eram diagnosticados como pacientes portadores de *disfunções orgânicas* uma vez que a racionalidade da medicina moderna reconhece padecimentos como doenças se existirem alterações anatomopatológicas. Os médicos são ainda treinados para encontrar nos relatos de sintomas os sinais de doenças com suas respectivas alterações anatomopatológicas. Quando nenhuma doença pode ser diagnosticada, o paciente é considerado portador de uma síndrome funcional, e não de uma doença. Explicações fisiológicas podem ser encontradas para muitos sintomas somáticos como, por exemplo, distúrbio do sono, hiperventilação, tensão muscular etc.

Nessa perspectiva, os pacientes somatizantes têm sido incluídos na categoria diagnóstica *síndromes somáticas funcionais*. Como indicam Wessely *et al.*,[29] "cada especialidade médica tem definida sua própria síndrome ou síndromes com sintomas relacionados com o órgão de seu interesse": fibromialgia (reumatologia); síndrome do cólon irritável (gastrenterologia); síndrome da fadiga crônica (doenças infecciosas e parasitarias); cefaleia tensional (neurologia); síndrome pré-menstrual (ginecologia); dor torácica atípica ou não cardíaca (cardiologia); e síndrome de hiperventilação (pneumologia). Lesão por esforço repetitivo (LER), distúrbio temporomandibular (ATM), *burnout* e várias síndromes dolorosas são também mencionadas.[30]

Os clínicos percebem a pluralidade de fenômenos trazidos pelos pacientes somatizantes, comprovando sua não homogeneidade. O mesmo paciente pode referir sintomas que permitem sua inclusão em mais de uma das diversas síndromes somáticas funcionais. Como a tensão emocional e o estresse geram alterações fisiológicas, as síndromes funcionais se situam entre o mundo dos profissionais de saúde mental e dos médicos generalistas e/ou especialistas em síndromes agravadas pelo estresse. Além disso, a sobreposição entre os diagnósticos psiquiátrico e clínico, evidenciada em pesquisa realizada na Universidade Federal de São Paulo (UNIFESP), aumenta as dificuldades conceituais e classificatórias admitidas pela medicina interna.[30]

- ## Psiquiatria e transtornos somatoformes

A psiquiatria também foi chamada para conceituar, classificar e tratar esses pacientes. O Manual Diagnóstico e Estatístico de Transtornos Mentais (DSM) da Associação Psiquiátrica Americana, em sua terceira edição (DSM-III), empregou a expressão *fatores psicológicos que afetam condições físicas* para descrever os quadros de somatização descritos na literatura médica. Na quarta edição (DSM-IV), atualmente em vigor, alterou-se para *transtornos somatoformes* com sete subtipos, descritos sucintamente a seguir. É importante registrar que o transtorno de dor e o de somatização indiferenciado são os mais frequentes, tanto no Brasil como no exterior.[31-33]

- *Transtorno de somatização*: caracteriza-se como um transtorno polissintomático, com *início antes dos 30 anos*. Trata-se de uma *condição crônica*, com melhoras e recaídas coincidentes com períodos de estresse emocional. Geralmente há referência a uma combinação de dores (de cabeça, nas costas, abdominal, nas articulações, no peito etc.), ou sintomas gastrintestinais (náuseas, vômitos, diarreia, constipação intestinal, intolerância alimentar etc.), ou sexuais (disfunção erétil ou ejaculatória, dor durante o ato sexual), ou menstruais (ciclo irregular, sangramento excessivo, dismenorreia etc.), ou, ainda, pseudoneurológicos (paralisias, paresias, afonia, anestesias, parestesias, convulsões etc.)
- *Transtorno de somatização indiferenciado*: caracteriza-se por queixas físicas inexplicadas, com *menos de 6 meses de duração*. As queixas reproduzem o padrão encontrado no transtorno de somatização, diferenciando-se pelo menor tempo de duração e pelo menor número de sintomas apresentados
- *Transtorno de dor*: caracteriza-se por dor persistente, grave e angustiante, a qual não pode ser plenamente explicada por um processo fisiológico ou por um transtorno físico. Considera-se que fatores psicológicos tenham um importante papel no início, na gravidade, na exacerbação ou na manutenção do sintoma doloroso. Mulheres, com maior frequência do que homens, apresentam dores crônicas, em especial, enxaqueca, cefaleia tensional, e dores musculoesqueléticas. Esse transtorno ocorre de forma frequente e difusa. Como exemplo, nos EUA, a cada ano, 10 a 15% dos adultos apresentam dor lombar decorrente desse transtorno, com implicações na atividade laboral
- *Transtorno conversivo*: caracteriza-se por *sintomas ou déficits inexplicados que afetam uma função sensorial ou o sistema motor voluntário*, sugerindo uma doença neurológica ou sistêmica. De forma mais frequente, esse transtorno ocorre de forma aguda, em adolescentes ou adultos jovens, tendo curta duração, sendo raro antes de 10 anos ou depois dos 35 anos. Os pacientes são frequentemente encaminhados às emergências
- *Transtorno dismórfico corporal*: caracteriza-se por preocupação ao imaginar ou exagerar um defeito preexistente na aparência física. Igualmente frequente em homens e mulheres, em geral tem início na adolescência. Em clínicas de dermatologia e cirurgia estética, a prevalência varia de 6 a 15%, e, entre pacientes com transtornos de ansiedade ou depressão atendidos em ambulatórios de saúde mental, de 5 a 40%
- *Hipocondria*: caracteriza-se por preocupação persistente com a possibilidade de ter um ou mais transtornos físicos graves – neoplasias ou AIDS, por exemplo – desenvolvida a partir da *interpretação delirante* que o paciente faz de sinais ou sensações banais. Ocorre com maior constância em adultos jovens
- *Transtorno de somatização sem outra especificação*: caracteriza-se como um transtorno somatoforme que não preenche os critérios para nenhum dos anteriormente descritos.

A existência no DSM-IV, da categoria transtornos somatoformes, tem sido criticada, existindo a possibilidade de sua retirada na próxima edição, DSM-V, com transferência dos subtipos para outras categorias. De fato, na prática clínica psiquiátrica, dada a pluralidade de fenômenos mentais trazidos pelos pacientes somatizantes, não é possível incluí-los em uma única categoria diagnóstica. O mais frequente são as comorbidades com outros transtornos mentais, principalmente os afetivos e de ansiedade. Esse fato ratifica a ausência de um processo psicopatológico específico.[34] Sublinhe-se, ainda, que o mesmo quadro clínico implica diagnósticos diferentes se o atendimento é realizado por um clínico ou por um psiquiatra. O mesmo paciente pode ser considerado portador de uma síndrome somática funcional ou de um transtorno somatoforme.[30]

▶ Sobre a prática clínica

Considerando as diversas dimensões do *processo de somatização* e as características gerais dos quadros clínicos atendidos nas unidades de cuidados básicos e nos ambulatórios especializados, percebemos a relevância da proposta de Fortes et al. para a prática clínica.[17] Os autores diferenciam os pacientes somatizantes quanto ao *curso, prognóstico e evolução*, delineando-se dois grupos de pacientes somatizantes: os agudos e os crônicos

• Pacientes somatizantes agudos

Caracterizam-se por *queixas físicas inexplicadas e sintomas somáticos isolados, com duração inferior a 6 meses*. Os pacientes se mobilizam para procurar assistência médica por perceberem alterações no funcionamento orgânico como sinais iniciais de uma doença. Dentre as queixas, são frequentes: palpitação, cansaço, fadiga, fraqueza nas pernas, ardor na cabeça, coração acelerado, coração quase parando, suspiros, respiração ofegante, pouco suor, muito suor, boca e mãos secas, zumbidos no ouvido, sensação de bolo na garganta.
Na DSM-IV, os somatizantes agudos são, quase sempre, enquadrados no diagnóstico de *transtorno de somatização indiferenciado*. No entanto, esses pacientes podem também ser diagnosticados como portadores de *transtorno depressivo, de ansiedade ou de ajustamento*. Nos trabalhos de Kirmayer,[35] somatizantes agudos corresponderiam aos por ele denominados *somatizantes de apresentação ou funcionais*, os quais se valem de expressões culturalmente aceitas para comunicar seu sofrimento psíquico, podendo ou não ser portadores de transtorno depressivo ou de ansiedade, de início recente e curta duração.

Os médicos percebem, como pano de fundo, uma configuração clínica compatível com algum grau de sofrimento psíquico, mas os pacientes não fazem menção espontânea a esse sofrimento. Estabelecida uma boa relação com o profissional, aceitam o nexo psicológico do seu mal-estar. Sentem-se bem em falar de suas vidas ao perceberem o interesse do médico. Na vida familiar e no trabalho não adotam a postura de doentes, embora frequentemente sejam reconhecidos como carentes de atenção e reconhecimento.

• Pacientes somatizantes crônicos

Apresentam quadros com duração de mais de 6 meses, com múltiplos sintomas somáticos configurados nas síndromes classificadas pela medicina interna como *síndromes somáticas funcionais*. Essas síndromes se caracterizam mais pelo sofrimento e incapacidade do que por uma patologia com mecanismo fisiopatológico específico, e a gravidade dos quadros impõe abordagens terapêuticas específicas. Os pacientes referem um longo percurso assistencial e, apesar dos inúmeros exames realizados, insistem em novos procedimentos e mais exames.

Na DSM-IV, os somatizantes crônicos são enquadrados no diagnóstico *transtorno de somatização* ou *transtorno de somatização sem outra especificação*. Esses pacientes apresentam frequentemente como comorbidade um *transtorno depressivo, de ansiedade, ou dissociativo*.[31-33] Nas pesquisas de Kirmayer,[35] esses pacientes se equivalem aos por ele denominados *somatizantes verdadeiros*. Muitas vezes, ocupam na família o *papel de doente*, com comportamentos marcados pela passividade e dependência, sendo poupados de obrigações e responsabilidades. São ou foram muito ligados a alguém doente da família. A correlação do quadro clínico com sofrimento psíquico não é percebida pelo paciente e essa hipótese, se levantada pelo médico, é imediatamente descartada. Os pacientes mostram desagrado com o interesse demonstrado pelo médico por sua vida pessoal, pois estão convictos quanto à existência de uma patologia orgânica.

O que se confunde com somatização

É importante afirmar que, embora na somatização se pressuponha a ausência de alterações anatomopatológicas, não se pode negar a possibilidade de um quadro de somatização existir concomitante a uma patologia orgânica. Acrescente-se que a clínica inicial de algumas enfermidades sistêmicas pode ser confundida com quadros de somatização como, por exemplo, lúpus eritematoso sistêmico, sífilis terciária, neoplasias cerebrais, hiperparatireodismo, hipertireodismo, porfiria aguda intermitente, miastenia *gravis*, sarcoidose e esclerose múltipla.

Outro aspecto a ser diferenciado da somatização são os quadros categorizados como *transtornos factícios* nos quais o paciente apresenta sinais e sintomas psiquiátricos e adota conduta automutiladora e autodestrutiva. Escoriações, queimaduras, impedimento de cicatrização de feridas, indução de infecções e procedimentos dolorosos são infligidos pelo paciente em seu próprio corpo. O paciente se vale de engenhosos recursos para manipular resultados de exames, convencer o médico da necessidade de prosseguir as investigações com internações e cirurgias. A intervenção da psiquiatria deve ser solicitada logo que a hipótese for formulada, uma vez que esses casos provocam, frequentemente, reações emocionais intensas nas equipes com adoção de condutas intempestivas. A "criminalização" do paciente deve ser ativamente evitada.[36] Na literatura psiquiátrica podem-se encontrar as denominações síndrome de Münchausen e pseudologia fantástica aplicadas às formas mais graves.

As *condutas de simulação* também devem ser diferenciadas dos fenômenos de somatização. O contexto está relacionado com *ganhos salariais, percebe-se o interesse em atestados, afastamento do serviço, pedido de declarações para fins legais*. Essas situações não ocorrem nos pacientes somatizantes nem nos transtornos factícios. Nos pacientes somatizantes, ainda que com manipulação de sinais, o que se percebe são problemas afetivos *sem evidências de ganho material imediato*.

▶ Tratamento

Como dito anteriormente, o paciente somatizante procura atendimento nas unidades de cuidados básicos e nos ambulatórios especializados clínicos ou cirúrgicos, de onde são prontamente referidos para os serviços psiquiátricos/psicológicos. Essa orientação normalmente é recusada pelo paciente que, sentindo-se mal atendido, sai à procura de atendimento em outros lugares, mesmo que isso implique em filas e constrangimentos. Pessoas inescrupulosas podem se aproveitar desse tipo de clientela prometendo curas e/ou falando sobre "novas doenças".

Como assistir esse tipo de paciente? Percebe-se que, apesar do muito que o conhecimento médico avançou quanto ao reconhecimento da somatização como um processo multideterminado, estruturar uma rotina assistencial adequada às necessidades dessa clientela vem se constituindo como um dos desafios da medicina atual. Nos limites propostos ao nosso capítulo, vamos nos ocupar, preferencialmente, das questões enfrentadas pelos clínicos, profissionais mais solicitados a atender esses pacientes.

No inicio deste capítulo, referimos algumas das *dificuldades relatadas pelos médicos na prática clínica* com esses pacientes. O desconforto com essa clientela pode representar a preocupação do profissional com a possibilidade de:

- *Não reconhecer sinais de uma patologia*, errando por omissão. Sublinhe-se que tal preocupação é justificável, uma vez que queixas somáticas sem explicação médica podem ser encontradas em quadros iniciais de patologias sistêmicas ou na apresentação de transtornos mentais mais complexos
- Atribuir valor patológico a sinais que podem simplesmente representar uma forma culturalmente aceita de demonstrar sofrimento emocional, pecando pelo excesso.

Nos termos de Kirmayer, a solução para evitar a patologização ou a negligência reside em alcançar na prática clínica o significado do sintoma para o paciente. Entretanto a disponibilidade para realizar esse tipo de observação só se desenvolve quando o profissional procurado ultrapassa suas próprias resistências quanto ao lidar com essa clientela. Perceber o padecimento emocional do paciente, mesmo em suas formas inusitadas de apresentação, reorganiza o campo da relação médico-paciente. As expressões correntes no meio médico associadas a esses pacientes – DNV, piti, poliqueixoso e outras – veiculam uma carga negativa e expressam as dificuldades que o profissional antecipa quanto à condução do caso.

O aspecto fundamental da *abordagem do clínico* será a criteriosa atenção aos *sinais positivos de patologias clínicas* relativizando seu significado patológico no contexto *dos sinais igualmente positivos de transtornos psiquiátricos*. Reitere-se que o contínuo e acurado acompanhamento das manifestações positivas clínicas e psiquiátricas é *a contrapartida ao modo de pensar que identifica a somatização como diagnóstico de exclusão*. Esse olhar clínico inclusivo *favorece a indicação precisa de exames complementares* com o objetivo de distinguir um quadro mental de um quadro sistêmico inicial.

Reconhece-se que essa forma de atender só se viabiliza quando existe a possibilidade de o clínico conversar regularmente com um psiquiatra sobre os pacientes. Essa troca de informações entre os profissionais vem sendo apontada como o principal recurso para garantir efetividade na assistência a essa clientela. O diálogo se impõe para que *clínico e psiquiatra compartilhem a avaliação diagnóstica do paciente* e seus desdobramentos quanto ao tipo de acompanhamento a ser proposto.

Antes de nos ocuparmos das situações clínicas frequentemente encontradas nos ambulatórios, é importante mencionar os *pacientes atendidos nos serviços de emergência* com alterações funcionais nos órgãos dos sentidos e na motricidade em geral. Essa sintomatologia assume uma intensidade e dramaticidade compatíveis com o atendimento de emergência. No entanto, como nas situações ambulatoriais, não há correspondência entre sintomas e alterações fisiopatológicas. Os quadros clínicos incluem tonturas, paresias, parestesias, contrações, tremores, alterações de marcha, distúrbios da visão. Percebe-se receio e preocupação nos acompanhantes enquanto o próprio paciente se mostra indiferente. Em muitos casos, ocorrem desmaios súbitos, confundidos pelos circunstantes com problemas cardíacos provocados pela emoção. Na DSM-IV, esses pacientes são enquadrados no diagnóstico *transtorno conversivo*.[36] Após o exame clínico pertinente, o paciente e seus acompanhantes deverão ser orientados quanto aos possíveis fatores psicossociais envolvidos bem como quanto à necessidade do seguimento clínico, uma vez que sintomas mentais podem ser quadro de abertura para patologias sistêmicas ou neurológicas.

Dentre as situações clínicas encontradas nos ambulatórios, torna-se necessário afirmar que pacientes portadores de *transtorno factício do tipo Munchaüsen ou transtorno hipocondríaco* com *características delirantes*, exigem o imediato encaminhamento para *atendimento psiquiátrico*. Os familiares em geral não se surpreendem com o diagnóstico e reconhecem a necessidade do atendimento com o especialista, pois percebem a anormalidade.

Quanto aos procedimentos preconizados para o atendimento dos pacientes somatizantes agudos ou crônicos, *indica-se que o profissional procurado assuma o acompanhamento clínico do paciente, mantendo uma interlocução regular com o psiquiatra*, promovendo a denominada intervenção psicoterápica do profissional não especialista, que acontece, como veremos, implícita e concomitantemente aos procedimentos médicos.

Os procedimentos médicos – anamnese, exame físico, acompanhamento clínico regular – funcionam como intervenções psicológicas terapêuticas quando o médico reconhece seu significado e alcance emocional para o paciente. Nesses casos, um bom padrão de assistência é alcançado quando o clínico se preocupa com:

- Coletar a história, *privilegiando a escuta ativa* com registro das circunstâncias psicossociais que lhe pareçam relevantes, mas evitando perguntas diretas sobre assuntos da vida emocional do paciente. Sugere-se que a investigação do significado do mal-estar apresentado por ele inclua perguntas acerca de experiências anteriores semelhantes ao mal-estar atual por parte do paciente ou alguém por ele conhecido, perguntas sobre eventos que circundaram o surgimento do mal-estar. Ouvir sem opinar, omitindo qualquer forma de crítica ou julgamento. Os sintomas deverão ser explorados no interrogatório dirigido sem valorização excessiva, mas também sem banalização
- Realizar o exame físico, sabendo que tocar o corpo do paciente, além de *imprescindível* fonte de informações sobre os fenômenos corporais, se constitui em momento

de importância psicológica. O paciente mede *o respeito que o médico demonstrou por ele e por suas queixas* pela qualidade do exame clínico realizado. Durante o acompanhamento, o clínico deverá conquistar a confiança do paciente, levando-o a perceber como seus problemas pessoais se tornaram fator importante no desconforto físico. Nesse clima de confiança, o paciente aceita com naturalidade a decisão do médico de *pedir exames complementares somente com justificativa clínica*.

- Colocar-se como *médico de referência* do paciente, marcando consultas regulares para acompanhamento do quadro com atenta observação dos sinais e padrão das queixas. Esse procedimento se justifica pela possibilidade de concomitância ou início insidioso de patologias orgânicas e viabiliza a detecção precoce de modificações no padrão das queixas, momento adequado para iniciar uma investigação diagnóstica mais complexa, reavaliar sinais ou resultados de exames, evitando encaminhamentos a múltiplos especialistas. Aqui, a experiência profissional do médico desempenha importante papel no processo diagnóstico. O paciente deverá ser orientado quanto às medicações a que poderá recorrer na vigência dos seus sintomas. Não se trata de placebos e sim de medicações que aliviem os sintomas
- Comunicar ao paciente sua impressão diagnóstica – evidentemente após as manobras semiológicas adequadas e *de ter apreendido qual a concepção do paciente a respeito*. Utilize expressões do tipo: "Compreendo seu desconforto e preocupação, mas lhe garanto que não há sinais de alarme ou gravidade. Vou lhe acompanhar para vermos a evolução". Explique, em termos leigos, as alterações orgânicas responsáveis pelo desconforto sentido pelo paciente. Sublinhe *as circunstâncias psicossociais que o paciente mencionou espontaneamente durante seu relato*, sugerindo uma correlação. Caso haja oposição, não insista e *mantenha a agenda clínica com prescrição de medicação sintomática*
- *Envolver os familiares* ou acompanhantes no processo diagnóstico, estimulando-os a examinar o contexto de vida do paciente e sua relação com o adoecer
- *Elaborar a hipótese diagnóstica referente ao quadro mental*, preocupando-se em adequar seus procedimentos, ao longo das consultas, para vencer a esperada resistência ao encaminhamento ao especialista. O paciente somatizante está convicto da existência de uma patologia clínica/cirúrgica e, em geral, alimenta preconceitos quanto aos transtornos mentais. Enquanto o paciente estiver sob cuidados do clínico, as prescrições medicamentosas que se fizerem necessárias para o quadro mental deverão ser discutidas com o psiquiatra. Assim que o vínculo de confiança estiver estabelecido, o clínico deverá mencionar *a possibilidade de encaminhamento* para um profissional especializado, garantindo a continuidade do trabalho clínico concomitante.

Pode-se afirmar que os *somatizantes agudos* com quadros leves de depressão ou ansiedade reagem muito bem à demonstração de interesse do médico por sua vida, chegando a prescindir do atendimento especializado. Os *somatizantes crônicos*, embora muitas vezes com um quadro mental mais grave, apresentam um grau acentuado de resistência ao encaminhamento. No entanto, o paciente não deverá ser pressionado pelo clínico a ponto de abandoná-lo pelo desconforto com a situação.

Quando o paciente aceitar o encaminhamento para o especialista, o clínico deverá seguir com seu acompanhamento em paralelo. Estabelecer um diálogo prévio com o profissional a quem o paciente será orientado constitui-se em boa prática para personalizar o encaminhamento, que só deverá ser efetuado após a anuência do paciente.

Por fim, a abordagem especializada inclui, necessariamente:

- A prescrição medicamentosa segundo o quadro psiquiátrico
- O estabelecimento do vínculo do paciente com o psiquiatra, sem desconsiderar o vínculo com o clínico
- A psicoterapia individual ou em grupo. Em função das características dessa clientela, adequações nas técnicas de abordagem psicoterápica foram introduzidas e os resultados vem sendo discutidos entre os especialistas.[37]

▶ Conclusão

Reconhece-se que os pacientes somatizantes são de difícil manejo clínico e constituem como um problema complexo e instigante tanto para a medicina interna quanto para a psiquiatria. Embora muito se tenha avançado no conhecimento sobre somatização, inúmeras questões permanecem sem resposta e, à luz dos estudos mais recentes, concepções vigentes no discurso médico devem ser modificadas.

Na prática clínica, o *trabalho integrado de psiquiatras e clínicos* tem produzido os melhores resultados quanto à superação das dificuldades encontradas na assistência. Entretanto, sua implementação pressupõe uma adequação da prática assistencial que possibilite o diálogo entre os profissionais envolvidos. Assim, *em parceria com o psiquiatra*, considera-se pertinente que o clínico seja o responsável pela prescrição medicamentosa para aqueles pacientes que não aceitem ir ao especialista.

Afirma-se que o *sofrimento psíquico* do paciente, tanto em sua configuração como somatizante agudo quanto crônico, pode ser adequadamente abordado no atendimento clínico, em sua dimensão conhecida como *psicoterapia implícita nos procedimentos médicos*. Por fim, recomenda-se a criteriosa prescrição de medicações sintomáticas para o controle dos sintomas orgânicos.

Quadro interativo

- Sugestão de leitura

    Molière. *O doente imaginário*. São Paulo: Martins Claret, 2003, 179 p.

    Em *O doente imaginário*, Molière, nascido em 1622 com o nome de Jean-Baptiste Pouquelin, satiriza a precária ciência do seu tempo, a medicina. Faz uma crítica acirrada à relação médico-paciente, digna das relações marcadas pela frieza e pelo descaso.

    A peça foi encenada pela primeira vez em 10 de fevereiro de 1673. Durante a quarta apresentação, Molière, que sofria de tuberculose, teve uma crise diante do público. Por acreditarem tratar-se de mais uma cena da peça, aplaudiram-no fervorosamente, enquanto o ator e dramaturgo expelia sangue pela boca, morrendo pouco depois.

    Kirmayer LJ. Culture, affect, and somatization. Transcultural Psychiatry Research Review 21: 159-188, 237-262, 1984.

▶ Referências bibliográficas

1. Kellner R. Somatization, theories and research. J Nervous and Mental Dis 1990;178(3):150-60.
2. Smith GR. Somatization disorder in the medical setting. Washington: American Psychiatric Press, 1991.
3. Kaplan, Sadock. *Comprehensive textbook of psychiatry.* 9 ed., Lippincott Williams & Wilkins, 2009.
4. Alexander F, Szasz TS. El infoque psicosomático en medicina. In: F. Alexander & H. Ross (dir). *Psiquiatría dinâmica.* Buenos Aires: Paidós, 1978.
5. Mello Filho J *et al.* Concepção Psicossomática: visão atual. Rio de Janeiro: Tempo Brasileiro, 1994.
6. Mello Filho J, Burd M *et al.* Psicossomática Hoje. 2 ed., Porto Alegre: Artmed, 2010.
7. Brasil M.A. Pacientes com queixas difusas: um estudo imunológico de pacientes apresentando queixas somáticas múltiplas e vagas (tese de doutorado). Rio de Janeiro: Instituto de Psiquiatria da Universidade Federal do Rio de Janeiro; 1995.
8. Rosen G, Kleinman A, Katon W. Somatization in family practice: a biopsychosocial model. J Fam Pract 1982;14:493-502.
9. Kleinman A, Kleinman J. Somatization: the interconnections in chinese society among culture, depressive experiences and meaning of pain. In: Kleinman A, Good B (eds.). *Culture and depression studies in the anthropology and cross culture psychiatry of affect and disorder.* London: University of California Press, 1985.
10. Lipowsky ZJ. Somatization: the concept and its clinical application. Am J Psychiatr 1988;145:1358-68.
11. Kirmayer LJ, Robbins JM, Paris J. Somatoform disorders: personality and the social matrix of somatic distress. J Abnormal Psychol 1994;103:125-36.
12. Botega NJ (org.). *Prática psiquiátrica no hospital geral: interconsulta e emergência.* Porto Alegre: Artmed, 2005.
13. Fortes S, Brasil MAA, Garcia-Campayo J, Botega NJ. Somatização. In: Neury J. Botega (org.). *Prática psiquiátrica no hospital geral: interconsulta e emergência.* 2 ed., Porto Alegre: Artmed, 2005.
14. Helman CG. *Cultura, saúde & doença.* Porto Alegre: Artmed; 2005.
15. Barsky AJ. Amplification, somatization, and the somatoform disorders. *Psychosomatics* 1992;33:28-34.
16. Kirmayer LJ, Looper KJ. Abnormal illness behavior; psychological and social dimensions of coping with distress. Curr Opin Psychiatry 2006;19(1):60.
17. Fortes S, Tofoli LF, Baptista CMA. Somatização hoje. In: Mello Filho J, Burd M, *et al. Psicossomática hoje.* 2 ed., Porto Alegre: Artmed, 2010.
18. Garcia-Campayo J, Pérez RS, González CA (ed.). *Atualización em transtornos somatomorfos.* Madrid: Medica Panamericana, 2001.
19. Duarte LF. *Da vida nervosa nas classes trabalhadoras urbanas.* Rio de Janeiro: Zahar, 1986.
20. Kirmayer LJ, Robbins JM, Dworkind M, Yaffe MJ. Somatization and the recognition of depression and anxiety in primary care. Am J Psychiatr 1993;150(5):734-41.
21. Kirmayer LJ. Cultural variations in the clinical presentation of depression and anxiety: implications for diagnosis and treatment. J Clin Psychiatr 2001;62(suppl 13):22-8.

22. Ballint M. O médico, seu paciente e a doença. Rio de Janeiro: Atheneu, 1975.
23. Kirmayer LJ, Dao Thi HT, Smith A. Somatization and psychologization: understanding cultural idioms of distress. In: Okpaku SO (ed.). *Clinical methods in transcultural psychiatry*. Washington, DC: American Psychiatry Press, 1998.
24. Nichter M. Idioms of distress: alternatives in the expression of psychosocial distress: a case study from South India. *Culture, Medicine and Psychiatry* 1981;5:379-408.
26. Craig TKJ, Boardman AP, Mills K, Daly-Jones O, Drake H. The South London Somatization Study I: longitudinal course and the influence of early life experiences. *Brit J Psychiatr* 1993;163:579-88.
26. Waitzkin H, Magana H. The black box in somatization: unexplained physical symptoms, culture, and narratives of trauma. *Social Science & Medicine* 1997;45(6):811-25.
27. Ford CV. Somatization and fashionable diagnoses: illness as a way of life. *Scand J Work, Environment & Health* 1997;23(3):7-16.
28. Freire PA. Assédio moral e saúde mental do trabalhador. *Trabalho, Educação e Saúde* 2008;6(2):367-80.
29. Wessely S, Nimnuan C, Sharpe M. Functional somatic syndromes: one or many? *Lancet* 1999;354:936-9.
30. Bombana JA. Sintomas somáticos inexplicados clinicamente: um campo impreciso entre a psiquiatria e a clínica médica. J Bras Psiquiatr 2006;55(4):308-12.
31. Brasil MAA. Pacientes com queixas difusas: um estudo nosológico sobre pacientes apresentando queixas difusas e vagas. Tese de Doutorado. Instituto de Psiquiatria, UFRJ, 1995.
32. Fortes S. Transtornos mentais na atenção primária: suas formas de apresentação, perfil nosológico e fatores associados em Unidades do Programa de Saúde da Família do Município de Petrópolis/Rio de Janeiro. Tese de Doutorado. Instituto de Medicina Social, UERJ, 2004.
33. Tófoli LF. Investigação categorial e dimensional sobre sintomas e síndromes somatoformes na população geral. Tese de doutorado. Faculdade de Medicina, USP, 2004.
34. Mayou R *et al*. Somatoform disorders: time for a new approach in DSM-V. *Am J Psychiatr* 2005;162:847-55.
35. Kirmayer LJ, Robbins JM (ed.). *Currents concepts of somatization: research and clinical perspectives*. Washington: American Psychiatry Press, 1991.
36. Barsky AJ. Functional somatic symptoms and somatoform disorders. *In*: Cassem NH (ed.). *Massachusetts General Hospital handbook of general hospital psychiatry*. Saint Louis: Mosby, 1977.
37. Proenca MA, Fortes SL, Leal CP, Caldas NR. O paciente somatizante no hospital geral. *Cad IPUB* 1997;6:125-33.

17 O Paciente Ansioso

Luiz Alberto B. Hetem

Situação-problema

▼

Paciente, 22 anos, solteira, secretária, foi internada para investigação de quadro pulmonar, possivelmente de causa inflamatória. Na primeira noite, adormeceu durante uma nebulização. Acordou sentindo-se sufocada. A vizinha de leito revelou que a paciente parecia assustada, que seu coração batia muito forte, que parecia ofegante. Pediu, desesperadamente, para abrir a porta da enfermaria. Desde então, não deixa ninguém fechar essa porta, só vai ao banheiro com uma acompanhante e deixa a porta semiaberta. A interconsultoria psiquiátrica foi chamada para examiná-la.

▶ Introdução

Os pacientes com quadros de ansiedade, patológica ou não, comumente frequentam os serviços de atenção primária e representam boa parcela dos que se consultam com especialistas das mais diversas áreas de atuação em medicina. Por isso – e também por apresentarem quadros, em geral, tratáveis –, faz-se necessário este capítulo em um livro de psicologia médica na prática clínica.

Algumas situações-problema ambientadas em diferentes contextos permitirão a visualização das principais dificuldades, algumas previsíveis, outras nem sempre, no manejo clínico desses pacientes. Ao final do capítulo, casos clínicos ilustrarão os elementos que devem ser considerados no processo de raciocínio diagnóstico e encaminhamento terapêutico.

Como avaliar e iniciar o tratamento de uma paciente que procura um serviço especializado, mas apresenta sintomas de transtorno de ansiedade? E na situação oposta – encaminhamento terapêutico de intercorrência clínica que mimetiza sintoma de ansiedade em paciente com um transtorno de ansiedade? Como proceder nos casos em que a pessoa procura o médico com manifestações de ansiedade claramente relacionadas com um evento de vida?

▶ Diagnóstico e diagnóstico diferencial

As classificações psiquiátricas atuais consideram a existência de diversos transtornos de ansiedade – transtorno do pânico, transtorno de ansiedade generalizada, transtorno de ansiedade social, transtorno obsessivo-compulsivo, transtornos relacionados com o estresse e as fobias. Antes de chegar a um desses diagnósticos, entretanto, o médico deve descartar a possibilidade de que as manifestações de ansiedade apresentadas pelo paciente representem uma reação normal, estejam relacionadas com uso/abuso de álcool e outras drogas ilícitas ou sejam um sinal de alguma outra enfermidade, psiquiátrica (depressão, esquizofrenia) ou não (coronariopatia, hipertensão arterial, hipertireoidismo).[1]

Nem sempre é fácil a distinção entre a ansiedade normal e aquela considerada doença, principalmente porque as manifestações por si não são suficientes para a realização dessa tarefa essencial. Dela decorrem a abordagem que será utilizada e o gerenciamento de um dilema: tanto medicar um sentimento normal quanto não tratar um quadro de ansiedade patológica são condutas inadequadas.

A diferenciação entre ansiedade normal e patológica baseia-se na intensidade das manifestações, na duração, na adequação da reação de ansiedade em relação ao estímulo desencadeante, e no grau de limitação ocasionado. Quando a ansiedade é intensa, persistente, desproporcional às possíveis causas aparentes e interfere de maneira significativa no funcionamento global do indivíduo, deve ser considerada patológica e alvo de intervenção médica.[2]

É importante ainda destacar que diagnóstico e diagnóstico diferencial nada mais são do que hipóteses a serem verificadas ao longo do acompanhamento. A hipótese diagnóstica inicial permite a instituição de tratamento que, em segundo momento, dependendo da resposta terapêutica que proporcionar, auxiliará na sua confirmação.

O diagnóstico correto é condição essencial para o completo sucesso do tratamento.[3] Infelizmente, o fato de um paciente ser portador de um transtorno de ansiedade não o protege de apresentar outro problema, médico ou psiquiátrico, portanto, o psiquiatra deve estar sempre atento ao surgimento de sintomas novos ou atípicos. Isso porque, de modo geral, tanto o paciente quanto colegas vão interpretá-los como mais uma manifestação do problema.

Como se sabe hoje em dia, a *comorbidade* é uma realidade clínica, muito mais regra que exceção, e seu diagnóstico e diagnóstico diferencial são tarefas que devem ser executadas em todo caso suspeito.[2]

A frequência elevada de comorbidades entre os transtornos de ansiedade, deles com depressão e com outras doenças não só dificulta sua identificação como também seu manuseio clínico e terapêutico. Por outro lado, um transtorno de ansiedade (TAG por exemplo) em associação com outra patologia qualquer aumenta a chance de o paciente procurar auxílio médico. Ocorre que, muitas vezes, ele não reconhece que a própria ansiedade e seus problemas ditos "emocionais" devam também ser foco de atenção.[4]

▶ Encaminhamento terapêutico

Todas as variáveis anteriormente citadas devem ser levadas em conta durante a consulta de alguém com manifestações proeminentes de ansiedade e exigem do profissional sensibilidade, paciência, interesse e, evidentemente, conhecimento sobre o assunto para apreender as informações de que precisa para a devida orientação terapêutica.

Uma vez formuladas as hipóteses diagnósticas é chegada a hora de dar o melhor encaminhamento para cada caso. Um complicador desse trabalho é o modo de funcionamento cognitivo do paciente ansioso. Talvez a característica que mais chame atenção seja a capacidade para transformar solução em problema. Isso acontece como desdobramento de distorção cognitiva, o pensamento catastrófico, que aumenta a insegurança e a ambivalência. Um exemplo comumente observado tem a ver com o tratamento farmacológico. Em geral, são pacientes muito sensíveis aos efeitos colaterais dos medicamentos e, como em um passe de mágica, transmutam o que seria parte da solução (tratamento medicamentoso) do problema (o transtorno, seus sintomas e as limitações ocasionadas) em outro problema. Esse mecanismo, se não for interrompido, pode não ter fim e inviabilizar toda e qualquer forma de terapia.

Também é comum se observar em pacientes muito ansiosos, principalmente nos momentos em que o nível de ansiedade está mais elevado, a incapacidade para hierarquizar os problemas de modo a estabelecer os que seriam prioritários. Nesses casos, a rotina torna-se sufocante e decisões simples, do dia a dia, não são tomadas, fazendo com que os problemas aumentem ainda mais a sensação de ansiedade, fechando-se mais um círculo vicioso.[5]

É consensual hoje em dia que a associação de farmacoterapia com alguma forma de psicoterapia dá melhores resultados que qualquer um dos tratamentos isoladamente nos pacientes com transtornos de ansiedade.

Situações-problema ilustrativas

A seguir, alguns casos clínicos úteis para a compreensão de nuances do manejo desses pacientes.

▪ Caso 1

Paciente de 36 anos, casada, microempresária, atendida em ambulatório com cefaleia. Ela procurou o serviço por indicação de uma amiga porque sua "enxaqueca" não melhorara com os diversos tratamentos que realizou.

Logo no início do atendimento, ficou evidente o elevado nível de ansiedade da paciente: a postura (tensa, pouco à vontade, gesticulando muito, gaguejando em alguns momentos, com secura na boca, pálida, parecendo se questionar sobre a validade daquela consulta) e o modo apressado como contou sua história, explicando que tinha que correr, pois, do contrário, não conseguiria expor todos os seus problemas. Contou que, da infância, "só vem coisa triste: sozinha, sem atenção, insegura".

Desde os 11 anos de idade tem dores de cabeça frequentes, inicialmente tratadas como "disritmia" e depois como enxaqueca. Disse que havia feito verdadeira peregrinação por consultórios médicos e já perdido a conta de quantos remédios tomara (analgésicos e anti-inflamatórios, isoladamente ou combinados em fórmulas).

Tem uma filha de 9 anos e, desde o nascimento da menina, não fez mais exames ginecológicos com medo de ter alguma "doença ruim". Há 6 meses, submeteu-se, depois de muita relutância e com muito medo, à histerectomia total por endometriose.

Ficou evidente, no decorrer da consulta, o quanto ela estava ansiosa, insegura e excessivamente preocupada com pequenas questões do cotidiano (se estava sendo boa mãe, se estava dando atenção suficiente para os familiares e parentes, se as pessoas gostavam dela, preocupava-se com o que diziam dela etc.).

O pai havia falecido em acidente automobilístico aos 49 anos. "Muito saudável, mas vivia medindo a pressão!". A mãe era muito nervosa e cheia de preocupações acerca da saúde. A paciente tem duas irmãs mais novas, divorciadas.

Enfrentou vários problemas nos últimos anos: os de saúde descritos, falência de uma das firmas, acerto de contas com funcionários e reveses financeiros. Além disso, vive período de indefinição acerca de seu futuro (se vai continuar morando onde está atualmente ou se acompanha o marido, que abriu filial da empresa em outra cidade).

Essa situação ilustra bem a confusão que ocorre frequentemente quando uma manifestação física de ansiedade chama mais atenção do que as demais. Quer seja "dor de cabeça", "tontura", "palpitação", "sensação de falta de ar" ou "gastrite", se não for feita uma anamnese detalhada, dificilmente se faz o diagnóstico correto de um transtorno de ansiedade primário. O mais comum é que o médico se atenha à queixa principal e pense se tratar de algum outro problema clínico.

Apresentado de maneira quase didática, com destaque para o que realmente importa da história clínica, não fica difícil pensar em transtorno de ansiedade generalizada.

Uma vez feito o diagnóstico, inicia-se outra etapa: o encaminhamento terapêutico. Nesse caso, foi particularmente trabalhosa a aceitação, por parte da paciente e de seu marido, de que se tratava de quadro psiquiátrico e não neurológico. Até porque os psiquiatras que consultara anteriormente insistiram que seu problema era transtorno obsessivo compulsivo e trataram-na de acordo – com altas doses de antidepressivos inibidores da recaptura de serotonina, sem resultados e com muitos efeitos colaterais.

Por tudo isso, foi necessária boa dose de orientação terapêutica – explicações e esclarecimentos sobre o transtorno, as formas e alternativas de tratamento, a evolução (com e sem tratamento) e as principais complicações.

Um ingrediente fundamental para o sucesso da intervenção, especialmente com pacientes que tiveram experiências negativas em outros contatos médicos ou psicológicos, é tempo. Tempo para se coletar uma história detalhada que permita a formulação de hipóteses diagnósticas, para conversar com o paciente e conhecer seu modelo explicativo do problema e para orientá-lo propriamente. Paciência e interesse também contam muito para que o atendimento seja feito da maneira correta.

▪ Caso 2

Paciente de 35 anos, divorciada, dona de casa, duas filhas. Foi atendida em clínica de psiquiatria. Na primeira consulta, relatava 3 anos de mal-estar recorrente, caracterizados por falta de ar, sensação de que iria desfalecer, medo intenso de morrer, de início súbito e imprevisto, que invariavelmente a levava a procurar pronto-socorro.

Nesse meio tempo, havia procurado vários clínicos, cardiologistas, e realizado diversos exames subsidiários, inclusive dois ECG e teste de monitoramento contínuo de frequência cardíaca, cujos resultados não revelaram anormalidades. Além do emprego de vários benzodiazepínicos, que apenas proporcionaram alívio parcial dos sintomas quando eles apareciam, foi feita a tentativa de tratamento com clomipramina (dose inicial – 25 mg/dia), que resultou em intensificação da sintomatologia, motivando sua descontinuação.

Por ocasião da primeira avaliação, relatava receio de sair de casa sozinha, de dirigir, de ir ao dentista, e se sentia completamente incapaz de fazer uma viagem em função da possibilidade de passar mal.

Feito o diagnóstico de transtorno de pânico com agorafobia, iniciou-se tratamento específico, que proporcionou remissão completa do quadro em poucas semanas. As tentativas de retirada do benzodiazepínico não deram resultado porque a paciente sentia-se insegura.

Oito meses depois, na vigência do mesmo esquema terapêutico – fase de manutenção –, apresentou "crise de mal estar" isolada, diferente das anteriores, caracterizada por muita tontura, sensação de fraqueza e a impressão de que iria desmaiar "como se estivesse com a pressão baixa" (sic), além de sensação de falta de ar. Seu clínico tranquilizou-a dizendo que era "emocional".

A tentativa de ajuste da dose do antidepressivo que tomava não evitou que, depois de 3 semanas, ela se sentisse mal novamente. Esse fato motivou consulta com um cardiologista, o qual detectou sopro diastólico no foco aórtico. Posteriormente, o diagnóstico de insuficiência aórtica moderada foi confirmado pelo ecocardiograma.

Nessa segunda situação, observa-se o contrário da anterior. Trata-se de uma paciente com diagnóstico feito de um transtorno de ansiedade, já em tratamento e com boa resposta terapêutica, cujas novas queixas são interpretadas como sendo ainda um resquício do quadro de ansiedade.

Infelizmente, se no prontuário ou nos antecedentes do paciente constam passagens pela psiquiatria, não importa o motivo nem o diagnóstico feito; corre-se um sério risco de suas queixas não serem levadas a sério ou simplesmente consideradas como "de fundo emocional".

Lógico que, mais uma vez, um engano ou negligência do médico acaba provocando dano ao paciente. Aliás, diante de erros dessa natureza, quem sempre leva a pior é o paciente, seja em termos de sofrimento e limitações provocados pelo transtorno não identificado, seja pelo risco de agravamento ou de complicações do quadro original. Isso sem mencionar os efeitos colaterais que, no caso de diagnóstico errôneo, não são compensadores.

- **Caso 3**

Paciente de 68 anos, casado, advogado, três filhos. Procurou atendimento psiquiátrico a pedido do seu cardiologista "por se tratar de transtorno de ansiedade a esclarecer" e porque os sintomas de "ansiedade, angústia e depressão" que apresentava havia 2 meses não cederam com ansiolíticos convencionais e estavam repercutindo negativamente no estado clínico geral.

Foi necessário aumentar a dose do anti-hipertensivo e do antiarrítmico que usava havia 8 anos e, mesmo assim, mantinha hipertensão arterial leve e extrassistolia benigna. Estava abatido, com queixas de insônia, tensão e irritabilidade constantes, bem como dificuldades de relacionamento familiar.

A anamnese revelou que o quadro se iniciara após o falecimento do filho mais velho, com 39 anos, por complicações durante procedimento cirúrgico relativamente simples – herniorrafia inguinal bilateral. Ele era casado e tinha 2 filhos pequenos.

Durante a consulta, sentiu-se capaz de falar de sua revolta e angústia diante de perda inesperada, além do sentimento de vazio e de preocupações (bem fundamentadas e proporcionais ao ocorrido) relacionadas com o acúmulo de responsabilidades, já que se considerava o patriarca da família.

Finalmente, temos aqui um exemplo de reação de ajustamento com sintomas de ansiedade, que faz parte de um quadro de luto pela perda repentina e imprevista de um ente querido, erroneamente interpretada como sendo um transtorno de ansiedade. Os benzodiazepínicos, nesses casos, apresentam efeito modesto e transitório, não se justificando por isso seu uso prolongado. Antidepressivos estão até contraindicados visto se tratar de uma reação normal à perda. O que esse paciente precisava era de um médico que lhe dissesse que seus sentimentos não só eram compreensíveis, como normais diante da situação, que eles deveriam melhorar com o tempo; e se ele se permitisse falar mais sobre eles e aceitasse uma psicoterapia de apoio.

▶ Considerações finais

Os pacientes ansiosos são muito comuns em todos os serviços de atendimento médico, mas constituem um grupo muito heterogêneo. Nele, grosso modo, existem casos em que sintomas de outra doença ou relacionados com o uso de substâncias mimetizam os de um transtorno de ansiedade; os que vivenciam reação de ansiedade considerada normal; e, finalmente, os que apresentam transtornos de ansiedade primários.

O fundamento da avaliação de paciente com manifestações de ansiedade é a história clínica detalhada, realizada no contexto de amplo conhecimento dos diagnósticos diferenciais.

O diagnóstico de um transtorno de ansiedade é fundamentalmente clínico. Os exames subsidiários são úteis na sua formulação na medida em que colaboram para a eliminação de causas possíveis para as manifestações apresentadas. A presença de sintomas atípicos (turvação ou perda da consciência, movimentação involuntária, por exemplo) como também a natureza da história clínica e do exame do estado mental determinarão que outros exames subsidiários, além dos rotineiros, deverão ser solicitados e se haverá necessidade de consulta com especialista.

O tratamento deve ser individualizado, respeitando-se as preferências do paciente e as regras da boa prática clínica.

Quadro interativo

- Sugestões de filmes

A Máfia no Divã (Analyze this), 1999 – Transtorno de ansiedade SOE

A Máfia Volta ao Divã (Analyze That), 2003 – Transtorno de pânico

Alta Ansiedade (High Anxiety – A psycho comedy), 1977 – Transtorno de ansiedade SOE

Alucinações do Passado (Jacob's Ladder), 1990 – TEPT

Aprisionada pelo Medo (The Fear Inside), 1992 – Agorafobia

Copycat – A Vida Imita a Morte (Copycat), 1995 – Agorafobia

Estranha Passageira (Now, Voyager), 1942 – Transtorno de ansiedade social

Melhor é Impossível (As good as it gets), 1997 – TOC

Nosso Querido Bob (What About Bob?),1991 – Vários transtornos de ansiedade

O Show de Truman (The Truman show), 1998 – Fobia simples

O Aviador (The aviator), 2004 – TOC

O Franco Atirador (The deer hunter), 1978 – TEPT

O Diário de Bridget Jones (Bridget Jones's diary), 2001 – Transtorno de ansiedade social

Os Caçadores da Arca Perdida (Raiders of the Lost Ark), 1981 – Fobia simples

Um Estranho Casal (The odd couple), 1968 – TOC

Vertigo (Vertigo), 1958 – Fobia simples

▶ Referências bibliográficas

1. Cabrera CC, Sponholz Jr. A. Ansiedade e insônia. *In:* Botega NJ (ed). *Prática psiquiátrica em hospital geral: interconsulta e emergência.* 2 ed., Porto Alegre: Artmed, 2006: 283-303.
2. Hetem LAB. Diagnóstico diferencial. *In:* Hetem LAB, Graeff FG (eds.). Transtornos de ansiedade. Rio de Janeiro: Atheneu, 2004: 191-205.
3. Carlat DJ. *A entrevista psiquiátrica.* 2 ed., Porto Alegre: Artmed, 2007.
4. Kapczinski F, Margis R. Transtorno de ansiedade generalizada. *In:* Knapp P (ed.). *Terapia cognitivo-comportamental na prática psiquiátrica.* Porto Alegre: Artmed, 2004: 209-216.
5. Picon P, Knijnik DZ. Fobia social. *In:* Knapp P (ed.). *Terapia cognitivo-comportamental na prática psiquiátrica.* Porto Alegre: Artmed, 2004: 226-247.

▶ Leitura complementar

Bastos CL. *Manual do exame psíquico. Uma introdução prática à psicopatologia.* Rio de Janeiro: Editora Revinter, 2000.

Dalgalarrondo P. *Psicopatologia e semiologia dos transtornos mentais.* Porto Alegre: Artmed Editora, 2000.

Figueiredo MSL. Psicoterapia. *In:* Hetem LAB, Graeff FG (eds.). *Transtornos de ansiedade.* Rio de Janeiro: Atheneu, 2004: 349-368.

Pereira MEC. Mudanças no conceito de ansiedade. *In:* Hetem LAB, Graeff FG (eds.). *Ansiedade e transtornos de ansiedade.* Rio de Janeiro: Editora Científica Nacional, 1997: 13-50.

18 O Paciente Deprimido

Geraldo Francisco do Amaral e Marco Antonio Alves Brasil

Situação-problema

Ovídio, 38 anos, divorciado, gerente de mecânica de automóveis, está internado na enfermaria de cardiologia da clínica médica há 7 dias, com cefaleia, precordialgia intermitente, taquicardia e elevação da PA (principalmente sistólica) em algumas horas do dia. Dores epigástricas têm sido frequentes, mesmo antes da internação, que melhoram com uma pastilha de antiácido. A anamnese de internação tem o diagnóstico de precordialgia a esclarecer. Foram pedidos exames complementares de rotina, um parecer da gastroenterologista e prescrita medicação sintomática para dor retroesternal.

A internação foi motivada pelas voltas repetidas ao pronto-socorro com as queixas anteriores acrescidas de cansaço, dificuldades às atividades físicas, inapetência e insônia, não conseguir sair da cama ao acordar pela manhã, além de cefaleia, que têm motivado frequentes faltas ao trabalho. Apesar de encaminhado, alega não ter conseguido tratamento ambulatorial.

Nessa internação, tem recebido o apoio de um irmão mais novo e da mãe, que tem 62 anos, e ambos se revezam na enfermaria, embora nem sempre a mãe possa estar presente por ela mesma declarar-se doente do coração e da memória.

A primeira anamnese pós-internação foi coletada por aluno do internato, que reviu toda a sintomatologia com o residente responsável, solicitou os exames complementares e orientou para o pedido de parecer da gastroenterologista. Nessa entrevista, o irmão do paciente informou que ele tem se sentido doente já há alguns meses, mas que só procura atendimento quando os sintomas pioram e como emergência. Acredita que, dessa vez, o problema é diferente do que ele teve aos 26 anos, com sintomas semelhantes, e quando se separou da esposa, aos 32, e ficou muito triste durante meses. Relata que o irmão só fez tratamento nessas outras situações quando estava muito ruim e, mesmo assim, por pouco tempo, geralmente até melhorar o quadro.

Na visita com o *staff*, no segundo dia de internação, o paciente informou dificuldade para dormir e para sair do leito, fraqueza generalizada e indisposição até mesmo para conversar e tomar banho. Houve concordância com o pedido da gastro e verificação dos exames disponíveis. ECG, radiografia de tórax, hemograma, creatinina, enzimas hepáticas, glicemia e demais exames de rotina se mostraram dentro da normalidade. Optou-se por melhor avaliação nos próximos dias, após resultado da gastro, e antes de novos exames complementares de maior complexidade.

No quarto dia de internação, um aluno do terceiro ano foi ao seu leito para uma anamnese exigida pela semiologia. No quinto dia, por escolha ao acaso, um grupo de alunos de psicologia médica, também do terceiro ano, escolheu esse paciente para uma entrevista curricular, médico-psicológica.

▶ Introdução

Existe uma grande dificuldade para a pessoa compreender o que realmente está acontecendo com ela mesma, quando, sem nenhum aviso prévio ou motivo aparente, deixa de sentir o prazer que tinha até alguns dias antes para, por exemplo, encontrar os amigos no sábado pela manhã para um papo descontraído ou ver a novela preferida.

Agora, a conversa com os amigos é desestimulante, seu apetite está diminuído e sente um crescente desinteresse sexual em um cotidiano que parece acinzentado. A fraqueza e o cansaço quando acorda pela manhã parecem indicar que alguma coisa está acontecendo com seu corpo e que não é mais o mesmo, pois adia o início de suas tarefas, fica mais chateada e irritada e se esquece, com facilidade, onde coloca seus objetos e até mesmo os compromissos, o que não acontecia antes. Pensa que sua preguiça em cuidar de si mesma faz parte de alguma doença física e acaba por ir ou ser levada ao clínico para que ele identifique o que está ocasionando todo esse mal-estar.

Por outro lado, alguns sintomas podem estar presentes de forma mais consistente, como mal-estar abdominal, cefaleia, dores musculares ou no peito, as quais se acentuam sem atividade física concomitante, e que fazem pensar em uma doença mais grave.

Por esses motivos, geralmente começa a peregrinação de pessoas que, por não encontrarem um substrato orgânico que justifique todo seu mal-estar após dezenas de exames clínicos e laboratoriais, levam meses antes de serem orientados e procurar ajuda psiquiátrica. E, não raro, com a informação médica de que "*a Sra. (ou Sr.) não tem nada, é melhor procurar um psicólogo, ou neurologista ou mesmo um psiquiatra...!*". É também difícil para a pessoa compreender esse "*... não tem nada...*", pois, apesar de não identificados por exames físicos, os sintomas existem e a pessoa verdadeiramente está sentindo aquele mal-estar que descreve ao médico.

É comum que esse paciente sinta-se perdido diante de tanto esforço em se tratar, vivenciando um desalento e acentuando sua desesperança e sua "doença", considerando a atitude do médico como incompetente ou de desinteresse pelo seu estado. Com apatia ou inquietação, mobiliza familiares na tentativa de novos meios de tratamento, mais das vezes tão insuficiente quanto ineficazes. Por desinformação ou preconceito – seu ou do próprio profissional de saúde –, espanta-se quando é encaminhado para o psiquiatra.[1]

▶ Doença depressiva

Embora sejam comuns os sintomas depressivos em pacientes hospitalizados ou em tratamento ambulatorial, necessariamente eles não acontecem com todos os pacientes que apresentam doença somática não psiquiátrica.[2] A enorme capacidade de adaptação do ser humano contribui para que as pessoas tentem e geralmente consigam superar as adversidades. Humor deprimido pode ser uma resposta ao diagnóstico ou aos procedimentos necessários ao enfrentamento da doença, mas caso não haja disposição genética ou constitucional, os sintomas depressivos que surgem tendem à remissão com a adaptação a essa situação.[3]

Não é incomum que o médico tenha dificuldade em realizar o diagnóstico de um transtorno depressivo, diante de sintomas de doença física,[4] principalmente por cirurgiões ou clínicos considerarem que a resolutividade dos sintomas somáticos apresentados deve ser a prioridade no atendimento, ou até mesmo, por considerarem que possa ser *normal* o sentimento de tristeza diante de um sofrimento físico e/ou do diagnóstico de alguma doença incapacitante. Além disso, algumas pessoas não se sentem encorajados em relatar seus sintomas psíquicos por medo de serem estigmatizados e terem suas identidades comprometidas.[5,6]

Isso faz com que o paciente deprimido esteja entre aqueles que mais se utilizam dos serviços de saúde, já que sintomas depressivos são pouco diagnosticados nos ambulatórios de atendimento primário e mesmo nas enfermarias dos hospitais gerais.[7,8]

Por se tratar de uma doença de curso crônico e recorrente para a maioria dos indivíduos que desenvolveram um primeiro episódio, a depressão está frequentemente associada a elevado comprometimento da saúde física e incapacitação funcional dos seus portadores, o que faz com que esses pacientes apresentem, durante o curso dos sintomas, grande limitação de suas atividades e queda em sua vida profissional, relacional e afetiva. Tal condição resulta em perda do bem-estar e, muitas vezes, a uma queda na escala social, seja por interrupção do trabalho, por baixa adesão ao tratamento; seja por necessitar da presença e acompanhamento de familiares, que, geralmente, revezam-se no papel de cuidadores.[8]

Em termos de prevalência, a depressão é uma doença democrática. Acontece em todo o planeta, embora exista alguma discordância entre estudos quanto a alguns dados de incidência e prevalência. No entanto, a prevalência anual está entre 3 e 11% da população, e para toda a vida, em torno de 16,2%. Há um acordo nos estudos de que a prevalência para mulheres é de duas a três vezes mais que em homens.[8–10]

Na atenção primária, a depressão é subdiagnosticada e subtratada pelo clínico geral em torno de 30 a 50% dos casos. Tal situação parece decorrer de falta de treinamento e de tempo dos médicos, ao desconhecimento e/ou preconceito do paciente de que seus sintomas possam relacionar-se a questões mentais e, como descrito antes, ao fato de que, na maioria das vezes, o paciente se queixa apenas dos sintomas físicos da depressão, enquanto o médico acaba por se ater apenas a eles. Fator extra, porém não menos importante, é a consideração pelo médico de que sintomas de tristeza e anedonia podem ser "compreensíveis" diante do quadro clínico do paciente.[8]

Em relação a indivíduos de populações médicas específicas, portadores de doenças crônicas ou de alto grau de morbimortalidade, ocorrem variações importantes de prevalência. Em pacientes com vários tipos de câncer, até 47% desenvolvem depressão, enquanto aqueles com infarto do miocárdio recente podem desenvolver depressão em até 33%.[9] Em portadores de hipertensão arterial, uma das mais importantes doenças crônicas não transmissíveis, 20% desenvolvem simultaneamente episódios depressivos e 28% desenvolvem sintomas depressivos[11] Naqueles indivíduos internados em hospital geral por qualquer motivo de doença física, estudos têm mostrado taxa de prevalência entre 22 e 33%.[12]

Todos esses aspectos citados corroboram o fato de que a depressão é efetivamente uma doença crônica e altamente recorrente, pois cerca de 50% dos indivíduos tendem a desenvolver um segundo ou mais episódios ao longo da vida. Entre esses, cerca de 12% desenvolvem cronificação da doença pela não remissão total dos sintomas, ou seja, apesar de tratado, não consegue voltar à normalidade anterior ao desenvolvimento do primeiro episódio.[8,13,14]

Parece que a grande dificuldade encontrada pelos clínicos reside no fato de que deixam de prestar atenção às queixas subjetivas do paciente, que podem ser parte importante de sintomas depressivos e que acabam por não serem convenientemente exploradas. Assim, perguntas simples, retiradas dos manuais de classificação diagnóstica (em nosso caso a CID-10 e pelo DSM-IV-TR, o manual americano), são úteis e podem ser empregadas em uma entrevista médica, servindo para contribuir para uma observação mais cuidadosa sobre o paciente (veja os Quadros 18.1 e 18.2).[3,8,15,16]

Um diagnóstico, uma hipótese diagnóstica ou mesmo uma desconfiança diagnóstica deve pairar em cada médico ao se defrontar com a história de uma dor, ou cansaço ou insônia não justificados. Ou ainda, a observação de um semblante que denota o sofrimento e a dor sem substrato, pois, entre as preciosidades para um bom diagnóstico, está o olhar atento, acolhedor e investigativo.

Para a identificação de um quadro depressivo, deve ser levado em consideração que sintomas quantitativamente menos intensos, mas significativamente incapacitantes podem acontecer e serem encontradiços tanto nos ambulatórios primários quanto nas internações hospitalares,[7] particularmente por estarem ali pessoas que apresentam sintomas somáticos tanto de uma doença de base quanto de uma doença depressiva, o que realmente dificulta a inclusão desses casos nos critérios diagnósticos descritos em manuais classificatórios.[3] Essas situações têm sido descritas como depressão subsindrômica, seja pela presença de sintomas leves, seja pelo fato de que podem vir a desenvolver episódios depressivos de maior gravidade.[12]

Desse modo, é importante para o estudante de medicina e para o clínico em geral, desenvolver essa capacidade de verificação dos sin-

▼

Quadro 18.1 Critérios diagnósticos para episódio depressivo segundo a CID-10.

Sintomas fundamentais
1. Humor deprimido
2. Perda de interesse, prazer e energia, inclusive libido
3. Fatigabilidade, cansaço em esforços leves

Sintomas acessórios
4. Concentração e atenção reduzidas
5. Autoestima e autoconfiança reduzidas
6. Ideias de culpa e inutilidade
7. Visões desoladas e pessimistas do futuro (desesperança)
8. Ideias ou atos autolesivos ou tentativas de suicídio
9. Sono perturbado (insônia ou hipersonia)
10. Apetite diminuído

Quadro 18.2 Critérios diagnósticos para depressão maior segundo a DSM-IV-TR (cinco ou mais dos seguintes sintomas devem estar presentes durante um mesmo período de 2 semanas e representa uma mudança de um funcionamento prévio; pelo menos um dos sintomas deve ser humor deprimido ou perda de interesse ou prazer).

1. Humor deprimido
2. Perda importante do prazer e satisfação, inclusive libido
3. Emagrecimento ou ganho de peso sem estar em dieta
4. Insônia ou hipersonia
5. Inquietação ou retardo psicomotor
6. Fadiga, cansaço (inclusive ao acordar) – sensação de peso nos braços e pernas
7. Baixa autoestima, culpa, pessimismo e retraimento social
8. Alentecimento do pensamento, baixa concentração e rendimento, indecisão
9. Ideias recorrentes de morte, ideação e planejamento suicida

tomas apresentado pelo paciente, levando em consideração que a presença de sintomas somáticos, como comprometimento do sono, fadiga, inapetência, perda ou ganho de peso, além de alterações motoras, devem ser considerados para o diagnostico quando se apresentam além do esperado para a condição médica expressa e, principalmente, observando a existência ou não de uma correlação com o tempo de surgimento de sintomas cognitivo-afetivos da depressão, como tristeza acentuada, perda do interesse e prazer, desesperança e culpa.[3,17]

Algumas doenças físicas podem contribuir para o desenvolvimento de uma síndrome ou doença depressiva da mesma forma que uma doença depressiva pode ser fator de risco para o surgimento e/ou o agravamento de doenças físicas.[3] Todavia, é necessário compreender que as chances que uma pessoa tem de desenvolver uma doença depressiva estão em aspectos genéticos, em seu ambiente, na sua estrutura de personalidade e em situações traumáticas, tanto físicas quanto emocionais, sobretudo em fases do desenvolvimento infantil. A idade de surgimento entre a segunda e quarta décadas de vida (embora possa surgir em menor escala em qualquer idade), o sexo (duas vezes mais em mulheres e em mulheres mais jovens) e ausência de interferência de raça, etnia, trabalho e renda, além das outras condições já discutidas, fazem da depressão um dos mais importantes problemas de saúde pública no mundo e aqui no Brasil,[18] embora isso tenha sido negligenciado pelos órgãos de saúde pública.

Tem importância, portanto, uma boa história médica atual, pregressa e familiar, para que alunos e médicos não incorram no erro comum de situar todas as condições de tristeza como depressão. Da mesma maneira, não se deixa passar a possibilidade de examinar, com cuidado, a queixa subjetiva do paciente ou de seu familiar/cuidador, sob pena de causar mais um grande prejuízo a pessoas e evitar um correto tratamento, que pode, inclusive, salvar vidas, em razão não apenas de doenças físicas comórbidas, mas pela alta taxa de suicídio que acomete as vítimas da depressão.

O custo pessoal, familiar e social de uma doença depressiva é efetivamente substancial, não só para a família, mas também para a nação, como um todo. Bilhões de dólares ou reais são perdidos na medida em que não é dada a atenção necessária ao bom encaminhamento e à possibilidade de melhor desfecho de uma crise ou episódio depressivo. As faltas ao trabalho, a queda na produtividade pessoal e familiar, os afastamentos profissionais pela previdência social, o diagnóstico e tratamento mal feitos com sintomas residuais e recorrências, são sucessões de desacertos que atingem profundamente as populações em todo o planeta.[19,20]

Estudos epidemiológicos e intervenções populacionais devem ser programados, tanto por órgãos governamentais quanto por universidades e associações de classe, com o objetivo de enfrentamento dessa verdadeira pandemia que tem aumentado em importância nos últimos anos. Dados da Organização Mundial da Saúde (OMS) dão conta de que, na década de 1990, os transtornos depressivos foram, em nível planetário, a quarta causa de incapacitação, quando comparados a outras doenças a partir de uma escala global e que, em 2020 será a primeira causa incapacitante em países em desenvolvimento e a segunda causa em países desenvolvidos. Essa condição só tem equivalência com as doenças cardiovasculares graves, causando mais danos à saúde do que outras doenças crônicas importantes, como diabetes, asma, artrite e angina,[8] por isso a importância em conhecê-la, ou reconhecê-la, nas atenções cotidianas do médico com seu paciente.

▶ Discussão do caso Ovídio

Ovídio, descrito no começo deste capítulo, desde o início apresentava um importante sintoma: sua pressão arterial estava acima dos parâmetros normais e, portanto, tornou-se um "paciente" que necessitava averiguar a causa dessa alteração. Juntamente com a taquicardia e as dores precordiais recorrentes, encontrou-se a justificativa médica para uma internação e melhor avaliação – o que foi feito.

As queixas de fraqueza e insônia foram, no caso, condizentes com a queixa física, e, portanto, o raciocínio clínico indica que esses sintomas podem melhorar quando da melhora do quadro geral. Todavia, com a internação, o estudo do caso feito pelo *staff* limita-se às queixas físicas e às tentativas de resolvê-las rapidamente, para melhora do paciente e a mais breve alta possível. Esse raciocínio clínico geralmente é feito durante os 10/15 min que podem durar as visitas ao leito, tempo esse usado para o interrogatório ao paciente e familiares, interpretação dos exames e decisões de conduta, os quais orientam os procedimentos a serem seguidos pela equipe.

Assim é o que o aluno da semiologia procurou saber (queixas gerais do paciente), quando fez a anamnese no quarto dia de internação. Coletou criteriosamente os dados pessoais e a história, desde os primeiros sintomas, detendo-se nas dores retroesternais e na cefaleia, que, observou, era mais constante e não acompanhava apenas as elevações da pressão arterial, mas se faziam presentes em sinais de tensão e preocupação. Perguntou se era nervoso e teve como resposta que era controlado em sua raiva. Ao questionar se o paciente tinha filhos, soube do divórcio não desejado, e que se encontrava pouco com os dois filhos por morarem em outra cidade. O semblante entristecido e a fala embargada nesse momento, não passaram despercebidos pelo aluno, mas por não saber como lidar com lágrimas ("professor, não sei o que fazer quando o paciente chora"), preferiu investigar sobre os antecedentes médicos. Despediu-se sem se lembrar de que faz parte do interrogatório indagar sobre a saúde mental pessoal e sobre antecedentes de doenças psíquicas em familiares. A coleta dos dados durou 40 min.

No quinto dia, o grupo de alunos de psicologia médica que entrevista o Sr. Ovídio, resolve *ampliar as questões de desenvolvimento da infância e adolescência, escolaridade, temperamento, relacionamento familiar, de amizade e sexual, escolha da profissão, casamento, vida pós-divórcio, projetos de vida, sentimento em relação à sua internação, relação com equipe dentro do hospital e a forma de seu adoecer.* Os antecedentes médicos revelam uma família com sinais de ansiedade, alcoolismo e "todos são nervosos" (sic). Sempre que começa a ficar triste, tem dificuldade de trabalhar, chegando a trocar de emprego por duas vezes por essa razão. Procura relacionar seus sintomas de tristeza com os sintomas físicos, e acha que, no fundo, é muito acomodado e até mesmo preguiçoso, principalmente quando fica desanimado com as coisas. Acha que a esposa não o aguentou, o que resultou no divórcio que ele nunca quis. A mãe, presente no momento, informa que o filho sempre foi um pouco tímido, mas nunca deixou de ser alegre quando mais jovem. Ela mesma acha que é mais entristecida desde que, em seu segundo parto, ficou muito esquisita e chorando durante vários meses. A coleta dos dados durou 35 min.

Na apresentação e discussão do caso, em sala de aula, as duas anamneses puderam ser confrontadas e a dúvida final foi se estavam diante de um caso apenas de sintomas físicos ou se havia uma interveniência psíquica que pudesse estar na origem ou como consequência. A ideia final, corroborada pelo professor, é de que deveria ser pedida uma interconsulta psiquiátrica antes de novos procedimentos. Assim, hierarquicamente, o interno que cuidava do caso deveria ser informado pelos alunos da discussão teórica em sala de aula com a sugestão de que o residente solicitasse um pedido de interconsulta psiquiátrica.

A discussão teórica dos casos práticos vistos em enfermaria pelos alunos que, concomitantemente, passam pelas disciplinas de psicologia médica e semiologia, possibilitam uma revisão de vários conceitos que, de uma maneira ou de outra, fazem parte do imaginário e do real de cada aluno ou médico (veja os Capítulos 8 e 9). Parece significativo que possa o aluno e futuro médico, vivenciar os dois lados do paciente internado no hospital geral e seus familiares acompanhantes. Essa será sua rotina ao longo de toda sua vida profissional e, por vezes, a escuta atenta de um minuto, pode significar uma importante mudança na conduta médica e um benefício inestimável para a cura do paciente e, por que não dizer, de sua família, a qual, em parte, adoece com cada um dos seus membros.

Nesse caso, o Sr. Ovídio foi alvo de dois tipos de conduta: aquela em que o *entendimento e resolutividade dos sintomas são o principal objetivo* e a outra em que *essa questão é parte integrante de um conjunto de atitudes que envolve não apenas a sequência de informações objetivas, mas também percepção e indagação da subjetividade do paciente*. Aqui, entendendo-se por subjetividade a certeza de que os sentimentos vivenciados pelo paciente ligados à sua forma de adoecer certamente tem a ver com seu mundo inconsciente, com suas relações afetivas e com a construção de sua vida como um todo.

As entrevistas foram conduzidas, na prática, dentro do seguinte cronograma: queixa de dores e mal estar no pronto-socorro, com medicação sintomática; encaminhamento para primeiros exames complementares e internação em enfermaria de clínica médica; visita pelo *staff* com médico residente designado para acompanhamento do caso; anamnese clínica pelo aluno da semiologia e entrevista médico-psicológica pelos alunos da psicologia médica; discussão supervisionada em sala de aula com orientação específica e pedido de interconsulta psiquiátrica.

A sequência de ações seguiu o rumo delineado na supervisão do caso: o interno contatado pelo grupo de alunos sugeriu a interconsulta psiquiátrica que foi pedida pelo residente. O psiquiatra interconsultor examinou o paciente e considerou a hipótese diagnóstica de um transtorno depressivo recorrente, episódio atual de gravidade moderada, com sintomas somáticos importantes. Sugeriu a medicação antidepressiva, acompanhamento pela psicóloga do Serviço de Interconsulta e pelo residente da psiquiatria até a sua saída do hospital. Com a alta médica, clinicamente melhor, foi encaminhado ao ambulatório específico de transtornos do humor para continuidade da terapêutica psicofarmacológica e psicoterapia.

Argumenta-se que os benefícios obtidos puderam efetivamente vir, provavelmente, apenas por se tratar de um hospital universitário, no qual a cadeia de interesses acadêmicos, de ensino e assistência são totalmente presentes.

No entanto, as vivências obtidas pelos alunos, também podem ser consideradas significativas a partir da observação feita por um trabalho em equipe, no qual foi reunida a experiência de um grupo com a atitude de outro. O benefício fica mesmo por conta do interesse total pelo paciente, e não apenas pela doença, o que certamente foi fundamental para o desfecho do caso. A aceitação por parte do residente/assistente do "caso" concordando com a sugestão do pedido de interconsulta psiquiátrica, a orientação à família e ao paciente como psicoeducação, certamente contribuíram também para a aceitação de que uma situação psíquica pode contribuir para o desencadeamento de doenças físicas e, com isso, diminuir o impacto ou a importância desmedida do estigma.

Além disso, a questão ética do verdadeiro trabalho conjunto em benefício do paciente e seus familiares se sobrepõe a qualquer outra. Deve ser assinalado que trabalho em conjunto independe de equipe pré-formada. Essa deve ser uma posição pessoal permanente de qualquer médico, pois não é possível o seu trabalho apenas individualmente. Com atitude assim colocada, todos se beneficiam: o médico, o paciente, a família e a sociedade como um todo.

▶ Referências bibliográficas

1. Furlanetto LM. Diagnostico. *In*: Fráguas Jr. R, Figueiredo JAB, editores. *Depressões em medicina interna e em outras condições médicas*. Rio de Janeiro: Atheneu, 2000: 11-20.
2. Furlanetto LA, Brasil MAA. Diagnosticando e tratando depressão no paciente com doença clínica. *J Bras Psiquiatr* 2006;55(1):8-19.
3. Polsky D, Doshi JA, Marcus S et al. Long-term risk for depressive symptoms after a medical diagnosis. *Arch Intern Med* 2005;165:1260-6.
4. Goffman E, editor. Estigma: notas sobre a manipulação da identidade deteriorada. Rio de Janeiro: Zahar; 1975. Estigma e identidade social; p. 11-41.
5. Jamison KR. The many stigmas of mental illness. *Lancet* 367(9509):533-4.
6. Rost K, Zhang M, Fortney J et al. Persistently poor outcomes of undetected major depression in primary care. *Gene Hosp Psychiatr* 1998.20(1):12-20

7. Fleck MP, Berlim MT, Lafer B et al. Revisão das diretrizes da Associação Médica Brasileira para o tratamento da depressão (versão integral). Rev Bras Psiquiatr 2009;31(supl):S7-17.
8. Kessler RC, Berglund P, Demler O et al. The epidemiology of major depressive disorder: results from the National Comorbidity Survey Replication (NCS-R). JAMA 2003;(23):3095-105.
9. Fleck MP, Lafer B, Sougey EB, Del Porto JA, Brasil MAA, Juruena MF. Associação Médica Brasileira. Guidelines of the Brazilian Medical Association for the treatment of depression (complete version). Rev Bras Psiquiatr 2003.25(2):114-22.
10. Amaral GF, Jardim PCV, Brasil MAA et al. Prevalência de transtorno depressivo maior em centro de referencia no tratamento de hipertensão arterial. Rev Psiquiatr RS 2007;29(2):161-8.
11. World Psychiatric Association. Educacional program on depressive disorders. Overview and fundamental aspects. World Psychiatric Association: New York; 1997.
12. Souery D, Oswald P, Massat I et al. Group for the Study of Resistant Depression. Clinical factors associated with treatment resistance in major depressive disorder: result from European multicenter study. J Clin Psychiatr 2007;68(7):1062-70.
13. Docherty JP. Barriers to the diagnosis of depression im primary care. J Clin Psychiatr 1997; 58(suppl 1):5-10.
14. World Health Organization. Classificação dos transtornos mentais e de comportamento da CID-10: descrições clinicas e diretrizes diagnósticas. World Health Organization: Genebra; 1993. Porto Alegre: Artmed:1993.
15. American Psychiatric Association. Manual diagnóstico e estatístico de transtornos mentais – 4ª revisão (DSM-IV-TR). Porto Alegre: Artmed, 2003.
16. Amaral GF, Porto CC, Brasil MAA, Jardim PCV. Depressão e doenças cardiovasculares – importância para o clínico. Rev Soc Bra Clin Med 2005;(3)4:102-112.
17. Lima MS. Epidemiologia e impacto social. Rev Bras Psiquiatr 1999;(21)SI:1-5.
18. Stewart WS, Ricci JA, Chee EscD, Hahn SR, Morganstein DMS. Cost of lost productive work time among US workers with depression. JAMA 2003;289(23):3135-44.
19. Razzouk D, Alvarez CE, Mari JJ. O impacto econômico e o custo social da depressão. In: Acioly LTL, Quarantini LC, Miranda-Scippa, Del Porto JA et al. Depressão: do neurônio ao funcionamento social. Artmed: Porto Alegre, 2009.
20. Murray CJ, Lopez AD. Global mortality, disability, and the contribution of risk factors: Global Burden of Disease Study. Lancet 1997;349(9063):1436-42.

19 Comportamento Suicida | Aspectos de Psicologia Médica

Neury J. Botega

A expressão *comportamento suicida* é abrangente e compreende várias manifestações que denotam autoagressividade de gravidade e de intenção letal variáveis: desde pensamentos suicidas, passando por planos e tentativas, chegando ao suicídio. Neste capítulo, ilustra-se como esse comportamento, além do drama pessoal e do forte impacto emocional que exerce sobre a comunidade, é hoje considerado um problema de saúde pública. A seguir, aborda-se como o clínico pode desincumbir-se de duas importantes tarefas: avaliar o risco de suicídio e manejar o paciente com risco de se matar. Em relação ao manejo, é preciso esclarecer que não são abordados todos os recursos utilizáveis na prevenção do suicídio; a ênfase é dada em aspectos da relação profissional-paciente.

▶ Introdução

O entendimento do comportamento autoagressivo tem sido buscado em diversas vertentes. O início do século 20 foi marcado pela repercussão de uma obra fundamental: *O suicídio*, de Emile Durkheim, lançada em 1897. Examinando o padrão das taxas de suicídio em diversos países, Durkheim relacionou-o com o grau de coesão social em diversas culturas e grupos sociais. Afirmou que, após a revolução industrial, a família, o Estado e a Igreja deixaram de funcionar como fatores de integração social.

O *suicídio egoístico* ocorreria entre aqueles indivíduos que perderam o sentido de integração com seu grupo social, não se encontrando mais sob a influência da sociedade, da família e da religião; o *suicídio anômico* seria observado entre indivíduos vivendo em uma sociedade em crise, na qual faltam os padrões de ordem e de comportamento costumeiros; e o *suicídio altruísta*, no qual o indivíduo sacrifica sua vida pelo bem do grupo, refletiria a influência de mecanismos de identificação grupal. Sob um ponto de vista sociológico, o suicídio, assim como as mortes por acidentes, crimes, alcoolismo e drogadição seriam uma medida da pressão e tensão sociais.[1]

Sigmund Freud, em 1917, observou em *Luto e melancolia* que, nos estados melancólicos, a agressividade dirigida a um objeto de amor perdido volta-se contra o próprio sujeito. Postulou, então, que o suicida buscaria atingir, primitivamente, o objeto de amor perdido e introjetado.[2] Ainda que nem todo suicida seja um melancólico, e que nem todo paciente deprimido chegue ao autoaniquilamento, entre as possibilidades de determinação e significado do ato suicida, a escola psicodinâmica refere-se a fantasias inconscientes de imortalidade, de vingança, de reencontro com um ente querido falecido e de controle onipotente.[3,4]

Segundo Edwin Shneidman (1993), importante estudioso na área de suicidologia, o estado psíquico geralmente encontrado em alguém prestes a tirar a própria vida é de uma dor emocional intolerável, *psychache* (dor psíquica), vivenciada como uma turbulência emocional interminável, um desespero sem luz no fim do túnel, uma sensação angustiante de estar preso em si mesmo, sem encontrar saída. O desespero combina-se à desesperança e leva à necessidade de um alívio rápido: matar-se para interromper a dor psíquica. Essa situação agrava-se dramaticamente quando a pessoa é impulsiva e tem pouca flexibilidade para enfrentar adversidades.

Mais recentemente, estudos na área de genética molecular sugerem que o funcionamento deficiente do sistema serotoninérgico estaria associado tanto com tentativas de suicídio mais violentas, quanto com comportamento impulsivo-agressivo em geral.[5]

Qualquer tentativa de compreender o fenômeno do suicídio deve cotejar contribuições de vários campos do conhecimento.[6] As aproximações teóricas, aqui apenas esboçadas, sejam elas biomédicas, intrapessoais, sociais ou ambientais, devem convergir para uma proposta que oriente a atuação clínica. Reconhecer o valor de diferentes disciplinas e avaliar o poder da combinação de diferentes fatores na determinação do comportamento suicida é fundamental para nortear a prática do profissional de saúde. Desconhecimento e preconceitos em relação ao suicídio podem conduzir a equívocos na avaliação clínica e na proposta de tratamento.

► Comportamento suicida na população geral

O suicídio tem ganhado impulso em termos numéricos e de impacto. No Brasil, houve 9.090 suicídios oficialmente registrados no ano 2008, o que representa quase 25 mortes por dia. Dentre as causas externas de mortalidade, o suicídio, até há pouco tempo, costumava ficar na sombra da elevada mortalidade por homicídio e por acidentes de trânsito, 6 e 4 vezes, respectivamente, mais frequentes.[7]

No Quadro 19.1 há exemplos de coeficientes de mortalidade por suicídio, por homicídio e por acidentes de trânsito encontrados em países selecionados.

Os coeficientes de mortalidade variam desde mais de 35 por 100.000 habitantes por ano em países como Lituânia, Estônia e Rússia, a menos de 10 em Portugal, Espanha, Grécia, Itália, Reino Unido e na maioria dos países latino-americanos.

No Brasil, o coeficiente médio para o triênio 2005-2007 foi de 5,1 (8,3 em homens; 2,1 em mulheres). É importante lembrar que um coeficiente nacional de mortalidade por suicídio esconde importantes variações regionais: na Região Sul tal coeficiente foi de 9,9 e na Centro-Oeste, de 7,4. Nas regiões com menores coeficientes de mortalidade por suicídio, Norte (4,3) e Nordeste (4,6) algumas capitais notabilizam-se por índices que destoam da média regional: Boa Vista (9,30), Macapá (8,7) e Fortaleza (7,3).[8]

▼

Quadro 19.1 Coeficientes de suicídio, de acidentes de trânsito e de homicídio em países selecionados.

País	Suicídio	Acidente de trânsito	Homicídio
Brasil	4,5	19,4	25,2
Argentina	8,1	9,7	5,8
Uruguai	15,5	10,5	4,5
Colômbia	4,9	14,3	43,8
Venezuela	4,2	21,3	29,5
EUA	11,0	16,1	6,0
Suécia	12,8	5,9	1,1
Lituânia	38,6	25,9	9,2
Kuwait	2,0	15,7	1,1
Japão	23,7	7,2	0,5
África do Sul	1,0	11,5	10,4

Fonte: Rede de Informação Tecnológica Latino-Americana (RITLA), 2008, e World Health Organization Statistical Information System (WHOSIS), para anos de 2000-2006.
Brasil – DATASUS/SIM para o ano de 2005.

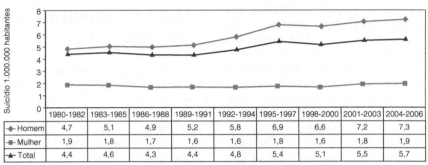

Figura 19.1 Coeficientes médios de mortalidade por suicídio por sexo e por triênio. (*Fonte*: Lovisi et al., 2009.)

Os coeficientes de mortalidade por suicídio têm aumentado em nosso país (Figura 19.1), notadamente no sexo masculino, entre 20 e 59 anos.[8]

Estima-se que as tentativas de suicídio superem o número de suicídios em pelo menos 10 vezes. Não há, entretanto, em nenhum país, um registro de abrangência nacional de casos de tentativa de suicídio. Em estudo realizado em Campinas (SP), sob os auspícios da Organização Mundial da Saúde (OMS), a partir de listagens de domicílios feitas pelo IBGE, 515 pessoas foram sorteadas e entrevistadas face a face. Apurou-se que, ao longo da vida, 17,1% das pessoas "pensaram seriamente em por fim à vida"; 4,8% chegaram a elaborar um plano para isso; e 2,8% efetivamente tentaram o suicídio.[9,10] Essas prevalências não diferem do observado pela maioria dos estudos realizados em outros países.[11]

De 15 a 25% das pessoas que tentam o suicídio tentarão se matar no ano seguinte. Dos que tentam o suicídio, 10% conseguem se matar nos próximos 10 anos. Essa mortalidade suplanta em até cem vezes a observada na população geral.[12]

Vistas em conjunto, pessoas que sobrevivem a uma tentativa de suicídio diferem das que morrem por suicídio (Quadro 19.2). As diferenças, no entanto, são de utilidade limitada na avaliação de casos individuais. O importante a se considerar é que pessoas que tentam o suicídio configuram um grupo de risco que demanda esforços de pesquisa e de estratégias assistenciais. Tais tentativas deveriam ser encaradas com seriedade, pois são um sinal de alerta a revelar a presença de sofrimento psíquico, bem como a possibilidade de um transtorno mental e de fatores psicossociais complexos.

A causa de um suicídio (fator predisponente) em particular é invariavelmente mais complexa do que um acontecimento recente, como a perda do emprego ou um rompimento amoroso (fatores precipitantes). Condições sociais, por si, também não explicam o suicídio. Pessoas que puseram fim à vida e que se encontravam em uma dessas condições frequentemente apresentavam um transtorno mental subjacente, o que aumentou a vulnerabilidade ao suicídio.

Quadro 19.2 Características mais frequentes das tentativas de suicídio e dos suicídios, quando vistos em conjunto.

Característica	Tentativa de suicídio	Suicídio
Razão homens: mulheres	1:3	3:1
Fator predisponente	Impulsividade	Depressão
Fator precipitante	Conflito ou rompimento de relacionamento	Doença, perda importante
Afeto	Frustração raivosa	Desespero
Objetivo	Influenciar pessoas significativas	Cessação da dor psíquica
Método empregado	Não violento (dose excessiva de medicamentos)	Violento (enforcamento, arma de fogo, precipitação de altura)
Possibilidade de salvamento	Provável	Improvável

A existência de um transtorno mental é considerada o principal fator de risco para o suicídio. Uma revisão de 31 artigos científicos publicados entre 1959 e 2001, englobando 15.629 suicídios na população geral, demonstrou que em 97% dos casos caberia um diagnóstico de transtorno mental à época do ato fatal.[13] Esse foi mais um estudo científico a estabelecer, inequivocamente, um elo entre dois grupos de fenômenos: comportamento suicida e doença mental.

Os transtornos mentais mais comumente associados ao suicídio são: depressão, transtorno do humor bipolar, dependência de álcool e de outras substâncias psicoativas.[14] Esquizofrenia e certas características de personalidade também são importantes fatores de risco. Esse fator é agravado quando mais de uma dessas condições combinam-se, como, por exemplo, depressão e alcoolismo; ou ainda, a coexistência de depressão, ansiedade e agitação.

O Quadro 19.3 traz, de modo condensado, os principais fatores de risco para o suicídio. Dentre os fatores que podem prover alguma proteção, destacam-se a fexibilidade cognitiva, o apoio social, a religiosidade e o adequado tratamento de transtornos mentais.

Quadro 19.3 Fatores de risco para suicídio.

Sociodemográficos

Sexo masculino

Entre 19 e 49 anos e acima dos 65 anos

Separados/divorciados > solteiros > viúvos > casados

Estratos econômicos mais rico e mais pobre

Áreas urbanas

Desempregados, aposentados

Ateus, protestantes > católicos, judeus

Isolamento social

Psicológicos

Perda recente

Perda dos pais na infância

Instabilidade familiar

Datas importantes (reações de aniversário)

Traços de personalidade: impulsividade, agressividade, labilidade de humor

História familiar de doença afetiva/alcoolismo/suicídio

Psiquiátricos

Depressão, alcoolismo, drogadição, esquizofrenia, síndromes orgânico-cerebrais

Transtornos de personalidade

Tentativa de suicídio pregressa

Doenças físicas incapacitantes, dolorosas, terminais

Fonte: Botega, 2006

▶ Avaliação de risco

A avaliação do risco não se dá pela adição de alguns dos vários fatores obtidos por meio de estudos populacionais. Nem a ausência de fatores de risco, em determinada circunstância, significa alguma proteção contra um possível suicídio. Há sempre uma distância entre os resultados da agregação de informações derivadas de vários estudos populacionais e a experiência individual de um clínico que deve avaliar o risco de suicídio e decidir sobre a intervenção mais apropriada para uma pessoa em particular, considerando com sua história pessoal e complexidade das circunstâncias do presente.

Já ter tentado o suicídio é um conhecido fator de risco. No entanto, muitos suicídios (pelo menos a metade deles) são consequência de uma primeira tentativa.[15] Pacientes que fazem tentativas com métodos letais estarão, estatisticamente, em um grupo de maior risco de virem a tirar a própria vida no futuro. No entanto, qualquer ato de autoagressão – mesmo na ausência de intenção letal – implica maior risco de suicídio. A história de repetidas tentativas de suicídio com baixa intencionalidade suicida e com baixa letalidade não deveria deixar o clínico tranquilo a respeito do risco de um futuro suicídio.[16]

Alguns pacientes omitem sua intenção e plano suicidas. A negativa quanto a pensamentos suicidas não exclui o risco. O clínico experiente deve perguntar se há algo nas circunstâncias e no estado mental do paciente que implique risco de suicídio. Em que circunstâncias há, de fato, risco de o paciente responder negativamente à pergunta sobre ideação suicida?

- O paciente nega ou minimiza sua intenção a fim de não ser impedido em seu plano suicida, sendo hospitalizado, por exemplo, ou, se já internado, mantido por mais tempo no hospital
- O paciente nega a fim de não provocar ansiedade ou frustração no profissional

- O paciente, no contexto do atendimento, sente alívio temporário e deixa de sentir que pode se matar
- O paciente encontra-se sem condições de avaliar seu estado (psicose, *delirium*) e nega intenção suicida, embora, no instante seguinte, possa acabar se matando.

A desesperança, mais do que o humor deprimido, mostrou-se associada a maior risco de suicídio em pacientes psiquiátricos. A desesperança faz com que o paciente não enxergue alternativa que atenue seu sofrimento, a não ser a morte. É importante investigar, durante a avaliação clínica, se a pessoa tem esperanças ou se, ao contrário, sente-se sem possibilidades de ver sua situação melhorada.

Segundo pesquisa feita com terapeutas que enfrentaram o suicídio de seus pacientes, desespero foi o principal estado afetivo que diferenciou pacientes que se mataram. Além do desespero, havia outros fatores, como afetos intensos e a percepção de que a vida entrava em colapso ou estava sendo deixada de lado. A gravidade da depressão, o abuso de substância psicoativa, notadamente de álcool, e o transtorno de personalidade *borderline* também foram fatores relacionados com o suicídio.[17]

A ansiedade aumenta o risco de que isso ocorra a curto prazo (dias a meses), uma vez que torna a depressão e a desesperança intoleráveis e leva à urgência de ação.[18] O clínico pode não perceber a intensidade da ansiedade se o paciente mantém-se, aparentemente, "calmo". Insônia é um fator agravante da depressão e da ansiedade que aumenta o risco de suicídio a curto prazo. A exemplo da ansiedade, a insônia pode ser prontamente aliviada, mas nem sempre é espontaneamente relatada pelo paciente.

Poderíamos, então, sintetizar marcadores de risco de um suicídio iminente da seguinte maneira:

- Evento precipitante (perdas, brigas, rompimentos, dificuldade financeira, deterioração da saúde, revés profissional, abandono de carreira)
- Mudanças comportamentais (fala ou ações indicando intenção suicida, deterioração no funcionamento social ou ocupacional, aumento da ingestão de álcool)
- Afetos intensos (desespero, desesperança, raiva, ansiedade, desamparo, humilhação, solidão)

Pacientes psiquiátricos internados

Hunt *et al.* (2010) examinaram todos os 1.851 casos de suicídio ocorridos entre pacientes psiquiátricos internados na Inglaterra e País de Gales entre os anos de 1997 e 2006,[19] os quais corresponderam a 14% de todos os suicídios ocorridos. Dos suicídios ocorridos entre pacientes internados, 70% deram-se fora do limite da enfermaria. Do total, 25% ocorreram entre pacientes que se ausentaram da enfermaria sem autorização. Esses foram, notadamente, casos de pacientes mais jovens, esquizofrênicos, desempregados e sem residência, de suicídios ocorridos na primeira semana de internação, casos com altas taxas de violência prévia e de uso de substâncias psicoativas. Os principais métodos utilizados foram: enforcamento, atirar-se de altura ou em frente de veículos. Lembrar, também, que os primeiros dias (até 6 meses) após a alta hospitalar são de maior risco para o suicídio.

Pacientes clínicos e cirúrgicos internados em hospital geral

Entre os pacientes internados em um hospital geral, três grupos têm maior risco de suicídio: os que se recuperam de uma tentativa de suicídio, os que estão sob a pressão de uma doença crônica reagudizada ou sob o impacto de um diagnóstico recente, e os pacientes em *delirium* com agitação psicomotora e impulsividade.[20,21]

A maioria das pessoas que se suicidam durante a internação hospitalar tem doenças crônicas ou terminais que são dolorosas ou incapacitantes, como câncer,[22] insuficiência renal crônica[23] e síndrome da imunodeficiência adquirida.[24] Nessa última, o risco relativo de suicídio veio diminuindo, provavelmente em resposta aos melhores tratamentos e à diminuição do estigma em torno da doença.[24]

No entanto, uma doença clínica grave, por si só, não é potencialmente suicida. A exemplo do que se observa na população geral, a maioria dos suicídios se dá em pessoas que, além de sofrerem de uma doença clínica, encontram-se sob influência de transtornos psiquiátricos, como depressão e agitação – essa última frequentemente em decorrência de estados confusionais (*delirium*). Uma história de tentativa de suicídio é outro fator que aumenta muito o risco de suicídio.[25,26]

Além da depressão e da agitação psicomotora, o uso abusivo de substâncias psicoativas é outro fator comórbido de risco, na forma de intoxicação ou de abstinência. Há também que se considerar os quadros psiquiátricos desencadeados por tratamentos usados em várias condições clínicas.[27]

► Manejo

Há uma curiosa observação do reverendo Chad Varah, fundador do *Samaritans*, em 1953: indivíduos que pareciam desesperados quando ligavam solicitando-lhe um horário para consulta, acabavam se acalmando muito, provavelmente em consequência do tempo que permaneciam na sala de espera aguardando a consulta. O que acontecia naquela sala? Ali entravam em contato com as pessoas que eram "voluntárias" do *Samaritans*, tomavam chá, ficavam conversando... Esse encontro empático – também conhecido por escuta ativa – era, em si, terapêutico.[28]

Por outro lado, sabemos que, em certas situações, a adoção de um estilo do tipo "solução de problemas" – que investiga mais, sugere, traça um plano conjunto para enfrentar um problema definido – é mais efetivo para a prevenção de suicídio (Quadro 19.4).[29] Deveríamos, então, questionar: é a *qualidade da aliança terapêutica* que faz a diferença? O são nossas *ações* que podem impedir que a pessoa se mate? Poderíamos dizer que as duas coisas são importantes, e devem se usadas segundo o que a situação clínica exigir.

Nessa questão do estilo da intervenção – escuta ativa *versus* solução de problemas – por exemplo, análises com base em 617 chamadas para dois centros telefônicos de prevenção do suicídio no Canadá mostraram que uma postura rogeriana (sem julgamento e não diretiva) foi eficaz na redução de intenção suicida apenas de pessoas que telefonavam pela primeira vez. Para pessoas que telefonavam frequentemente, uma postura mais ativa produziu mais benefícios.[31]

No campo da prevenção do suicídio, várias estratégias já se mostraram eficazes.[32] No entanto, quando se trata da relação que se esta-

Quadro 19.4 Principais características de dois estilos de entrevistas.

Escuta ativa	Solução de problemas
Aliança terapêutica O vínculo que se estabelece entre as duas pessoas assegura a comunicação e possibilita o processo de ajuda	
Avaliação de risco de suicídio Tarefa obrigatória em todo telefonema: há perguntas básicas, cujas respostas orientam diferentemente o entrevistador	
Escuta ativa: o profissional escuta com calma e respeito, não conduz a conversa. Sentir-se compreendido, perceber que alguém se importa consigo: isso acalma o paciente e ajuda-o a compreender a situação	*Investigação:* o profissional investiga os principais problemas enfrentados pelo paciente, pergunta mais e é mais diretivo. Junto com o interlocutor, elege um problema principal e focaliza-se nele
Descoberta de soluções: ao compreender melhor a situação, o paciente muda seu ponto de vista e, por si, encontra soluções	*Busca por recursos:* o profissional identifica novas possibilidades de solução e inicia, com o paciente, busca de recursos para solução dos problemas
Principais intervenções: Postura acolhedora Perguntas gerais e raras Resume compreensivelmente o relato Sugere reformulações de ponto de vista Perguntas sobre sentimentos e emoções Reflexão sobre sentimentos ambivalentes Incentivo para buscar soluções	*Principais intervenções:* Postura investigativa Perguntas diretas sobre os problemas Explora fatores precipitantes Aconselha, sugere Pergunta sobre recursos externos de ajuda Proposta de contratos de não autoagressão Combina plano de ação
Fechamento Ao término do telefonema, o paciente sente-se menos só, menos ansioso em relação à sua situação, ganha esperança ao perceber os recursos (pessoais e externos) com que pode contar. Tentará encontrar outras soluções que não o suicídio. Motivações e intenção suicidas foram modificadas	

Com base em Mishara et al., 2007.[30]

belece entre um terapeuta e um paciente, estamos longe do que poderia se chamar de prática clínica baseada em evidências. Outro exemplo: quantos de nós já não tivemos a experiência de observar uma melhora considerável em vários pacientes que melhoraram com um antidepressivo inibidor seletivo de recaptação de serotonina (ISRS) e saíram, agradecidos, de uma crise suicida? É por isso que temos dificuldade de incorporar a noção de que, em alguns casos, notadamente entre adolescentes, a mesma medicação pode desencadear pensamentos estranhos e impulsivos, muitas vezes potencialmente suicidas.

▶ Tentativas de suicídio

É preciso lutar contra uma espécie de medicalização da afirmativa do paciente em relação à pergunta sobre tentativa de suicídio prévia, quer tomando esse evento como "mais uma manifestação da doença" – sem fazer a ligação entre o ato e a biografia da pessoa –, quer tranquilizando-se pelo simples fato de já ter "registrado o evento no prontuário", sem se aprofundar, deixando o paciente só, sem se interessar por sua história pessoal. Da perspectiva do paciente, o que o teria levado a uma tentativa de suicídio? Vale perseguir essa dúvida, uma vez que o relato do paciente pode não bater com a impressão e expectativa do clínico.

Nesses casos, a entrevista inicial tem dois objetivos: um é semiológico, com coleta de várias informações; outro é de apoio emocional e de estabelecimento de um vínculo. O primeiro contato pode ocorrer em condições pouco favoráveis, muitas vezes no pronto-socorro, estando o paciente reticente, sonolento ou ainda recebendo cuidados médicos intensivos. Ele pode mesmo negar que tenha se agredido, embora familiares e equipe médica refiram-se a uma tentativa de suicídio.

Desde o início, é preciso tentar o estabelecimento de um vínculo que garanta a confiança e a colaboração em um momento em que a pessoa pode se encontrar enfraquecida, hostil, e nem sempre disposta a colaborar. Deve-se partir de perguntas mais abrangentes, não diretivas, incentivando o paciente a falar livremente, sobretudo sobre os seus problemas, sentimentos e motivações. Gradualmente, investiga-se o ocorrido, com detalhamento, e a permanência da ideação suicida.

A entrevista visa à obtenção de um número considerável de informações: caracterização do ato suicida (método, circunstâncias, intencionalidade), dados de cunho epidemiológico (fatores de risco, acontecimentos marcantes), fatores predisponentes e precipitantes, aspectos psicodinâmicos (conflitos, motivações, fantasias a respeito da morte), antecedentes pessoais e familiares, modelos de identificação, dados sobre a saúde física, rede de apoio social (com quem o paciente se relaciona e pode contar: em casa, no trabalho, em igreja e associações). É necessário formar uma ideia a respeito da personalidade do indivíduo, principalmente no que diz respeito a mecanismos de defesa e de adaptação (*coping*) em situações de crise. Ao final, deve-se chegar a um diagnóstico global da situação do paciente e à estimativa do risco suicida.

Inicialmente, é importante tomar como foco o conteúdo (frustração, conflito, necessidade) expressado pela pessoa. O atendimento de crise exige isso. No entanto, também é importante atentar para o conteúdo latente do que se ouve, aos sentimentos indiscriminados e conflituosos, às falsas crenças, aos pensamentos automáticos que impedem visão mais ampla ou alternativa, como se dão os relacionamentos mais importantes. Tudo isso, se for o caso, poderá ser abordado mais tarde, com calma, quando houver maior capacidade para a reflexão.

O profissional sente-se, frequentemente, entre duas polaridades: de um lado, deve respeitar os sentimentos da pessoa, incluindo sua ambivalência entre viver e morrer; de outro, já ao final de um primeiro atendimento, deve tomar medidas concretas para evitar que um paciente atormentado se mate, e isso pode chegar à decisão de uma internação involuntária.

É inegável que diante da urgência e da angústia que a tentativa ou a ideação suicida impõe, é possível que o paciente seja conduzido para algo em que realmente se acredite (uma ideologia, uma fé?). No entanto, separar as coisas (crenças, sentimentos, desejos), sem negá-las, faz parte do treinamento, geralmente sofrido, dos profissionais de saúde.

Com exceção das eventuais medidas de proteção à vida, é preciso ponderar sobre a urgência de fazer algo concreto pela pessoa que está sendo atendida. Lembrar que o essencial é ouvir atenciosamente, estar ao lado dela. Isso significa não tentar mudar a qualquer custo os sentimentos e ideias de nossos pacientes. Se uma pessoa sentir que não está sozinha, poderá se acalmar, e consequentemente, pensar, em vez de agir – falar sobre sua vontade de morrer é diferente de, concretamente, colocar a vida em risco. A partir de então a própria pessoa poderá ajudar o profissional a continuar a ajudá-la.

- ## Reações do profissional

Alguns profissionais de saúde têm falsas crenças a respeito do comportamento suicida. As duas mais comuns são:

- "Se eu perguntar sobre ideias de suicídio, não estarei induzindo um suicídio?"
- "Se a pessoa me responder que sim, que ela pensa em se matar, eu vou ter que carregar essa responsabilidade?"

Esses receios bloqueiam a capacidade de avaliação clínica, e o primeiro passo para a prevenção do suicídio – a própria existência de risco de suicídio – não é aventada. Se influenciado por atitudes negativas e por crenças errôneas (Quadro 19.5), o profissional encontrará dificuldade para compreender empaticamente o paciente, para avaliar bem o risco de suicídio e, caso este se encontre presente, iniciar ações terapêuticas. Entre profissional e paciente, em vez de empatia, surgirá uma dissonância afetiva que dificultará a tarefa clínica.

Um estudo examinou, junto a psicoterapeutas que perderam pacientes por suicídio, os principais problemas por eles observados na condução do tratamento:[34]

- Comunicação deficiente com outros profissionais da equipe assistencial
- Permitir que pacientes, ou seus familiares, controlassem o tratamento
- Evitar assuntos relativos à sexualidade
- Ações coercitivas ou ineficientes de parte de um profissional ansioso
- Não traduzir o significado das comunicações do paciente
- Tratamento inadequado de sintomas.

Embora tenham reconhecido a complexidade envolvida em cada uma das áreas apontadas pelos psicoterapeutas, os autores do estudo aprofundaram-se em questões relativas a nuances da relação profissional-paciente observadas quando do tratamento de pessoas com risco de suicídio.

▼

Quadro 19.5 Crenças errôneas em relação ao suicídio

"Se eu perguntar sobre suicídio, poderei induzir o paciente a isso."

Questionar sobre ideias de suicídio, fazendo-o de modo sensato e franco, aumenta o vínculo com o paciente, pois ele se sente acolhido por um profissional cuidadoso, que se interessa pela extensão de seu sofrimento. Não questionar aumenta a mortalidade e o profissional será responsável por isso.

"Ela está ameaçando o suicídio apenas para manipular..."

Uma parcela das pessoas que se matam, ou que tentam fazê-lo, havia declarado sua intenção de suicídio para amigos, familiares ou médicos.

"Quem quer se matar, se mata mesmo..."

Essa ideia pode conduzir ao imobilismo terapêutico, ou a descuido no manejo de pessoas sob risco. Não se trata de evitar *todos* os suicídios, mas sim os que *podem* ser evitados.

"No lugar dele, eu também me mataria..."

Há sempre o risco de o profissional identificar-se profundamente com aspectos do desamparo, depressão e desesperança de seus pacientes, sentindo-se impotente para a tarefa assistencial. E há também o perigo de se valer de um julgamento pessoal subjetivo para se decidir pelas ações que fará ou deixará de fazer.

"Veja se da próxima vez você se mata mesmo!"

O comportamento suicida exerce um impacto emocional sobre a equipe de saúde, podendo provocar sentimentos de franca hostilidade e rejeição. Isso é capaz de impedi-la de encarar a tentativa de suicídio como um possível marco em uma trajetória pessoal acidentada, a partir do qual pode-se mobilizar forças para uma mudança de vida.

"Quem se mata é bem diferente de quem apenas tenta."

Diversos estudos epidemiológicos demonstraram que, vistas em conjunto, as pessoas que tentam o suicídio apresentam características diferentes daquelas que chegam a um desenlace fatal. No entanto, esses achados não deveriam funcionar como álibi para a pouca atenção dispensada aos que tentam o suicídio, mas não morrem.

Fonte: Botega, 2006.[33]

Além de nossas crenças a respeito do comportamento suicida, nossas reações afetivas diante do paciente também influenciam a avaliação clínica e a ação terapêutica. A contratransferência compreende, para alguns, "tudo o que, da personalidade do analista, pode intervir no tratamento", e outros limitam o conceito aos "processos inconscientes que a transferência do analisando provoca no analista" (Laplanche e Pontalis, 1992).[35] A contratransferência é um fenômeno normal, em uma convergência e integração dos campos intrapsíquico e interpessoal. A contratransferência não é uma percepção em sentido estrito, mas sim um indício de grande significado semiológico não só para o analista, como também para os profissionais da área da saúde em geral.[36,37]

O medo de que o paciente irá se matar frequentemente bloqueia nossa capacidade de lidar com esse perigo. Uma reação possível diante do medo é se afastar, protegendo-se. O afastamento aversivo impede a sintonia empática, instala uma dissonância afetiva, e terapeuta e paciente acabam desconectados. Sem conexão, perde-se uma das forças que podem manter o paciente vivo, o qual se sente abandonado, aumentando o risco de suicídio.

Por outro lado, a proximidade afetiva exagerada leva a pensar que "no lugar dele eu também sentiria assim". Essa reação pode ser paralisante e conduzir a erros. Diante das difíceis condições enfrentadas por muitos pacientes, é preciso estar atento para não impregnar-se por um sentimento de impotência e desesperança

Cada um de nós suporta e lida com ansiedade, ambiguidade e risco de uma maneira característica. Alguns procuram manter, ao máximo, o controle da situação, minimizando o grau de incerteza. Outros suportam melhor a ansiedade e assumem maior risco, na esperança de promover a autonomia do paciente. É importante que cada um de nós saiba onde se encontra ao longo desse *continuum*.

A situação do paciente pode exigir, por parte do clínico, maior flexibilidade e disponibilidade, com maior provisão de cuidados quer em horários extras, quer por meio de telefonemas periódicos entre uma consulta e outra. Pode-se tratar de um paciente emocionalmente fragilizado e regredido, que exige do médico cuidados extremados. Ou então, em certas situações, tem-se um paciente que, além de desesperançado, mostra-se desconfiado e hostil, exigindo do clínico habilidade para lidar com uma situação em que, além de pouco controle sobre as ações do paciente, ele deve lidar com uma carga considerável de agressão.

Muitas vezes, o clínico sente que o paciente avança, na relação, além de um limite desejável. Sente que, de uma forma (regressão, com demanda de proximidade), ou de outra (desconfiança hostil, com rejeição de ajuda) o paciente controla o tratamento. Em resposta, pode não responder às necessidades do paciente, ou minimizá-las. Pode-se chegar, em um limite potencialmente desastroso, à passividade sádica e punitiva. Geralmente, a frieza do clínico é prontamente percebida pelo paciente, que a traduz como rejeição e abandono.

Da parte do clínico, o contrário também pode ocorrer: passa a superproteger o paciente, dedica-se a suas demandas e a toma para si, onipotentemente, a responsabilidade pela vida daquele que está sob seu cuidado profissional. Geralmente, nessa situação, a atitude do profissional esconde o temor de que o paciente se mate, "abandonando-o" e ferindo-lhe íntima e narcisisticamente.

Diante da incerteza e da impotência – e reagindo, inconscientemente, a seus próprios impulsos de raiva – o clínico se esmera exaustivamente no tratamento. Passa a "resolver", ele próprio, rapidamente, toda a situação, com perda do bom-senso e com prejuízo à autonomia do paciente. Para não rejeitar um paciente tão difícil, agora é ele, o clínico, quem avança, tão dedicado quanto amedrontado, os limites do razoável.

▶ Referências bibliográficas

1. Durkheim E. *O suicídio. Um estudo sociológico*. Rio de Janeiro: Zahar, 1982 (obra original publicada em 1897).
2. Freud S. *Luto e melancolia* [1917]. Edição standard das Obras Completas. Rio de Janeiro: Imago, 1987.
3. Cassorla RMS (coord.). *Do suicídio – estudos brasileiros*. Campinas: Papirus,1991.
4. Hendin H. The psychodynamics of suicide. *Int Rev Psychiatry*. 1992; 4:157-167.
5. Wasserman D, Sokolowski M, Wasserman J, Rujescu D. Neurobiology and genetics of suicide. *In*: Wasserman D, Wasserman C. *Oxford textbook of suicidology and suicide prevention*. Oxford: Oxford University Press; 2009.
6. Cassorla RMS, Smeke ELM. Autodestruição humana. *Cad Saúde Publ* 1995;10(1):61-73.
7. Brasil. Sistema de Informações sobre Mortalidade/MS/SUS/DATASUS. *In*: Ministério da Saúde. *Informações de saúde – estatísticas vitais*. Disponível em: http://tabnet.datasus.gov.br, acessado em fevereiro de 2010.

8. Lovisi GM, Santos AS, Legay L, Abelha L, Valencia E. Análise epidemiológica do suicídio no Brasil entre 1980 e 2006. *Rev Bras de Psiq* 2009;31(Suplemento):86-93.
9. Botega NJ, Barros MB, Oliveira HB, Dalgalarrondo P, Marín-León L. Suicidal behavior in the community: prevalence and factors associated with suicidal ideation. *Rev Bras de Psiq* 2005;27(1):45-53.
10. Botega NJ, Marín-León L, Oliveira HB, Barros MB, Silva VF, Dalgalarrondo P. Prevalências de ideação, planos e tentativas de suicídio: um inquérito populacional em Campinas SP. *Cad Saúde Publ* 2009;25(12):2632-8.
11. Nock MK, Borges G, Bromet EJ, Alonso J, Angermeyer M, Beuatrais A. Cross-national prevalence and risk factors for suicidal ideation, plans and attempts. *Brit J Psychiatr* 2008;192(2):98-105.
12. Morgan HG, Owen JH. *Persons at risk of suicide: guidelines on good clinical practice*. London: The Boots Company PLC; 1990.
13. Bertolote JM, Fleischmann A. Suicide and psychiatric diagnosis: a worldwide perspective. *World Psychiatry* 2002;1:181-185.
14. Werlang BSG, Botega NJ. Comportamento suicida. Porto Alegre: Artmed, 2004.
15. Owens D, Horrocks J, House, A. Fatal and non-fatal repetition of self-harm. Systematic review. *Brit J Psychiatr* 2002;181:193-199.
16. Oldham JM. Borderline personality disorder and suicidalilty. *Am J Psychiatr* 2006;163:20-6.
17. Hendin H. Recognizing a suicide crisis in psychiatric patients. In: Wasserman D, Wasserman C. *Oxford textbook of suicidology and suicide prevention: a global perspective*. Oxford: Oxford University Press, 2009: 327-331.
18. Fawcett J, Scheftner WA, Fogg L et al. Time-related predictors of suicide in major affective disorder. *Am J Psychiatry* 1990;147(9):1189-94.
19. Hunt IM, Windfuhr K, Swinson N et al. The National Confidential Inquiry into Suicide and Homicide by People with mental Illness. Suicide amongst psychiatric in-patients who abscond from ward: a national clinical survey. *BMC Psychiatry* 2010;10:14.
20. Tishler CL, Reiss NS. Inpatient suicide: preventing a common sentinel event. *Gene Hosp Psychiatry* 2009;31:103-9
21. Cheng IC, Hu FC, Tseng MCM. Inpatient suicide in a general hospital. *Gene Hosp Psychiatry* 2009;31:110-5.
22. Allebeck P, Bolund C, Ringback F. Increased suicida rate in cancer patients. *J Clin Epidemiol*. 1985;42:611-16.
23. Abrams H, Moore GL, Westervelt FB. Suicidal behavior in chronic dialysis patients. *Am J Psychiatry* 1971;127:1199-1204.
24. Cote TR, Biggar RG, Dannenberg AL. Risk of suicide among persons with AIDS: a national assessment. *JAMA* 1991;268:2066-68.
25. Roy A. Suicide: a multidetermined act.*Psychiatr Clin North Am.*,1985;8:243-50.
26. Kuo WH, Gallo JJ, Tien AY. Incidence of suicide ideation and attempts in adults: the 13-year follow-up of a community sample in Baltimore, Maryland. *Psychol Med* 2001;31(7):1181-91.
27. Botswick JM, Rackley SJ. Completed suicide in medical/surgical patients: who is at risk? *Curr Psychiatry Rep* 2007;9:242-6.
28. Mishara BL. Editorial – reconciling clinical experience with evidence-based knowledge in suicide prevention policy and practice. *Crisis* 2008;29(1):1-3.
29. Botega NJ, Silveira IU, Mauro MLF. *Telefonemas na crise: percursos e desafios na prevenção do suicídio*. Rio de Janeiro: Editora da ABP; 2010.
30. Mishara BL, Chagnon F, Daigle M et al. Comparing models of helper behavior to actual practice in telephone crisis intervention: a silent monitoring study of call to the U.S. 1 a 800.SUICIDE network. *Crisis* 2007;37(3):291-307.
31. Mishara BL, Daigle M. Helplines and crisis intervention services: challenges for the future. *In*: Lester D (ed.) *Suicide prevention: resources for the millennium*. Philadelphia: Brunner/Mazel, 2000: 153-71.
32. Mann JJ, Apter A, Bertolote J et al. Suicide prevention strategies: a systematic review. *JAMA* 2005;294:2064-74.
33. Botega NJ (2006). *Prática psiquiátrica no hospital geral: interconsulta e emergência*. 2 ed., Porto Alegre: Artmed.
34. Hendin H, Haas AP, Maltsberger JT, Koestner B, Szanto K. Problems in psychotherapy with a suicidal patient. *Am J Psychiatry* 2006;163:67-72.
35. Laplanche J, Pontalis JB. *Vocabulário da psicanálise*. São Paulo: Martins Fontes, 1992.
36. Maltsberger JT, Buie DH. Countertransference hate in the treatment of suicidal patients. *Arch Gene Psychiatry*,1973;30:625-33.
37. Gabbard GO. A contemporary psychoanalytic model of countertransference. *J Clin Psychology* 2001;57:983-91

▶ Leitura complementar

Botega NJ, Silva SV, Reginato DG et al. Maintained attitudinal changes in nursing personnel after a brief training on suicide prevention. *Suicide and Life Threatening Behavior* 2007; 37(2):145-53.

Rede de Informação Tecnológica Latino-Americana (RITLA). *Mapa da violência: os jovens da América Latina 2008*. Sumário Executivo. Novembro, 2008.

Schneidman E. *Suicide as psychache: a clinical approach to self-destructive behavior*. Northvale: Jason Aronson Inc., 1993.

Adesão ao Tratamento no Contexto das Doenças Crônicas

Gisela Cardoso e Rosa Garcia

▶ Introdução

Há algumas décadas o tema da não adoção de condutas de observância tornou-se um desafio e motivo de preocupação para as autoridades de saúde pública,[1] podendo ser considerado como um dos problemas mais sérios com a qual a prática médica tem que se defrontar no momento atual.

O conceito de adesão ao tratamento consiste no grau de coincidência entre o aconselhamento médico ou de saúde e o comportamento do paciente; incluindo todas as orientações da equipe que acompanha o paciente,[2] no que se refere a ingerir medicamentos, seguir dietas, comparecimento às consultas e modificação de hábitos. Sendo assim, ela é o resultado de uma interação complexa entre o paciente, a medicação prescrita e o sistema de saúde.

Para o Ministério da Saúde brasileiro[3] o conceito de adesão é o estabelecimento de uma atividade conjunta, na qual o paciente não apenas obedece à orientação médica, mas entende, concorda e segue a prescrição recomendada pelo seu médico. Significa que deve existir uma aliança terapêutica entre médico e paciente na qual são reconhecidas não somente a responsabilidade específica de cada um no processo, mas também de todos os que estão envolvidos direta ou indiretamente no tratamento.

A adesão varia em função de inúmeros fatores relacionados com a doença, ao tratamento, ao doente e inclusive ao método de medição.[4] Leite e Vasconcellos[5] sinalizam que, entre os diversos fatores citados na literatura, não se pode deixar de pensar na questão da falta de acesso ao medicamento, pois o mercado farmacêutico concentra-se nos países economicamente mais ricos, voltado às classes sociais mais abastadas. Apesar de no Brasil a despesa com medicamentos representar grande parte do investimento em saúde pública, a dispensação gratuita de medicamentos não cobre as necessidades de forma completa, embora haja um grande avanço nesse sentido,[5] como no caso da terapia antirretroviral para AIDS e no tratamento para tuberculose e hanseníase, entre outros.

Não há um padrão consensual de definição da adesão, contudo os estudiosos concordam que a adesão não é algo universal e que algum tipo de não adesão é sempre esperado, mesmo no caso das doenças graves. Os doentes não seguem exatamente aquilo que é prescrito e recomendado pelos seus médicos.

▶ Medição da adesão

Os métodos mais utilizados para avaliação da adesão a tratamento são:

- Perguntar diretamente ao paciente por meio de entrevistas ou questionários
- Estimar indiretamente através da contagem manual das pílulas remanescentes no

frasco de comprimidos ou pelo sistema de monitoramento eletrônico "MEMS" (*Medication Event Monitoring System*), onde se coloca um *chip* na tampa do frasco capaz de registrar o dia e a hora em que o frasco de remédios é aberto
- Dosar os marcadores biológicos que permitem a medida dos níveis séricos ou urinários da medicação em estudo (exame da carga viral, por exemplo, nos pacientes que fazem terapia antirretroviral).

Além destes, existem também outros modos de se obter informações sobre a relação do paciente com seu tratamento, que são a regularidade das idas às consultas médicas e a frequência de retirada das medicações na farmácia do local em que faz tratamento regularmente.[6]

O uso de medidas combinadas para avaliar a adesão são normalmente recomendadas de modo a abranger as múltiplas facetas do fenômeno.

O nível de adesão para obtenção de uma resposta clínica varia de doença para doença. Enquanto para a hipertensão são considerados aderentes os pacientes que tomam pelo menos 80% das doses, no caso dos pacientes com HIV/AIDS, o nível de adesão deve ser de 95%.[7] Ser aderente, portanto, implica estar em conformidade com normas que são estabelecias, variando de doença para doença.

A taxa média de adesão em inúmeros estudos realizados com doenças crônicas, como diabetes, artrite reumatoide, epilepsia, tuberculose e HIV/AIDS, inclusive as doenças psiquiátricas, como esquizofrenia, transtorno afetivo bipolar, depressão maior, tem se situado em torno de 50%.[2] A não adesão propicia o aumento no número de recaídas em 3,7%, elevando também os custos da re-hospitalização em 40%.[8] Em estudo realizado em São Paulo, com pacientes esquizofrênicos, observou-se um custo com tratamento ambulatorial de apenas 11% dos recursos totais, contra 79,2% destinado às internações psiquiátricas, considerado pelos autores como um fator relacionado indiretamente com a falta de adesão.[9]

▶ Fatores associados a adesão e não adesão

A adesão ao tratamento é um tema complexo tanto para os pacientes quanto para os profissionais de saúde, devido aos múltiplos fatores envolvidos relacionados com o paciente e seu entorno, com a doença e o tratamento, assim como a qualidade do serviço de saúde, incluindo o vínculo entre o paciente e a equipe de saúde. Não se pode reduzir a temática da adesão à lógica racional, devendo ser consideradas as diferentes influências, inclusive de ordem sociocultural.

▪ Paciente e seu entorno

É muito importante levar-se em consideração as características pessoais (estrutura de personalidade) e a história prévia da pessoa, ou seja, como fez para lidar anteriormente com situações de doença e/ou tratamentos, quais são os mecanismos de defesa predominantes – mecanismos mais regressivos (dissociação, negação e projeção) ou mais adaptativos –, como está organizada a rotina de vida do indivíduo (flexibilidade de horários, deslocamentos) etc.

Do ponto de vista psicológico, o paciente que adere ao tratamento, ao mesmo tempo em que se submete a uma situação de dependência, já seja da equipe de saúde, dos familiares etc.,[10] precisa ter uma atitude ativa, de enfrentamento da doença. Os pacientes aderentes são participativos, exercitam a adesão no dia a dia, procurando informações sobre a doença, envolvendo-se com o tratamento. A doença, transforma-se em uma situação de aprendizagem e o doente se torna ativo lutando por sua saúde e sua vida ("doença-ofício").[11] Com relação aos pacientes não aderentes, observa-se como a vivência da doença pode ser uma ameaça à própria identidade que precisa persistir como a de uma pessoa sadia, não precisando, então, nem de remédio, nem de tratamento.[12] Desse modo, o paciente não logra inserir-se em uma nova normatividade,[13] como conseguem fazer os pacientes aderentes.

Não se pode, contudo, desprezar o valor das crenças e interpretações sobre o tratamento. Observa-se que os pacientes muitas vezes interrompem o tratamento quando se sentem melhor e/ou curados ou porque os sintomas diminuíram. Alguns estudos sinalizam que quando o paciente se sente pior ou não vê diferença também para o tratamento. Isso pode estar associado às concepções sobre o que é a recuperação e à etiologia da doença propriamente dita.[14] Um paciente, por exemplo, após sucessivos tratamentos para tuberculose interrompidos, por sentir-se melhor e "curado", somente conseguiu concluir o tratamento depois de o médico que o assistia mostrar-lhe a radiografia em que se via de modo claro o pulmão ainda comprometido. Nesse caso, o médico precisou concretamente mostrar as evidências da doença (tuberculose) de maneira em que o paciente pudesse "compreender" que ainda estava doente.

Pacientes com baixa escolaridade costumam ter mais dificuldade,[14,15] assim como aqueles com mais de uma doença associada, principalmente quando se trata de doenças estigmatizantes, em que a aceitação do diagnóstico é o primeiro passo para aderir ao tratamento.

Pacientes com história de uso atual de substâncias psicoativas e abuso de álcool[4,14] também são mais vulneráveis à não adesão por perda de controle sobre os horários, dificuldade de submeter-se às rotinas das unidades de saúde, descuido consigo mesmo e baixa tolerância à frustração.

Vários estudos sinalizam que os transtornos psiquiátricos não tratados, como a depressão e o abuso de substâncias psicoativas, interferem não só na adesão ao tratamento, como na não utilização das medidas preventivas em pacientes com HIV/AIDS.[16-18] O impacto dos sintomas mentais na piora da qualidade de vida dos pacientes com HIV é, desse modo, expressivo, podendo levar a dificuldades de adesão ao tratamento antirretroviral.[19]

Os pacientes delirantes, principalmente os que apresentam delírios paranoides, sentem-se ameaçados com o uso da medicação, podem pensar que ela vai causar mal, matar ou tirar sua potência sexual.

Munro et al.,[14] a partir de uma revisão sistemática de estudos qualitativos em tuberculose, sinalizam que deve-se ter precaução em justificar a não adesão como sendo somente devida a falta de motivação (fatores pessoais). Fatores pessoais e sociais, incluindo pobreza e marginalização social, devem servir para identificar pacientes em risco de não adesão.

Em estudo realizado com mulheres soropositivas no Rio de Janeiro a maioria das mulheres descreve a percepção de um suporte social frágil (de aceitação de seu diagnóstico e apoio) por parte do meio onde estão inseridas, levando a um comportamento de afastamento em relação aos outros de modo geral, e especificamente no que diz respeito ao tratamento antirretroviral.

É importante destacar como o grau de apoio familiar e social é algo fundamental, não só na aceitação da doença mas na condução do tratamento propriamente dito. A lembrança dos horários, o apoio nos momentos difíceis, o acompanhamento, mesmo que eventual, nas consultas médicas ou na realização de exames, faz com que o paciente sinta-se mais acolhido e compreendido em seu sofrimento psíquico e físico. Os pacientes não aderentes parecem em muitos momentos não conseguir desenvolver estratégias para lidar com as dificuldades vinculadas aos medicamentos (adaptação a novos horários, mudança na rotina de trabalho, restrições alimentares, efeitos colaterais, entre outros) e as limitações vinculadas à doença (temor de compartilhar o diagnóstico pelo temor de discriminação). Assim sendo, o apoio dos familiares e amigos nos ajustes e adaptações que precisam ser realizadas merece um destaque especial.

Os fatores socioeconômicos, mesmo nos contextos em que o tratamento é gratuito (custos indiretos) é também um peso importante no tratamento. Vários estudos sinalizam o impacto do tratamento na relação com o trabalho, por exemplo, no medo de perder o emprego ou de ser demitido.[14] Muitos pacientes priorizam o trabalho, sendo que, para vários deles, haveria uma "escolha" entre tratar-se e manter o emprego. A falta de salário ou ausência de renda pessoal aparece como fator de risco para não adesão ao tratamento antirretroviral, independentemente do esquema terapêutico e do tipo de unidade de saúde.[4] O suporte familiar pode ter forte influência na adesão também nesse aspecto financeiro.

- **Doença e tratamento**

Estar doente, para a maioria das pessoas, significa estar em situação de fraqueza, pois a doença representa sofrimento psíquico, prejuízo corporal, limitação das possibilidades físicas. É um golpe na integridade e um obstáculo ao exercício normal da vida.[10] Vários estudos sinalizam que o tipo de doença parece ter alguma relação com a adesão ou não ao tratamento.[5,7] Algumas doenças são mais graves do que outras, ou têm uma sintomatologia mais ou menos exuberante. Algumas doenças são mais estigmatizadas do que outras, sentindo-se os doentes, portanto, mais discriminados. Todos esses fatores não podem ser analisados isoladamente, já que podem ser vivenciados como fatores facilitadores ou dificultadores da adesão de acordo com o indivíduo e seu entorno.

Quanto à informação sobre o diagnóstico, alguns estudos mostram que a informação sobre o diagnóstico aumenta a adesão.[20] Outros estudos, avaliando psicóticos, concluem que esse tipo de informação dificulta a adesão, podendo levar ao risco de suicídio.[21] Essas informações devem ser dadas somente quando a relação médico-paciente estiver bastante solidificada e quando o paciente estiver disponível e disposto a aceitar.[22]

Além da doença propriamente dita, o tratamento, naturalmente, exerce uma influência sobre a adesão. O início do tratamento seria um dos momentos cruciais no qual apareceria com maior nitidez a necessidade de aceitação da doença e de se estabelecer uma relação de confiança com o médico e com a equipe de saúde.

Encontramos que o maior número de comprimidos prescritos e o tipo de esquema terapêutico estão associados a não adesão, mesmo quando o medicamento é fornecido ao paciente.

Alguns esquemas terapêuticos, como no caso do tratamento do HIV e/ou da tuberculose, costumam ser complicados e exigir um grande empenho por parte do paciente, que precisa adaptar sua alimentação, horários e ritmo de vida para cumprir o tratamento,[4,23] além de precisar de apoio por parte da rede familiar e/ou social.

A maioria das pesquisas e estudos de revisão[14,24,25] sinalizam que os efeitos colaterais tem uma importante influência na falta de adesão ao tratamento. Esses efeitos colaterais – sejam reais ou não[14] – podem ser um dificultador para a adesão.

Os efeitos colaterais nas doenças psiquiátricas interferem na qualidade de vida do paciente, pois podem causar sedação, parkinsonismo medicamentoso, acatisias, discinesia tardia e mesmo síndrome neuroléptica maligna e, na maioria das vezes, aumento de peso e disfunção sexual. Quanto às medicações de depósito, não foram totalmente aceitas no início pelos efeitos colaterais. Já existe, no entanto, *no mercado antipsicótico atípico na apresentação de depósito, o que vai facilitar a aceitação do paciente, sendo os efeitos colaterais bem mais atenuados.* Shirakawa[22] relata experiência inicialmente difícil na utilização de medicação de depósito em um serviço de saúde de Londrina (atendimento a esquizofrênicos que não aderiam ao tratamento). Refere que no início foi bastante árduo, mas que depois de algum tempo esses mesmos pacientes compareciam ao serviço espontaneamente, já bastante melhorados. A literatura indica que os pacientes preferem a medicação de depósito.[26] Às vezes os pacientes referem: *"a cada dia que pego o comprimido lembro que sou um psicótico. Prefiro a injeção toda semana ou todo mês"*. Além disso, a medicação de depósito fica mais confortável para os acompanhantes do paciente, pois assegura melhor a tomada da medicação, além de reduzir custos.

Em estudo qualitativo realizado com pacientes com HIV/AIDS no Rio de Janeiro,[12] o tratamento ARV é descrito como forte para os grupos dos pacientes aderentes e não aderentes, contudo, na hora de descrevê-lo, o adjetivo ganha sentidos opostos. Enquanto para os pacientes aderentes ele aparece destruindo e transformando tudo para melhor (ele é muito forte positivamente); nos não aderentes ele faz mal, piorando a qualidade de vida (ele é muito forte negativamente), principalmente pelos efeitos adversos. Vários pacientes não aderentes duvidavam dos efeitos benéficos do tratamento ARV. O tratamento seria a objetivação da própria doença, nesse caso, da AIDS.

Nota-se assim, na realidade, que algumas questões associadas aparentemente aos medicamentos propriamente ditos estariam relacionadas com a doença, no sentido de aceitá-la e poder ajustar-se a novas regras de vida impostas pelo tratamento, incluindo aí os possíveis efeitos adversos associados ao uso de algumas drogas.

- **Relação paciente com a equipe de saúde e com a unidade de saúde**

A atenção à saúde envolve ações de diferentes níveis de complexidade, englobando a interação entre os sujeitos, à organização do trabalho, o exercício da interdisciplinaridade no trabalho em equipe, a contínua incorporação de novos saberes e práticas às ações de saúde.[15] No Brasil a variável qualidade do serviço de saúde tem um alto poder de predição sobre a adesão nos tratamentos para HIV e hanseníase, independentemente das características dos usuários.[4,27] Desse modo, é importante levar em consideração barreiras práticas, tais como acesso limitado à medicação, locomoção, reembolso (como nos casos dos planos de saúde que retardam ou rejeitam a solicitação do paciente), falhas no atendimento que podem ocorrer por espera demorada para ser atendido, ou quando existe um intervalo muito grande entre as consultas, pois quanto maior o intervalo, menor a adesão.[28] A facilidade de acesso aos profissionais e ao serviço de saúde, no sentido de poder encontrar os profissionais em caso de dúvidas ou necessidade (atendimento não agendado e/ou de urgência) faz diferença em relação à adesão.

A posição da equipe de saúde pode também auxiliar enormemente. É importante que o médico possa encontrar um esquema terapêutico que melhor adapta-se à rotina e ao estilo de vida do indivíduo. Muitas vezes, o "melhor" esquema ou o tratamento "ideal" do ponto de vista clínico não é visto dessa maneira pelo paciente. É fundamental, então, que se ouça o paciente, procurando entender o que é possível e o que é melhor para ele, enquanto indivíduo que tem uma vida com especificidades e particularidades próprias.

Para os pacientes, de um modo geral, o vínculo com a equipe de saúde é extremamente importante. É em direção a ela que transferirá muitos de seus medos, suas angústias e expectativas em relação à doença e ao tratamento. Nessa relação que se estabelece entre ambos, é importante que, do mesmo modo que se possa acolher o paciente, se possa também estimular sua autonomia como sujeito que pode perguntar, opinar e questionar, ou seja, se posicionar. Desse modo, através do estímulo à sua participação, promove-se a realização de um trabalho conjunto, integrado, onde cada um tem seu grau de comprometimento e responsabilidade na condução do tratamento.

É fundamental que os profissionais de saúde procurem entender quais são as necessidades dos pacientes, tentando entender o sentido de ter determinada doença, assim como as queixas e dificuldades vinculadas à doença e ao tratamento (efeitos colaterais, adaptação de horários ao estilo de vida do paciente, possíveis conflitos devido à doença e vivências de discriminação etc.). É importante saber o que é possível de ser cumprido, respeitando o estilo de vida do paciente. Desse modo, promove-se a capacidade de diálogo e de "negociação".[4]

É sabido que o paciente que tem boa relação com o médico e a equipe de saúde, mesmo no caso dos pacientes psicóticos, consegue melhor adesão ao tratamento. A confiança depositada no médico, a interação, o apoio, a competência que o profissional passa no seu tratamento, e a própria disponibilidade e desejo do médico de querer tratar o seu paciente melhoram a adesão ao tratamento.

Em estudo qualitativo realizado com pacientes com HIV/AIDS,[12] a relação com o médico, especificamente, adquire sentidos bastante diferente para os grupos de pacientes aderentes e não aderentes. Enquanto para os pacientes aderentes é nítida a presença de um forte vínculo afetivo, para os pacientes não aderentes o que prevalece é uma relação vista de maneira bastante conflituosa. Para os pacientes aderentes o médico muitas vezes é descrito como um irmão, um amigo, alguém com quem se pode compartilhar todos os sentimentos. Já a maioria dos pacientes não aderentes relata não conversar com seus médicos. Alguns dos pacientes não aderentes relataram perceber um esforço por parte de seus respectivos médicos em querer uma aproximação com eles, mas ela é neutralizada por uma falta de iniciativa por parte deles próprios em aproximar-se de seus médicos.

Observa-se como a adesão, além de ser um processo, é extremamente dinâmica, sofrendo a influência de diferentes fatores, individuais e coletivos, em um contexto familiar e institucional.

▶ O que fazer quando o paciente não adere?

Uma das propostas para se atuar junto ao paciente com dificuldades de adesão ao tratamento é denominado trilogia da adesão, que corresponde a: informação, motivação e habilidades comportamentais:[29]

- *Informação*: consiste na implantação de estratégias de educação junto ao paciente e sua família. É fundamental conhecer algo acerca da doença, incluindo sua causa, seu tratamento e os efeitos colaterais da medicação. À medida que o tratamento vai se desenvolvendo, dúvidas vão surgindo e é preciso ir processando mais informações. As perguntas do paciente e da família podem ser do tipo: "*Por que eu tenho que tomar essa medicação?*"; "*Vou tomar para o resto de minha vida?*"; "*Quando vou ficar bom?*"; "*Isso vai acontecer novamente?*"; "*Por que tenho que ser internado?*".

- *Motivação*: quanto à motivação, encontramos mais dificuldades quando lidamos com pacientes psiquiátricos, principalmente o psicótico, já que o seu juízo de realidade está alterado; ou o deprimido, pois neste caso, pelo comprometimento do humor, o paciente não consegue ter motivação para o tratamento. Uma alternativa para melhorar a motivação nos pacientes psiquiátricos seria trabalhar tanto no comportamento como na compreensão dos fatores psíquicos, isto é, de forma psicodinâmica.[30]
- *Habilidades comportamentais*: compete aos profissionais de saúde, junto com a família, tentar adaptar a tomada dos medicamentos ao estilo de vida do paciente. É fundamental estar atento para que o paciente não esqueça os medicamentos; criar condições para que isso seja adequado às suas necessidades, como por exemplo: colocar os comprimidos em locais que o paciente use no seu cotidiano, junto à escova de dentes, no travesseiro, e no caso em que o paciente não permaneça em casa, ou que mude sua rotina nos fins de semana, lembrá-lo de levar sempre consigo as medicações.

Em estudo realizado em Salvador, Bahia, para avaliar a importância dada pelo psiquiatra à adesão ao tratamento nos pacientes psicóticos, somente 18,8% consideraram a recusa ao tratamento como principal item entre vários apresentados. Observou-se que quanto maior o tempo de atividade do psiquiatra, menor a importância dada à "recusa de tratamento". Concluiu-se o quanto o psiquiatra na sua relação com o paciente deve estar atento à adesão.[31]

Os tratamentos psicológicos são tidos como de grande importância nesse tema. As psicoterapias individuais e de grupo, os grupos operativos, são referidos na literatura como preditores de boa adesão. Os pacientes e familiares que se submetem às intervenções psicossociais, bem como aos grupos de autoajuda, melhoram a adesão.[32]

▶ **Sugestões**

- É extremamente importante perceber qual é o significado da doença para o paciente, qual é o sentido que ele dá para o estar doente e para precisar dos remédios. Ser aderente implica aceitar a doença, adaptar-se a uma nova condição de vida, assumindo a própria responsabilidade em estar doente. O momento de início do tratamento é, com certeza, um dos mais delicados na relação com a doença, pois mobiliza todo o campo representacional da condição de ser doente. O paciente precisa estar seguro de que tomar os remédios é o melhor para ele naquele momento e não sentir que o tratamento é algo imposto pelo seu médico
- A identificação dos momentos de maior vulnerabilidade para o abandono do tratamento, como podem ser conflitos pessoais, dificuldades financeiras, falta de apoio e vivências de discriminação, são um sinal de alerta. Essas situações podem gerar sentimentos de insegurança, baixa autoestima, tristeza e desesperança que facilitam a descontinuidade do tratamento
- O grau de apoio e acolhimento por parte de parceiros/familiares e amigos é extremamente importante. O paciente necessita de ajuda para tomar os remédios, tanto na lembrança de horários, no apoio afetivo, nas informações que recebe, como na elaboração de estratégias que facilitem sua administração
- O papel das instituições de saúde é fundamental para que o paciente se sinta amparado e seguro. Quando o paciente não se sente acolhido pela instituição e compreendido pelos profissionais que o atendem, ele se torna mais vulnerável ao abandono.

▶ **Referências bibliográficas**

1. Souville M, Morin M, Cailleton V, Moatti JP. Attitudes, representation and practices of HIV infected patients in France. The impact of new treatments. *In*: Memórias. VI Conferencia Internacional sobre Representaciones Sociales. Cidade do México: Casa Abierta al Tiempo, 1998, p. 38.
2. Haynes RB, McDonald H, Garg AX, Montague P. Interventions for helping patients to follow prescriptions for medications. Cochrane Review. *In*: The Cochrane Library, Issue 1. Oxford: Update Software. 2003.
3. Brasil 1999. Coordenação Nacional de DST/AIDS. Conceito e recomendações básicas. Ministério da Saúde, Brasília, 1999.

4. Brasil 2000. Coordenação Nacional de DST/AIDS 2000. Pesquisadora principal: Nemes MIB. Aderência ao tratamento por anti-retrovirais em serviços públicos no estado de São Paulo. Ministério da Saúde, Brasília.
5. Leite SN, Vasconcellos MPC. Adesão à terapêutica medicamentosa: elementos para a discussão de conceitos e pressupostos adotados na literatura. *Ciência e Saúde Coletiva* 2003;8(3):775-782.
6. Gomes RRFM, Machado CJ, Acurcio FA, Guimarães MDC. Utilização dos registros de dispensação da farmácia como indicador da não adesão à terapia anti-retroviral em indivíduos infectados pelo HIV. *Cad Saúde Pública* 2009;25(3):495-506.
7. Nemes MIB, Santa Helena ET, Caraciolo JMM, Basso CR. Assessing patient adherence to chronic diseases treatment: differenttiating between epidemiological and clinical approaches. *Cad Saúde Pública* 2009;25(Sup 3):S392-S400.
8. Scherer ZAP, Scherer EA. O doente mental crônico internado: uma revisão da literatura. *Latino-Am Enfermagem* 2001;9(4):56-61.
9. Leitão RJ, Ferraz MB, Chaves AC, Mari JJ. Cost of schizophrenia: direct costs and use of resources in the state of São Paulo. *Rev Saúde Pública* 2006;40(02):304-9.
10. Spitz L. As reações psicológicas à doença e ao adoecer. Cadernos do IPUB-Saúde Mental no Hospital Geral. Instituto de Psiquiatria-UFRJ, 1997;6:85-97.
11. Herzlich C. La perception quotidienne de la santé et de la maladie. Uwe Flick (Org.) Paris: Litaimattan, 1992.
12. Cardoso G, Arruda A. As representações sociais da soropositividade e sua relação com a observância terapêutica. Ciência e Saúde Coletiva, ABRASCO, 10:1, jan-mar, Rio de Janeiro, 2005.
13. Canguilhem G. O normal e o patológico. Rio de Janeiro: Forense-Universitária, 1978.
14. Munro S, Lewin AS, Smith HJ, Engel ME, Fretheim A, Volmink J. Patient adherence to tuberculosis treatment: a systematic review of qualitative research. PLOSMedicine, 4, 7: e238, July 2007.
15. Nemes MIB, Castanheira ERL, Melchior R, Britto e Alves MTSS, Basso CR. Avaliação da qualidade da assistência no programa de AIDS: questões para a investigação em serviços de saúde no Brasil. *Cad Saúde Pública* 2004;20 Sup 2:S310-S321.
16. Hader SL, Smith DK, Moore JS, Holmberg SD. HIV infection in women in the United States. *JAMA* 2001;205:9.
17. Treisman GJ, Angelino AF, Hutton HE. Psychiatric issues in the management of patients with hiv infection. *JAMA* 2001;286:22.
18. Cournos F, McKinnon K, Wainberg M. What can mental health interventions contribute to the global struggle against HIV/AIDS? World Psychiatry 2005;4:3.
19. Tostes MA, Chalub M, Botega NJ. The quality of life of HIV-infected women is associated with psychiatric morbidity. *AIDS Care* 2004;16(2):177-186.
20. Rost K. The influence of patient participation on satisfaction and compliance. *Diabetes Educ* 1989;15:134-8.
21. Schwartz RC, Smith SD. Suicidality and psychosis: the predictive potential of symptomatology and insight into illness. *J Psychiatry Res* 2004;45:16-19.
22. Shirakawa I. Adesão na prática clínica. *In*: Shirakawa I (ed.). Esquizofrenia – Adesão ao tratamento. São Paulo: Casa Editorial, 2007.
23. Jordan MS *et al*. Aderência ao tratamento anti-retroviral em AIDS: revisão da literatura médica. *In*: PR Teixeira *et al*. Tá difícil de engolir?. São Paulo: Nepaids, 2000.
24. Lignani Jr. L, Greco DB, Carneiro M. Avaliação da aderência aos anti-retrovirais em pacientes com infecção pelo HIV/AIDS. *Rev Saúde Pública* 2001;35(6).
25. Bonolo PF, Gomes RRFM, Guimarães MDCG. Adesão à terapia anti-retroviral (HIV/AIDS): fatores associados e medidas da adesão. *Epidemiol Serv Saúde* 2007;16(4).
26. Chesney M, Ickovics J, Chambers D *et al*. Self reported adherence to antiretroviral medications among participants in HIV clinical trials: the AACGT adherence instruments. AIDS Care 2000;12(3):255-66.
27. Bakirtzief Z. Identificando barreiras para aderência em tratamento de hanseníase. *Cadernos de Saúde Pública* 1996;12(4):497-505, Rio de Janeiro.
28. McDonald HP, Garg AX, Haynes RB. Interventions to enhance patient adherence to medication prescription. *JAMA* 2002;288:2862-79.
29. Garcia R, Schooley RT, Badaró R. An adherence trilogy is essential for long-term HAART success. *Braz J Infect Dis* 2003;7(5):307-314.
30. Garcia R. Papel da motivação na adesão ao tratamento psiquiátrico. *Rev Bras Neurol Psiq* 2001;5(3):97-102.
31. Garcia R *et al*. Importância dada pelo psiquiatra à adesão ao tratamento nos pacientes psicóticos. *Rev Neurol Neurocir Psiquiat* 2005;38(4):129-134.
32. Leucht S, Heres S. Epidemiology clinical consequences, and pshychosocial treatment of nonadherence in schizophrenia. *J Clin Psychiatry* 2006;Suppl 5:3-8.

21 O Paciente Crônico

Gloria Araujo

"A verdadeira viagem não está em sair à procura de novas paisagens, mas em possuir novos olhos para ela."

Marcel Proust

▶ Introdução

A constante evolução da medicina moderna, com quebra de barreiras e limites, a partir dos avanços tecnológicos e o implemento das pesquisas na área da saúde, provocou um aumento do conhecimento científico, possibilitando que doenças antes fatais, se tornassem controláveis e, portanto, crônicas.[1]

Isso acarretou melhorias na qualidade de vida destes pacientes, fazendo com que pudessem ter um bom desempenho tanto pessoal, social como profissional.[2]

Assim aconteceu, por exemplo, com as doenças autoimunes, pelo novo arsenal terapêutico disponível, com o diabetes melito, a partir do advento da insulina e dos hipoglicemiantes de uso oral, e com a Síndrome da Imunodeficiência Adquirida (AIDS), após a composição de um "coquetel" medicamentoso. Até o câncer (em suas várias manifestações) é hoje considerado uma doença crônica, tendo em vista o maior percentual de cura de muitos tipos e a possibilidade de tratamentos que prolongam a sobrevida dos indivíduos acometidos.

Este fato, por sua vez, teve uma ampla repercussão, emergindo questões relacionadas com os pacientes propriamente ditos, relativas aos médicos, à equipe de saúde, institucionais e sociais que não podem ser desconsideradas quando falamos desses pacientes.

Atualmente, se nos ativermos a falar da pessoa acometida por uma patologia crônica, *stricto sensu*, estaremos sendo reducionistas.

Abordaremos aqui, portanto, as dificuldades inerentes a cada um destes aspectos e os cuidados que devemos ter para minimizá-los, visando diminuir o impacto destes sobre o sujeito.

▶ Aspectos relacionados com os pacientes

"Eu? Eu estou com uma doença crônica? O que é isso? Mas eu vou ficar uma doente crônica? Daquelas que se tratam para sempre? Não, meu Deus! O que é isso? Quem vai cuidar da casa, dos meus filhos? E de mim, né? Agora ainda tem eu para alguém cuidar! Não pode ser!" (V.F., 43 anos, ao receber o diagnostico de Síndrome de Sjögren)

Como podemos observar, as dificuldades começam pela própria definição:

O que é uma doença crônica? O que é um doente crônico?

Os conceitos aparentemente se confundem, mas, analisando com cuidado, veremos diferenças significativas.

Em inglês, o conceito de doença dispersa-se por três termos: disease, illness e sickness, que se pode traduzir, respectivamente, como *ter uma doença*, *sentir-se doente* e *comportar-se como doente*.[3] Estaremos falando, portanto, dos aspectos biológicos, psíquicos e sociais da doença que podem existir de maneira independente. Ter uma doença crônica pode, ou não, ser acompanhada por uma sensação de doença e/ou de um comportamento de "*doente*".[3]

- **Doença crônica**

Entendemos como doença crônica a patologia que não põe em risco imediato a vida da pessoa, de evolução prolongada, que exige cuidados permanentes, para a qual, até o momento, não existe "*cura*", ou seja, ausência de doença, por não haver, ainda, nenhuma modalidade terapêutica plenamente efetiva.

Inclui, também, todas as condições em que um sintoma existe continuamente, afetando negativamente a saúde e funcionalidade do doente. No entanto, os seus efeitos podem ser controlados, melhorando sua qualidade de vida.

Como exemplo de doenças crônicas temos:

- Doenças autoimunes
- Síndrome da imunodeficiência adquirida (AIDS)
- As doenças de causa genética
- Doenças respiratórias
- Doenças cardiovasculares.

Um aspecto importante a ressaltar é que doença crônica não é sinônimo de *invalidez*. Embora algumas possam ocasionar graves restrições físicas e/ou psíquicas, com a devida abordagem clínica e psicológica, o paciente pode levar uma vida normal, desde que respeitadas as restrições impostas por sua enfermidade.

- **Doente crônico**

Estar acometido por uma doença crônica não significa necessariamente *ser* um doente crônico. A maneira como o indivíduo vivencia sua doença é estritamente pessoal, havendo aqueles que, apesar de acometidos por uma ou mais patologias, conseguem readaptar-se, fora das eventuais fases de agravamento.

O que aqui consideramos como um "*doente crônico*" são os pacientes que se sentem "*doentes*" mesmo nos períodos intercríticos.

É de suma importância que a equipe possa estar atenta a este aspecto e que um trabalho terapêutico seja instituído visando organizar este equilíbrio, fazendo com que, mesmo com limitações, ele possa exercer suas atividades.

- **Impacto do diagnóstico**

A passagem do homem da situação de sadio para a de doente, seja de maneira abrupta ou insidiosa, modifica sua relação com o mundo e consigo mesmo, implicando, sempre, repercussões psicológicas, tanto nele quanto no seu círculo familiar e social.[4] Para podermos acolher este paciente, dando-lhe conforto neste momento, temos que entender que há uma doença "invadindo" a vida desta pessoa, a qual não teve possibilidade de escolha.

A maneira como um indivíduo reagirá à eclosão, instalação e como se comportará ao longo de sua doença dependerá, portanto, de alguns fatores, quais sejam:

- *Vivências individuais*: a maneira como a enfermidade é vivenciada é sempre um acontecimento singular, uma experiência pessoal, resultante da historia de cada um, de seu modo de ser, de viver, de se relacionar.[4]

As reações manifestas pelos pacientes ao receber um diagnóstico de doença crônica dependerá, portanto, da influência de sua trajetória de vida, condicionando a maneira como irá lidar com ela.

Inclui-se aqui o fato de já conhecer, ou não, a patologia, se algum membro da família já havia tido alguma doença crônica ou similar e como essa doença está inserida em seu imaginário, isto é, a sua representação social, como se verá a seguir:

- *Representação social da doença*: segundo Cardoso,[5] a representação social é definida como um modo de conhecimento do "senso comum". Ela está diretamente relacionada com a maneira como as pessoas interpretam ou traduzem os conhecimentos veiculados socialmente.

É relevante, também, o grau de informação que o paciente obteve de seus médicos, uma vez que isto pode provocar crenças irracionais relativas à doença.[3]

Podemos dizer, então, que a "cumplicidade entre doente e doença expressa-se e organiza-se em função da personalidade do doente e das representações da doença que se terá forjado sob a influência básica da cultura à qual ele pertence".[6]

- **Reações diante da doença crônica**
  - Perplexidade/ansiedade:
    "Mas o que é isso? Como vai ser agora? Vou ter que parar tudo? Como vai ser minha vida? Eu trabalho, doutor, e aí como é que fica?" (R.B., 36 anos)
    Normalmente acontece quando o paciente recebe seu diagnóstico. Inicialmente perplexo, sem saber ao certo o que está acontecendo, torna-se ansioso, principalmente quando há alguma dúvida diagnóstica, sem saber ao certo sua evolução e prognóstico
  - Regressão:
    É a primeira e mais constante das consequências psíquicas, funcionando como um mecanismo de adaptação.
    A impossibilidade de regredir pode deixar o doente com uma exigência psíquica de *"superadaptação"*, que, a médio e longo prazos, pode trazer-lhe bastante prejuízo, ou, julgando-se não doente, recusar-se a ser tratado ou abandonar o tratamento.[4,6]
    Caracteriza-se por um comportamento infantil marcado por:
    - Dependência: importante no período inicial, quando, entregando-se plenamente nas mãos da equipe, possibilita que o médico possa instituir o tratamento adequado
    - Passividade: é útil em um primeiro momento, quando podemos atuar com a aquiescência do paciente, quando ele se deixa ajudar, renunciando temporariamente as suas atividades habituais e aceitando, inclusive, a hospitalização, se esta se fizer necessária. Entretanto, posteriormente, torna-se prejudicial, pois ele poderá e deverá participar, tornando-se um grande aliado de seu próprio tratamento, pois, lembrando Darwin: *"Aquele que permanece passivo quando esmagado pelo pesar perde sua melhor oportunidade de recuperar a elasticidade do espírito"*
    - Negação: *"Não, não é, não pode ser! Mas não tem problema nenhum não doutor, faço o tratamento sim. Sei que é coisa rápida, simples. Tomo o remédio um tempo, fico bom e tudo volta ao normal"* (R.S., 23 anos)
    Segundo Zimerman,[7] genericamente pode-se dizer que negação se refere a um processo pelo qual o sujeito, de alguma maneira, inconscientemente, não quer tomar conhecimento de algum desejo, fantasia, pensamento ou sentimento.
    Em nossa abordagem, trata-se de uma defesa contra a tomada de consciência da enfermidade, quando, posteriormente, o paciente começa a negar sua situação, como uma maneira de se proteger deste *"futuro incerto e negro"* que antevê, segundo as palavras de V.A., 25 anos, ao receber seu diagnóstico de lúpus eritematoso sistêmico
    - Tristeza/depressão: é importante que se faça esta distinção, uma vez que a tristeza, o *luto* neste momento, é uma reação natural, que deve ser acolhida, respeitada e que tende a remitir à medida que o paciente se adapte à doença, deixe o hospital, termine tratamentos desconfortáveis ou melhore fisicamente.[8] É de suma importância que se investigue o histórico psiquiátrico do paciente (quadro depressivo desencadeando ou agravando a condição clínica) e de sua família, possa se diferenciar se é secundário à doença de base (depressão secundária) ou reação comum a alguma medicação (transtorno depressivo induzido por drogas).[9] Quando este sentimento se prolonga, é preciso ter cuidado na avaliação criteriosa para que se possa identificar um episódio depressivo (depressão), o qual não deverá ser desconsiderado e sim devidamente tratado, observando-se a situação clínica do paciente e as possíveis interações medicamentosas[10]

    Outra distinção importante é o que Jerome Frank definiu como *"síndrome de desmoralização"* (demoralization), "caracterizada pela baixa autoestima, desesperança, desamparo, tristeza e ansiedade sendo experimentadas em

associação a uma variedade de problemas, incluindo doenças físicas graves, doenças crônicas, psiquiátricas e aquelas condições de marginalidade social experimentada pelos pobres, minorias e outros"[8]

- *Doctor shopping*: o paciente sai em busca de alternativas ou de pessoas que se proponham a "restabelecer" sua saúde. Faz um verdadeiro *shopping* médico,[2] quando troca frequentemente de especialistas na esperança de encontrar quem lhes *"cure"* totalmente. Cada vez que sua expectativa é frustrada, alega ser por incompetência médica a manutenção da doença
- Pensamento mágico: é a crença de que um ritual, religioso ou não, poderá reverter o seu quadro. Assim, o papel do profissional é ver o paciente como um todo, ser sensível às reações do mesmo e mostrar as perspectivas reais que existem quanto a sua recuperação. Deve-se respeitar o *"tempo interno"* do doente e não forçá-lo a aceitar toda a verdade de uma vez[11]
- Aceitação/adaptação: neste momento o paciente, de posse de todas as informações sobre seu quadro clínico e suas limitações, começa um movimento de *"relacionamento"* (*coping*) com a sua doença. Aqui são de fundamental importância as relações com o médico e a equipe de saúde, o apoio familiar e o aporte da rede social. Não se trata de uma aceitação passiva. É um processo dinâmico e uma tentativa de conviver com a doença, implicando um trabalho emocional complexo e doloroso.
A pessoa que está adaptada a sua doença aceita receber ajuda sem abrir mão de sua autonomia.[12]

É claro que o tipo e a intensidade das reações vão variar de acordo com uma série de características da doença e do próprio indivíduo, como:

- Características da doença e seu prognóstico
- Estrutura de sua personalidade e capacidade de tolerância a frustrações do indivíduo
- Relação com o médico e demais membros da equipe de saúde
- Adesão: *"Valeu! E aí? Que é que eu tenho que fazer? (...) Imagina!!!! Não posso ir à praia? Vê se vou perder esse verãozaço! (...) Que? Corticoide? Never! Eu sei que engorda muito, não tomo mesmo!"* (R.S., 16 anos, ao receber o diagnóstico de LES).

Um dos maiores desafios no tratamento de uma doença crônica é a questão da *não* adesão ao tratamento, quer dizer, quando o paciente sente dificuldades, por motivos vários, em cumprir as orientações da equipe de saúde.[10,13] A informação clara, precisa e em uma linguagem de fácil entendimento é fundamental para que o paciente possa compreender o que se passa com ele e a necessidade do esquema terapêutico instituído.

Pode-se dizer, por exemplo, que um paciente não está aderindo ao tratamento quando:

- Não segue as orientações do médico, não respeita as doses indicadas e os horários da medicação prescrita
- Interrompe ou modifica a terapêutica por conta própria
- Falta frequentemente às consultas
- Posterga muito ou não procede à realização dos exames pedidos.

As causas mais comuns que podem causar este tipo de comportamento são:

- O paciente, negando a doença, não se convence da necessidade de tomar a medicação
- Não entende esquemas complexos de tratamento
- Por se sentir melhor, suspende a medicação por conta própria ou por pressão de familiares ou amigos que o acham "bem"
- Falta de medicamentos ou de condições para comprá-las
- Reação aos graves efeitos colaterais das medicações, reduzindo o interesse no tratamento.

Há que se destacar aqui duas faixas etárias em que se encontra maiores dificuldades de adesão:

- *Adolescentes*: pelas próprias características da idade, tendo dificuldades em receber e acatar ordens, a ter regras no tratamento e entender as limitações impostas pela doença. Sente-se confuso quanto ao seu futuro, à realização de seus sonhos, sabendo que terá mais dificuldades em realizá-los ou achando que será impossível. Isto poderá desestimulá-lo, fazer com que não aceite sua situação e, por isso, queira desistir do tratamento[2]

- *Idosos*: em alguns, pelas próprias dificuldades cognitivas inerentes à idade, sentindo dificuldades na compreensão da própria doença, do tempo de tratamento e das orientações fornecidas, principalmente se não há um cuidador disponível. Outros por acharem que "a esta altura, para que tratar?" (N.S., 84 anos).

Aqui, mais do que nunca, torna-se imprescindível a informação clara, como já referido anteriormente, uma vez que estará relacionada com sua satisfação e recordação/compreensão, facilitando a adesão.[3]

- **A questão do benefício**

O que aqui se denomina "*benefício*" são os supostos ganhos que o paciente entenda receber com o advento de sua doença.

São definidos como:

- *Primários*: são inconscientes e normalmente servem para que a pessoa possa escapar de situações conflitantes e penosas. Desempenham um papel significativo no desencadeamento ou na própria estruturação da doença[4]
- *Secundários*: são os que resultam das consequências da doença, podendo favorecer a acomodação na enfermidade e sua cronificação. Podem ser conscientes ou não e ligados à compensação social da doença. São de caráter financeiro, como o auxílio-doença,[14] ou afetivo, como continuar recebendo atenções que antes não lhe eram dirigidas.

- **Vida laborativa**

Uma das questões importantes causada pelas limitações que as doenças crônicas impõem refere-se ao trabalho exercido pela pessoa, que, por vezes, torna-se incompatível com o tipo de atividade praticada.

Cabe aqui um cuidado especial no acompanhamento deste paciente, para que se possa fazer com que ele encontre uma maneira de compatibilizar suas dificuldades com um trabalho adequado.

Para exemplificar, relataremos a história de M.R.:

"*M.R., 21 anos, solteira, brasileira, natural do Rio de Janeiro, sexo feminino, afrodescendente. Alta, magra, há 2 anos trabalhando como dançarina em shows para turistas na cidade do Rio de Janeiro. Seu sonho? Ir para a Itália com o grupo, pois frequentemente eram escolhidos dez membros para se apresentarem em Roma, por temporada. Até que esse dia chegou. Selecionada, levou 1 mês em exaustivos ensaios e nos preparativos burocráticos. Dois dias antes do embarque, M. diz ter tido um pouco de febre, mas atribuiu ao "nervoso" da viagem. Já no avião, sentiu-se mal, com muitas dores pelo corpo e muito cansada, mas atribuiu ao ritmo frenético dos últimos dias. Ao chegar ao hotel em Roma, M. já não conseguia andar normalmente, com piora do quadro álgico. Foi internada, recebendo o diagnóstico de lúpus eritematoso sistêmico, retornando sozinha ao Brasil 1 semana depois, diretamente do aeroporto para o hospital. Fui chamada para atendê-la dez dias após sua internação. Seu rosto estava edemaciado, seu corpo disforme pelas altas doses de corticoide recebidas e com lesões dermatológicas significativas.*

Encontrei M. chorando muito, dizendo que 'sua vida e seus sonhos tinham sido destruídos'.

Após a alta hospitalar, M. iniciou tratamento ambulatorial comigo e no Ambulatório de Colagenoses. Nesse momento, cheguei a atendê-la até 3 vezes/semana, evitando medicá-la. Aos poucos foi melhorando clinicamente, o que a fazia repensar sua vida, voltando a trabalhar vendendo roupas, embora o sonho de 'fazer shows na Itália ainda permanecesse'.

Três anos após, já assintomática, mas ainda em tratamento, se reaproxima do grupo, chamada pelo diretor, 'para ajudar no figurino'. Exímia costureira e bordadeira, ficou responsável pelo que chamava de 'tudo que brilha': bordava os biquínis, fazia os enfeites com plumas e ajudava as bailarinas a se vestirem nos espetáculos.

Atendi M. por 5 anos, quando, como costureira oficial do grupo, foi, finalmente para a Itália, podendo, assim, realizar seu tão almejado desejo.

Um ano após, recebo pela irmã um cartão seu, onde dizia estar muito bem, se cuidando e trabalhando como nunca."

Este caso é paradigmático do tênue limiar em que se encontram os pacientes entre fazer/ser o que faziam/eram anteriormente à doença, o que os imobilizaria, ou criar novos caminhos onde possam se ajustar e adaptar a sua nova realidade.

Nossa função primordial é nunca deixar de ajudá-los a vislumbrar outros horizontes que lhes devolvam o prazer de viver.

▶ Aspectos relacionados com os médicos

No momento em que optamos por uma especialidade médica em que a tônica dos atendimentos são doenças crônicas, devemos entender que nos tornaremos "*médicos crônicos*", uma vez que esses pacientes estarão sob nossos cuidados por muito tempo.

A doença crônica, especialmente a de maior gravidade, constitui uma condição difícil e dolorosa tanto para o paciente como para o médico, portanto a relação médico-paciente será um exercício de paciência e perseverança. Dependendo das características desse médico, desse paciente e da demanda que a doença requerer, em muitos momentos esta relação se verá abalada,[10] quando, então, entrará em jogo a capacidade desse profissional em acolher esta dificuldade e solucionar a questão.

Os médicos, atualmente, ao mesmo tempo em que dispõem de alta tecnologia e diversidade de fármacos que os propiciam tratar inúmeras patologias, não se sentem em condições de lidar com o sofrimento de seu paciente, o que, para alguns, escaparia de suas possibilidades terapêuticas.[15]

Some-se a isto a precariedade da formação médica neste aspecto, pois formados que somos para "*curar*", como veremos mais adiante, ao nos confrontarmos com esta situação, não nos sentimos em condições de abordar o assunto, nem de acolher dificuldades demandadas pelos pacientes. Para o médico e a equipe de saúde, pacientes crônicos podem despertar sentimentos de impotência, desesperança e desvalorização.[10,4]

Ainda é muito comum que, nas Faculdades de medicina, os estudantes não recebam nem formação, nem informação para aprender a lidar com essa nova realidade e suas dificuldades.[2]

Como agravante, temos que considerar a idade e o tempo de profissão, pois quanto mais novos somos, mais insegurança temos. Por isso a importância do trabalho em equipe e a postura de aprendizado que sempre deveremos ter ao longo de nossa profissão.

Temos que compreender que o paciente nos terá como "*porto seguro*", nos tomando como modelo, aquele que o ajudará a entender e a lidar com sua doença, aquele que organiza suas ofertas e demandas emocionais, devolvendo-lhe de forma "*aceitável*".[16]

Nesse contexto, os diferentes episódios agudos ou capazes de se repetir ganharão, por exemplo, se forem encarados como "*momentos de crise*" e não "*recaídas*". Estas porque subentendem um fracasso, um retorno ao estado anterior, tendo um efeito desmoralizante e desmobilizador. Já a crise é dinâmica, rica em potencialidades evolutivas, fazendo com que médico e paciente busquem a saída mais favorável possível.[6]

▪ Conceito de cura na medicina

A noção de cura está estreitamente ligada à de saúde. Fácil de conceber em uma doença aguda, na qual ela pode ser entendida como um retorno puro e simples ao estado anterior, no caso de distúrbios crônicos, invalidantes ou repetitivos, compreende-se que seja mais complexa de definir. Tanto como a noção de saúde, a de cura também necessita ser relativizada.[6]

Ter um diagnóstico de doença crônica implica a existência de uma doença prolongada que, em vez de *curada*, deve ser *gerida*.[17]

As doença crônicas aparecem mais como uma construção ativa do que como um estado estático. O doente deverá aprender com sua fragilidade, ao menos potencial, e utilizar melhor o conjunto de suas capacidades defensivas, físicas e psicológicas, para as quais os medicamentos constituem um auxílio precioso, por vezes indispensável.[6]

Ao passar por uma doença grave a pessoa também pode promover mudanças positivas em sua vida. A doença traz um sentimento de solidão, o que possibilita ao sujeito entrar em contato com seus anseios, reavaliar sua vida e seus valores.[12]

▪ Cuidado na percepção dos próprios sentimentos

Dentro da diversidade das doenças crônicas há diferenças na evolução de cada uma delas e na resposta sempre única de cada paciente.

A situação enfrentada pela equipe de saúde é complexa e exige que o médico seja capaz de elaborar suas dificuldades e aceitar suas limitações,[18] isto é, passar da impotência para a impossibilidade.[19]

Emoções contraditórias, como sentimentos de rejeição, hostilidade, agressividade e raiva são correntes diante desses pacientes.[18] Pacientes considerados "chatos" pela equipe (geralmente pela maior demanda), ou prolixos, aumentam esta possibilidade.

Por que enfatizamos este aspecto?

Principalmente para evitar a *mistanásia**, que poderá ocasionar um diagnóstico postergado levando à morte prematura ou a um erro médico evitável.

É muito importante que o médico que optou por trabalhar com este tipo de patologia, mesmo tendo perfil adequado, esteja muito atento aos seus próprios sentimentos e consciente dos sentimentos que lhe são evocados pelos seus pacientes. Tê-los conscientes, torna possível controlá-los deliberadamente, enquanto sentimentos não reconhecidos podem irromper de modo imprevisível e incontrolável.[18]

▶ Questão social

▪ Vida familiar

E a família, como fica nessa situação?

A família, enquanto base da estruturação desse indivíduo que agora se vê doente, é de fundamental importância na reestruturação das relações deste núcleo.[22] Com o passar do tempo, entretanto, sente-se sobrecarregada pelo ônus que a doença acarreta, com uma visão pessimista de futuro, que dificilmente não contaminará sua relação com o paciente, proporcionando a sensação de que ele não passa de um *"peso morto"* a ser suportado.

Isso prejudica (e muito) a autoimagem que esse paciente constituirá a respeito de si próprio, provocando um círculo vicioso de luto pela perda dos sonhos e amargura pela rejeição velada (ou não). Para que isto não aconteça é imprescindível o acolhimento da equipe de saúde como veremos posteriormente.

▪ A questão dos "cuidadores"

Como *"cuidador"*, entende-se toda e qualquer pessoa, seja familiar ou profissional intimamente envolvida com o paciente que necessite de cuidados constantes, muitas vezes demandando dedicação integral.

Frequentemente é uma atividade exercida por pessoa da própria família, considerando-se, aqui, que a constituição familiar não seja formada apenas por parentes (pais, filhos, irmãos, primos etc.), mas também por outros que se juntam à família,[23,24] voluntariamente e sem remuneração.[25]

É uma atividade normalmente exercida pelas mulheres que quando, porventura, são acometidas por uma dessas patologias, necessitam de um ajuste em seu papel familiar, reconstruindo sua história para se adequar e aceitar suas restrições.[26]

Aqui nos ateremos ao apoio multidisciplinar na assistência ao núcleo familiar como unidade cuidadora e ao impacto que isto acarreta nesta estrutura.[23]

Um estudo de famílias de pacientes dependentes (idosos) mostra que a escolha do cuidador não costuma ser ao acaso, e que a opção pelos cuidados nem sempre é do cuidador,

---

* *Leonard Martin* (apud Goldim)[21] sugeriu o termo mistanásia também chamada de *eutanásia social*, para denominar a morte miserável, fora e antes da hora. Segundo este autor, "dentro da grande categoria de mistanásia" há três situações: primeiro, a grande massa de doentes e deficientes que, por motivos políticos, sociais e econômicos, não chegam a ser pacientes, pois não conseguem ingressar efetivamente no sistema de atendimento médico; segundo, os doentes que conseguem ser pacientes para, em seguida, se tornar vítimas de erro médico e, terceiro, os pacientes que acabam sendo vítimas de má-prática por motivos econômicos, científicos ou sociopolíticos.

Figura 21.1 Objetivo primordial para eviatr desinteresse do médico pelo caso.

mas, muitas vezes, expressão de um desejo do paciente, ou falta de outra opção, podendo, também, ocorrer de um modo inesperado para um familiar que, ao se sentir responsável, assume este cuidado, mesmo não se reconhecendo como um cuidador.[27,28]

Também poderá ser classificado de acordo com o cuidado que irá prestar: *primário*, se assumir as responsabilidades diretamente relacionadas com os cuidados mínimos como higiene e alimentação, e *secundário*, aquele que auxiliar em eventuais necessidades do paciente, caracterizado como não sendo primordial para sua recuperação.[29]

A atenção inicial a estas pessoas deve-se ao impacto econômico acarretado, devido à saída do mercado de trabalho de duas pessoas ao mesmo tempo: o paciente e o cuidador. Este, pelas novas responsabilidades, acaba demitindo-se por não conseguir compatibilizar os cuidados com o trabalho, ou sendo demitido pelas frequentes faltas, atrasos e necessidade de sair mais cedo para acompanhar seu familiar a consultas e exames.

Aliado a isso, a maior sobrecarga pessoal, que advém da *inclusão* de "cuidar do outro" em uma rotina diária que, por sua vez, *não* se altera,[30] ocasiona uma pior qualidade do atendimento a esse indivíduo dependente.[2] Esse fato causa reinternações devido ao cansaço familiar, aumentando o nível de estresse quando da perspectiva da alta.[18]

Portanto, cria-se aí um impasse: com a internação, a família desagrega-se pela necessidade de deslocamentos para as visitas; com o paciente em casa, a família desestabiliza-se compartilhando toda sua ansiedade. Por isso a necessidade do amparo familiar, para que essa engrenagem possa ser rompida.[18]

Como consequência, todo cuidador está fortemente sujeito a quadros depressivos em função desta sobrecarga e à raridade (muitas vezes ausência), que isto ocasiona, de momentos de lazer.[31]

Esta limitação de tempo para se autocuidarem, bem como as mudanças financeiras e o consequente isolamento social, podem gerar um novo paciente que também vai requerer cuidados, o que leva a um "*efeito dominó*", tornando a unidade familiar sujeito de cuidado.[32]

Portanto, toda família e, em especial o cuidador, deve receber da equipe de saúde:

- *Orientação*: para lidar com as demandas que este paciente deverá apresentar
- *Treinamento*: para os cuidados diários relativos às características da doença apresentada
- *Apoio*: de fundamental importância para que este grupo familiar possa suportar as mudanças ocasionadas por esta situação. Objetivam, assim, desenvolver novas formas do cuidar, na organização do tempo do familiar responsável e aconselhamento emocional.[33]

Bocchi[32] ressalta um aspecto interessante: muitos cuidadores reclamam da pouca ajuda prática da família e amigos e qualquer outra opção extensiva, no entanto, isto parece estar relacionado mais com a relutância do cuidador em solicitar ou aceitar ajuda, mantendo-se independente. Essa curiosa atitude pode estar relacionada com várias causas como: medo de que esse ato represente sinal de fracasso ou inadequação; medo e ansiedade em abandonar o paciente na casa; ou ainda visando a superproteção e excesso de cuidados, em uma tentativa de amenizar os sentimentos de culpa pelas suas ações ou negligências. Isto agrava o sentimento, ao qual já nos referimos antes, de isolamento e/ou exaustão física, apoiados em justificativas de não poderem deixar os seus pacientes sozinhos ou em respeito ao próprio desejo do ente não querer permanecer só.[32]

Por outro lado, os fatores que estão relacionados com a diminuição da sobrecarga são: maior nível de escolaridade, incapacidades físicas moderadas e rendas financeiras altas.[32]

Observe-se aqui que a questão socioeconômica, porém não elimina a figura do cuidador, aqui não mais com uma função executiva, mas como organizador de toda infraestrutura necessária ao cuidado com esses pacientes.

▪ Repercussões econômicas

Em uma visão mais ampla, além do sofrimento humano, o custo das doenças crônicas representa cada vez uma porcentagem maior nas economias não só dos países desenvolvidos como na dos países com baixos rendimentos.[34]

No Brasil, especificamente, as famílias enfrentam grandes dificuldades econômicas e instrumentais para cuidar com dignidade e respeito esses pacientes. Os programas de saúde pública são insuficientes para atender essa demanda populacional que requer serviços especializados. As famílias sentem-se isoladas, pois as instituições particulares que oferecem um atendimento multiprofissional são onerosas e incompatíveis com o poder aquisitivo da grande maioria da população.[33]

A eclosão de uma doença crônica no âmbito familiar traz inúmeras dificuldades financeiras por, basicamente, dois fatores:

- *Diminuição da renda*: como abordado anteriormente, pela da saída do mercado de trabalho, não só do próprio paciente, como da pessoa que ficará responsável por auxiliá-lo, o cuidador. Afeta em maior ou menor grau se o paciente ou o cuidador forem as principais fontes de renda familiar
- *Aumento dos gastos*: paralelo ao acima descrito temos um aumento significativo dos gastos, não só com medicamentos como, também, com a necessidade de deslocamentos mais frequentes em função de consultas médicas e outros tratamentos que se façam necessários.

Diante dessa realidade é de fundamental importância que se desenvolvam, por meio dos órgãos públicos, serviços de apoio aos familiares que objetivem a prevenção ao desgaste e estresse dos cuidadores.[33]

▶ Questão institucional

As grandes limitações do nosso sistema de saúde comprometem muito a nossa prática diária, faltando-nos recursos de infraestrutura e condições satisfatórias de atendimento, além do tempo excessivo por nós despendidos com problemas eminentemente sociais.

Isto provoca uma situação muito delicada com a qual temos de conviver. Devido à grande dificuldade de inserção no sistema de saúde para conseguir atendimento adequado, aquele que consegue *"entrar no sistema"*, sente-se inseguro com uma possível alta, que acarretará a *"perda da vaga"*. Com isso, alguns pacientes, de maneira consciente ou não, começam a apresentar diversos *"sintomas"* que os mantenham ligados à instituição à qual pertencem. Pode também ocorrer o que se denomina "hospitalismo", que se caracteriza por quadros de reinternação ou de permanência hospitalar além da média prevista para o quadro clínico, nos quais o paciente manifesta desejo consciente ou inconsciente de ser cuidado pela Instituição, mediante agravamento e prolongamento de queixas físicas ou psicopatológicas.[19]

▶ Importância do trabalho multidisciplinar em hospital geral

Todos os aspectos abordados neste capítulo ratificam e justificam o valioso e imprescindível trabalho multidisciplinar no acolhimento do paciente crônico.

Cada membro da equipe, com suas funções específicas, integram um conjunto de ações que visam à promoção da melhoria da qualidade de vida deste paciente e sua família.

- *Psicólogos*: imprescindíveis no trabalho direto com os pacientes, na atuação junto à equipe técnica envolvida e apoio aos familiares
- *Serviço social*: sua atuação nas interrelações institucionais, no apoio às famílias, na reinserção do paciente no trabalho, principalmente quando este precisa de readaptação, são fundamentais
- *Enfermagem*: como personagem central por ocasião das internações, no contato direto e diuturno com os pacientes, no acolhimento em situações de emergência e também de fundamental importância no apoio aos familiares.

No texto a seguir, recebido pela ouvidoria do HUCFF/UFRJ e distribuído pela rede do hospital, podemos dimensionar todo o trabalho de equipe, que por vezes nos passa despercebido, mas que, no entanto, é de imensurável importância para quem o recebe:

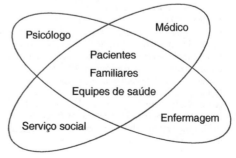

Figura 21.2 Tratamento integrado multiprofissional.

"Gostaria de agradecer o atendimento humano que recebi nesta unidade. Todos os profissionais envolvidos nos cuidados do meu marido, especialmente B., S. e I., da Assistência Social, as enfermeiras S.L., K., M.L. e H. e Dr. A.P.(enfermaria), a equipe da Saúde Mental, nas pessoas dos psicólogos A., P. e M. e do psiquiatra Dr. M.(enfermaria) e R.(ambulatório) foram de grande apoio emocional para mim e meus filhos. Que fique aqui registrado minha gratidão e respeito pela maneira carinhosa como fomos acolhidos. Que continue assim. Para o bem de todos que precisam dos serviços do HU." (C.R.A., 2005)

▶ Referências bibliográficas

1. Piva JP. Pacientes terminais: o diagnóstico e tratamento ainda é uma atribuição médica! Rev AMRIGS 2009;53(1):96-9.
2. Kuczynski E. Repercussões psiquiátricas em doenças crônicas, 2010. Disponível em: http://emedix.uol.com.br/doe/psi011_1f_dcronicapsiq. php Acesso e 21/9/2010.
3. Meneses RF, Ribeiro JP. Como ser saudável com uma doença crônica: algumas palavras orientadoras da acção. Análise Psicológica, Faculdade de Psicologia e de Ciências da Educação da Universidade do Porto, Hospital Geral Santo Antônio, 4(XVIII):523-528, 2000.
4. Spitz L. As reações psicológicas à doença e ao adoecer. Cadernos do IPUB, nº 6, 1997.
5. Cardoso GP, Arruda A. As representações sociais da soropositividade e sua relação com a observância terapêutica. Ciênc Saúde Coletiva 2004;10(1):151-62.
6. Jeammet P, Reynaud M, Consoli S. Manual de psicologia médica. Rio de Janeiro: Masson, 1982.
7. Zimerman DE. Psicanálise em perguntas e respostas: verdade, mitos e tabus. Porto Alegre: Artmed, 2005.
8. Furlanetto L. Diagnosticando depressão em pacientes internados em enfermarias de clínica médica. J Bras Psiq 1996;45(6):363-70.
9. Botega NJ, Furlanetto L, Fráguas JR. Depressão. In: Botega NJ (org.). Prática psiquiátrica no hospital geral: interconsulta e emergência. 2 ed., Porto Alegre: Artmed, 2006.
10. Botega NJ. Reação à doença e à hospitalização In: Botega NJ (org.). Prática psiquiátrica no hospital geral: interconsulta e emergência. 2 ed., Porto Alegre: Artmed, 2006: 49-66.
11. Vechia FD. As reações psicológicas à doença e ao adoecer, 1998. Disponível em: http://www.ccs.ufsc.br/psiquiatria/981-08.html Acesso em 10/10/2010.
12. Sales JL. Adoecer não é fácil. Disponível em: http://www.ligjornal.com.br/1619/vida. Acesso em 19/12/2010.
13. Link CL et al. Paciente crônico frente ao adoecer e a aderência ao tratamento. Acta Paul Enferm 2008;21(2):317-22.
14. Fortes S. O paciente com dor. In: Botega NJ (org.). Prática psiquiátrica no hospital geral: interconsulta e emergência. 2 ed., Porto Alegre: Artmed, 2006: 405-416.
15. Botega NJ. Relação médico-paciente. In: Botega NJ (org.). Prática psiquiátrica no hospital geral: interconsulta e emergência. 2 ed., Porto Alegre: Artmed, 2006: 119-130.
16. Balint M. O médico, seu paciente e a doença. Rio de Janeiro/São Paulo: Atheneu, 1988.
17. Blanchard EB. Behavioral medicine: past, present, and future. J Consulting Clin Psychol 1982;50(6):795-6.
18. Galizzi HR. A rejeição ao paciente com internações repetidas no Hospital Geral. Cad IPUB 1997;6:185-94.
19. Galizzi HR. Hospitalismo: diagnóstico psiquiátrico. J Bras Psiq 1994;43(7)373-6.
20. Queiroz A. A psicossomática na prática médica: O médico diante do paciente crônico e da morte, 2003. Disponível em: http://www.psy.med.br/textos/medico_paciente/pratica_medica.pdf. Acesso em 25/10/2010.
21. Goldim JR. Eutanásia. Disponível em: http://www.ufrgs.br/bioetica/eutanasia.htm. Acesso em: 4/9/2010.
22. Althoff CR. Delineamento de uma abordagem teórica sobre o processo de conviver em família. In: Elsen I, Marcon SS, Silva MRS. O viver em família e sua interface com a saúde e a doença. Maringá: EDUEM, 2002: 29-41.
23. Messa AA. O impacto da doença crônica na família, 2008. Disponível em: http://www.psicologia.org.br/internacional/pscl49.htm. Acesso em 4/9/2010.
24. Saraiva KRO et al. O processo de viver do familiar cuidador na adesão do usuário hipertenso ao tratamento. Texto Contexto Enferm 2007;16(1):63-70.
25. Caldas CP. Envelhecimento com dependência: responsabilidades e demandas da família. Cad Saúde Publ 2003;19(3):773-81.
26. Machado MA, Fernandes AO, Zagonel IPS. O significado da simultaneidade do adoecimento e cronicidade para a mulher: estabelecendo o cuidado de enfermagem. trabalho resultante da disciplina momento integrador V e VI da Faculdade Pequeno Príncipe/Curitiba – PR, 2006.
27. Wennman-Larsen A, Tishelman C. Advanced home care for cancer patients at the end of life: a qualitative study of hopes and expectations of family caregivers. Scand J Caring Sciences 2002;16(3):240-7.
28. Floriani CA, Schramm FR. Cuidador do idoso com câncer avançado: um ator vulnerado. Cad Saúde Publ 2006;22(3):527-34.
29. Ribeiro AF, Souza CA. O cuidador familiar de doentes com câncer. Arq Cienc Saúde 2010;17(1):22-6.
30. Marcon SS. Vivência e reflexões de um grupo de estudos junto às famílias que enfrentam a situação crônica de saúde. Texto Contexto Enferm 2005;14(Esp.):116-124.
31. Bazzo BS, Maciel NO. Cuidando do cuidador: assistência de enfermagem ao familiar do idoso hospitalizado. relatório da prática assistencial aplicada, desenvolvida na VIII Unidade Curricular do curso de graduação em Enfermagem da Universidade Federal de Santa Catarina. Florianópolis, 2007.
32. Bocchi SCM. Vivenciando a sobrecarga ao vir-a-ser um cuidador familiar de pessoa com acidente vascular cerebral (AVC): análise do conhecimento. Rev Latino-Am Enferm 2004;12(1):115-21.
33. Araujo ENP. Cuidadores familiares: heróis desconhecidos de um sistema de saúde desfavorável. Disponível em: http://www.portaldoenvelhecimento.org.br. Acesso em 1/9/2010.
34. Chappell NL. The future of health care in Canada. J Social Policy 1993;22:487-505.

22 A Criança Doente

Roberto Santoro Pires de Carvalho Almeida e Heloísa Helena Alves Brasil

Situação-problema

Desde que chegou à enfermaria de pediatria, Paulinho, de 3 anos, chora desesperadamente e chama pela mãe. Todas as tentativas de acalmá-lo foram infrutíferas. Pediatras, enfermeiros e auxiliares não sabem mais o que fazer. As conversas, os carinhos e o oferecimento de brinquedos aumentaram a intensidade do desespero. A pediatra responsável tentou explicar a Paulinho que sua mãe só tinha ido em casa um pouquinho, mas voltaria logo. Paulinho parecia não ouvir, e continuava a gritar pela mãe.

A avó de Maria, de 5 anos, liga preocupada para o trabalho da filha, mãe de Maria. A menina, que não foi à escola por causa de uma virose, está falando como um bebezinho, fica engatinhando pelo chão e chora.

Ficar doente é uma das principais situações de desgaste emocional a que uma criança pode ser submetida. Além do mal-estar e da dor inerentes ao adoecimento, a vida pode ser afetada de vários modos: ansiedades e fantasias quanto ao diagnóstico, procedimentos de investigação e tratamentos incômodos e dolorosos, perturbação das rotinas, perda de habilidades adquiridas etc. Diante do desgaste provocado pela doença, a maioria das crianças e das famílias mobiliza recursos que permitem enfrentar as dificuldades e sair-se bem, sem que haja qualquer sequela psicológica. Em alguns casos, no entanto, a criança pode apresentar problemas como pesadelos, dificuldades no convívio familiar e na escola, ou mesmo transtornos mentais (quadros depressivos, ansiosos e outros).[1-3]

▶ Fatores que determinam a reação da criança ao adoecimento

Toda criança doente apresenta reações psicológicas ao adoecimento (discutidas no Capítulo 7), que vão variar em grau e intensidade de acordo com diversos fatores.[1,2]

• Nível de desenvolvimento cognitivo e emocional

Crianças pequenas têm dificuldade de entender a noção de acaso, e não conseguem estabelecer relações lógicas de causa e efeito. Para elas, é difícil compreender que a doença "não é culpa de ninguém", ou perceber a necessidade de procedimentos diagnósticos ou de tratamento. Além disto, quanto menor a criança, maior o impacto emocional do adoecimento.

• Grau de dor, comprometimento de função ou deformidade

A dor é um fator poderoso de desgaste psicológico, havendo a necessidade premente por parte do profissional de saúde de aliviá-la. Doenças que causam limitações físicas ameaçam profundamente o sentimento recém-adquirido de autonomia, podendo gerar sequelas psicológicas importantes. Finalmente, doenças acompanhadas de deformidade abalam seriamente a autoestima.

- **Reação aos procedimentos e ao tratamento**

Os procedimentos médicos muitas vezes são incômodos e dolorosos. Além disso, fantasias apavorantes de culpa e punição podem surgir, colorindo negativamente a investigação diagnóstica e o tratamento.

- **Interferência na rotina**

A doença modifica a vida da criança, privando-a do convívio familiar, da escola, das brincadeiras com os colegas e de outras atividades de lazer. Quanto maior a perturbação da rotina, maiores as sequelas emocionais.

- **Significado da doença para a criança e para a família**

A criança pode viver de forma fantasiosa sua doença e o tratamento, acreditando que está recebendo um castigo pelo seu mau comportamento, que vai morrer etc. Também a família pode estar tomada por fantasias de culpa, ou pode atribuir a suposta culpa a outras pessoas, inclusive a equipe de saúde.

Além disto, frequentemente o médico se comunica em linguagem técnica, que não é compreendida pelos pais e pela criança. Indivíduos de classes populares podem ter especial dificuldade de perguntar o que não entenderam, por vergonha, permanecendo com angústias que se dissipariam com um esclarecimento. A incompreensão geralmente é preenchida por fantasias assustadoras, que têm efeito traumático para os pais e para a criança, e podem perturbar o tratamento.

- **Reação dos pais**

A maneira como os pais encaram a doença tem um forte impacto na criança. A criança baseia sua percepção da realidade na percepção dos pais. Se eles estão ansiosos ou se desesperam com a situação, mesmo que escondam seus pensamentos ou sentimentos, acabam contaminando o estado emocional da criança.

- **Relação prévia com os pais**

Nos pais, a criança encontra a base segura para enfrentar os desafios do seu desenvolvimento. Se a relação com os pais é instável, se há brigas ou falta de interesse no filho, o impacto psicológico de uma enfermidade será muito maior. Crianças negligenciadas, maltratadas, ou que provém de famílias conflituosas, têm maior risco de desenvolver transtornos mentais como depressão, transtornos de conduta e outros, risco que aumenta ainda mais com o adoecimento físico.

- **Afastamento dos pais (hospitalização)**

Nos casos de hospitalização sem acompanhante, o próprio afastamento dos pais pode ter efeito traumático, como no caso de Paulinho, relatado anteriormente. O tema será explorado adiante.

▶ Reações psicológicas ao adoecimento

- **Doença aguda**

A reação mais comum ao adoecimento é a regressão. A criança passa a se sentir e se comportar como se fosse mais nova, retomando atividades que já tinha deixado para trás, como chupar o dedo, urinar na cama, falar como bebê, e ficar "grudada" aos pais (principalmente à mãe), protestando se eles se afastam. Esse comportamento é normal, e se apresenta também, em menor grau e de outras formas, em adultos doentes.[1-3]

Como foi visto, a criança pode desenvolver várias fantasias assustadoras em relação à doença e ao tratamento. São comuns também os sentimentos de raiva e revolta, o medo da morte, da dor e da desfiguração (realístico ou fantasiado), a ansiedade diante dos procedimentos diagnósticos e do tratamento, a recusa a colaborar com os profissionais e com os pais, e o isolamento. Podem ocorrer vergonha por estar doente, perda da autoestima e medo de discriminação pelos colegas.[1,2]

Para os pais, pode haver culpa, negação da gravidade e da necessidade de tratamento, e fantasias sobre as causas, a natureza e as consequências da doença. Em alguns casos, podem ocorrer revolta e desconfiança em relação aos profissionais de saúde.

Doença crônica

No caso da doença crônica, todas as reações descritas anteriormente para a doença aguda podem estar presentes. Além disto, a duração prolongada da enfermidade, a falta de perspectiva de cura, e o transtorno na vida da criança e da família ocasionado pelo tratamento a longo prazo criam dificuldades adicionais. São comuns na criança o ressentimento e a culpa, o desânimo, o medo de morrer, o isolamento social e a baixa autoestima. Pais podem se sentir exaustos pelo esforço continuado de manter o tratamento e cuidar do filho, e são frequentes a culpa, a revolta, a raiva e o sentimento de impotência. A presença de uma doença crônica é um importante fator de risco para o surgimento de transtornos mentais na infância.[1-3]

Hospitalização

A hospitalização pode ter consequências traumáticas para crianças com menos de 4 anos, se houver afastamento dos pais. A separação do cuidador nesta fase tem efeitos danosos para a saúde mental, constituindo fator de risco importante para a instalação de transtornos mentais.[3,4]

Em um primeiro momento, caracteristicamente, a criança reage ao afastamento do cuidador com desespero, evidenciado por choro, agressividade e gritos (como no caso de Paulinho, relatado anteriormente). Passado algum tempo, a criança se deprime, tornando-se apática e desligada do ambiente, e desiste de chamar a mãe. Se a mãe retorna, o protesto das primeiras horas de separação volta a se manifestar.

Visando a proteger a criança de tais experiências traumáticas, o Estatuto da Criança e do Adolescente, promulgado pelo governo do Brasil em 1990, tornou obrigatório para as instituições de saúde promover o alojamento conjunto das crianças hospitalizadas e seus responsáveis.

Crianças mais velhas também necessitam do apoio dos pais para enfrentar a hospitalização. Há uma grande interferência na vida da criança, que se vê forçada a se adaptar às rotinas do hospital e se submeter a uma série de procedimentos diagnósticos e terapêuticos muitas vezes incômodos e dolorosos. São comuns a irritabilidade, problemas de sono e de apetite, além das demais reações à doença aguda ou crônica já descritas.

O hospital pode minimizar o efeito deletério da internação tomando uma série de medidas a fim de humanizar o atendimento. A preparação para a entrada no hospital, mediante visitas à enfermaria e explicação das rotinas, pode diminuir o impacto da hospitalização.

É importante permitir que a criança leve objetos pessoais, como brinquedos de sua preferência, travesseirinhos etc. As visitas frequentes da família também podem ajudar.

A equipe deve estabelecer um diálogo franco e aberto com a criança e com a família, preocupando-se em se fazer entender, com a utilização de uma linguagem clara, sem jargões técnicos. A criança deve ser informada sobre seu problema, sobre os procedimentos e o tratamento, de modo adequado ao seu entendimento, e de acordo com as suas solicitações. Idealmente, a permanência dos pais deve ser estimulada, oferecendo-se também a opção de acompanhamento por outros membros da família, como os avós.

A presença da equipe de saúde mental, capaz de fornecer apoio psicológico à criança e à família, além de detectar e tratar de transtornos mentais que possam ocorrer, é valiosa para minimizar o efeito negativo da internação. Também são importantes as atividades que aproximem a criança de sua vida normal, como as escolas que funcionam dentro de unidades de saúde (classes hospitalares).

Finalmente, a instituição deve promover atividades lúdicas como teatro, biblioteca, brincadeiras etc.

Doença na adolescência

O adolescente enfrenta os desafios de formar a identidade, ampliar os vínculos sociais, encontrar um caminho profissional e tornar-se capaz de se relacionar amorosamente nos moldes da vida adulta. Todos estes processos encontram-se prejudicados pelo adoecimento, principalmente se a doença é grave ou de natureza crônica.[1-3]

O comportamento de oposição característico desta fase de autoafirmação pode aumentar nas situações de doença, e se voltar contra o tratamento. Ameaçado na sua autonomia, o adolescente pode resistir a se tratar. É fundamental estimular o adolescente a assumir a responsabilidade por sua doença, como forma de aumento da autonomia e da liberdade, ao mesmo tempo concedendo toda a segurança afetiva de que necessita.

A doença pode se acompanhar por isolamento, baixa autoestima, e rejeição (real ou imaginada) pelos colegas. Quadros depressivos ocorrem com relativa frequência. É necessário fornecer apoio psicológico ao adolescente doente e sua família, para auxiliá-lo a superar esta fase difícil sem maiores sequelas.

A criança, o adolescente e a morte

A maneira como uma criança encara o processo de morrer depende de seu desenvolvimento cognitivo e emocional. Somente entre as idades de 5 e 7 anos a criança passa a compreender que a morte é irreversível (não há retorno), universal (todos morrem) e corresponde à interrupção completa e definitiva de todas as funções vitais (mortos não sentem, não veem etc.).[5,6]

Crianças moribundas temem se ver desamparadas, porque veem a morte como uma separação definitiva da família. Fantasias de culpa e punição, angústia pela perda de controle do corpo, raiva e desespero são comuns. Também são frequentes os comportamentos regressivos descritos anteriormente (chupar o dedo, urinar na cama etc.). Para minimizar o sofrimento, a criança pode negar a gravidade da doença.

Os pais podem alternar sentimentos de medo, esperança, culpa e raiva, inclusive da equipe de saúde. Podem ocorrer também apatia, desligamento e negação. No caso de doenças crônicas, pode haver um luto antecipado pela criança ou adolescente que caminha para a morte.

Se a criança ou adolescente falece, são comuns dor profunda, raiva, desamparo, culpa ou embotamento. Pode haver raiva da equipe de saúde, a quem os pais atribuem a culpa pelo ocorrido. Os pais devem enfrentar um penosíssimo processo de luto pelo filho perdido, que lhes permitirá continuar a vida.

Irmãos de crianças que morreram devem ser alvo da atenção dos profissionais de saúde. Podem estar tomados pelo medo de perder o amor dos pais, pelo temor de também morrerem, ou pela culpa por ter sobrevivido.

Acompanhar uma criança que se encaminha para a morte é um desafio para a equipe de saúde. O profissional pode se sentir impotente e fracassado. A morte da criança o confronta com suas limitações e sua própria mortalidade, e desperta sentimentos de desamparo infantil. São reações normais a ansiedade e o afastamento. Uma vez que a principal função do médico é aliviar o sofrimento dos pacientes e de suas famílias, mesmo quando não é possível curar, há importantes tarefas a cumprir. O médico deve dar conforto à criança e à família, informando claramente sobre a situação, com o devido cuidado de não mentir, mas evitando falar verdades insuportáveis de forma inadequada e em momento inoportuno. Deve promover a esperança, aliviar o sofrimento e preservar a dignidade da criança e da família.

Nos casos de morte, deve se mostrar disponível e solidário, apoiando os pais nas suas necessidades emocionais de amparo. A chave para poder ajudar é a empatia – a capacidade de se colocar no lugar dos outros, compartilhando de seus sentimentos e agindo com sensibilidade.

Quadro interativo

- Ajudar a criança a lidar com a doença

Desde o nascimento, as visitas de rotina ao pediatra e os eventos de natureza "benigna" e relativamente frequentes (p. ex., estado gripal, infecção de garganta, diarreia, tosse) conduzem a criança ao universo da saúde e da doença. O médico é costumeiramente apresentado pela família como o "tio" ou "amigo" que vai ajudar a criança a se sentir melhor.

Porém, às vezes, a doença e os procedimentos médicos são transmitidos pelos adultos como algo ameaçador ou punitivo. A enfermidade pode ser apresentada como consequência de um comportamento inadequado (correu-caiu-machucou), passível de castigo (se ficar doente, vai tomar injeção). Alguns comentários aparentemente banais dos adultos distorcem a percepção da realidade, ainda precariamente desenvolvida na criança (veja o Quadro 22.1). Afinal, se em sua imaginação a doença é uma punição, a situação piora se os pais ou profissionais reforçam esta crença.

Devem-se evitar os subterfúgios, mesmo que realizados com boa intenção, na tentativa de minimizar situações dolorosas ou incômodas para o pequeno paciente. É necessário que os adultos se comuniquem de forma clara e verdadeira, adequando a linguagem ao nível de desenvolvimento da criança, a fim de estimular seus recursos saudáveis para lidar com as dificuldades decorrentes do adoecimento, pois é bem mais fácil enfrentar um estressor definido do que algo desconhecido ou inconsistente.

Quadro 22.1 Condutas da equipe de saúde e da família que podem inibir a boa adaptação psicológica da criança ao adoecimento.

Indiferença	Do médico, que somente se comunica com os pais, não se dirigindo à criança em seus esclarecimentos
Negação	"Não é nada", "não doeu"
Inconsistência	Ora o problema de saúde é grave, ora não é nada
Banalização	"Vai melhorar logo", "já passou"
Escândalo	Demonstração emocional exagerada por ansiedade ou para assustar a criança
Mentira	"Não vai doer", "ele só vai olhar", "não, não vamos ao médico", "ele não vai coletar o sangue, só vai ver o seu braço"

▶ Referências bibliográficas

1. Lewis M, Volkmar FR. Psychologic reactions to illness and hospitalization. In: _____. Clinical aspects of child and adolescent development. Philadelphia, London: Lea and Febiger, 1990.
2. Glazer JP, Schonfeld DJ. Life-limiting illness, palliative care and bereavement. In: Martin A, Volkmar F (eds.). *Lewis's Child and Adolescent Psychiatry: a comprehensive textbook.* 4 ed., Philadelphia: Lippincott Williams & Wilkins, 2007.
3. Robertson J. Young children in hospital. 2 ed., with a postscript. London: Tavistock Publ., 1970.
4. Spitz R. Hospitalism. In: Harrison S, MacDermott J. *Childhood psychopathology: an anthology of basic readings.* New York: International Universities Press, 1972.
5. Lewis M, Volkmar FR. Dying and death in childhood and adolescence: concepts and care. In: _____. *Clinical aspects of child and adolescent development.* Philadelphia, London: Lea and Febiger, 1990.
6. Raimbault, G. A criança e a morte. Rio de Janeiro: Francisco Alves, 1979.

▶ Leitura complementar

Carver R. Uma coisinha boa. In: _____. Short Cuts – Cenas da Vida. Rio de Janeiro: Rocco, 1994.
O conto relata a história de um menino que é atropelado no dia de seu aniversário, acompanhando as emoções dos pais durante sua hospitalização e depois. O autor descreve com sensibilidade a terrível solidão e o desespero dos pais, em contraste com a conduta da equipe de saúde, variando entre a indiferença fria e a pseudosolidariedade burocrática. Finalmente, os pais conseguem receber algum conforto de um personagem improvável.

Glazer JP, Schonfeld DJ. Life-limiting illness, palliative care and bereavement. In: Martin A, Volkmar F (eds.). *Lewis's Child and Adolescent Psychiatry: a comprehensive textbook.* 4 ed., Philadelphia: Lippincott Williams & Wilkins, 2007.
Capítulo que resume as contribuições mais recentes sobre as consequências das doenças graves na infância, cuidado paliativo e Tanatologia.

Lewis M, Volkmar FR. Psychologic reactions to illness and hospitalization. In: _____. *Clinical aspects of child and adolescent development.* Philadelphia, London: Lea and Febiger, 1990.
O capítulo compila e resume os principais trabalhos sobre as reações psicológicas da criança e do adolescente à doença e à hospitalização.

Lewis M, Volkmar FR. Dying and death in childhood and adolescence: concepts and care. In: _____. *Clinical aspects of child and adolescent development.* Philadelphia, London: Lea and Febiger, 1990.
Resumo dos principais trabalhos sobre tanatologia infantil (ciência que estuda as reações psicológicas à doença terminal e à morte). O livro tem edição em português, publicada pela editora Artes Médicas.

Raimbault G. *A criança e a morte.* Rio de Janeiro: Francisco Alves, 1979.
Estudo sobre os aspectos psicológicos da morte na infância, com relato de casos.

Robertson J. *Young children in hospital.* 2 ed., with a postscript. London: Tavistock Publ., 1970.
Trabalho que aborda a realidade complexa da hospitalização de crianças pequenas.

Spitz R. Hospitalism. In: Harrison S, MacDermott J. *Childhood psychopathology: an anthology of basic readings.* New York: International Universities Press, 1972.
Artigo clássico sobre as consequências da institucionalização sem acompanhante na primeira infância.

23 O Paciente Idoso

Othon Bastos

Lear – Conhece-me ainda alguém? Não, não é Lear. Andava Lear assim? Falava assim? Onde terá os olhos? Há de fraca ter a razão e rombos os sentidos. Estarei acordado? Não. Quem pode vir-me contar quem em verdade eu seja?
Bobo – A sombra de Lear.

Rei Lear – W. Shakespeare

Situações-problema
▼

- **Caso 1**

Um colega médico envia-nos seu irmão mais velho, na época com 55 anos e comenta pelo telefone: " Cuide bem dele, que está deprimido". O paciente vem sozinho ao consultório, conservando ainda uma "fachada social" que logo, ao primeiro contato, desvanece-se. Terminada a consulta, dirigimo-nos ao referido colega: "Fulano, sinto muito lhe dizer que seu irmão não está deprimido. É algo muito mais grave: ele está demenciado. Trata-se provavelmente de um caso de doença de Alzheimer. A notícia estoura com surpresa no seio da família. Quatro anos depois, o paciente vinha a falecer.

É algo frequente, julgar um paciente já deteriorado mentalmente como deprimido ou a depressão apresentar-se inicialmente, encobrindo o processo demencial em evolução.

- **Caso 2**

Uma senhora de 74 anos, há 3 anos com um quadro de depressão crônica, comparecia às consultas sempre sozinha, a fim de dar vazão as suas queixas hipocondríacas e também para lamuriar-se e criticar os 4 filhos. Em uma das entrevistas, resolvemos indagar-lhe: "Por que será que quase todos costumam lhe tratar assim, indiferentemente ou com hostilidade?"

Já se interrogou a respeito deste fato, dos possíveis motivos existentes?

Após uma série de justificativas e de múltiplas racionalizações, ocorre-lhe o desejado *insight*. Admite ter havido pouca afetividade nas relações mãe-filhos, muita distância nos relacionamentos interpessoais, rigidez e autoritarismo nos métodos disciplinares empregados na infância e juventude deles. Fica tudo muito evidente: afinal, afirma o ditado popular: "Colhe-se sempre aquilo que se semeou anteriormente".

- **Caso 3**

Paciente deprimida, 78 anos de idade, bem preservada intelectualmente (resultado do minimental compatível com o nível de instrução e faixa etária) é trazida sempre ao consultório por um grande cortejo. O marido mais idoso e já revelando os sinais de decadência física e mental da senilidade, a filha que ensina em universidade no estado vizinho (sempre faltando ao trabalho nestes dias de consulta), o filho engenheiro de elevado cargo funcional, a nora, esposa deste e 2 netas universitárias. Ingressam todos na sala de consultas, inundam praticamente o salão, não havendo assentos para todos. Solicitamos depois de algum tempo, que voltem para a sala de espera para que possamos examiná-la... Esta cena repete-se todas as vezes em que vem às consultas.

Cercam-lhe de mimos, atenções e carinhos. Telefonam depois para confirmar o que lhes havia dito anteriormente. Obteve plena recuperação do quadro depressivo, apesar de uma série de achaques físicos que lhe acompanham.

Estes exemplos apontam também para duas situações comuns e frequentes, já vulgarizadas na clínica de idosos e exaustivamente apontados por geriatras. A do velho precioso, dito "relíquia", e daquele que é alvo de rejeição afetiva, por ter se tornado um "estorvo" na vida da família.

Nada disto verifica-se por acaso!

Introdução

Essas considerações iniciais tornam possível focalizar três aspectos socioeconômicos e culturais bastante estudados no passado. Para muitos, sempre foram essenciais para o idoso três fatores: dispor de patrimônio próprio, ter família, de preferência ajustada, que oferecesse cuidado e zelo a sua pessoa e, sobretudo, não ser institucionalizado. O primeiro aspecto, patrimônio, continua mais do que nunca na ordem do dia. Em vez de ser para a família um peso morto, o ancião passa muitas vezes a ser o suporte familiar, não somente nas classes C, D e E (paga a faculdade ou colégio dos netos, oferece residência a filhos e descendentes, mantém o plano de saúde deles etc.). A segunda circunstância, ter uma família zelosa e cuidadosa, dependerá muito da natureza das relações afetivas pretéritas, dos métodos disciplinares empregados na infância e adolescência e dos exemplos de vida dados. Por fim, a institucionalização, sobretudo a privada, que, no passado, era objeto de críticas e condenações, começa a modificar-se bastante e a ser melhor aceita, em face das alterações do estilo de vida da família contemporânea (urbanização, êxodo rural, redução da família em favor da nuclear etc.). Quanto à pública e/ou semipública, subvencionada pelo SUS ou outras organizações ditas filantrópicas, permanecem sempre indesejáveis e vistas como a "derradeira solução."

Modalidades e mudanças do envelhecimento

A linha de demarcação entre a pré-senescência e a senescência tem variado ao longo dos anos. De início, a OMS estabeleceu dos 45 aos 65 anos o período de pré-senescência. Dos 65 em diante, estaria a senescência. A tendência atual é avançarmos 20 anos, considerando a pré-senescência de 65 a 75 e senescência a partir dos 75 anos. Torna-se bastante difícil a diferenciação entre o "ainda normal e o já patológico", ou seja, a separação entre o envelhecimento fisiológico e harmônico, do patológico ou desarmônico, tanto no plano físico quanto no psicológico.

A senilidade seria caracterizada pela presença de patologias decorrentes ou associadas à idade avançada.

A exemplo do que se passa com a "síndrome da adolescência normal",[1] é possível também falarmos em uma "síndrome do envelhecimento normal", quando o idoso adapta-se de uma maneira ego-sintônica às mudanças físicas, cognitivas e de personalidade face à sociedade. Caso contrário, ocorrerá uma adaptação ego-distônica ou francamente patológica. Na realidade, nascemos imaturos para a vida, assim como envelhecemos igualmente sem amadurecermos em plenitude, quer no nível biológico quer sobretudo no psicológico. Serão, portanto, os fatores biológicos e psicológicos que, ao lado dos sociais, irão determinar o grau de ajustamento ou de desadaptação do idoso a sua existência. O envelhecimento patológico encontra-se representado, em sua plenitude, pelas psicoses "da" senilidade, as demências. Paralelamente, outros transtornos mentais poderão estar presentes "na" senilidade. O povo costuma dizer que o idoso vai ficando criança, ou de acordo com a expressão francesa, "o demente retorna à infância".

Cícero[2] julgava como desgraças da idade senil: a retirada de uma ocupação ativa, a diminuição do vigor corporal, a privação do prazer sensual e a proximidade da morte. Mas, enfatizava que "somente os idiotas se lamentam do envelhecimento".

Mesmo no estado fisiológico, as forças vitais diminuem e é preciso aceitar este fato; o aspecto físico do corpo se transforma e importa assumir esta nova imagem de si; a fadiga vem mais rápida e é agravada pelas dificuldades em correr, andar, subir e saltar; suporta-se pior o frio e o calor; ouve-se e vê-se menos; a destreza manual decai, assim como a força muscular, e a sexualidade perde sua importância como atividade, embora permaneça como preocupação.

Velhice, idade das perdas

Mudanças intelectuais

As potencialidades intelectuais declinam progressivamente. Desde cedo, as "performances" intelectuais diminuem, mas as possibilidades globais permanecem muitas vezes satisfatórias, graças aos recursos culturais e à manutenção dos interesses, pois "faz-se melhor aquilo que se gosta de fazer". De hábito, as pessoas idosas costumam queixar-se "de perdas de memória" (esquecimento de objetos, de datas e de nomes próprios), de dificuldades em seguir a televisão, as conversações, de efetuar operações comerciais e negócios. Entretanto, as aptidões profissionais podem persistir e o sucesso social prosseguir ainda por muito tempo. As provas psicométricas possibilitam a identificação de um envelhecimento diferencial já mencionado: os testes de vocabulário, de informação geral, de bom-senso, de raciocínio aritmético "permanecem", enquanto as provas que põem em jogo o raciocínio abstrato, a aprendizagem, a memorização, a velocidade de reação e de assimilação, a atenção e a concentração, a organização e a estruturação espacial dos dados visuais "não permanecem". Cattel[3] distinguia dois fatores gerais na inteligência: a fluida e a cristalizada. A fluência verbal e o vocabulário dependem dos aspectos cristalizados da inteligência. Séries e analogias dependem mais da capacidade fluida. Quanto aos "déficits" mnêmicos, importa distinguir os referentes à memória mecânica da sistemática. Como afirma D. Shenk: "Nós somos a soma de nossas memórias".[4] De acordo com Bromley,[5] as pessoas de idade avançada poderiam ser comparadas a computadores nos quais alguns componentes se tornaram pouco fiéis ou falharam em conjunto. Continuam a funcionar de maneira limitada, se os problemas não são muito complicados ou se é possível uma programação que demore mais tempo.

- **Mudanças da personalidade**

As descrições fenomenológicas apontam a acentuação ou intensificação dos traços de personalidade: o idoso prudente tornar-se-ia covarde; o econômico, avarento; o isolado, misantropo, e o pouco recatado sexualmente, libertino ou devasso.

Em uma abordagem psicodinâmica, manifestações como excesso de prudência, aversão ao novo e conservadorismo poderão ser interpretadas como reações de defesa relacionadas com a perda de flexibilidade, de agilidade e eficiência. A ritualização da existência e a lembrança incessante do passado seriam uma defesa contra a angústia oriunda do escoamento inevitável do tempo e como uma proteção contra o sentimento de insegurança. Tendo sido atingido em seu orgulho e em sua autoestima, face à redução das suas funções físicas e intelectuais, do enfeiamento, das modificações ocorridas em seu corpo e das mudanças ambientais (isolamento, aposentadoria – "morte social" – luto, por vezes dependência financeira da família, desprestígio social, perda de honrarias etc.) utilizará como defesas a rigidez, o dogmatismo, a desconfiança e o autoritarismo. Esses traços de caráter traduzem a resistência às mudanças: tudo que é novo e, por conseguinte, não provado corre o risco de ser perigoso. Da mesma maneira, a avareza, os rituais, a fixação colecionista aos objetos representarão a busca de substitutos concretos de segurança. A velhice é a idade das perdas, o que explica a existência de uma angústia latente quanto à segurança dos últimos anos. Ante tamanhas perdas, torna-se natural a busca de reparações, por intermédio dos mais diversos tipos de luto: da beleza física, da libido, do trabalho, do prestígio, dos filhos que se tornaram adultos, da prefiguração da própria morte etc.

Ninguém quer morrer jovem, mas igualmente ninguém quer envelhecer. Eis a questão!...

São observadas as seguintes alterações da personalidade no processo de envelhecimento: redução do controle dos afetos, irritabilidade, suscetibilidade, autoritarismo, rigidez, apego ao passado com tendência a idealizá-lo, aversão ao novo, misantropia, preocupação excessiva com a segurança, sobretudo material, dificuldade de adaptação às situações novas, conflito habitual com as gerações mais jovens, dificuldade de aquisição de conhecimentos novos, redução do interesse e tendência a se ocupar de modo perseverante dos mesmos temas, recusa em aceitar o envelhecimento e em reduzir o estilo de vida as suas próprias limitações. A diminuição gradual da capacidade sexual, muito variável entre diferentes indivíduos, poderá ser sublimada pela busca de satisfações sociais, honrarias ou pela simples admiração e respeito dos mais jovens.

▶ **Vivência temporal do homem idoso**

À medida que se envelhece o tempo se encurta e o espaço se estreita. Ocorre como que uma espécie de usura: aquilo que parecia imenso e muito comprido à criança torna-se pequeno e muito curto para o idoso. Em situação extrema, o mundo temporal e espacial retornam naturalmente ao nada. Isto se traduz psicologicamente pela amnésia de fixação (anterógrada). O ancião vive progressivamente cada vez mais no passado, de maneira que o presente, que não deixará marcas, será também integrado de alguma maneira paulatinamente às experiências pretéritas. O memorialismo literário é próprio do ancião, que se torna insuperável na descrição dos fatos do passado.

E, de maneira inversa, para não envelhecer é mister permanecer continuamente voltado para o futuro!

O ancião está só ante o nada, defendendo-se desta crua realidade por intermédio de uma carência de antecipação, expressa em sua perda da capacidade de futurizar a própria vida (Nobre de Melo).[6] Disto resultará uma redução ou desaparecimento do poder de prospecção, o que o afastará do presente, forçando-o a uma temporalização retrospectiva da existência. O ancião refugiar-se-á no próprio passado, vivendo de reminiscências, o que explicará o saudosismo, o apego e retorno ao já vivido, o memorialismo literário etc. O jovem tem pouco a contar e está projetado totalmente sobre seu futuro em particular.

Pode-se, porém, distinguir a "preterização do presente", encontrada nos estados demenciais, da "presentificação do passado", peculiar alteração do tempo vivido, que se processa no idoso sadio. Àquela modificação patológica da vivência do tempo, Krapf chamava de "atrofia do porvir".

▶ Depressão no idoso

Invoca-se também, com frequência, como característica dos idosos o "tédio vital". A pessoa idosa, insuficientemente preparada, que não sabe ocupar-se em atividades intelectuais e manuais entendia-se com facilidade. Isto que se verifica sobretudo com o homem poderá atingir igualmente as mulheres, que, não obstante as tarefas domésticas, poderá dedicar-se apenas a atividades reduzidas, pouco criativas, monótonas e quase sempre sem maiores finalidades. O ancião mergulhará progressivamente em um estado depressivo crônico, o qual se caracterizará por uma acentuada tendência a desenvolver preocupações hipocondríacas, a realizar somatizações e cujo quadro clínico será matizado pelas três expressões inglesas iniciadas por "H": *happylessness, helplessness e hopelessness* (tristeza, desamparo e desesperança).

O risco de suicídio é bastante elevado (12%), índice de Kielholz, e cresce proporcionalmente ao aumento da idade. Enquanto os juristas discutem em um "direito à vida ou sobre a vida", os filósofos, entre eles Nietzsche, falam em uma "liberdade para a morte". O problema capital da morte, portanto, será tema central das dificuldades existenciais do homem, mormente na terceira idade. É que, apesar de saber que vai morrer, o homem procede como se fosse eterno, sob a ficção da imortalidade.

Não obstante isto, o homem é o único ser da natureza, que está ciente do seu destino como "ser para a morte" (Heidegger), ponto de partida de toda sua angústia existencial. Ele é também o único ser da natureza capaz de deter o fluxo de sua existência, escolhendo entre a liberdade de "ser ou deixar de ser". Suicídio é um apanágio dolorosamente humano.

Daí a necessidade de negar a morte, recusando-se a futurizar a própria existência, embora persista a tendência a isolar-se, a cultivar a solidão que, na medida em que representam uma "quebra da coexistência e da comunicação," já será um começo da morte. Em muitos casos, a ideação e a expressão verbal poderão se restringir ao círculo das preocupações mórbidas, surgindo verdadeiros estilos patológicos de vida, em que se passa a viver em função das queixas e da doença. A hipocondria poderá também ser utilizada visando benefícios secundários: provocar e despertar atenções, conseguir cuidados especiais, mobilizar as pessoas do meio e submetê-las a uma dominação tirânica. O idoso, contudo, que se deixa abandonar ao isolamento, à depressão e à doença, o idoso "isolado e desolado", ruminando uma prospecção pessimista do futuro, assumirá frequentemente um estilo de vida puramente vegetativo, no qual a morte social precederá de muito a biológica, verificando-se, então, um lento e gradativo processo de extinção vital.

▶ Conclusão

A adaptação ao envelhecimento será tanto mais difícil, quanto menos ao longo da vida tiverem sido fortalecidas as capacidades individuais de sofrer frustrações, de enfrentar o novo, de amar maduramente ou de conseguir a necessária segurança emocional. A satisfatória realização das etapas anteriores da vida facilitará ao indivíduo a superação dos problemas da época do declínio vital. Nem tudo são trevas...

Existem possibilidades de compensação positiva, na dependência não somente das condições atuais de saúde física e da situação social do ancião, mas sobretudo da estrutura da personalidade e de seu ajustamento prévio.

"On vieillit, comme on a vécu" (envelhece-se como se viveu), segundo Ajuriaguerra.[7] "Talis vita, finis ita", diz o provérbio latino (tal vida, tal morte). Quem, portanto, foi capaz de viver bem, provavelmente envelhecerá bem. O homem percorre o caminho para a velhice e a morte, segundo sua existência,[8] ou seja, ele vai colhendo no decurso da vida o que plantou nas fases anteriores. Assim como o adolescente reproduz a criança, e o adulto repete o adolescente, o idoso recomeça a idade adulta, a adolescência e a infância. E o fim da vida será conforme a própria existência. A experiência adquirida contribui para que, sob certos aspectos, envelhecer não signifique apenas decadência ou desgaste, mas também desenvolvimento e aperfeiçoamento. A redução da agilidade mental poderá ser compensada por uma maior ponderação e serenidade. Traços positivos comporão a face psicológica da senescência: objetividade, prudência, equilíbrio, distanciamento diante de coisas irrelevantes, abertura de disponibilidades e certa capacidade de espiritualização. O idoso experiente foi e ainda continua ser respeitado por sua sabedoria de vida (os Doges de Veneza, e os senadores romanos no passado, o Sacro Colégio ainda na atualidade, assim como nas carreiras médicas, políticas, eclesiásticas, jurídicas e no mundo dos negócios). A aproximação e cooperação com gerações mais jovens prevenirá a exclusão social e a marginalização. E mesmo existindo diminuição da capacidade de aprendizagem, poderá haver aprofundamento dos conhecimentos. Por exemplo: Kant teria escrito aos 64 anos *Crítica da Razão Prática*; aos 66, *Crítica do Juízo* e aos 73, *Metafísica dos Costumes*; Goethe completou o *Segundo Fausto* aos 82 anos; Cervantes, *Dom Quixote* aos 68 anos; Machado de Assis publicou *D. Casmurro* aos 61 anos e *Memorial de Ayres* aos 69 anos de idade.

Embora a velhice não seja doença e os recursos terapêuticos e epidemiológicos comprovem que a idade avançada não representa uma condenação à incurabilidade, esta ideia permanece como um anátema contra o tratamento geriátrico. De modo geral, o terapeuta recompensa-se ou gratifica-se muito mais com o sucesso rápido, por isso interessar-se pouco pelo tratamento de pessoas idosas, que são habitualmente rechaçadas por ele, a exemplo do que se passa com os doentes crônicos ou portadores de doenças incuráveis. Tudo dependerá, está claro, como o terapeuta se relaciona ou se relacionava no passado com as suas figuras parentais (não somente o pai, a mãe, mas o avô, a avó, a tia ou o tio idosos), ou seja, como ele traz dentro de si essas imagens, com ou sem conflitos afetivos resolvidos.

Cabe ao geriatra, por conseguinte, ajudar os pacientes a viver melhor (dar-lhe vida aos anos e não apenas anos à vida) e, se esta tarefa lhe for impossível, compete-lhes auxiliá-los a morrer, suavizando-lhes a morte. Já foi dito que "morrer é fácil o difícil é viver". Ajudar a morrer poderá parecer simples, mas decididamente não o é, pois exigirá do terapeuta condições emocionais muito especiais.

No plano existencial, portanto, a senescência coloca o *problema capital da morte* e aquele das pulsões destrutivas opostas às eróticas. Ressurge, então, o mito do *Fausto*, o desejo de amar, inspirar amor, mas, sobretudo de encontrar o elixir da longa vida ou a fonte da juventude e evitar a morte, anseio este acentuado pela certeza de sua inevitabilidade.

A proximidade da morte provoca reações ambivalentes entre os polos do temor e do desejo. O polo do temor é o mais aparente: a aposentadoria é mal aceita, na medida em que ela é sentida como morte social; a perda do objeto de amor ou seu desinteresse são vivenciados como a morte sexual e o desaparecimento dos amigos e contemporâneos é a prefiguração de sua própria morte. O polo do desejo é mais difícil de ser detectado: ele se manifesta muitas vezes abertamente pelo medo de ficar sozinho na vida.

Envelhecer bem é envelhecer com sabedoria e serenidade, conservando a capacidade e o interesse para observar, compreender, aprender; pondo de lado a vaidade e aceitando com resignação a obscuridade, as restrições impostas pela idade e renunciando não somente às aspirações inatingíveis, como também às perdas inevitáveis.

▶ Referências bibliográficas

1. Aberastury AYM, Knobel. *A adolescência normal.* Buenos Aires: Paidós, 1980, p. 168.
2. Cícero. *Diálogo sobre a velhice.* São Paulo: Cultura Moderna, 1937, p. 72.
3. Bastos O. Dimensão temporal do ser idoso. *Neurobiol* 1993;56(2):61-68.
4. Shenk D. *The forgetting. Alzheimer's portrait of an epidemic.* First Anchor Books, January, 2003.
5. Bromley DB. *Psicologia do envelhecimento humano.* Lisboa: Ulisseia, 1969, p. 425.
6. Nobre de Melo AL. *Psiquiatria.* FENAME, vol II. Rio de Janeiro: Civilização Brasileira, 1979.
7. Ajuriaguerra J, Rego A, Richart J, Tissot R. Psychologie et psychometrie du vieillard. *Confrontations Psychiatriques* 1970;5:27-39.
8. Minkovski E. Aspects psychologiques de la vieillesse. Ed Psych, Paris, 16:49-72, 1959.

▶ Leitura complementar

Bastos O. Psicologia do envelhecimento. *J Bras Psiq* 1981;30(2):135-140.

Bobbio N. *O tempo de memória.* Rio de Janeiro: Campus, 1997.

24 Sexualidade na Prática Médica

João Alberto Carvalho

A cultura contemporânea está familiarizada com a importância da sexualidade na vida das pessoas. Desde Freud,[1-3] esse conceito passou a ser ampliado no sentido de não se restringir mais apenas à genitalidade, relacionando-se com possibilidades sensoriais do corpo como um todo. Como também, nesta direção, houve o reconhecimento da presença da sexualidade em toda a extensão da existência do homem, da infância até o final da vida.

Tomemos como exemplo a amamentação, onde o bebê experimenta sensações prazerosas que vão além daquelas obtidas com a necessidade básica de alimentar-se. Essas sensações que descobre o levam a buscar, na sucção, repetir o prazer, independentemente da fome, ganhando este último, o prazer, autonomia frente à primeira, a alimentação. Assim, podemos entender o que se passa quando um bebê se tranquiliza com uma chupeta, reencontrando a satisfação conhecida ao sugar o seio materno.

No prazer do contato com a mãe, na sensação emocional dos afagos maternos e na experiência da primeira relação amorosa, a criança vai também criando condições para se constituir psiquicamente, construir uma imagem de si, estabelecer uma relação consigo e, paulatinamente, com as outras pessoas e com o mundo ao seu redor.

É neste contexto que as manifestações sexuais infantis devem ser claramente entendidas como etapas inerentes ao desenvolvimento da sexualidade como um todo. Desde as descobertas do bebê, passando pela adolescência e chegando às práticas genitais, tudo é sexualidade humana. Portanto, para o homem, a vivência do sexo não é um aspecto isolado e circunstancial, mas, uma experiência central e fundadora da organização psíquica e física. Tais experiências originam, como foi dito, as primeiras manifestações emocionais, afetivas e prazerosas, assim como as frustrações, privações e raivas.

Nossa formação médica deve inserir-se na perspectiva do reconhecimento da singularidade da sexualidade no ser humano, tanto no que se refere ao seu desenvolvimento como às suas expressões, às suas particularidades em cada um e, também, aos seus transtornos. Portanto, essas noções são importantes na prática médica, na medida em que as experiências sexuais das pessoas, crianças ou adultos, estão mais relacionadas com a vida física e psíquica como um todo do que se pensava anteriormente. A sexualidade humana não é apenas instinto animal, mas emoção.

Situação-problema

Pensemos em uma situação da prática clínica:

Rafael, de 5 anos, é acompanhado no ambulatório de pediatria. É o único filho de Suzana, de 20 anos, e Lourival, de 25 anos.

A Dra. Luciana, médica-residente, encerrou a consulta dizendo que tudo estava bem com Rafael e que sua mãe deveria trazê-lo apenas para atualizar vacinações. Suzana, um pouco embaraçada, pergunta se a Dra. poderia conversar a sós com ela. Rafael ficaria na sala de espera com sua avó materna.

Começa agradecendo e diz que seu filho esta "se roçando" com os travesseiros na cama, algumas vezes também com seus brinquedos, e "fica manipulando o pinto muitas vezes no dia". Isso é normal, Dra.? Ele vai acabar se machucando. Suzana explica que o pai de Rafael sorri da preocupação dela e diz que Rafa, (como ele chama o filho), é homem e que está tudo bem.

O fragmento da consulta acima revela parte das indagações que a Dra. Luciana escuta no ambulatório. Como responder a essa mãe?

A atividade masturbatória, na criança, portanto, tem características próprias da sua etapa de vida. Na verdade, este contato dela com seu corpo, como dissemos, faz parte da curiosidade infantil e, desde que, como qualquer outro aspecto da vida, não substitua as outras atividades inerentes ao seu desenvolvimento, é uma manifestação natural, saudável e necessária.

Cabe ao adulto respeitar o universo infantil, permitindo o seu desenvolvimento. Entretanto, devemos lembrar que as crianças fazem tentativas de copiar atitudes, gestos ou gostos dos adultos a sua volta. Isso é parte da identificação com seus modelos idealizados, sobretudo os pais, mas é preciso não estimular atitudes precoces, com estéticas e informações do mundo adulto. Assim, respeitar o universo infantil implica reconhecer as expressões inerentes a essa etapa de vida sem, com isso, invadi-la com situações que seriam próprias da vida posterior, adolescente e adulta.

O médico, atendendo seus pacientes, irá defrontar-se com todas estas questões e precisará ter condições de aprender a lidar com tudo isso.

Situação-problema
▼

Ilustremos com outra situação prática:

Durante um encontro de supervisão de casos clínicos do ambulatório de psiquiatria, Dr. Luiz falou do atendimento do seu paciente, Paulo, de 13 anos de idade. O paciente foi levado por seus pais devido à sua dificuldade nos estudos durante o último ano, irritabilidade e insônia.

Na segunda consulta, a sós com o médico, Paulo disse que estava cheio de "dúvidas na cabeça": sentia-se magro demais para a idade, era um dos mais "baixinhos" da sala e, até aquele momento, não tinha conseguido "ficar" com nenhuma menina. Acabou dizendo que isso não era tão ruim assim porque ele se perguntava também se seu corpo era todo normal. Dr. Luiz indagou acerca do que mais o inquietava. Paulo ainda mais tenso diz que teme que seu pênis tenha "um defeito". Explica que quando excitado seu órgão genital apresenta uma curvatura e ele se indagava se isso traria dificuldades nas relações sexuais, acrescentando que achava que aquilo não fazia muito sentido mas "a ideia fica se repetindo". Perguntou ainda se a masturbação poderia lhe trazer algum tipo de "problema", explicando: "é difícil controlar e me masturbo bastante".

Durante a supervisão o jovem psiquiatra relatou que sua primeira sensação fora de que seu paciente era imaturo, infantilizado, mas foi se dando conta de que, ao falar de seu corpo, Paulo referia inquietações em relação às transformações da puberdade, bem como idealizações e temores diante do desejo de iniciar sua vida sexual, e começou a entender mais a preocupação de Paulo.

Dr. Luiz, relata também que ao ouvir seu paciente havia lembrado de alguns colegas seus do tempo de colégio e das tensões e inquietações que, ele próprio, adolescente acima do peso, também vivera.

Situações clínicas como esta, que trazem questões relativas à sexualidade, podem surgir na nossa prática cotidiana, independente da faixa etária ou sexo dos pacientes. Desde o desenvolvimento infantil, como vimos, aos fenômenos da puberdade, como no caso citado, consequências de patologias ou até efeitos indesejáveis de medicamentos.

Neste caso clínico, Paulo, entrando na adolescência, interroga-se sobre seu corpo sexuado, seu órgão genital, seu encontro com o sexo oposto, as inquietações em torno disso, além de dúvidas sobre a atividade masturbatória.

Seu médico pode situar tais questões como uma expressão não apenas física ou sintomatológica, mas, no contexto psíquico da entrada na adolescência. A lembrança das suas próprias experiências lhe deu subsídios para contextualizar a fala do seu paciente.

Esta posição do médico foi essencial na compreensão, intervenção e condução dos encaminhamentos do caso.

Destacamos, também, que a sexualidade, como qualquer elemento humano, tem aspectos socioculturais próprios de cada época. A relação entre indivíduo e sociedade é permanente e recíproca. O homem e a cultura são indissociáveis.

Assim, a percepção da sexualidade humana tem variado e, certamente, a prática médica tem assistido modificações relevantes na maneira como pacientes e profissionais lidam com esta questão nas últimas décadas. As distinções de conduta e pudor na abordagem do tema, tanto para homens como para mulheres, sofreram enormes transformações. Mudou o discurso social acerca da sexualidade.

O conceito de gênero, que tem predominado nos estudos da antropologia e sociologia nos últimos tempos, enfatiza a construção cultural da identidade de sexo, em detrimento da sua determinação biológica. Tal conceito relaciona-se com alguns elementos que nos parecem úteis: compreende símbolos culturais, que se modificam ao longo do tempo e se expressam de modo distinto em diferentes culturas. Como exemplos, temos o valor dado à virgindade feminina no passado e a noção de força e desinibição sexual como próprias do homem. Tal conceito apoia normas e permite diferenças na educação de homens e mulheres, criando expectativas de conduta social e sexual para ambos.

As doenças também podem se apresentar dentro dessa lógica de gênero: aquelas sexualmente transmissíveis, por mais paradoxal que possa parecer hoje, já foram vistas como símbolo de virilidade masculina em épocas passadas em nosso país. O jovem homem iniciado nas práticas sexuais com prostitutas tinha DST como parte inerente da masculinidade. Doenças como AIDS, infecção pelo vírus HIV, mesmo sem desenvolvimento da doença, foram vistas em passado recente como algo vergonhoso, ligado a práticas sexuais condenadas pela sociedade, e levaram outros a não procurar proteção.

A medicina tem que lidar com o sofrimento ligado às doenças, mas, também, com os preconceitos em relação a comportamentos e pessoas. Sabemos que as doenças ligadas de alguma maneira à conduta sexual, frequentemente, foram encaradas a partir de juízo de valores.

O lidar com o tema da sexualidade também se relaciona com pudores individuais. *Naturalia non turpia* (o natural não envergonha) é o adágio médico citado em um relevante tratado sobre a história do pudor,[4] ao estudá-lo na prática médica. Esse adágio deveria ser suficiente para demonstrar que diante do médico não haveria maiores pudores para o paciente falar de sua vida pessoal. Isso evidentemente não é observado tão facilmente. Diante das diferenças de gêneros, dos padrões ideais acerca da sexualidade, pode-se entender algumas dificuldades do cotidiano.

O médico em seu dia a dia está, portanto, exposto à "necessidade" de abordar a sexualidade dos pacientes mesmo que o tema não estivesse se apresentando como objetivo daquele tratamento.

Situação-problema

▼

Pensemos em um caso clínico:

Maria do Carmo, de 51 anos, doméstica, casada há 24 anos, dois filhos do sexo masculino de 22 e 20 anos, procurou o ambulatório de clínica médica com queixas de cefaleia e fadiga importantes. Foi diagnosticada hipertensão arterial sistêmica e verificada anemia.

Posteriormente foi encontrado o dado de que apresentava baixos níveis de ferritina no sangue. A comprovação de que esse achado permanecia levou o médico-residente e seu preceptor a uma investigação que incluiu a pesquisa de HTLV1 em novembro último. Maria do Carmo volta agora com o resultado de seu exame para uma nova consulta. Será atendida pelo Dr. Fred, responsável por seu acompanhamento.

Maria do Carmo verificou o resultado de seus exames quando os recebeu do laboratório. Inquieta com o HTLV1, havia conversado com sua vizinha, auxiliar de enfermagem. Soube que uma possibilidade de transmissão é a via sexual.

Foi recebida com cordialidade pelo Dr. Fred que, de imediato percebeu a inquietação de sua paciente. Maria do Carmo entregou os exames em silêncio e cabisbaixa. Dr. Fred notou que ela esboçava choro. Antes de ler os papéis que lhe foram entregues, disse a Maria do Carmo que ela parecia tensa, perguntou se ela estava à vontade. Ela poderia falar o que achasse necessário, afirmou o Dr. Fred. Maria do Carmo começou a chorar discretamente e pediu ao Dr. Fred que lesse os exames. Após alguns minutos a paciente diz que sabia que "aquela taxa de HTLV1 significava uma doença sexual". Informou que se sentia constrangida. O Dr. Fred disse que compreendia a inquietação de Maria do Carmo e estava disponível para ajudá-la.

Maria do Carmo afirma não temer doenças, mas aquele HTLV1 a deixara perturbada. E acrescenta que ela só havia "conhecido" um homem na vida: o pai de seus filhos, com quem é casada até o momento. Diz que se seu esposo a tivesse contaminado recentemente seria complicado para ela e para a vida do casal, mas que provavelmente nunca saberá. Permaneceu chorando e disse ter também medo da reação do esposo: "a vida da gente vai mudar muito".

Diante do relato de Maria do Carmo o Dr. Fred sentiu-se preocupado. Imaginou o constrangimento de sua paciente, lembrou de outras em diferentes situações clínicas, da faixa etária de Maria do Carmo. Percebeu a autenticidade daquele sofrimento.

Após um breve silêncio a paciente perguntou se isso poderia ter acontecido no início da vida sexual do casal e que, nesse caso, estava "apavorada" com a possibilidade de ter contaminado seus filhos no parto. Sabia que isso podia acontecer em relação ao HIV e se perguntava se o mesmo se dava com HTLV1. Sofria com a possibilidade de ter que envolver os filhos naquela investigação médica. Achava esquisito tratar de alguma coisa ligada a "relação sexual" com os próprios filhos.

O Dr. Fred afirmou entender a preocupação da paciente com seus filhos e disse que ela havia recebido uma primeira informação e que poderia contar com ele nos passos seguintes. Procurou tranquilizá-la.

A paciente disse ainda que estava muito inibida no início da consulta, mas, confiava muito no Dr. Fred e ficara mais à vontade para falar.

Naquele momento se apresentava diante do médico algo mais além do temor da doença. A noção de que algo seria decorrente de práticas sexuais parecia ter provocado muito mais preocupação na paciente. Partiu-se de uma investigação clínica rotineira e ao longo do acompanhamento foi necessário se deter na sexualidade, vida conjugal, cuidado com os filhos e, claramente, enfrentar a tensão do tema no trato com o médico. Este deu-se conta de impressões suas sobre o relato da paciente, remeteu-se a outras experiências clínicas e sensibilizou-se com o relato da paciente. Tudo isso facilitou a confiança de Maria do Carmo, e a atitude respeitosa e solidária do médico, mantendo rigor profissional, foi fundamental.

Como já foi afirmado, o conhecimento acerca do desenvolvimento da sexualidade humana tem papel relevante para a prática médica. Ela permite que o médico possa lidar com um dos aspectos centrais da vida humana com a necessária naturalidade, desenvolvendo no relacionamento com o seu paciente uma ambiência propícia para que o tema seja tratado, se necessário.

As situações clínicas relatadas revelam também a dimensão da relação médico-paciente e é importante deter-se no conceito de transferência. Esta noção é oriunda da teoria psicanalítica e refere-se à repetição na vida adulta de situações vividas na infância. Este é um fenômeno conhecido por cada um de nós na vida cotidiana, reviver medos, fantasias, expectativas e sentimentos, projetando, por vezes, tudo isso nos nossos interlocutores. Na prática médica a transferência não tem a mesma especificidade daquela vivida em uma psicanálise. As finalidades de uma consulta médica são diferentes do que se pretende com tratamentos psicanalíticos.

Na medicina também é possível observar que um conjunto de experiências referentes à história do paciente é revivido por ele na relação com seu médico. Tal situação estabelece um certo "colorido" na relação médico/paciente, desdobrando-se em expectativas para ambos.

O paciente, entre outras coisas, frequentemente dirige ao médico uma imagem idealizada, com uma intensidade que, em muitos momentos, assemelha-se à de uma criança que se acalma idealizando a força e a sabedoria dos pais. Em geral o médico torna-se merecedor de confiança e é cercado de muita expectativa. Em algumas situações, ele pode ser visto com fascínio, mas, quando o paciente não encontra as respostas esperadas nas palavras ou na ação terapêutica do médico, podem surgir frustração, raiva ou desilusão.

O profissional também tem sua história, suas relações familiares passadas e atuais, expectativas, imagens e afetos. O contato com o paciente também pode mobilizar nele essas experiências, como pudemos observar no atendimento que Dr. Luiz fez a Paulo, onde a memória das suas vivências contribuiu para que pudesse entender a angústia de seu paciente

Outro aspecto que deve ser destacado na relação médico/paciente é o que se conceituou como *regressão*. A regressão é inerente às vivências decorrentes da doença, pois traz consigo a marca da fragilidade, do desamparo e da dependência provocada pela doença. Neste sentido, o desamparo apresenta semelhanças com as vivências infantis, onde a criança crê no adulto, deixa-se cuidar respeitando orientações.

A experiência do adoecer leva a sensações dolorosas do ponto de vista físico e psíquico. O desconhecimento e o medo acerca do que se passa com ele próprio levam o paciente ao médico, buscando neste conhecimento e ajuda. Assim, a procura médica supõe, no mínimo, a crença na competência, habilidade técnica e bom-senso do profissional, inclusive quando se busca prevenção de patologias.

Naturalmente isso não exclui a possibilidade de discordâncias e dúvidas, mesmo silenciosas, ou desapontamentos, porém, de maneira geral, permite que alguém acredite nas palavras do médico, acate recomendações e prescrições, algumas desconfortáveis. Permite ainda que alguém concorde, com alguma naturalidade, em se submeter a exames físicos e interferências na sua privacidade, como restrições alimentares, solicitações de mudanças de hábitos cotidianos, na rotina de trabalho e na vida sexual. Dessa forma reafirma-se que a abordagem da sexualidade na prática médica remete à inevitável evidência de que a relação terapêutica não é fator isolado, mas amplamente ligado às histórias de cada um.

Na medida em que o tema abordado aqui é sexualidade na prática médica, não se pode deixar de discutir a possibilidade e o risco de envolvimentos eróticos entre o profissional e o seu paciente.

O relacionamento médico-paciente tem, sem dúvida, peculiaridades importantes. Nessa relação a privacidade do contato é primordial, havendo o caráter de confidência daquilo que é revelado. O acesso do médico à vida e ao corpo do paciente, a nudez deste, os exames físicos, algumas vezes íntimos, poderiam sugerir o permanente risco de envolvimento erótico e sexual por parte do médico em relação ao paciente. Entretanto, não é isso que se observa comumente, e é importante situar a compreensão de porque isso se dá dessa maneira.

Alguns pacientes podem erotizar os relacionamentos com seus médicos, desenvolvendo fantasias românticas e, mesmo que não seja frequente, pode haver a procura ativa de um relacionamento sexual. Evidentemente um médico pode sentir algum interesse erótico ou sexual por um paciente, relacionado ou não com um comportamento sedutor do doente.

Entretanto, as fantasias de natureza erótica devem ser encaradas pelo profissional no contexto da vivência da doença, da personalidade do paciente e das próprias características desse encontro. Devem ser entendidas como um sinal, à semelhança de um sintoma, e é função do médico lidar com isso de maneira profissional, privilegiando a técnica e mantendo o respeito pelo doente, sem qualquer benefício próprio.

Demonstrar aos pacientes suas fantasias eróticas, ou de qualquer outra ordem, é erro grave do médico, pois compromete seu trabalho trazendo prejuízos às vezes irreversíveis para o paciente, subvertendo o que de mais essencial existe na ética da nossa profissão. Tähkä[5] lembrava que os antigos gregos eram bem conscientes da inadequação do envolvimento erótico do médico com o paciente, lembrando que no Juramento de Hipócrates há referência ao fato de que os médicos devem jurar abster-se "da sedução de mulheres, homens, libertos ou escravos".

No exercício da medicina, como de qualquer outra profissão, há uma assimetria de funções entre médicos e pacientes, tendo cada um seu papel específico no relacionamento. Essa assimetria não significa uma valoração das pessoas, situando-as como inferiores ou superiores, mas é organizadora, faz parte da estrutura do próprio funcionamento social. Assemelha-se, por exemplo, à relação entre pais e filhos, professores e alunos, entre outras, e seguem padrões habituais do convívio humano. Naturalmente, essa organização assimétrica inclui expectativas, responsabilidades e compromissos distintos, de parte a parte.

Essa assimetria de funções contribui para salvaguardar os papéis de cada um naquela circunstância específica, assim como preservar o objetivo daquele encontro. Permite, portanto, que os limites, que caracterizam a relação não sejam ultrapassados. A assimetria é uma clara marcação simbólica dos lugares.

A civilização e as relações culturais se ordenam, por meio de interdições, introjetadas na sociedade e em cada um de nós e reproduzidas de geração a geração. Os relacionamentos familiares, entre pais e filhos, entre irmãos, obedecem, ou deveriam obedecer, regras que limitam as possibilidades de atitudes eróticas e de violência. Não é sem propósito que sentimos estranheza diante de relatos de incesto, pois esta é a lei primeira, fundadora da cultura e, por conseguinte, aquela que distingue o homem do animal.

A criação de leis e de todo o aparato jurídico que protege as crianças de agressões sexuais refletem a essencialidade da questão. Por extensão, o mesmo pode ser dito em caso de ultrapassagem desses limites na relação médico/paciente.

As interdições culturais, as leis, as diferenças de função e papel sustentam a prática médica séria. Assim também a transferência, como dissemos, e o que está contido nesta noção: duas pessoas em uma atividade sujeita a uma ética que

> **Quadro interativo**
>
> - Atividade acadêmica sugerida
>
> Em pequenos grupos, com a coordenação do professor, discussões podem ser feitas com base nas vinhetas de casos clínicos apresentados no presente capítulo. O autor, propositadamente, não forneceu dados adicionais, desdobramentos de cada situação etc., permitindo o debate, com hipóteses levantadas pelo leitor, discutidas em grupo.
>
> Em um segundo momento, os grupos podem retomar a atividade acima utilizando casos clínicos de aulas práticas de diversas disciplinas ou apresentados pelo professor.

não pode ser desconsiderada pelo médico. Tudo isso faz com que o Juramento de Hipócrates, mesmo não recitado diariamente, seja algo presente entre os médicos. Uma lei introjetada.

Deve-se sempre lembrar que o exercício da profissão médica diz respeito à procura de atender as necessidades terapêuticas do paciente sem que o médico obtenha vantagens com isso. A prática médica deve bastar pela sensação do trabalho benfeito, pelo respeito das pessoas e justo reconhecimento pelo que foi realizado. As necessidades dos médicos, como homens e mulheres, devem ser satisfeitas na vida privada, sem envolver os pacientes.

▶ Referências bibliográficas

1. Freud S. *Obras completas*. Rio de Janeiro: Imago, 1969. v. VII: Três Ensaios Sobre a Teoria da Sexualidade.
2. _____. V IX: O esclarecimento sexual das crianças.
3. _____. V XXII: Novas conferências introdutórias sobre Psicanálise.
4. Bologne JC. *História do pudor*. Lisboa: Teorema, 1986.
5. Tähkä V. *O relacionamento médico-paciente*. Porto Alegre: Artes Médicas, 1988.

▶ Leitura complementar

Carvalho JA. *O amor que rouba os sonhos – um estudo sobre a exposição feminina ao HIV*. Rio de Janeiro: Casa do Psicólogo, 2003.

Freud S. Obra Psicológica Completa. Volume 7, capítulo II. 1905.

Jeammet P, Reynaud M, Consoli S. *Manual de psicologia médica*. Rio de Janeiro: Masson, 1985. Recomenda-se, particularmente, o Capítulo 2 na íntegra e o Capítulo 9, com ênfase nas pp. 355-362.

Tähkä V. *O relacionamento médico-paciente*. Porto Alegre: Artes Médicas, 1988. Trata-se de um livro essencial no tema da relação médico-paciente. Sua leitura deve ser integral. Pela referência ao tema específico deste capítulo, aponta-se os tópicos "o sexo do paciente", pp. 185-187 e "erotização", pp. 200-202.

25 Agressividade na Prática Médica

Jayme Bisker e Eugenio Paes Campos

Situação-problema
▼

Naquele dia...
Asclépio tem 32 anos, é clínico geral e exige muito de si em relação à competência profissional. Muito estudioso, frequenta com regularidade os congressos (embora com sacrifício financeiro) e se esforça para atender seus pacientes da melhor maneira possível. No entanto, corre de um lado para outro nos dois empregos que tem, intercalados pelo plantão que dá no pronto-socorro, tentando melhorar sua remuneração. É casado e tem dois filhos, de 5 e 3 anos, respectivamente. Preocupa-se em ajudar a esposa, que é professora de nível médio, e trabalha o dia inteiro.

Naquele dia, particularmente, Asclépio estava muito estressado porque deixou o filho mais novo em casa com febre alta, vômitos e diarreia. O ambulatório estava "lotado". Quase ao final do expediente, irrompe pela porta um rapaz de aproximadamente 30 anos, e de maneira agressiva, joga a sua carteira profissional sobre a mesa, gritando:
"Eu pago esta m..., quero ser atendido!"
O primeiro impulso de Asclépio foi responder agressivamente, chamando o segurança e mandando retirá-lo dali. Mas, em um instante, pensou: "O que estará acontecendo com ele?" E disse ao rapaz: "Vejo que você está muito nervoso e deve haver uma razão para isso. Por favor, me espera ali em frente à porta que eu vou terminar de atender a esta senhora e já te chamo."
O rapaz ficou atônito e, automaticamente, retirou-se da sala. Asclépio terminou o atendimento que fazia e chamou-o.
– Então, como você se chama?
– José.
– José, eu vejo que você está muito tenso. O que está havendo?
O rapaz, com lágrimas nos olhos, disse que estava desempregado há 3 meses, que tentava todos os dias conseguir trabalho e só conseguia alguns biscates que mal davam para ele, sua mulher e seus três filhos comerem. O mais velho, de 8 anos, andava muito magro, sem ânimo para nada e, na véspera, havia desmaiado quando voltava da escola. A mulher se queixava que não tinha dinheiro para comprar remédio e que de comida, só arroz, feijão e macarrão.
Asclépio ouviu com atenção. Disse a José que era compreensível sua angústia e que acreditava em uma solução para o caso, já que ele vinha tentando de todo modo conseguir um emprego. Perguntou se aceitava conversar com a assistente social e, com sua concordância, imediatamente telefonou para ela, que se prontificou a receber e encaminhar José.

▶ Agressividade: o que é?

A agressividade é um componente instintivo do comportamento animal e tem como finalidade a sobrevivência do indivíduo. O animal agride para se alimentar e para se defender. No ser humano não é diferente, e pode-se, portanto, ver a agressividade de maneira "positiva". Não obstante, ela pode também ser expressão de um estado patológico, como epilepsia, psicoses, demências etc.

Conflitos psicológicos e sociais podem provocar agressividade como meio de comunicação e enfrentamento. Sua intensidade dependerá da natureza e gravidade da situação vivida, bem como de quanto o indivíduo traga uma "dose" maior ou menor de agressividade como traço do seu comportamento

Os indivíduos mais estruturados emocionalmente sofrem com perdas, doenças, mas raramente chegam ao descontrole, e não são fortemente afetados nas suas diversas atividades. Já pessoas imaturas, com precária estrutura de sua personalidade, são habitualmente ansiosas, grosseiras, irritadiças e impulsivas, e assim reagem nos momentos de frustrações, perdas, enfermidades etc. Sua conduta expressa, muitas vezes, insegurança, medo de ser ludibriado ou humilhado, necessidade de chamar a atenção (histrionismo) ou de autoafirmação.

Deve-se estar atento às diferentes maneiras da agressividade se manifestar: irritação, mau humor, ironia, insultos e violência física. Ela pode estar reprimida em pessoas com dificuldade de expressar suas emoções e se apresentar como cefaleia, hipertensão arterial, espasmos da musculatura do pescoço, distúrbios gastrintestinais etc. A atividade hostil pode, inclusive, estar escondida sob uma atitude de cooperação ou passividade.

▶ Agressividade na prática médica

A agressividade na prática médica ocorre do paciente ou familiar para o médico, do médico para o paciente ou familiar e, ainda, de médico para médico ou outro profissional de saúde. Suas causas são várias, desde as pessoais àquelas oriundas do exercício profissional e do ambiente social que caracteriza o mundo de hoje. Boa parte da população, principalmente em grandes cidades, está sempre estressada, com dificuldades econômicas, engarrafamentos no trânsito, insegurança devido à violência, filas em banco para pagamento, ameaça de desemprego etc.

Relacionemos, algumas dessas causas, sem a pretensão de esgotar o assunto.

▶ O paciente agressivo

Inúmeras são as razões que causam agressividade no paciente (sempre lembrando que sua intensidade depende, em parte, das características pessoais):

- Ter de esperar para marcar uma consulta ou para ser atendido
- Ter experimentado situações desagradáveis com atendimentos médicos anteriores
- Ter a consulta interrompida por telefonemas, entrada de funcionários etc.
- Estar internado e não receber visitas de amigos ou parentes
- Estar internado e se aborrecer com as visitas recebidas
- Esperar resultados de exames por muito tempo
- Não ter sido visitado pelo seu médico
- Ter se aborrecido com alguém da enfermagem ou outro paciente da enfermaria
- Sentir-se incompreendido, ofendido ou desconsiderado pelo médico
- Não ter sua licença médica prorrogada ou concedida
- Sentir-se tolhido ou ameaçado pela doença.

▶ A agressividade do médico

Com o avanço tecnológico, a medicina começou a usar aparelhagem cada vez mais dispendiosa para diagnóstico e tratamento e, em consequência, é difícil ver um hospital público bem aparelhado e capaz de manter um bom nível de atendimento. Os planos de saúde, por sua vez, ficam mais caros, principalmente para idosos e aposentados, que tendem a ganhar menos e gastar mais com o tratamento médico. Por consequência, seja em uma instituição pública ou particular, os custos e a produtividade são levados em consideração. O médico se vê, então, pressionado entre atender um certo número de pacientes exigido pelas chefias e as necessidades dos enfermos, alguns mais graves e que exigem um tempo mais prolongado de atendimento.

Os hospitais públicos têm uma demanda grande, as consultas podem demorar a ser marcadas ou serem muito espaçadas e os médicos são pressionados a atender mais pessoas. Habitualmente faltam recursos necessários e suficientes para o bom exercício profissional, como falta de medicamentos, de aparelhagem diagnóstica e terapêutica, falta de leitos, sobretudo em UTI (e tudo isso causa tensão nos médicos).

Nos consultórios particulares predominam os pacientes de convênios e são necessários atendimentos numerosos para compensar os ganhos. O número de consultas para cada paciente e certos exames sofrem forte regulação dos planos de saúde.

Acresça-se o estresse que o médico sofre por receber salários insuficientes e ter que sair correndo para um segundo ou terceiro emprego, plantão, ambulatório ou atividades da clínica privada. Isso tudo obriga a encurtar o tempo das consultas, também gasto com o preenchimento de documentos burocráticos. Por outro lado, o exercício profissional obriga o médico a lidar com pacientes muito difíceis ou graves, que é sempre motivo de estresse.

Recentemente, e cada vez mais, processos são impetrados por pacientes (ou familiares) contra o médico, alegando negligência, imprudência ou imperícia. Ordens judiciais obrigam o médico a um determinado procedimento (como internar paciente em UTI, por exemplo).

▶ Agressividade do meio social

Os meios de comunicação, como a televisão, jornais e Internet "bombardeiam" as pessoas com muita informação e alguns pacientes já chegam sugerindo diagnósticos e medicações que conheceram na Internet, provocando por vezes conflitos na relação médico-paciente.

São frequentes as queixas de pacientes em relação a hospitais ou médicos, estimulados por uma mídia sensacionalista visando notícias que gerem lucros e, nem sempre, fidedignas. Acrescente-se o desgaste social da figura do médico na nossa sociedade, politicamente sem força e frequentemente responsabilizado pelas deficiências do sistema de saúde.

▶ Como lidar com a agressividade do paciente

O médico, diante do paciente agressivo, precisa, antes de mais nada, compreender as razões daquela agressividade. Manter a necessária tranquilidade e objetividade para fazer um diagnóstico correto. Talvez uma boa atitude seja partir da premissa de que aquela agressividade tem um sentido e direção que não passa necessariamente pelo médico. Será orgânica a causa da agressividade? Agitação psicomotora e agressividade podem ser manifestações de alcoolismo, abuso de drogas lícitas ou ilícitas, distúrbios vasculares cerebrais, demências, epilepsia, alterações hormonais e metabólicas, estados psicóticos etc.

Ou será uma maneira de a pessoa se comunicar e enfrentar uma dada situação? Neste caso, qual será a referida situação? Uma boa maneira de promover tal compreensão é dizer ao paciente que reconhece sua agressividade e imagina que ela tenha alguma razão. Ou seja, de algum modo solidarizar-se com o estado de espírito do paciente e tentar, junto com ele, "administrar" sua agressividade, identificar a fonte daquela reação.

Destaque-se que durante séculos predominou, na relação médico-paciente, um certo endeusamento, respeito e confiança por parte do enfermo em relação ao médico, que era um elemento importante na diminuição do seu sofrimento e compensava as limitações do conhecimento científico da época. A semiologia também usava muito raciocínio clínico e órgãos dos sentidos (palpação e ausculta) na obtenção do diagnóstico clínico. Isso tudo causava maior aproximação emocional entre ambos. Nos tempos atuais, todavia, mal o paciente traz suas queixas de rotina, o médico imediatamente solicita uma bateria de exames laboratoriais, ultrassonografias, ressonâncias magnéticas etc. Não há dúvida que agora os diagnósticos são mais precisos, porém podem levar a uma relação muito mais técnica, diminuindo a qualidade do relacionamento e impedindo que fatores psicossociais possam ser identificados. Inclusive aqueles responsáveis pela atitude agressiva do paciente.

A atitude tranquila do médico geralmente acaba por tranquilizar o paciente. E amplia a compreensão das atitudes e das queixas, dos sintomas físicos que traz o paciente. Às vezes o enfermo precisa simplesmente descarregar em palavras seus aborrecimentos que estão acumulados e depois relaxa, como se nada tivesse ocorrido, ou até pede desculpa.

O médico firme e calmo transmite segurança ao paciente e mostra que não está com medo da sua agressividade. Ao contrário do que se possa imaginar, não raro o paciente agressivo encontra-se psicologicamente muito fragilizado. Precisa diminuir seus temores amedrontando os outros. O gesto de apoio e carinho do profissional dá ao paciente um sentimento de acolhimento e compreensão que o fortalece e acalma. O médico não deve, pois, partir para o confronto e sim dizer que deve haver alguma motivação para ele estar tão aborrecido, e que gostaria de entender por que está tão chateado.

Afinal, colocar a raiva para fora pode ser saudável, principalmente nas pessoas que tendem a reprimi-la. O importante é que possamos compreendê-la, para contê-la, ou melhor, escoá-la. Geralmente a causa da insatisfação não é a pessoa do médico. Passado aquele momento o paciente costuma desculpar-se pelo ocorrido. Compreender a razão da conduta hostil não significa estimulá-la ou aceitá-la, mas, exatamente, tentar diminuí-la.

Em algumas ocasiões, todavia, pode ocorrer que o paciente seja portador de um distúrbio de caráter, um antissocial, ou que esteja simulando uma enfermidade com o objetivo de obter vantagens como licença ou aposentadoria. Nesses casos o médico deve impor limites e até solicitar a presença de um enfermeiro ou segurança. A reação do paciente pode ser tão perigosa que o serviço pericial de algumas instituições públicas, envia pelo correio o resultado do laudo, a fim de proteger o perito de possíveis agressões.

▶ Como lidar com sua própria agressividade

Quase tudo que descrevemos em relação ao paciente pode também estar ocorrendo com o médico. A diferença fundamental é que este deve ter uma boa capacidade de controlar ou neutralizar seus impulsos e ansiedades, para que não interfiram e prejudiquem seu paciente.

O médico deve aprender a "administrar" sua própria agressividade. Antes de mais nada precisa reconhecer que está agressivo. Precisa detectar as manifestações que apresenta quando está tenso, irritado e impaciente, como dores no pescoço, mexer muito com as pernas, dificuldade para fixar a atenção no que o paciente diz, sensação de que a hora custa a passar. Precisa buscar identificar as razões da sua irritabilidade. E precisa buscar meios adequados para lidar com ela. Habitualmente os meios que utilizamos para lidar com a agressividade são inadequados, como atribuir a "culpa" a algum agente externo ou fugir do assunto de alguma maneira. O enfrentamento direto e objetivo propicia que busquemos agir de maneira coerente, reconhecendo os limites da nossa ação e praticando com determinação aquilo que efetivamente esteja ao nosso alcance.

O médico poderá, dependendo dos traços de sua personalidade, ter dificuldade com alguns tipos de pacientes. O melhor será identificar aqueles que lhe causam antipatia e irritabilidade intransponíveis e encaminhá-los para um colega. Tanto quanto um paciente deve procurar outro médico se não consegue estabelecer com ele um relacionamento amistoso.

Nos dias em que o médico não esteja bem consigo, será mais adequado evitar atender seus pacientes a ser rude, irônico ou distante com eles.

Por fim, lidar constantemente com o sofrimento humano pode ser muito difícil para alguns médicos, sobretudo quando sua própria angústia, depressão ou irritabilidade tornarem-se mais frequentes, a ponto de prejudicar seu desempenho. Estará, então, no momento de procurar a ajuda de um profissional especializado, em benefício da sua saúde física e mental.

▶ Conclusão

Por tudo que se está expondo até agora, pode-se concluir que há muitos fatores contribuindo para criar um clima de insatisfação, irritabilidade e agressividade, quer da parte do paciente, quer da parte do médico. Como já ressaltado, a postura do médico deverá ser sempre a mais compreensiva e tranquilizadora possível, e não contestadora, reativa ou ameaçadora. Sempre que se usa o pensamento, a tendência é reduzir ou eliminar ações agressivas.

Deve-se ter em mente que lidar com o ser humano não é tarefa fácil, ainda mais quando ele está emocionalmente alterado devido a uma enfermidade física ou mental. O médico deve estar preparado para lidar com os diversos tipos de personalidades e comportamentos difíceis de seus pacientes. Ao mesmo tempo, deve ser capaz de administrar adequadamente suas emoções e impulsos. Tudo isso leva a uma melhor relação médico-paciente, que acaba influindo positivamente nos diagnósticos e tratamentos por ele efetuados.

▶ Leitura complementar

Balint M. *O médico, seu paciente e a doença*. Rio de Janeiro: Atheneu, 1975.
Coulehan J, Block M. *A entrevista médica*. Porto Alegre: Artes Médicas, 1989.
Gabbard GO. *Psiquiatria psicodinâmica na prática clínica*. Porto Alegre: Artmed, 2006.
Konrad L. *A agressão*. Santos: Martins Fontes, 1973.
Mackinnon & Michelis. *A entrevista psiquiátrica na prática diária*. Porto Alegre: Artes Médicas, 2007.

Parte 5
Relação Médico-Sistema de Saúde-Sociedade

26 O Médico, seu Paciente e a Família

José Roberto Muniz

A família está sempre presente na existência da pessoa, fisicamente, ou em sua memória e, sobretudo, no seu psiquismo. Em muitos dos atendimentos realizados na prática médica, no entanto, prescinde-se da história familiar, sendo a pessoa tratada independentemente de seu contexto psicossocial.

O modelo biopsicossocial do processo saúde-doença é abordado amplamente no âmbito teórico da educação médica, porém não há uma tradução desse modelo no ensino da prática, essencialmente de caráter biomédico. A medicina biopsicossocial quase se restringe à retórica de sala de aula. Isso se deve à dificuldade e complexidade da aplicação clínica de tal modelo. Sabe-se que a vida humana ultrapassa as fronteiras do biológico e do mental, mergulhando em um meio social e cultural de maneira indissociável; os doentes e suas famílias procuram ajuda com seus corpos e mentes, trazendo crenças, mitos e padrões de funcionamento. Não existem problemas psicossociais sem implicações biológicas, assim como não existem problemas biológicos sem implicações psicossociais. Somente nas últimas décadas é que se desenvolveram estudos evidenciando a influência do papel da família na saúde e na doença de seus membros, assim como nos seus processos de recuperação.[1]

Assim como o doente é afetado por sua doença, ele afeta sua família e é afetado por ela. Não há como evitar esta interação. Isso pode ocorrer tanto positivamente, ou seja, a interação entre os familiares e seu paciente contribui para a estabilização da doença, quanto negativamente para sua manutenção ou agravamento. O desconhecimento dessa dinâmica de funcionamento e dos vários fatores em interação desse contexto deixa os profissionais da saúde sem um importante recurso na assistência de seus pacientes e na compreensão dos complexos processos saúde-doença.

Há várias conceituações de família. Pode ser definida como *um todo orgânico*, isto é, um sistema de interação. Segundo a Teoria Geral dos Sistemas, de Bertalanffy, biólogo austríaco, cada organismo é um sistema, isto é, uma ordem dinâmica de partes e processos entre os quais há interações recíprocas. O autor sustentou o modelo de causalidade circular em oposição ao modelo linear de causa/efeito, destacando a interdependência entre as partes de seus sistemas internos. O conjunto de sistemas integrados funciona como um organismo, ou seja, uma unidade funcional em permanente relação de interdependência com o meio ambiente em que está contido. É influenciado por este e o influencia. O conhecimento das informações ou dos dados isolados não é suficiente. É preciso situá-lo em seu contexto, para que adquira sentido.[2] Bertalanffy[3] verificou padrões de funcionamento nos organismos biológicos. Por meio dos conceitos da teoria sistêmica, há uma mudança paradigmática da visão centrada no indivíduo para uma visão do sistema relacional, portanto, dentro de um contexto, em relação ao seu ambiente, seu ecossistema. "Não é mais possível considerar o indivíduo sem o seu contexto".[2]

Assim, pode-se considerar a família como um sistema, enfatizando-se as inter-relações entre os seus membros e o efeito mútuo que uns tem sobre os outros. As mudanças em uma parte do sistema familiar vêm acompanhadas de ações compensatórias em outra parte do mesmo sistema. Quando a doença acomete um membro da família, toda a família será atingida de alguma forma.

Sistema aberto é aquele que estabelece relações com o meio ambiente. A família deve ser considerada um sistema aberto em interação com outros sistemas, como a escola, a fábrica, o bairro, os grupos comunitários ou o hospital, por exemplo.

A família é um sistema em constante transformação. Ela atravessa diversas etapas do ciclo vital de desenvolvimento ao longo de sua evolução, adaptando-se às diversas mudanças e exigências próprias de cada fase, com a finalidade de assegurar a continuidade e o crescimento psicossocial aos membros que a compõem.[4] Tal processo de continuidade e desenvolvimento se dá por meio de um equilíbrio dinâmico, em um jogo interativo constante das forças de regulação (homeostase) e das de crescimento (transformação). Circuitos retroativos agem por meio de um complexo mecanismo de *feedback* em direção à manutenção da homeostase (*feedback* negativo) ou em direção à mudança (*feedback* positivo). Esses mecanismos reguladores asseguram a estabilidade do sistema, o que não significa estagnação ou imobilidade.

Algum grau de *feedback negativo* dá as famílias a unidade de que necessitam para suportar as pressões sofridas pelo meio e por seus próprios membros. Por outro lado, a abertura para aprendizagem e crescimento da família, decorrente do *feedback positivo*, permitirá que haja transformações. Essa dinâmica pode ser *funcional* ou *disfuncional*. Por exemplo, uma família saudável (funcional) que se encontra em um equilíbrio homeostático, frente a novas fases de seu ciclo vital, tem flexibilidade para promover mudanças, aceitando as transformações necessárias para buscar novo equilíbrio. Deve dispor de um repertório amplo de recursos para a resolução de problemas. Por outro lado, verifica-se que famílias rígidas, muito estáveis e fusionadas só mudam seu modo de funcionamento quando sob pressão muito grande. A família cujos membros apresentam excesso de peso pode ser um exemplo de um equilíbrio disfuncional. A ruptura do equilíbrio poderá ocorrer apenas com o adoecimento de um de seus membros (diabetes), quando então poderiam cuidar do aspecto nutricional. Em outro caso, pode haver famílias que aceitam um grande número de mudanças, por serem desorganizadas e descontroladas e que, sob qualquer nível de pressão, podem se transformar. A frouxidão favorece o funcionamento caótico e a consequente falta de unidade (insuficiente *feedback* negativo).

▶ Ciclo evolutivo da família

A família é estudada como um sistema que se move ao longo do tempo, de um estágio para o outro, no seu processo de desenvolvimento, exigindo mudanças e adaptações na estrutura de sua organização.[5] Assim como o indivíduo tem seu ciclo evolutivo (ou vital) (Quadro 26.1) desde o nascimento até a morte, a família passa por etapas bem características. Duvall[5] delineou oito estágios pelos quais passa a família:

1. Casal iniciante sem filhos
2. Com filhos até 3 anos
3. Com crianças em idade entre 3 e 6 anos
4. Com filhos entre 6 e 13 anos
5. Com filhos adolescentes (até 20 anos)
6. Família como centro de partida (filhos deixando o lar)
7. Família de meia-idade (casal sozinho até a aposentadoria)
8. Família idosa (da aposentadoria até a morte de um dos cônjuges).

Duvall fez essa classificação referindo-se às idas e vindas de seus elementos em relação à família e tendo em vista a idade de seus componentes. Podemos perceber que cada uma dessas etapas contemplará características específicas que poderão, prontamente, dar uma ideia de situações pelas quais a família passa naquele momento. Pode-se, de maneira geral, prever movimentos centrífugos (afastamento) dos filhos adolescentes em relação à família, à procura de desenvolvimento e expansão, e, ao contrário, movimentos centrípetos (aproxima-

Quadro 26.1 Ciclo evolutivo da família.

Estágio de ciclo de vida familiar	Processo emocional de transição: princípios-chave	Mudanças de segunda ordem no *status* familiar necessárias para se prosseguir no processo de desenvolvimento
1. Saindo de casa: jovens solteiros	Aceitar a responsabilidade emocional e financeira pelo eu	Diferenciação do eu em relação à família de origem Desenvolvimento de relacionamentos íntimos com adultos iguais Estabelecimento do eu com relação ao trabalho e independência financeira
2. A união de famílias no casamento: o novo casal	Comprometimento com um novo sistema	Formação do sistema marital Realinhamento dos relacionamentos com as famílias ampliadas e os amigos para incluir o cônjuge
3. Famílias com filhos pequenos	Aceitar novos membros no sistema	Ajustar o sistema conjugal para criar espaço para o(s) filho(s) Unir-se nas tarefas de educação dos filhos, nas questões financeiras e domésticas Realinhamento dos relacionamentos com a família ampliada e os amigos para incluir os papéis de pais e avós
4. Famílias com adolescentes	Aumentar a flexibilidade das fronteiras familiares para incluir a independência dos filhos e as fragilidades dos avós	Modificar os relacionamentos progenitor-filho para permitir ao adolescente movimentar-se para dentro e para fora do sistema Novo foco nas questões conjugais e profissionais do meio da vida Começar a mudança para cuidar da geração mais velha
5. Dando liberdade aos filhos e seguindo em frente	Aceitar várias saídas e entradas no sistema familiar	Renegociar o sistema conjugal como díade Desenvolvimento de relacionamentos de adulto para adulto entre filhos crescidos e seus pais Realinhamento dos relacionamentos para incluir parentes por afinidade e netos Lidar com incapacidades e morte dos pais (avós)
6. Famílias no estágio tardio da vida	Aceitar as mudanças dos papéis geracionais	Manter o funcionamento e os interesses próprios e/ou do casal em face do declínio fisiológico Apoiar um papel mais central da geração do meio Abrir espaço no sistema para a sabedoria e experiência dos idosos, apoiando a geração mais velha sem superfuncionar por ela Lidar com a perda do cônjuge, dos irmãos e de outros iguais e preparar-se para a própria morte. Revisão e integração da vida

Fonte: Carter & McGoldrick, 1995.

ção familiar) no nascimento de um filho ou no adoecimento de um dos seus membros, por exemplo.

Devem-se considerar sempre as características socioeconômicas, culturais (macro e micro) e padrões de funcionamento de cada família para avaliar as diferenças a serem analisadas. Por exemplo, se uma família com sérios problemas de sustento financeiro conta com o membro adolescente como o principal provedor, a adaptação dentro dos papéis de cada um dos membros se fará por uma dinâmica inter-relacional particular em que todos, além, é claro, do próprio adolescente, terão suas etapas de desenvolvimento bastante modificadas em função das pressões sofridas. Cada família passará por várias fases do seu ciclo evolutivo, mas cada uma o fará de um modo particular, de acordo com suas características, seus padrões, suas necessidades e possibilidades. O papel que cada indivíduo desempenha dentro de sua família será um importante aspecto a ser considerado na avaliação do funcionamento da dinâmica familiar. Por exemplo, se o adolescente provedor da família adoece e fica impedido de ganhar seus proventos, a crise passada por sua família terá consequências mais drásticas e, consequentemente, a adaptação a tal situação será bem mais difícil. Por conseguinte, a evolução do tratamento do adolescente ficará afetada dentro desse contexto crítico. Caberá ao médico perceber a situação para promover uma assistência adequada nessas condições.

Cada etapa do ciclo evolutivo da família representará um desafio na adaptação dos seus membros às novas demandas criadas. Há uma exigência na busca de um novo equilíbrio que provocará reações em seus indivíduos, como o estresse, por exemplo.

Foram definidos como estressores *verticais* aqueles derivados dos padrões, mitos, segredos e legados familiares que são transmitidos de geração a geração. Os estressores *horizontais* são as ansiedades presentes no decorrer do desenvolvimento, conforme a família avança no tempo. Estes podem ser previsíveis (evolutivos), como a crise normal da adolescência, ou imprevisíveis (acidentais), como o surgimento de uma doença ou a ocorrência de uma morte prematura. É na confluência do eixo dos estressores verticais com dos horizontais que se encontra o indivíduo, dentro de seu contexto social e cultural (Figura 26.1).

▶ A doença e o ciclo evolutivo do indivíduo e da família: uma tipologia

As classificações de doenças utilizadas na medicina têm por bases critérios biológicos ou de alterações clínicas que atendem às necessidades da ciência e dos profissionais de saúde, mas nem sempre àquelas do doente e de seus familiares.

Para uma compreensão sistêmica do desdobramento de uma doença no contexto evolutivo do indivíduo e da família, é necessário estabelecer uma linguagem e um conjunto de conceitos comuns que possam ser aplicados a cada um e que permitam estabelecer uma inter-relação entre esses elementos.[6] Para isso, é preciso que a doença seja caracterizada em termos psicossociais e evolutivos, ou seja, que tenha uma "personalidade" e um curso desenvolvimental. Ademais, deve-se considerar o ciclo de vida individual e familiar nos seus modelos teóricos e conceitos-chave.

A proposta enunciada por Rolland[7] de criar uma tipologia psicossocial da doença crônica pretende examinar a relação que se estabelece entre a dinâmica familiar e individual e a doença. Não se destina ao tratamento médico tradicional ou a propósitos de prognóstico, mas traz subsídios para um alcance terapêutico maior.

As variáveis dessa tipologia são o *início* da doença, seu *curso*, suas *consequências* (resultados) e o grau de *incapacitação* da enfermidade.

- *Início*: o aparecimento da doença pode ser *agudo* (infarto agudo do miocárdio [IAM], AVC etc.) ou *gradual* (artrite, enfisema etc.). As doenças de início gradual apresentam estressores para a famí-

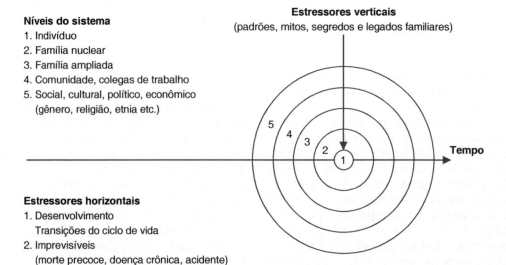

Figura 26.1 Gráfico dos estressores.

lia ou para o indivíduo, diferentes de uma doença de início súbito. Esta demandará respostas mais rápidas da família para administrar a crise. Há famílias mais bem equipadas para lidar com essas situações do que outras
- *Curso*: *progressivo, constante* ou *sujeito a recidivas*. Uma doença progressiva (câncer, diabetes, artrite reumatoide etc.) é continuamente sintomática e progride em gravidade, o que implicará em uma adaptação da família, exigindo flexibilidade e mudança de papéis. Há uma tensão constante nos cuidadores com riscos de exaustão e aumento de tarefas ao longo do tempo. A flexibilidade da família possibilitará a reorganização interna de papéis e a disposição de aceitar recursos externos. As doenças de curso constante (AVC, paralisias, amputações etc.) apresentam um período inicial de alguma recuperação e reabilitação com posterior estabilização da limitação residual funcional. A família se defronta com uma mudança permanente que se estabiliza durante considerável período de tempo. Doenças como colite ulcerativa, asma, úlcera péptica etc., sujeitas a recidivas, têm como características períodos de remissão com baixos níveis ou ausência de sintomas, quando a família mantém uma rotina "normal", entretanto o medo da agudização permanece
- *Consequências*: lida com a expectativa da morte ou de poder ou não encurtar a vida. O aspecto mais crucial é a possibilidade de a doença provocar a morte, causando um profundo impacto psicossocial e, no outro extremo, as doenças que, como a hérnia de disco, cegueira etc., não costumam interferir no tempo de vida
- *Incapacitação*: reflete o grau de limitação imposto pela doença. Há, de acordo com a doença, graus diferentes de incapacitação desde uma deficiência motora ou cognitiva grave, que determinaria uma dependência de cuidados, até algum distúrbio endócrino, uma úlcera péptica ou hipertensão arterial, por exemplo, que podem não apresentar incapacitação.

A natureza das doenças quanto ao início, ao curso, às consequências ou ao grau de incapacitação pode variar muito, não havendo regras totalmente previsíveis. Ressalte-se que as doenças podem variar também quanto ao grau de velocidade em que as mudanças vão ocorrendo. Tudo isso exige uma análise cuidadosa das situações analisadas e das reações de adaptação observadas no contexto psicossocial da família e do indivíduo.

▶ Abordagem da família

Em primeiro lugar, os profissionais da saúde, especialmente os médicos, devem perceber a importância da participação da família no processo da saúde e da doença. Por um lado, as informações acerca do estado de saúde do paciente são um direito e um dever dos familiares e precisam ser atendidas. Além disso, a família é fonte de informações preciosas necessárias para uma compreensão mais ampla dos complexos processos de adoecimento e das características do contexto psicossocial do paciente. De suma importância está o fato de a família ser um potencial de apoio e de recursos que precisam ser aproveitados e explorados para o atendimento das necessidades do paciente. A conjugação das forças terapêuticas dos profissionais de saúde com os familiares e do próprio paciente colaborará para uma assistência de melhor qualidade.

Inicialmente, a forma mais direta de abordar a família é por meio de uma reunião com familiares, em geral incluindo o paciente, para a promoção de uma comunicação adequada entre todos aqueles que estão implicados no atendimento. Além das informações que necessitam ser trocadas e que são de grande importância para todos os atores envolvidos, o encontro propiciará uma oportunidade para se conhecerem os membros da família do doente e o funcionamento do grupo familiar.

Qual é a etapa do ciclo vital que estão vivendo? Quais estressores estão presentes no momento? Qual é o papel que o paciente desempenha na sua família? De que maneira o adoecimento do paciente está interferindo na dinâmica do funcionamento familiar? Que consequências imediatas e em médio prazo a doença trará para a família? A reunião de familiares também é uma ocasião para se observar o grau de envolvimento dos familiares com as questões relativas ao problema do paciente, a qualidade das relações afetivas entre eles, a disposição em ajudar, e a disponibilidade das partes. É uma excelente oportunidade de verificar os potenciais da rede de apoio que poderá entrar em ação na conjugação de forças necessárias para um melhor atendimento das necessidades assistenciais. Existem diferentes tipos de apoio psicossocial que podem ser necessários e que os familiares ou pessoas próximas, de acordo com suas possibilidades, podem exercer: companhia social, apoio emocional, aconselhamento, controle social, ajuda material e de serviços e acesso a novos contatos.[8]

▶ Genograma: um mapa relacional

Outro modo de avaliar o contexto psicossocial do paciente é por meio do genograma (Figura 26.2). Desde meados da década de 1950, o genograma tem sido utilizado como instrumento em terapia familiar sistêmica (TFS) como forma eficiente de obter informações da constituição familiar. São retratos gráficos da história e do padrão familiar, que identificam a estrutura básica, o funcionamento e os relacionamentos da família e, assim, evidenciam estressores, constituindo um mapa relacional do paciente e da sua família. De fácil execução e por seu formato gráfico, facilita a visualização do contexto familiar e de suas principais características,[9] reunindo maiores possibilidades para a detecção dos aspectos psicossociais. Nele são registrados dados de importância para o indivíduo, tais como separações, doenças, mortes, acidentes, cirurgias, internações etc. O *cronograma familiar* é uma lista de eventos importantes que se deseja destacar. É colocado ao lado do genograma, evitando, dessa forma, excessos de dados no gráfico.

Assim como uma radiografia, o genograma permite a leitura rápida e abrangente (*gestalt*) da organização familiar em uma única folha de papel, que pode ser anexada ao prontuário, facilitando a percepção da situação psicossocial pelos profissionais de saúde.

Em 1985, McGoldrick e Gerson[9] publicaram *Genograms – assessment and intervention*, principal e mais abrangente guia do assunto até hoje escrito. Nesse livro se destaca, entre as várias utilizações do genograma, a aplicação na prática médica para:

- Registro sistêmico das doenças e suas correlações no contexto familiar, salientando a responsabilidade de tratar indivíduos não isoladamente, mas no contexto de suas famílias
- Contribuição no estabelecimento de um *rapport* entre o clínico e o paciente
- Desenvolvimento do diagnóstico e planejamento terapêutico.

"O genograma é talvez o instrumento clinicamente mais útil até agora desenvolvido para avaliar conexões entre família e doença."[9]

Nos últimos anos, o genograma tem sido ensinado no curso de graduação de medicina da Faculdade de Ciências Médicas da Universidade do Estado do Rio de Janeiro (UERJ). O aluno realiza seu próprio genograma, como experiência de aprendizado e de conhecimento de seu contexto familiar, o que se tem mostrado uma vivência de impacto, pois confronta o estudante com aspectos de sua vida pessoal nos quais, em geral, não havia pensado antes. Frequentemente, toma conhecimento de padrões transgeracionais e de estressores no seu próprio contexto familiar desconhecidos até então e que vão contribuir para o entendimento de suas características pessoais e familiares. Legitima-se a importância desses aspectos que, posteriormente, poderão ser reconhecidos como relevantes na compreensão dos contextos psicossociais de seus pacientes. Trata-se de um processo pessoal de aprendizagem pelo qual o aluno vivencia emocionalmente essa experiência. É uma oportunidade única na formação médica do aluno ficar no lugar do entrevistado e não do entrevistador. Além disso, o aluno pratica a construção conjunta do genograma com pacientes, procurando estabelecer correlações nos processos de saúde, doença e ciclo de vida e também da identificação de estressores.

Após a realização do genograma, ele é discutido e interpretado em sala de aula com ajuda do professor, consolidando seu aprendizado. Essas aulas funcionam também como uma discussão de caso, ajudando na formação de um *diagnóstico situacional*.[10] É considerado recurso estratégico no ensino de psicologia médica, e seu uso é recomendado como ferramenta de descrição da família e dos seus padrões de relacionamento no Programa Saúde da Família (PSF).

No genograma são representados, por meio de símbolos, os constituintes de pelo menos três gerações do paciente em tela (ou paciente identificado [PI]), sendo o gênero masculino representado por um quadrado, e o feminino, por um círculo. Os casais são ligados por linha horizontal e, sobre esta, as datas do casamento e, se for o caso, da separação e do divórcio, conforme as informações levantadas. Todas as datas de eventos relevantes são registradas para que sejam estabelecidas correlações contextuais na análise posterior. As mortes, as doenças e os transtornos dos indivíduos são assinalados no próprio genograma, facilitando sua imediata identificação. Por exemplo, as mortes são identificadas por um "x" dentro do símbolo, a data da morte imediatamente acima do símbolo, na parte de dentro, a idade que o individuo tinha quando morreu e a doença ou causa da morte ao lado. Essa simbologia foi padronizada por um comitê organizado no início da década de 1980 (*North American Primary Care Research Group*), que definiu os símbolos práticos a serem utilizados no genograma, e que foram posteriormente atualizados com novos dados.

Dessa maneira, podem-se registrar informações sobre os membros da família e suas relações transgeracionais, permitindo uma rápida visão *gestáltica* dos complexos padrões familiares, contribuindo para levantar hipóteses de como um problema clínico pode estar relacionado ao contexto psicossocial daquela família no decorrer do tempo.

As relações afetivas entre os membros da família também são representadas, por meio das linhas de relacionamento. Essas são construídas junto ao paciente e/ou com os familiares, durante a entrevista de feitura do genograma. As linhas possibilitam a identificação da intensidade de envolvimento emocional entre os membros da família (Figura 26.3).

O profissional de saúde pode recorrer ao genograma a cada novo atendimento que fizer, como maneira de inteirar-se e lembrar-se dos dados disponíveis. A data de feitura do genograma deve ser anotada no canto inferior direito, podendo ser atualizada sempre que se fizer necessário.

A anamnese realizada dentro do modelo biomédico hegemônico acaba privilegiando dados ligados diretamente a fatores como doença orgânica, história fisiológica, dados epidemio-

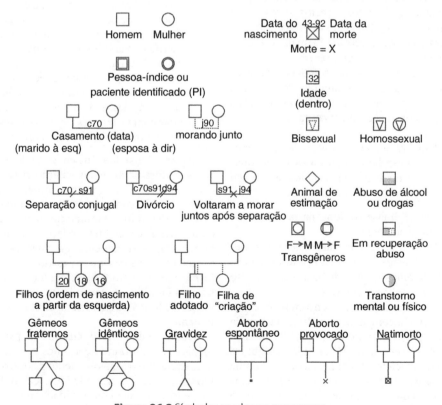

Figura 26.2 Símbolos usados no genograma.

Figura 26.3 Linhas de relacionamento.

lógicos e endêmicos, condições físicas habitacionais, história patológica pregressa e outros que, apesar da importância inquestionável, não são suficientes para uma maior abrangência na compreensão da complexidade do processo saúde-doença.

O genograma, na configuração proposta, reúne informações da doença do paciente identificado, das doenças e dos transtornos familiares, da rede de apoio psicossocial, antecedentes genéticos, da causa de morte de pessoas da família, além dos aspectos psicossociais apresentados, que, junto com as informações da anamnese, enriquecerão ainda mais a análise a ser feita. Dessa maneira, os profissionais de saúde estarão em melhores condições de realizar um atendimento mais abrangente, de forma a poder detectar as necessidades assistenciais do seu paciente, levando em conta seu contexto psicossocial.

McDaniel et al.,[1] em seu livro *Terapia familiar médica*, postulam cinco níveis de envolvimento que o médico pode estabelecer no seu relacionamento com a família, a saber:

- *Nível 1*: ênfase mínima na família; ação restrita ao doente
- *Nível 2*: dar informação médica e conselhos. Ensinar pelo menos a um membro da família sobre a doença e tratamento em consultas educativas
- *Nível 3*: identificar sentimentos e dar apoio. Encorajar os membros da família a explicar suas preocupações. O médico deverá ser capaz de formular perguntas que detectem as manifestações da família relativas às preocupações e aos sentimentos quanto à condição do doente e como isso afeta a família. Deve ser empático, encorajando as pessoas a se esforçarem no enfrentamento dos problemas como um grupo (coesão) e identificar as disfunções familiares
- *Nível 4*: apoio sistêmico e intervenção planejada. Neste nível, o médico de família deve engajar-se aos membros da família (inclusive os relutantes) em consultas planejadas (uma ou mais). Deve também ajudar a família a aceitar maneiras alternativas (e mutuamente negociadas) de lidar com as dificuldades e de ser capaz de ajudar as pessoas a ajustarem seus papéis dentro do grupo, para dar apoio sem sacrificar a autonomia de ninguém
- *Nível 5*: terapia familiar. O médico de família deve ter habilidades para lidar com emoções intensas da família e de suas próprias, e de ter neutralidade para lidar com fortes pressões dos membros da família ou de outros profissionais.

O profissional de saúde em geral deverá buscar aprimoramento e capacitação para poder, com o auxílio do genograma, atingir o nível 3 em sua relação com o paciente e a família.

Considerando a família como um sistema cujos membros mantêm relações de interdependência, o surgimento de doenças, transtornos ou quaisquer outras disfunções, seja de forma aguda ou crônica, afetará intensamente o sistema familiar, provocando necessárias adaptações de todos os envolvidos direta ou indiretamente.

Tradicionalmente, o ensino de psicologia médica vem utilizando conceitos psicanalíticos para explicar o desenvolvimento psíquico e evolutivo com ênfase no indivíduo. Contudo, tais conceitos, por sua complexidade, nem sempre são compreendidos e elaborados pelos estudantes, dificultando a utilização desses na prática do aprendizado. Tem sido dada mais atenção às reações individuais ao adoecimento, entretanto a maneira como essas adaptações vão acontecer no âmbito da família interessa a todos (família, escola, trabalho etc.) e aos profissionais de saúde em particular, já que dessas adaptações familiares dependerá o sucesso das intervenções médicas de qualquer natureza (adesão ao tratamento, preparo para cirurgia, comunicação de notícias difíceis etc.). Por exemplo, a evolução clínica da obesidade de um adolescente relaciona-se diretamente com a aceitação do transtorno, não só pelo próprio paciente, como pelos membros de sua família. É a partir dessa aceitação do problema que se desenvolverá o processo de reeducação alimentar com a modificação dos padrões alimentares da família, fundamental para o sucesso terapêutico.

A busca pela integralidade da assistência, o estabelecimento de vínculos que possibilitem a aderência aos tratamentos propostos e as alianças de compromisso e de responsabilidade mútua entre os profissionais, pacientes e seus familiares indicam novas direções na atenção da saúde e, por conseguinte, novas direções também na formação profissional, na compreensão dos processos saúde-doença e no aprimoramento das capacitações. O genograma, como instrumento de aprendizado, favorece a identificação do contexto familiar, contribuindo para a formação integral do estudante.

Outro problema relevante é a dificuldade em avaliar situações de estresse, tão comuns como fatores presentes e desencadeantes nos processos de doença. Essas situações não se apresentam de maneira clara e, muitas vezes, nem são detectadas pelas próprias pessoas envolvidas que poderiam relatá-las aos profissionais de saúde. Assim, dificultam-se as formas de avaliação necessárias a uma assistência adequada.

O genograma, como um instrumento gráfico, facilita a visão do contexto psicossocial e das situações de estresse agudas ou crônicas, tanto para o paciente (e seus familiares) como para o profissional de saúde, ampliando as formas de detecção das situações conflituosas e problemáticas. É, por isso, um instrumento facilitador na promoção da assistência em seus diferentes níveis.

A Figura 26.4 ilustra um exemplo de genograma e sua leitura interpretativa.

O genograma permite identificar padrões transgeracionais de doenças ou transtornos, além de evidenciar condutas problemáticas observadas nos membros da família ao longo do tempo, no seu ciclo de vida. Em consequência disso, situa o problema atual em um contexto histórico, possibilitando o estabelecimento de correlações hipotéticas entre os vários fatores psicossociais concorrentes na situação estudada. É o que podemos evidenciar no genograma a seguir da Figura 26.5.

Não se trata de estabelecer relações de causa e efeito, mas sim de correlacionar o complexo de elementos presentes na situação clínica examinada.

O genograma é apresentado como instrumento de investigação de utilidade na prática clínica, pois:

- Favorece a identificação dos fatores de estresse no contexto familiar
- Estabelece correlações entre esses fatores e o processo saúde-doença
- Permite visão conjunta do contexto por meio de mapa gráfico, utilizando símbolos convencionados

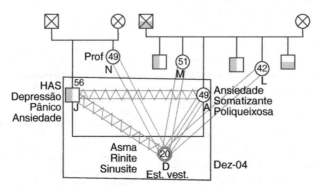

Figura 26.4 Leitura e interpretação do genograma de D.

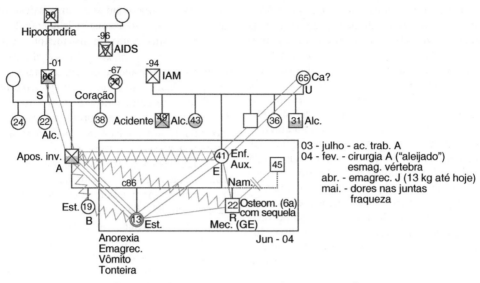

Figura 26.5 Leitura e interpretação do genograma de J.

- Correlaciona as informações biomédicas e psicossociais
- Identifica padrões transgeracionais de doenças, transtornos ou condutas problemáticas nos membros da família
- Situa o problema atual dentro de um processo evolutivo e histórico do indivíduo
- Favorece o *rapport* entre médico e paciente
- Ajuda na identificação da rede de apoio psicossocial.

Por meio da análise do genograma, é possível detectar a existência (ou não) da rede de apoio psicossocial, na família nuclear e/ou extensiva, ou, ainda, de qualquer outra pessoa próxima. Isso permitirá que se identifiquem aqueles que possam ser convidados a participar do tratamento ou vir a colaborar de alguma forma em prol do atendimento de seu parente ou amigo. Apoios de diferentes tipos devem ser considerados e devidamente identificados. Há os que têm capacidade de responder com reações emocionais adequadas de apoio e compreensão, e outros que são capazes de ajudar em providências objetivas, tarefas a serem feitas e que podem ser igualmente de grande ajuda para as necessidades do paciente.

Por fim, a família, no seu conjunto de variações, riqueza de formatos e na dinâmica de funcionamento, poderá trazer luz ao esclarecimento dos problemas existentes na prática clínica e, sobretudo, estabelecer parceria em favor de uma assistência mais adequada às necessidades do paciente.

> **Quadro interativo**
>
> *O Caçador de Androides* (*Blade Runner*, 1991), filme dirigido por Ridley Scott, sucesso da década de 1990, trata de duas questões profundamente humanas protagonizadas por androides: família e morte. Os androides eram caçados, pois se rebelaram contra seu criador, que lhes deu habilidades e inteligência superiores às dos humanos, entretanto, privando-os do conhecimento de sua origem/história (família) e do benefício da dúvida de quando morreriam (marca registrada e exclusiva dos humanos), uma vez que tinham data programada para seu fim. Essa condição era desesperadora para eles, já que não tinham uma referência de passado que pudesse fundamentar sua existência e promover a construção de um projeto de vida. Essa é uma boa metáfora para pensarmos em quão imprescindíveis são essas duas condições em nossa vida.

▶ **Referências bibliográficas**

1. McDaniel S, Hepworth J, Doherty W. *Terapia familiar médica*. Porto Alegre: Artes Médicas, 1994.
2. Morin E. *Os sete saberes necessários à educação do futuro*. São Paulo: Cortez, 2000.
3. Bertalanffy L. *Teoria geral dos sistemas*. Petrópolis: Vozes, 1975.
4. Minuchin S. *Famílias: funcionamento & tratamento*. Porto Alegre: Artes Médicas, 1988.
5. Carter B, McGoldrick M. *As mudanças no ciclo de vida familiar*. Porto Alegre: Artes Médicas, 1995.
6. Rolland J. Doença crônica e o ciclo de vida familiar. *In*: Carter B, McGoldrick M. *As mudanças no ciclo de vida familiar*. Porto Alegre: Artes Médicas, 1995: 373-91.

7. Rolland J. Toward a psychosocial typology of chronic and life-threatening illness. *Family Systems Medicine* 1984;2:245-63.
8. Sluzky C. *A rede social na prática sistêmica: alternativas terapêuticas*. São Paulo: Casa do Psicólogo, 1997.
9. McGoldrick M, Gerson R, Shellenberger S. *Genograms assessment and intervention*. New York: SecEd. W.W.Norton & Company, 1985.
10. Ferrari H, Luchina I, Luchina N. *La interconsulta médico-psicológica en el marco hospitalário*. Buenos Aires: Nueva Visión, 1971.

27 As Redes Sociais e a sua Importância no Processo Saúde-Doença

Luiz Fernando Chazan, Ana Cláudia Santos Chazan e Virgínia Lúcia de M. Barbosa

O objetivo deste capítulo é apresentar aos leitores o paradigma da visão de rede, sensibilizando-os sobre a sua rede pessoal e a dos seus pacientes, visando a instrumentalizá-los para um cuidado clínico mais efetivo.

Situação-problema

▼

- **Caso 1**

Renata é estudante do sexto ano e está muito frustrada com os resultados do atendimento oferecido a Dona Maria, viúva, portadora de diabetes há dez anos, que não tem filhos e mora sozinha em um município longe do hospital universitário (HU). Ela refere se relacionar pouco com os vizinhos e sempre vem desacompanhada às consultas. Diz que sabe ler, mas faz muita confusão com os remédios prescritos. O controle glicêmico piora progressivamente, mas Renata fica muito apreensiva em iniciar insulinoterapia, com medo de confundi-la ainda mais e colocá-la em risco de hipoglicemia. Renata já recomendou o grupo para portadores de doenças crônicas, mas Dona Maria diz que o HU é muito longe para vir semanalmente.

- **Caso 2**

Dona Regina tem 68 anos e é portadora de hipertensão arterial de difícil controle. Por mais que seu médico, Dr. Antônio, R1 (médico residente) de Cardiologia, a orientasse, ela sempre aparecia com a pressão elevada. Ela dizia que tomava o remédio "direitinho" e sempre elogiava a dedicação do doutor. Mas, consulta após consulta, a pressão se mantinha nas alturas. Dr. Antônio sentiu-se desmotivado e impotente. Já tentara diferentes combinações de anti-hipertensivos, mas nada funcionou.

▶ Introdução

Durkheim,* um dos pais da sociologia moderna, publicou em 1897 o livro *O suicídio*, em que valorizou as relações sociais e o nível de integração dos indivíduos na sua gênese. Definiu o que chamou de integração social e abriu portas para que, a partir da década de 1970, a epidemiologia apresentasse estudos mais abrangentes, reconhecendo a importância dos laços sociais no processo de saúde e adoecimento.

Chor *et al.*,[1] citando Pilisuk e Minkler, dizem que *"portadores de enfermidades tão diversas como hipertensão arterial, depressão e tuberculose, e ainda vítimas de acidentes, relatavam com maior frequência o fato de não estarem (ou não se sentirem) inseridos em uma rede de apoio mútuo, ou ainda de terem experimentado em maior grau perdas importantes de laços sociais (p. ex., viuvez, separação amorosa, desemprego, mudança de moradia)"*.

Sluzki[2] cita quatro estudos, entre as décadas de 1970 e 1980, que reafirmaram a relação entre rede social e mortalidade: estudo de Alameda County, Califórnia, com 7.000 pessoas, o do Centro de Saúde Comunitário Tecumseh,

---

* Segundo Durkheim, a integração social refere-se ao nível de integração dos indivíduos. Ele conclui que níveis excessivamente altos (excesso de controle) ou baixos (falta de vínculos) de integração social favoreceriam os suicídios. Assim como ser solteiro, viúvo ou não ter filhos).

Michigan, com 2.750 pessoas, o de Evan County, Geórgia, com 2.050 pessoas e o de Tibblin et al., na Suécia, com 17.500 pessoas. Ele afirma: *"em todos os casos, com acompanhamento entre 10 e 15 anos, os indicadores relacionados com rede social mostraram uma associação incontestável com sobrevida: quanto menor a rede social maior a probabilidade de morrer".*

Esses estudos são muito recentes se consideramos a importância que a capacidade de reunir-se em grupo e promover cuidado aos seus membros teve para permitir a sobrevivência de nossa espécie desde a Pré-história. Linares, em um belo texto, nos mostra essa importância ao afirmar que atribui o nosso êxito evolutivo ao amor.

> Movidos pelo amor até os limites da impossibilidade, os humanos abriram novos e insuspeitados horizontes em defesa da sua espécie, transcendendo as limitações dos instintos geneticamente programados. Esforçar-se pelo bem-estar dos membros do grupo social, sejam os filhos, casais e outros familiares ou companheiros, cuidá-los, alimentá-los e defendê-los dos mais diversos perigos, é mais fácil e se realiza com muito mais criatividade e eficácia se os ama do que se responde a rígidos mandatos instintivos.[3]

▶ Sobre os conceitos de suporte e redes sociais

O reconhecimento de que o suporte social e as redes sociais são variáveis importantes no processo de saúde e doença vem ganhando cada vez mais evidências científicas tanto no polo preventivo quanto na reabilitação.[4]

Segundo Sluzki,[2] *"a rede social pessoal pode ser definida como a soma de todas as relações que um indivíduo percebe como significativas ou define como diferenciadas da massa anônima da sociedade. Essa rede corresponde ao nicho interpessoal da pessoa e contribui substancialmente para seu próprio reconhecimento como indivíduo e para sua autoimagem. Constitui uma das chaves centrais da experiência individual de identidade, bem-estar, competência e agenciamento ou autoria, incluindo os hábitos de cuidado da saúde e a capacidade de adaptação em uma crise".* A experiência humana de rede social começa com a família, pois é nela que se inicia a base da qualidade dos vínculos, conceito caro ao de rede social. A experiência familiar nos dá o modelo básico de vínculos e de autoconfiança que carregaremos ao longo da vida e que contribuirá para a qualidade dos nossos vínculos sociais.

A funcionalidade familiar é dependente da capacidade de manejar os vínculos e de conciliá-los com a autonomia necessária ao sujeito. Minuchin, citado por Groisman,[5] escreve: *"a experiência humana de identidade tem dois elementos: um sentido de pertencimento e um sentido de ser separado. O laboratório em que estes ingredientes são misturados e administrados é a família, a matriz da identidade".*

Dessa maneira, à medida que saímos do universo familiar e entramos no social, carregamos esses modelos que, nas relações sociais, necessitam também de um pertencimento (redes e apoios sociais) e autonomia que, socialmente, é dada pelo exercício pleno da cidadania. Sem cidadania não há saúde.

Todo esse processo está conectado a um elemento fundamental da existência humana que é o cuidado.

Higino (64 a.C. a 17 d.C.) nos conta na sua fábula 220:

> Certo dia, ao atravessar um rio, Cuidado viu um pedaço de barro. Logo teve uma ideia inspirada. Tomou um pouco de barro e começou a dar-lhe forma. Enquanto contemplava o que havia feito, apareceu Júpiter. Cuidado pediu-lhe que soprasse espírito nele. O que Júpiter fez de bom grado. Quando, porém, Cuidado quis dar um nome à criatura que havia moldado, Júpiter o proibiu. Exigiu que fosse imposto o seu nome. Enquanto Júpiter e Cuidado discutiam, surgiu, de repente, a Terra. Quis também ela conferir o seu nome à criatura, pois fora feita de barro, material do corpo da Terra. Originou-se então uma discussão generalizada. De comum acordo, pediram a Saturno que funcionasse como árbitro. Este tomou a seguinte decisão, que pareceu justa:
> Você, Júpiter, deu-lhe o espírito; receberá, pois, de volta este espírito por ocasião da morte dessa criatura. Você, Terra, deu-lhe o corpo; receberá, portanto, também de volta o seu corpo quando essa criatura morrer. Mas como você, Cuidado, foi quem, por primeiro, moldou a criatura, ficará sob seus cuidados enquanto ela viver. E uma vez que entre vocês há acalorada discussão acerca do nome, decido eu: esta criatura será chamada Homem, isto é, feita de húmus, que significa terra fértil.[6]

Assim como o cuidado materno que devemos receber ao nascermos, sem o qual não há sobrevivência, a crescente interação social que vamos desenvolvendo ao longo da vida, desde o cuidado da família, passando por amigos, colegas e instituições no sentido mais amplo, é fundamental para a construção, manutenção e recuperação da saúde.

Como vimos, o suporte social pode ser definido como o suporte subjetivo e objetivo que a pessoa em questão recebe da sua rede social (família, amigos e outros) *como afeto, companhia, assistência e informação, tudo que faz o indivíduo sentir-se amado, estimado, cuidado, valorizado e seguro. Este construto despertou interesse nos pesquisadores a partir da década de 1970, e, desde então, tem-se identificado sua importância no enfrentamento do estresse.*[7]

▶ Relações com o processo saúde-doença

A saúde é diretamente influenciada pela resultante das interações humanas, produto da vida em sociedade.

Estudos têm apontado para uma relação direta no papel das redes em todo o processo de saúde-doença. Quanto mais estruturada e suportiva for a rede, melhores resultados teremos na prevenção de agravos, na promoção/manutenção da saúde ou na recuperação/reabilitação. Berman, citado por Valla,[8] aponta para o fato de que o apoio social exerce efeitos diretos sobre o sistema imunológico, além de aumentar a capacidade de as pessoas lidarem com o estresse, o que nos leva a supor um efeito de ampliação da resiliência.

Em recente meta-análise, Lunstad, Smith e Layton,[9] avaliaram 148 estudos prospectivos que incluíram mais de 300.000 indivíduos, concluindo que a influência das relações sociais no risco de morte é comparável aos fatores de risco já bem estabelecidos, tais como tabagismo, alcoolismo, sedentarismo e obesidade. Indivíduos com relações sociais adequadas têm 50% mais chances de sobrevivência que aqueles com redes sociais pobres ou insuficientes.

Está plenamente reconhecido o papel do estresse na díade saúde-doença. Um exemplo interessante é o estudo de Spiegel, citado por Sluzki,[2] sobre o efeito de terapia de apoio em grupo para pacientes com câncer de mama com metástases. Um dos objetivos desses grupos era reforçar o apoio recíproco e, com isso, minimizar o isolamento social que esse tipo de diagnóstico tende a produzir.

Os resultados desse trabalho mostraram que os problemas comuns geram o que Sluzki chamou de pontes empáticas, reforçando a adequação das reações emocionais à doença e reduzindo o caráter tóxico da expectativa de uma morte prematura. Considerando o grupo controle, os participantes tiveram menos dor física, menor ansiedade e depressão, além de maior sobrevida. Mesmo em estudos posteriores, como o de Goodwin, publicado em 2001 e citado por DeAngelis,[10] em que não se confirmou o aumento de sobrevida, houve ganho significativo na qualidade de vida.

Seguindo essa linha, vários trabalhos têm sugerido que as redes sociais têm um papel no aumento da capacidade dos indivíduos de lidarem (*coping*) com o *distress*. Alguns trabalhos citam o que poderíamos chamar de hipótese do amortecimento (*buffering hypotesis*), em que as redes sociais podem "amortecer" os efeitos danosos do estresse.[11]

Sluzki[2] apresenta um interessante relato de como a rede afeta a saúde do indivíduo e de como a doença afeta a sua rede. A seguir, um resumo, com pequenas modificações, dos pontos principais:

- A rede como atenuante da reação de alarme descrita na Síndrome Geral de Adaptação. Uma criança tende a se acalmar se os pais reagem com tranquilidade diante de um evento como uma queda, por exemplo, mas tendem a reagir com mais angústia se os pais se mostrarem assustados
- As redes como contribuintes do sentido que damos à vida. Dependendo do sentido que damos às nossas funções sociais, podemos tanto encontrar alento, como também maior desespero diante de uma doença. Um paciente portador de AIDS tinha uma vida promíscua e baixíssima autoestima. Após se filiar a uma igreja, "descobriu" a missão de ajudar os membros da comunidade, algo marginal, de que fazia parte. Com esse novo sentido na sua vida, não só conduziu muitas pessoas para tratamento, como passou a seguir rigorosamente seu próprio tratamento, surpreendendo a equipe de saúde, que já o considerava um caso perdido. Em outro exemplo, um paciente que só con-

seguia ver sentido na sua vida na função de provedor viveu profunda depressão, o que piorava o prognóstico do tumor que adquirira, em função de um maior comprometimento imunológico e da ideia de que não servia mais para nada se não podia trabalhar
- A rede como reguladora dos desvios de saúde. Pode ser positiva quando alguém reafirma a necessidade de investigar algum mal-estar, como pode também aumentar o risco à saúde quando família e amigos negam a importância de um sintoma.

Por outro lado, a doença pode afetar a rede de várias maneiras:

As doenças possuem um efeito interpessoal aversivo, que podem causar ou aumentar o isolamento. Um paciente com câncer pode, no início da doença, receber mais visitas e solidariedade, mas à medida que a doença progride, esse movimento social pode restringir-se drasticamente.

Certas doenças podem reduzir a mobilidade e, com isso, os contatos sociais, como um dançarino que desenvolve artrite ou um cirurgião que lesiona um nervo do braço após um acidente e, mesmo que venha a se dedicar à clínica, perde seu lugar no grupo de amigos cirurgiões. Certas relações se mantêm por meio da presença e, quando ocorre a ausência sistemática, pode-se reduzir a iniciativa de ativação da rede.

É possível em certos casos que se reduzam os comportamentos de reciprocidade, importantes nas interações sociais. Embora as relações do círculo interior (veja adiante no mapa de rede) como aquelas íntimas e de longa data sejam mais tolerantes às frustrações que as de pouca história ou intensidade, pode ser muito difícil a pouca gratificação ao se cuidar de alguém com doença crônica. É conhecido, por exemplo, os quadros depressivos dos cuidadores ou familiares de pessoas com Alzheimer. São situações em que a família toda adoece.

▶ Contexto das práticas de rede nas políticas públicas

Teóricos* de diferentes campos do saber, dos anos 1950 aos 1980, foram os primeiros a pesquisar e aprimorar o conceito de *rede social*, contribuindo significativamente para as práticas no campo da psiquiatria, principalmente do movimento de saúde mental comunitária e da terapia familiar.

Com a moderna psiquiatria social, evidenciou-se a psicoterapia das redes sociais, como nos diz Speck, citado por Delgado:[11]

> Diz-se que a nossa era é de ansiedade, alienação e anomia. Os pacientes e as famílias que vemos são prova disso. Basta olhar nos olhos do homem da rua para ver que isso não acontece somente nos nossos consultórios. O que estou sugerindo é que mudanças no nosso mundo produzem mudanças em nossa cultura, que produzem mudanças em nossas famílias, que produzem mudanças na pessoa como indivíduo. A psicoterapia de redes sociais é uma tentativa inicial para produzir mudanças em um nível de organização acima da família. Uma meta na terapia de rede é criar maior compreensão nas relações entre pessoas e rede. Atualmente, muitas redes sociais são fragmentadas como resultado das forças que mencionei. Talvez algumas delas possam ser consertadas. Sinto que a psiquiatria, para ser mais eficaz em lidar com a necessidade humana, terá de colocar algumas das suas tropas na linha de fogo da interação social...*

No Brasil, essas práticas, fundamentadas no conceito de território, sedimentaram o caminho para a municipalização da assistência em saúde. A noção de território,** para além de corresponder a uma área geográfica, é o ponto de partida para se compreender a rede social na qual o indivíduo está inserido, possibilitando o aproveitamento dos recursos (pessoais e materiais) e a participação da comunidade e de seu potencial terapêutico.

Esses estudos contribuíram para a reforma psiquiátrica e a estratégia de saúde da família, que têm vários pontos comuns:

- São regidos pelos princípios e pelas diretrizes constitucionais do SUS: universalidade, equidade, integralidade, descentralização, participação do controle social

---

* Lewin, Moreno, Barnes, Bott, Lindemann, Speck, Attneave, Rueveni (ver em Sluzki C. 1997).

* Trecho da apresentação: A Política e a Psicoterapia de Minigrupos e Microgrupos de Speck no Congresso da Dialética da Libertação, em Londres, no ano de 1967. Esse texto pode ser encontrado em Cooper D (org.). *Dialética da libertação*. Rio de Janeiro: Zahar, 1968.
**Termo que designa o extrainstitucional, marcado por limites geográficos, culturais, socioeconômicos. Ver em Delgado, 1997, p. 42.

- Preconizam uma reformulação radical no modelo assistencial de atenção à saúde
- Trabalham com a noção de território e população adscrita
- O profissional é o agente do cuidado
- Buscam o desenvolvimento da cidadania, garantindo e tentando resolver os problemas de saúde em seus amplos condicionamentos sociais e econômicos
- Consideram o homem na sua integralidade, isto é, na rede completa de relações subjetivas, familiares e sociais
- A assistência deve estruturar-se em equipes multiprofissionais
- Os pacientes são considerados agentes do próprio tratamento, tendo responsabilidade sobre este
- As famílias passam a ocupar lugar de destaque no projeto terapêutico.

Com o paradigma de rede no cuidado clínico, propõe-se o enriquecimento da qualidade da visão multidimensional dos técnicos ao seu potencial de ação, permitindo intervenções transformadoras.

A visão de rede promove uma forma diferente de se pensar e fazer assistência, por meio da busca de alternativas de cuidado. Para alcançar esse objetivo, é necessário o entendimento de que a assistência não se resume em tratar o doente, sendo preciso que se incorpore a ideia de promoção de saúde e qualidade de vida.

O tratamento deve ultrapassar os limites institucionais, elevando a qualidade das relações terapêuticas, cuidando de pessoas e não de doenças, fortalecendo seus usuários (pacientes e acompanhantes) a serem sujeitos ativos, protagonistas da sua construção social. Essa forma de atuar cuida da pessoa *pela e na rede*, superando a lógica de que a responsabilidade pelo tratamento é uma atribuição apenas do profissional que o atende.

Segundo Sluzki,[2] ao explorar a rede social pessoal dos pacientes, o profissional perceberá que esse é um passo importantíssimo para fins terapêuticos, permitindo escolher quais redes precisarão ser ativadas, desativadas ou modificadas em prol da qualidade de vida. Em muitos casos, instituições e profissionais com os quais os pacientes interagem ou interagiram são fundamentais na rede deles, merecendo atenção e formação de parcerias. A responsabilidade pessoal, profissional e institucional na formação da rede social é importante, pois dela fazemos parte e vice-versa.

▶ Instrumentos de avaliação da rede social

• Mapa de rede

O mapa é dividido em quadrantes, incluindo os indivíduos com quem interage determinada pessoa. No círculo interno, estão compreendidas as relações mais íntimas; um círculo intermediário de relações pessoais com menor grau de intimidade; um círculo externo de conhecimentos e relações ocasionais. É comum que alguém esteja em mais de um quadrante como, por exemplo, alguém da família que estuda junto; ou o colega de trabalho que também é amigo.

Utilize as perguntas a seguir como guia. Será mais fácil preencher o mapa se representar cada pessoa com um número, em uma lista de até 20 pessoas.

Quando terminar, observe o mapa com atenção. Há desequilíbrio? Algum quadrante está vazio? Algum está muito cheio? Uma mesma pessoa está presente em todos os quadrantes?

• Perguntas para orientar a construção da rede social

Com quem você conversa sobre seus problemas, tristezas ou aflições? Ou suas alegrias e sucessos?

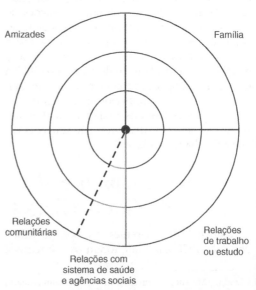

Figura 27.1 Mapa de rede. (*Fonte*: Sluzki, 2003.)

Quem das suas relações mais comenta sobre seus cuidados pessoais? (Se está bem ou mal vestido, precisando cortar o cabelo, emagrecer, fazer exercícios etc.)

Quem você convida quando quer companhia para: comprar roupa? Ir ao médico? Divertir-se?

A quem você recorre quando precisa de: dinheiro emprestado? Conselhos sobre a vida profissional ou sobre a vida afetiva? Cuidados por estar doente? Apoio emocional?

Você pertence a algum grupo que se encontra para atividades específicas: lazer? Desenvolvimento espiritual? Serviços comunitários?

Existem pessoas com quem você só se encontra por intermédio de outras? Quem? Por intermédio de quem?

Você tem algum desafeto? De quem você não gosta? Quem não gosta de você?

Aplicação do mapa de rede à situação-problema do caso 1

Renata é persistente e quer ajudar a paciente dela a se cuidar. Ao fazer perguntas para conhecer melhor a sua rede social, por meio do mapa de rede, deu-se conta da importância do HU na rede de dona Maria que, de fato, era empobrecida. Percebeu ao avaliar a rede do ponto de vista dos sistemas institucionais que o problema de vir regularmente ao hospital não era devido à distância como costumava afirmar, mas sim falta de condições econômicas para pagar os deslocamentos semanais. Com esse dado, Renata encaminha a paciente ao serviço social do ambulatório, onde ela recebeu as orientações de como fazer o cartão para gratuidade nos transportes coletivos. Na consulta seguinte, dona Maria contou que fez o exame que atualizou o grau dos seus óculos. Renata observou que sua paciente estava mais falante e bem disposta. Recomendou o grupo para portadores de doenças crônicas e, para sua satisfação, dessa vez dona Maria aceitou. "Vou só para ver como é". Com o passar do tempo, a paciente se entrosou com os outros participantes e tem sido assídua. Recentemente, contou que falou a uma vizinha sobre o grupo e que ela deveria procurar o HU.

- **Ecomapa**

O ecomapa[12,13] é um instrumento útil para avaliar as relações familiares com o meio social.

Complementa o genograma que avalia as relações intrafamiliares (veja o Capítulo 26).

Pode ser definido como uma visão gráfica do sistema ecológico de determinada família, permitindo que se avaliem os padrões organizacionais e as suas relações com o meio. Com esse conhecimento, podemos avaliar os recursos e as necessidades.

Na Figura 27.2, vemos como se representam as ligações de um indivíduo ou de uma família com outros elementos da rede, no caso com o trabalho.

Aplicação do ecomapa à situação-problema do caso 2

Uma nova residente, após a revisão do prontuário de dona Regina, interessou-se em investigar a sua rede social e verificou os seguintes dados: ela sempre se dedicou a cuidar dos pais e, com isso, não se casou. Teve um noivo aos 20 anos, mas, como a mãe não o aprovava, rompeu o noivado. Depois da morte deles, ficou só e seus maiores vínculos sociais restringiram-se à irmã, já viúva, e à sobrinha. Sua hipertensão era de difícil controle, pois, embora se tratasse por longos anos no ambulatório do hospital, sua frequência era irregular e nunca aceitou participar dos grupos de hipertensos que lhe foram oferecidos. A residente registrou da seguinte forma as informações obtidas:

- Ela tem um bom vínculo com o ambulatório do hospital, mas ele se situa longe da casa dela, necessitando de 3 h e dois ônibus para chegar. Com isso, só frequentava o ambulatório quando ficava algum tempo sem remédio e/ou se sentia mal
- Sua dedicação aos pais foi causadora de uma pobre rede social. A relação com os vizinhos era cordial, mas distante, e só frequentava a igreja em dias de alguns santos
- Embora existisse uma unidade de Programa de Saúde da Família (PSF) perto de sua casa, não confiava na equipe: "aqui por perto nunca houve nada bom, por que haveria agora?".

Em uma consulta, a residente descobriu uma mudança para pior do padrão pressórico de dona Regina e soube que a irmã havia falecido e a sobrinha estava de mudança para outra cidade, onde havia recebido uma boa oferta de emprego (Figuras 27.3 e 27.4).

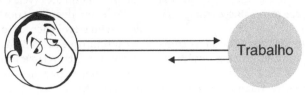

Relação fraca, requer esforço/energia
Não compensadora
Não estressante

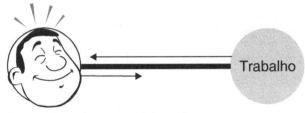

Relação forte, fornece apoio/energia
Compensadora
Não estressante

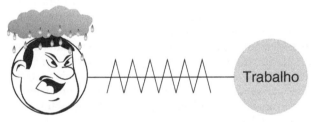

Relação fraca, sem impacto na energia/recursos
Compensadora
Estressante

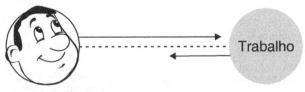

Relação tênue/incerta
Equilibrada (entre o apoio e o esforço)

Figura 27.2 Relação no trabalho. (*Fonte*: Delgado, 1997.)

A solução veio quando a residente, por meio de sua própria rede de amigos, conseguiu conversar com a médica do PSF da região de dona Regina. Elas combinaram um encontro com dona Regina, que, apresentada à Dra. Márcia (PSF), aceitou começar a frequentar a unidade. A partir desse momento, utilizando-se do vínculo da unidade com a comunidade e de várias atividades comunitárias, foi possível que os acompanhantes introduzissem gradativamente dona Regina nas relações com os vizinhos, alguns tão sós quanto ela.

Capítulo 27 | As Redes Sociais e a sua Importância no Processo Saúde-Doença

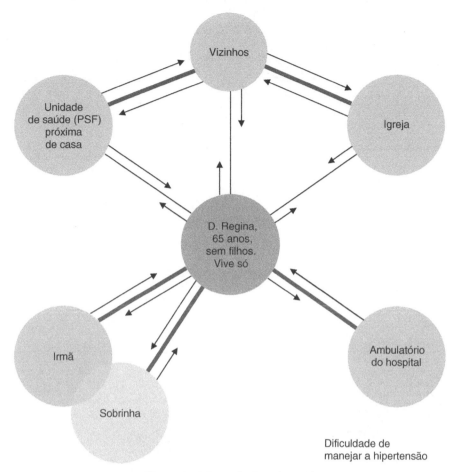

Figura 27.3 Exemplo de rede social.

Quadro interativo

- "O monstro mora lá em casa" de Glaucio Soares, apresentando Melissa, sua mãe Euriceia, Patrícia e Tatiana, que, padecendo de diferentes maneiras de violência, tiveram na rede social suporte e dificuldades. Publicado no jornal O Globo de 21 de maio de 2010, p. 6 – disponível em http://conjunturacriminal.blogspot.com/2010/05/o-monstro-mora-la-em-casa.html
- No filme "Uma História Real" (*The Straight Story*), de David Lynch, Alvin, o personagem principal, um idoso com dificuldades de se locomover por grave osteoartrose de quadris, resolve reencontrar seu irmão, vítima de um acidente vascular encefálico e com o qual havia cortado relações. Durante a longa viagem em um trator, diferentes adversidades o colocam em contato com pessoas que o ajudam e, ao mesmo tempo, são influenciadas por ele. Diz "quando meus filhos eram pequenos eu jogava um jogo com eles. Eu lhes dava um pequeno galho, um para cada um e depois dizia: Quebrem-no. E eles quebravam com facilidade. Depois eu dizia: Façam um feixe e amarrem e tentem quebrar. É claro que não conseguiam. Aí eu dizia: este feixe é a família."
- Associação Brasileira de Terapia Comunitária: ver em http://www.abratecom.org.br/
- Inventários utilizados para avaliação de apoio social pelos estudos brasileiros. Disponível em http://www.abrasco.org.br/cienciaesaudecoletiva/artigos/arquivos/imagens/20090809181209_3.doc
- Dissertação de Mestrado "Evidências de validade entre suporte familiar, suporte social e autoconceito" de Daiene Marcela Rigotto que inclui o Inventário de percepção de suporte familiar – IPSF e o Questionário de Suporte Social (SSQ) disponível em http://www.usf.com.br/cursos/propep/psicologia/files/Disserta%C3%A7%C3%A3o_Mestrado%20_Daiene%20Marcela%20Rigotto.pdf
- Vale ler "Lack of social support in the etiology and the prognosis of coronary heart disease: a systematic review and meta-analysis" de Jürgen Barth, Sarah Schneider e Roland von Känel, em http://www.psychosomaticmedicine.org/cgi/content/abstract/72/3/229

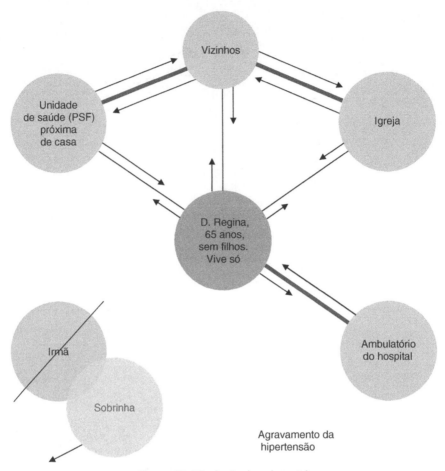

Figura 27.4 Evolução da rede social.

▶ Referências bibliográficas

1. Chor D et al. Medidas de rede e apoio social no estudo pró-saúde. *Cad Saúde Publ* 2001;17(4):887-96.
2. Sluzki CE. *A rede social na prática sistêmica*. São Paulo: Casa do Psicólogo, 2003.
3. Linares JL. *Las formas del abuso: la violencia física y psíquica en la familia y fuera de ella*. Barcelona: Paidós, 2006.
4. Rodrigues VB, Madeira M. Suporte social e saúde mental: revisão da literatura. *Revista da Faculdade de Ciências da Saúde*. Porto: Edições Universidade Fernando Pessoa. 2009: 390-9.
5. Groisman M, Lobo MV, Cavour RM. *Histórias dramáticas: terapia breve para famílias e terapeutas*. Rosa dos Tempos, Rio de Janeiro. 2003; 39-40.
6. Boff L. *Saber cuidar: ética do ser humano – compaixão pela terra*. 14 ed., Petrópolis: Vozes, 2004.
7. Aragão et al. Suporte social e estresse: uma revisão da literatura [periódico na Internet]. *Psicologia em Foco* jan/jun 2009 [acesso em 01/08/2010] disponível em http://linux.alfamaweb.com.br/sgw/downloads/161_115245_ARTIGO8-Suportesocialeestresse-umarevisaodaliteratura.pdf
8. Valla VV. Educação popular, saúde comunitária e apoio social numa conjuntura de globalização. *Cad Saúde Publ* 1999;15(supl. 2):7-14.
9. Holt-Lunstad J, Smith TB, Bradley L. Social relationships and mortality risk: a meta-analytic review [periódico na Internet] *PLoS Med*. 7(7): e1000316. doi:10.1371/journal.pmed.1000316 disponível em http://www.plosmedicine.org/article/info:doi/10.1371/journal.pmed.1000316 [acesso em 31/07/2010].
10. DeAngelis T. How do mind-body interventions affect breast cancer? [periódico na internet] *Monitor on Psychology* jun 2002; disponível em http://www.apa.org/monitor/jun02/mindbody.aspx [acesso em 18/07/2010]
11. Helgeson V. Social support and quality of life. Quality of life research [serial on the Internet]. (2003, Feb 2), [cited August 1, 2010]; 1225. Available from: Academic Search Premier.
12. Delgado PG. A psiquiatria no território: construindo uma rede de atenção psicossocial. *In*: Saúde mental: a ética do cuidar. Saúde em Foco. *Informe Epidemiológico em Saúde Coletiva*. Secretaria Municipal de Saúde do Rio de Janeiro. 1997;6(16):41-3.
13. Agostinho M. Ecomapa. [periódico na internet] *Rev Port Clin Geral* 2007; 23:327-30. Disponível em http://www.apmcg.pt/files/54documentos/20071001155345624718.pdf [acesso em 26/04/2009]

28 O Médico e os Outros Profissionais de Saúde | Estruturação da Equipe de Saúde

Luís Fernando Tófoli, Flávia Ribeiro e Daniel Almeida Gonçalves

Situação-problema
▼

- **Maria dos Anjos no Jardim do Céu**

Dona Maria dos Anjos chega à recepção da Unidade de Saúde da Família Jardim do Céu, situada na periferia de uma grande cidade brasileira, queixando-se de forte dor de cabeça e dizendo precisar passar por um médico imediatamente. Bina, a recepcionista da USF, já acostumada com esse tipo de demanda, responde:
— A senhora tem cartão da UBS e cartão SUS? O acolhimento só começa às 13 h...
— Treze horas?! Desde quando dor tem hora?! Vou chamar agora aquele programa de TV que faz denúncias! – entrega os cartões solicitados – Preciso de um médico!
Bina decide que é melhor falar com a enfermeira Gislaine, que chama Dona Maria e, em consulta de enfermagem, constata que ela é a mãe da Joaquina (esposa do traficante do território, Maneco Bala) e está com um quadro de dor intensa. Após conversar com o médico da equipe sobre a queixa e situação social de Dona Maria, faz então um encaixe na agenda do Dr. Marcos. O médico diagnostica um quadro de cefaleia tensional, um possível quadro ansioso e uma hipertensão arterial descontrolada. Durante a consulta, Dona Maria desanda a chorar e a se queixar de seus problemas familiares, especialmente com Joaquina, que é dependente de crack:
— Por favor, doutor! Cuide de minha filha! Só o senhor poderá salvá-la!

▶ Breve história das profissões da saúde

Durante séculos, a medicina de tradição hipocrática foi uma profissão solitária. Em meio a várias outras profissões que prometiam a cura e o cuidado – herboristas, xamãs, recitadores de encantamentos, cirurgiões-barbeiros e outras – os médicos visitavam seus clientes em suas casas e receitavam medicamentos que eles mesmos aprendiam a fazer.

Durante a Idade Moderna, os hospitais, que haviam sido criados na Idade Média como instituições religiosas que recebiam a todos os sofredores – doentes ou não – foram se tornando instituições eminentemente médicas. Mulheres religiosas continuaram cuidando dos internos – que se tornaram "pacientes" – sob a supervisão de médicos, que orientavam vários tipos de tratamento, entre eles a sangria, realizada por cirurgiões-barbeiros.

Na Idade Contemporânea, delinearam-se as outras profissões da saúde hoje denominadas de nível superior. A britânica Florence Nightingale criou as bases da enfermagem laica moderna (que substituiu as enfermeiras religiosas) no século 19. Nesse século também surgem a fonoaudiologia e a psicologia, que no início era mais ligada à filosofia, sem ser considerada uma profissão da saúde.

As artes curativas da cirurgia e obstetrícia foram paulatinamente se incorporando à profissão médica, o que aconteceu também – somente em alguns países – com a odontologia. O Brasil faz parte dos países nos quais a formação do dentista se dá fora do âmbito da medicina. A farmácia também se desenvolve como curso superior, pois os médicos já não dão mais conta de preparar suas fórmulas, que são repassadas aos boticários.

Um bom número de profissões da saúde se desenvolveu por influência das grandes guerras do início do século 20, cujo objetivo principal inicial foi reabilitar pessoas com sequelas. Foi assim que se viu firmarem-se a fisioterapia, a fonoaudiologia e a terapia ocupacional – que hoje ocupam também outros espaços além da reabilitação. Também no século 20, assistiu-se à nutrição firmar-se como profissão da saúde, à psicologia assumir sua vertente terapêutica e ao serviço social vir apoiar os serviços médicos. no século 21, a educação também passou a ser considerada parte de equipes de saúde, principalmente em uma perspectiva de prevenção de agravos e promoção da saúde, em especial no espaço da atenção primária.

Além das profissões de nível superior, uma verdadeira legião de profissionais de níveis médio e fundamental – com formação específica na saúde ou não – auxiliam no funcionamento das instituições de saúde, também se incorporando a equipes de cuidados.

Como a medicina é a profissão de saúde mais tradicional, ela ditou, durante muitos anos, a estruturação do funcionamento das equipes de saúde. Estas, até pelo menos a metade do século 20, eram dirigidas por médicos. Dentro do hospital, que até cerca de 1950 foi o local por excelência do tratamento médico, as outras profissões da saúde funcionavam como "auxiliares" nos cuidados oferecidos pela medicina e seguindo as prescrições por ela definidas.

Porém, com a saída da medicina de dentro dos hospitais, tendo de enfrentar cenários cada vez mais complexos e menos controláveis, sujeitos a variáveis diante das quais os cuidados tradicionais em saúde não estavam preparados, o papel das outras profissões vem se tornando cada vez mais relevante. A capacidade de integração entre os vários saberes das profissões da saúde começa a se tornar uma condição fundamental para que bons cuidados possam ser dispensados aos pacientes e às populações. Além disso, com o grau de especialização da medicina e das outras profissões e a necessidade da profissionalização da gestão em saúde, tornou-se praticamente impossível que os médicos fossem capazes de exercer sua profissão e dar conta de gerir equipes. Abriu-se, também, espaço para administradores formados especificamente para esse tipo de trabalho.

Discutir e estudar o tema das equipes de saúde é, como se viu, um tema recente. Até bem pouco tempo a compreensão sobre elas não ia além de garantir que a hierarquia e a hegemonia médica fossem mantidas. Na virada do século 20 para o 21, com a percepção de que a visão estritamente biomédica tinha grandes limitações – uma perspectiva que começou fora dos hospitais, mas que recentemente também os alcançou por meio do conceito de humanização em saúde – o tema do trabalho em equipe na saúde ganhou força. Vejamos, então, como são as equipes, como elas podem ser classificadas, quais as características das que funcionam bem, e, finalmente, qual deve ser o papel do médico dentro dela.

▶ Heterogeneidade das equipes de saúde

O trabalho em equipe, de modo geral, é a coordenação de ações de diversos indivíduos para a execução de uma tarefa reconhecida como impossível ou mais difícil de ser executada individualmente. Mas qual é a tarefa que as equipes de saúde têm de realizar? Uma primeira resposta é mais ou menos natural: a assistência ou atenção a usuários dos serviços de saúde. Não se deve esquecer, porém, que há tarefas mais sutis e complexas, como reabilitar, promover saúde, prevenir doenças entre outras, que também são de responsabilidade de tais equipes. Também é importante lembrar que uma série de atividades de natureza mais administrativa e burocrática – que muitas vezes envolvem profissionais sem treinamento específico em saúde – são essenciais para que as ações de atenção ao paciente possam ser realizadas.

Mesmo se considerarmos somente as equipes envolvidas exclusivamente com o cuidado direto ao paciente, podemos perceber, após alguns minutos de reflexão, que há também uma enorme heterogeneidade de métodos e objetivos. Vejamos alguns cenários nos quais equipes são necessárias para a atenção direta a pacientes entre outros: emergência/pronto-socorro, centro cirúrgico, a cirurgia em si, UTI/CTI, ala hospitalar, interconsulta hospitalar, policlínica ou ambulatório de especialidades, centro de atenção psicossocial, centro de saúde da família e núcleo de apoio à saúde da família (NASF).

Contextos tão diversos de atenção determinam muitas variações nas interações de seus membros. Há situações em que a hierarquia vertical e a coordenação polarizada são extremamente desejáveis, e o papel do comando médico é fundamental, como nas emergências e no campo cirúrgico. Em outras configurações de maior complexidade psicossocial e variável complexidade biomédica, a comunicação e uma hierarquia mais horizontal tornam-se extremamente importantes para a qualidade do cuidado, como na atenção à saúde da família, à saúde mental e aos cuidados paliativos. Entre esses dois polos estão, em geral, os ambientes hospitalares e os ambulatórios de especialidades, nos quais a gestão do cuidado oscila entre ser médico-centrado ou enfermagem-centrado, com um espaço variável para a interação profissional, a depender das características dos membros de cada equipe.

O sanitarista Gastão Campos traz uma perspectiva interessante sobre a interação entre as diversas profissões ou especialidades da saúde.[1] Além de afirmar que os fatores organizacionais influenciam fatores intersubjetivos no relacionamento da equipe (que, como veremos, são importantes para que a equipe funcione bem), Campos pontua a dinâmica entre núcleos e campos dos saberes das profissões da saúde. As características dos dois âmbitos estão dispostas no Quadro 28.1. De maneira geral, podemos dizer que o campo é o palco da ação interativa de determinada ação ou de um serviço em saúde, e o núcleo diz respeito ao conjunto de conhecimentos e práticas que distinguem uma disciplina, sem comprometer a troca realizada na dinâmica do campo. O interessante é que a distinção serve tanto para profissões distintas quanto para especialidades da mesma profissão.[2]

Gastão Campos também oferece um conceito original para a interação entre especialistas que prestam consultoria em outras áreas: o conceito de apoio matricial.[3] O apoio matricial é um arranjo de atenção à saúde pelo qual, em vez de se realizar o puro encaminhamento ao especialista, este vem até a pessoa que solicita auxílio para um caso e discute, à luz de seu conhecimento, o caso em questão, decidindo conjuntamente as condutas a serem tomadas. O objetivo dessa estratégia é criar espaços de gestão compartilhada, educação permanente das equipes e diálogo produtivo interprofissional. Os NASF – já mencionados – são equipes de profissionais de saúde que oferecem esse tipo de apoio à atenção primária.

Vejamos agora como podemos tipificar as equipes de saúde, principalmente as mais complexas – as compostas por profissionais de várias áreas diferentes.

▼

Quadro 28.1 Núcleos e campos de competência no trabalho em saúde.

Núcleos de competência	Campos de competência
• Definições o mais delineadas possíveis	• Limites e contornos menos precisos
• Aglutinação ou concentração de saberes e de práticas	• Inclui os principais saberes da área-raiz
• Vinculada a uma profissão, especialidade ou subespecialidade	• Espaço de sobreposição de exercício profissional com outras especialidades ou profissões

Fonte: Campos GWS. Saúde pública e saúde coletiva: campo e núcleo de saberes e práticas. Ciência & Saúde Coletiva 2000;5(2):219-30 e Campos GWS, Chakour M, Santos RC. Análise crítica sobre especialidades médicas e estratégias para integrá-las ao Sistema Único de Saúde (SUS). Cadernos de Saúde Pública 1997;13(1):141-4.

Classificação de equipes de saúde multiprofissionais

Em situações em que equipes com mais de uma categoria profissional estão envolvidas – as chamadas equipes multiprofissionais – alguns critérios podem ser utilizados para compreender o seu funcionamento e classificá-las.

Um dos referenciais para esse tipo de classificação é o da perspectiva interdisciplinar do trabalho, desenvolvido principalmente na segunda metade do século 20.[4] Há várias definições possíveis e mutuamente conflitantes de interdisciplinaridade e seus níveis. Aqui optamos por uma simplificação, ainda que mantendo a essência das diferenças entre os tipos de equipe. Sob essa perspectiva, poderia se distinguir primariamente uma dicotomia entre equipes multiprofissionais e interdisciplinares. A diferença entre esses dois tipos de trabalho no campo da saúde está exposta no Quadro 28.2.

Uma terceira categoria segundo a visão da interação disciplinar é o trabalho transdisciplinar. Nesse tipo de trabalho – oposto absoluto do multiprofissional – as funções profissionais são sobreponíveis, e cada membro da equipe tem de estar familiar com as concepções dos outros membros, de forma a poder assumir porções significativas dos papéis dos demais. Há críticas sobre se aplicar esse conceito – que surgiu no campo da educação – no trabalho em saúde, pois sempre haverá diferenças entre as especificidades das profissões. Uma forma de podermos conceber a transdisciplinaridade no trabalho em saúde é se pensarmos em uma perspectiva educacional, de aprendizagem. Nesse caso, a discussão interdisciplinar e a tomada de decisões coletiva quanto a um caso clínico (seja individual, familiar ou coletivo) podem ser a representação da interdisciplinaridade no trabalho da equipe de saúde.

Com base na análise das características e da dinâmica de trabalho de equipes de saúde, Peduzzi estabelece uma tipologia específica: equipe integração e equipe agrupamento.[5] O que distingue as duas está disposto no Quadro 28.3. Convidamos o leitor a cotejar estas características com as características de "equipes de saúde que funcionam bem" (ver próximo item).

Equipes de saúde que funcionam bem

As equipes de saúde que funcionam bem reúnem – especialmente as que têm de se debruçar sobre temas complexos que extrapolam o universo estritamente biomédico – algumas características principais. Essas características envolvem três tópicos principais: metas, ou seja, os objetivos que a equipe deve alcançar; processos, ou o conjunto de ações e interações necessárias para se alcançarem as metas; e a estrutura, representada principalmente pela hierarquia e organização de funcionamento.[5]

Quanto às metas, é fundamental para um bom funcionamento que a equipe tenha a clareza de qual seja a sua missão e/ou objetivos,

▼

Quadro 28.2 Características do trabalho multiprofissional e interdisciplinar.

Trabalho multiprofissional	Trabalho interdisciplinar
• Contribuição independente de cada disciplina para o cuidado de um cliente	• Membros trabalham em conjunto e se comunicam com frequência
• Tradicionalmente, é o médico o responsável pela prescrição dos cuidados e coordenação dos serviços	• Organizado no sentido de resolver um conjunto comum de problemas (e não em torno da figura de um "chefe")
• Trabalho em paralelo em soma de conhecimentos	• Trabalho em colaboração e sinergia de conhecimentos, levando em consideração as contribuições dos outros membros
• Comunicação interdisciplinar é mínima, a não ser com o médico coordenador	
• Membros da equipe podem ser da mesma disciplina/profissão ou não	• Existem funções especializadas, porém com cada membro se coloca no centro de um contínuo de responsabilidades e interações

Fonte: Peduzzi M. Equipe multiprofissional de saúde: conceito e tipologia. *Rev Saúde Pública* 2001;35(1):103-9.

Quadro 28.3 Equipes integração e equipes agrupamento.

Equipes integração	Equipes agrupamento
• Articulação das ações	• Justaposições das ações
• Interação dos agentes	• Agrupamento dos agentes
• Projeto assistencial comum	• Autonomia técnica plena ou
• Arguição da desigualdade dos trabalhos especializados	• Ausência de autonomia técnica
• Flexibilidade da divisão do trabalho	
• Autonomia técnica de caráter interdependente	

Fonte: Peduzzi M. Equipe multiprofissional de saúde: conceito e tipologia. Rev Saúde Pública 2001;35(1):103-9.

que devem ser compartilhados por todos os membros, seja qual for o grau de escolaridade ou complexidade da missão.

A respeito dos processos, um conjunto de características está presente nas equipes eficientes: conhecimento e respeito pela contribuição dos outros membros, comunicação clara e efetiva, mecanismos de dissolução de conflitos, treinamento de tarefas e maior proximidade de papéis.

Quanto às estruturas, é importante que elas sejam capazes de, ao longo do tempo, levar à formação de pessoal capacitado, à escolha correta de cada categoria profissional a fazer parte, a uma liderança responsável que enfatize a excelência, a reuniões de equipe efetivas, a um tipo de documentação que facilite compartilhamento de conhecimento, ao acesso a recursos necessários e a premiações no caso da obtenção da excelência.

Percebe-se que equipes de alto desempenho dependem, em grande parte, de se compreenderem as relações interpessoais, no estabelecimento de comunicação efetiva e na busca pela excelência por meio do entusiasmo e da formação. Até que ponto podemos dizer que, na prática, as equipes de saúde no Brasil estão se desenvolvendo desse modo?

▶ Conclusão: o papel do médico

As Diretrizes Curriculares Nacionais (DCN) do curso de graduação em medicina[6] são um importante referencial para o perfil do médico a ser formado nas escolas médicas brasileiras. Além de determinar como competência/habilidade específica do médico saber "atuar em equipe multiprofissional", as DCN preconizam como competências e habilidades gerais a serem exercidas pelos graduandos a *liderança* e a *administração* e o *gerenciamento*:

> No trabalho em equipe multiprofissional, os profissionais de saúde deverão estar aptos a assumir posições de liderança, sempre tendo em vista o bem-estar da comunidade. [...] Os profissionais devem estar aptos a tomar iniciativas, fazer o gerenciamento e administração tanto da força de trabalho quanto dos recursos físicos e materiais e de informação, [...] serem empreendedores, gestores, empregadores ou lideranças na equipe de saúde.[6]

Notem que as diretrizes não frisam que *os médicos* deverão estar aptos, mas sim os *profissionais de saúde*. Essa, que parece ser uma diferença muito discreta, é extremamente importante. Por meio desse documento, elaborado para o curso de medicina, aprendemos o que todos os profissionais de saúde devem saber realizar quanto ao trabalho em equipe. Isso significa dizer que os médicos, entre outros, devem estar *aptos*, mas não necessariamente que tem o *dever* de sempre assumir cargos de gerência e de exercer liderança. Na verdade, considerando a demanda que existe para o núcleo das competências médicas específicas, é muitas vezes pouco provável que isso aconteça, a menos no caso de equipes compostas somente por médicos.

Como os serviços de saúde tendem a reproduzir as desigualdades sociais presentes na sociedade que os cerca, é comum – em níveis variáveis, a depender do tipo de equipe – que médicos sejam colocados em um papel "superior" na equipe de saúde, esperando-se que deles emanem as decisões que nortearão os rumos do grupo. No entanto, se por um lado há tomadas de decisão que dependem diretamente do conhecimento específico da medicina – como na equipe que administra uma parada cardiorrespiratória ou uma equipe cirúrgica – há outros momentos nos quais o papel do médico é mais importante como aquele que oferecerá atos médicos do que como gestor do destino da equipe.

Isso, é claro, não significa que as equipes devem funcionar de forma contrária à opinião dos médicos. Como vimos, equipes que funcionam bem têm uma visão compartilhada de seus objetivos e se comunicam bem. Assim, pressupõe-se que a direção das condutas de uma equipe de saúde, especialmente se ela exigir mais interdisciplinaridade, inclua a opinião dos médicos e/ou que ela esteja presente na fricção de opiniões divergentes que levarão a uma decisão coletiva.

Quando uma equipe funciona bem, as hierarquias desnecessárias são questionadas e o médico não precisa assumir a posição de detentor do poder e do saber, que é desgastante e, na maioria das vezes, desnecessário. Quando todos podem ouvir e serem ouvidos, os resultados serão melhores. No entanto, isso nem sempre é fácil. Uma das razões é que a educação médica (e a cultura médica que a inspira) ainda não saiu da formação clássica de meados do século 20. Isso, evidentemente, ocorre porque não é fácil uma categoria ceder poder, depois que a ele está acostumado. Com o aumento dos custos da atenção à saúde, outras profissões estão sendo convocadas a assumir responsabilidades que fizeram parte do núcleo clássico da medicina – um exemplo é a prescrição de enfermagem. Dentro das reações das entidades médicas, está o esforço de delimitar, por meio de lei, quais atos são exclusivos desta categoria.

A solução para esse dilema está, provavelmente, dentro do significado mais amplo da palavra "liderança". Ao exercer verdadeiramente a liderança em equipes interdisciplinares, o médico deve ser capaz de respeitar o ponto de vista dos colegas envolvidos no problema em questão, tomar decisões dentro do núcleo de suas competências médicas, fazer valer o espírito de grupo, e, apenas se for o caso, dirigir a equipe. Ficam, então, as perguntas que todo graduando de medicina deve se fazer: *Eu sou capaz de exercer essas competên-*

cias? Minha instituição de ensino está lhe proporcionando oportunidades para discutir essas competências na prática? O que eu posso fazer para solicitar que essas necessidades de aprendizagem sejam atendidas?

Como podemos ver, a resolução dos problemas de Dona Maria dos Anjos, proposta no caso-problema do início do capítulo, dificilmente estará dentro dos termos que ela coloca, ao dizer que só o médico poderá ajudá-la. Levando em consideração que o CSF Jardim do Céu dispõe de apoio matricial de profissionais de psicologia, serviço social e educação física – além da própria equipe, composta por médico, enfermeira e o agente comunitário de saúde – reflita sobre as formas de resolução desse caso dentro de uma forma dialógica (inter ou transdisciplinar), evitando soluções que se resumam a meros encaminhamentos (multiprofissionais).

Quadro interativo

- Capítulos de livros recomendados
- Macedo PCM. O trabalho em equipe multiprofissional. In: De Marco, MA, editor. *A face humana da medicina:* do modelo biomédico ao modelo biopsicossocial. São Paulo: Casa do Psicólogo, 2003, p. 147-156.
- Piancastelli CH, Faria HP, Silveira MR. O trabalho em equipe. In: Santana JP, editor. *Organização do cuidado a partir de problemas:* uma alternativa metodológica para a atuação da Equipe de Saúde da Família. Brasília-DF: OPAS/Ministério da Saúde/UFMG; 2000, p. 45-50.
- Revistas científicas que publicam artigos sobre o tema
- Revista Interface (Botucatu): http://www.interface.org.br/
- Revista Brasileira de Educação Médica: http://www.educacaomedica.org.br/
- Sugestões de filmes
- Trabalho em equipe e liderança: *Invictus*, de Clint Eastwood (2009).
- Hierarquização na medicina: *Quase deuses*, de Joseph Sargent (2004).
- Séries de televisão para discussão
- Equipes de Saúde: podem ser encontrados bons e maus exemplos em episódios dos dramas médicos norte-americanos: *Grey's Anatomy* (ABC), *ER* ou *Plantão Médico* (NBC) e *House, M.D.* (Fox).
- Entidades e *sites* onde encontrar referências ao tema
- Secretaria da Gestão do Trabalho e da Educação na Saúde, Ministério da Saúde: http://portal.saude.gov.br/portal/saude/Gestor/area.cfm?id_area=382
- Fundo Nacional de Educação das Profissões da Área da Saúde: http://www.fnepas.org.br (clicar em 'Publicações')

Referências bibliográficas

1. Campos GWS. 2000. Saúde pública e saúde coletiva: campo e núcleo de saberes e práticas. *Ciência & Saúde Coletiva* 2000;5(2):219-30.
2. Campos GWS, Chakour M, Santos RC. Análise crítica sobre especialidades médicas e estratégias para integrá-las ao Sistema Único de Saúde (SUS). *Cadernos de Saúde Pública* 1997;13(1):141-4.
3. Campos GWS, Domitti AC. Apoio matricial e equipe de referência: uma metodologia para gestão do trabalho interdisciplinar em saúde. Cad. Saúde Pública. 2007;23(2):399-407.
4. Peduzzi M. *Trabalho em equipe de saúde da perspectiva de gerentes de serviços de saúde*: possibilidades da prática comunicativa orientada pelas necessidades de saúde dos usuários e da população. Doutorado [dissertação]. São Paulo-SP: Universidade de São Paulo; 2007.
5. Peduzzi M. Equipe multiprofissional de saúde: conceito e tipologia. *Rev Saúde Pública* 2001; 35(1):103-9.
6. Brasil. Ministério da Educação. Conselho Nacional de Educação/Câmara de Educação Superior. Resolução CNE/CES Nº 4, de 7 de novembro de 2001. Brasília-DF. 2001.

29 Quem Cuida do Médico?

Eugenio Paes Campos

▶ Introdução

O Dr. Pedro chegou atrasado ao ambulatório e, muito irritado, queixou-se da atendente por haver tantos pacientes à sua espera. Atendeu aos clientes de forma apressada e impaciente, sequer permitindo que eles explicassem melhor o que os levava à consulta.

Rose, residente de cirurgia que habitualmente acompanhava o médico, comentou que ultimamente o Dr. Pedro mostrava-se desanimado com a profissão, incapaz de se concentrar nas discussões do serviço, além de estar fazendo uso de bebidas alcoólicas em muita quantidade. Dr. José, também cirurgião e amigo íntimo dele, confidenciou que Pedro andava com insônia e dores de cabeça frequentes, mas recusara sua sugestão de consultar um colega. Complementou: "seu ritmo de vida é 'alucinante'. Levanta muito cedo, vai para o hospital operar, opera não sei quantos pacientes por dia, sai correndo para o ambulatório, onde tem sempre quase 20 pessoas à sua espera e 'emenda' com o consultório, sem almoçar, de onde só sai por volta de oito horas da noite. Assim não há quem aguente!".

Essa é uma história simulada do cotidiano de um médico, que tantas vezes se parece com o nosso.

Vários estudos[1-3] têm mostrado elevados índices de distúrbios somáticos e psíquicos, uso abusivo de substâncias psicoativas e até suicídios entre os médicos, como consequência do exercício profissional estressante. Talvez por ter de lidar com o sofrimento e a morte, seja necessário ao médico acreditar que pode vencê-los. Por isso, busca sustentar-se na onipotência para praticar a estranha profissão que escolheu. Mas, em função dessa crença, e apesar de ser um cuidador, o médico reluta, muitas vezes, ser cuidado. Recusa-se a admitir ficar ou estar doente. Desse modo, acaba por se tornar vulnerável ante o exercício profissional, por não reconhecer a necessidade de se cuidar.

Neste capítulo faremos algumas reflexões sobre o "ser médico", os vários fatores que contribuem para o estresse profissional e as estratégias para enfrentá-los, com ênfase no ato de cuidar e ser cuidado.

▶ Exercício da medicina

Não obstante as fantasias de onipotência, por um lado, e as limitações impostas pela realidade, por outro, a maioria dos médicos se declara satisfeita com seu trabalho. O exercício da profissão traz algumas gratificações significativas. A começar pelo conhecimento do corpo, seus tecidos e órgãos, seu funcionamento, que nos maravilha a todo instante pela complexidade e "perfeição". Contudo, não só o conhecimento do corpo, como também a "autorização" para acessá-lo, tocá-lo, penetrá-lo. Interferir nele. Tudo isso é empolgante, místico, revelador.

A dimensão social, a possibilidade de ajudar os outros, de minorar o sofrimento deles, de ajudá-los a enfrentar e superar a morte conferem ao médico muita satisfação. Ele age no que é mais essencial e sublime em uma pessoa – a vida – e age no sentido de preservá-la, garanti-la. Por isso, sua presença é desejada, esperada. Sua chegada, comemorada. Seus êxitos são festejados. Suas vitórias, enaltecidas.

Em recente pesquisa nacional realizada pelo Conselho Federal de Medicina (CFM), acerca do médico e seu trabalho, 65,4% dos profissionais declararam-se satisfeitos com sua especialidade e só uma quantidade muito pequena indicou estar desempregada (0,8%) ou sem exercer a profissão (1,7%). Esses dados foram publicados no Jornal do CFM de março/abril/2004 e também no livro: "O médico e o seu trabalho". Outros estudos corroboram tal sentimento de satisfação com o exercício profissional, mesmo quando o apontam como estressante.[4-8]

Constata-se, pois, que "ser médico" é, na maioria das vezes, uma atividade prazerosa.

▶ Estresse na profissão médica

A mesma pesquisa do CFM revela que a maioria dos médicos considera seu trabalho estressante. Apesar de ser uma tarefa prazerosa em princípio, sua natureza exige muito do profissional em termos de envolvimento e responsabilidade, pois, cotidianamente, são vidas humanas que estão em jogo, e a ação (e sua consequência) é direta entre o médico e o paciente. Capozzolo[8] (p. 265), em sua tese de doutorado sobre o trabalho médico no PSF, transcreve a fala de um deles: "É muito desgastante trabalhar como médico de família, há sobrecarga de trabalho, sobrecarga de problemas (...). É um trabalho extremamente envolvente (...), tem um vínculo diferente com o usuário (...); é ele dentro do contexto social (...), mas a parte social é muito desgastante (...). Ainda se espera do médico muitas coisas, há um trabalho de equipe, mas o médico acaba sendo visto como a última chance".

Já no decorrer do curso, os estudantes de medicina deparam-se com fatores estressantes, como: o lidar com a morte, a agressividade nas intervenções médicas, a dificuldade em comunicar diagnósticos, em lidar com pacientes-problema, as condições institucionais precárias para os atendimentos entre outros.[9]

Reflitamos um pouco sobre o exercício profissional, o contato direto e diário com o sofrimento e a morte, o desafio constante de atender alguém que se queixa e apela para o médico como se nele estivesse a salvação. Não importa se nem todos os casos sejam assim. Certamente não o são, mas bastam aqueles em que a angústia e a expectativa estejam presentes para que o nível de estresse se eleve. O médico quer aliviar o sofrimento, evitar a morte, mas nem sempre sabe como. Nem sempre dispõe de recursos apropriados. Nem sempre, e apesar de tudo, consegue êxito. Seria desejável que pudesse, às vezes, dedicar um tempo maior a um só paciente, mas o que fazer com os demais? Geralmente são muitos que o esperam. Nos serviços públicos nem se fala, mas nos privados também. E se houver necessidade de interagir com outros médicos, com outros profissionais, técnicos ou administrativos, estarão eles sempre disponíveis, tranquilos, cooperativos ou competentes? Um dos principais fatores de estresse são as relações interpessoais.[1,8,10] Não bastasse o relacionamento com pacientes e familiares, há de se relacionar com outros profissionais, com gestores das instituições em que os médicos trabalham, com pessoas estranhas ao próprio serviço de saúde. Isso não quer dizer que a tensão oriunda dos relacionamentos interpessoais seja privilégio dos médicos, mas, sem dúvida, ela é significativa.

▶ Fatores estressantes para o médico[1,2,4,7,8,10]

- *Relacionados com o trabalho*: má organização de serviço; falta de materiais e equipamentos suficientes e/ou adequados; ambiente inadequado; alta demanda de pacientes; sobrecarga de tarefas; carga horária excessiva de trabalho; dificuldade de encaminhar pacientes; excesso de responsabilidades; falta de espaços e oportunidades para expressar sentimentos relacionados ao trabalho; baixo nível de remuneração profissional; falta de capacitação; excessiva atividade burocrática; falta de incentivos e de perspectiva de ascensão profissional

- *Relacionados com os pacientes*: estado crítico de saúde envolvendo sofrimento e ameaça de morte; estados capazes de provocar sentimentos de aversão (mutilações, mau cheiro, deformidades, vômitos etc.)
- *Relacionados com o contato interpessoal*: dificuldades de relacionamento e conflitos com colegas, pacientes, familiares ou comunidade; comportamentos agressivos, recusa ou falta de cooperação de pacientes ou colegas de trabalho; colegas de trabalho insatisfeitos e desmotivados; atitudes repressoras e autoritárias das chefias; falta de valorização do profissional; dificuldade de comunicação; falta de informações precisas e claras
- *Relacionados com o próprio profissional*: medo de não desempenhar a tarefa a contento; dificuldade de lidar com os recursos tecnológicos; falta de adaptação à tarefa; falta de perfil para a atividade profissional; conflitos ou preocupações pessoais ou familiares; dupla jornada feminina; traços de personalidade: ansiedade, perfeccionismo, agressividade, negativismo, depressão.

▶ Dilemas e tensões do médico no mundo de hoje

Abordou-se a pessoa do médico com sua história e circunstâncias pessoais. Discutiu-se o exercício profissional em si no contato com pacientes, familiares, colegas de trabalho e com os recursos disponíveis (ou não). Pensemos um pouco sobre os dilemas e tensões do médico na sociedade atual. Em outubro de 1997, realizou-se um seminário internacional sobre "profissão médica", em Brasília, organizado pelo CFM em parceria com a Federação Nacional dos Médicos, a Associação Médica Brasileira e a Fundação Oswaldo Cruz. Segue uma transcrição de um trecho da reportagem publicada no Jornal do CFM, novembro/97, acerca do evento:

> A linha condutora dos debates no Seminário Internacional "Profissão Médica" – que abordou o extenso e complexo quadro da nova realidade da prática médica em todo o mundo a partir do fenômeno da globalização do setor de saúde – fixou-se nas dramáticas transformações introduzidas no cotidiano do profissional de medicina, com repercussões profundas no relacionamento médico-paciente. Depoimentos dos conferencistas estrangeiros revelaram um vasto panorama de problemas em comum, entre eles autonomia profissional, reconfiguração do mercado de trabalho, queda na remuneração, redução dos recursos para o setor, relacionamento com as empresas de planos e seguros de saúde, hoje intermediários incômodos mas onipresentes no contato entre médicos e pacientes. Onde quer que atuem, os profissionais da medicina e suas instituições de classe estão enfrentando estas questões, algumas delas diretamente conflitantes com a ética médica".

Comecemos, pois, pela questão da remuneração. É sempre um assunto delicado, eivado de escrúpulos face à fantasia de ser o médico um ser sobrenatural. A queda da remuneração do trabalho médico tem trazido, como consequência, um aumento no número de horas trabalhadas, no número de pacientes atendidos e na dependência, cada vez maior, de instituições empregadoras, públicas ou privadas. O trabalho do médico, que era autônomo, tornou-se "assalariado". Ressalte-se que não há qualquer constrangimento face ao trabalho assalariado. A questão é saber em que condições ocorre esse trabalho. Basta atentar-se ao número de pessoas a serem atendidas ou à possibilidade de solicitar ou realizar determinados procedimentos. Se a remuneração for por produtividade, haverá uma pressão (no próprio médico) para aumentar o número de consultas e/ou procedimentos, a não ser que a unidade de remuneração seja compensadora, o que, provavelmente, não estará ao alcance da entidade que o remunera. Esta, por sua vez, exercerá uma pressão na direção oposta, ou seja, na limitação (ou cerceamento) de consultas ou procedimentos. Se a remuneração for fixa, haverá pressão para a realização de um número maior de consultas e procedimentos. Isso sem considerar atitudes antiéticas por qualquer das partes, mas destacando os inevitáveis conflitos que se colocam, concretamente ou na consciência.

Outro fator que pode causar tensão no exercício da medicina são os equipamentos diagnósticos e terapêuticos (incluindo os medicamentos). Eles certamente trazem benefícios aos pacientes, mas também podem ser usados de forma indiscriminada e desnecessária, pela pressão que exercem seus fabricantes. Os pacientes, habitualmente, são os que menos resistem ao seu consumo, porque acreditam beneficiar-se daqueles recursos. Resistem mais às instituições, que pagam por tais equipamentos ou medicamentos. A maneira de resistir é cercear o uso, que, em certo sentido, é benéfico, se houver tendência ao uso inadequado, mas prejudicial quando necessário ao paciente. Nos serviços públicos, o habitual é não disponibilizar os recursos e, assim, o médico se vê impedido de praticar o ato profissional com qualidade, e o paciente, privado do direito de receber assistência adequada.

O que se observa, diante desse quadro, é uma medicina de alto nível para poucos e uma medicina sofrível (ou péssima) para muitos. Só se beneficiam os que podem comprar serviços de saúde. Os demais permanecem sofrendo e morrendo! E os médicos?

▶ As consequências do estresse: síndrome do burnout

A síndrome do *burnout*, descrita a partir da década de 1970 por Maslach e Freudenberg,[11,12] caracteriza um estado de exaustão física e emocional devida ao estresse do trabalho profissional. O indivíduo apresenta sintomas como: taquicardia, complicações digestivas, cefaleia, insônia, cansaço, irritabilidade, ansiedade, desânimo, dificuldade de se concentrar. Ocorre tendência para o uso abusivo de álcool e drogas, e o profissional vai perdendo a capacidade de se relacionar com pacientes e colegas de trabalho, o que se expressa na queda do desempenho, em atrasos e faltas ao trabalho.[1-3,7]

Estudos realizados em vários países têm demonstrado crescente incidência de distúrbios somáticos e psíquicos, abuso do uso de drogas e até suicídios entre os profissionais de saúde, sobretudo médicos, em consequência da síndrome de *burnout*.[1]

Meleiro,[4] no livro *O médico como paciente*, afirma que: "A prevalência da doença afetiva, ao longo da vida, na população geral é de 15%, mas há um aumento na frequência em médicos, a prevalência é notavelmente alta" (p. 116). E, mais adiante: "Em revisão da literatura disponível sobre suicídio entre médicos, vemos que em toda parte do mundo a taxa de suicídio na população médica é superior a da população geral" (p. 121/122).

Constata-se, pois, que, embora a síndrome não seja específica dos médicos, estes aparecem nos estudos como categoria profissional bastante atingida pelo *burnout*. A ocorrência de sintomas físicos e psíquicos, o uso abusivo de álcool e drogas e até a taxa de suicídios são elevados entre esses profissionais.

Em função disso, verificam-se iniciativas que visam a oferecer aos médicos meios de enfrentar o estresse e minimizar as suas consequências deletérias. O Conselho Federal de Medicina (CFM), com apoio da Associação Médica Brasileira (AMB) e Sociedades de Especialidade, a partir de 2003, seguindo o exemplo do Colégio Médico de Barcelona, implantou o Programa de Atenção ao Médico Enfermo – PAME, centrando sua ação, sobretudo, naqueles envolvidos com alcoolismo e drogas. Segundo Rubens Silva, coordenador desse programa, em declaração ao jornal do CFM (nov/dez/2003): "O principal objetivo do programa é fazer com que o médico, que diariamente se preocupa com a saúde dos pacientes, passe a estar atento à sua própria saúde, com prevenção e orientação".

▶ Fatores que dificultam o tratamento do médico

Embora seja o médico um profissional cuidador, alguns fatores parecem dificultar que ele próprio se cuide. O Colégio Médico de Barcelona relacionou-os, após pesquisa desenvolvida com os médicos espanhóis e os publicou no Jornal do CFM (nov/dez/2003):

- A "conspiração do silêncio": muitas vezes os médicos ocultam de seus colegas e familiares o fato de estarem doentes
- O medo de ser estigmatizado pela enfermidade
- O "terror da sala de espera", que muitas vezes inibe o médico de procurar um colega especialista por julgar que será reconhecido e apontado como doente
- O medo de não voltar a exercer a profissão
- O temor de colocar sua credibilidade e reputação em risco
- A prepotência terapêutica do médico em se achar invulnerável e não se assumir como paciente
- A comodidade

- A falta de cobertura econômica para subsidiar os tratamentos.

Certamente, não é só o fato de o médico ter dificuldade para se cuidar (lembrando que a fantasia do onipotente é dinamizadora dessa atitude), mas também, em alguns deles, exatamente o oposto: exageram nos cuidados, mostram-se extremamente apreensivos diante de pequenos distúrbios, com atitudes hipocondríacas, uso excessivo de medicamentos (muitas vezes autoprescritos) e de exames diagnósticos. Em outras ocasiões, é a rebeldia que prevalece e, embora o médico procure um colega, habitualmente rebela-se contra a orientação dele, prejudicando a conduta proposta.

▶ Estratégias de enfrentamento do estresse: instituição de saúde e humanização como ato de cuidar

A instituição pode e deve comprometer-se com a humanização do trabalho, sobretudo quando se tratar de instituições de saúde que, pretensamente, se propõem a oferecer, às pessoas que as procuram, recursos capazes de minimizar o sofrimento delas, com o máximo de qualidade técnica e calor humano. Indiscutível é, portanto, considerar que o "foco" inicial dessa ambiência, qualificada e acolhedora, seja o próprio time de profissionais da instituição.

Com base nos relatos de profissionais de saúde obtidos por meio de pesquisas,[1,7,8,10,13] sugerimos um conjunto de medidas a serem tomadas pela instituição capazes de minimizar o estresse desses profissionais: oferecer melhor remuneração; favorecer a melhor organização do processo de trabalho; abrir a participação dos funcionários ao planejamento e tomada de decisões; garantir capacitação e educação permanentes; propiciar comunicação fluente, clara e precisa entre subordinados e chefias; oferecer recursos materiais e humanos adequados e suficientes; promover atividades lúdicas no trabalho; garantir espaços de discussão coletiva sobre o processo de trabalho; garantir espaços de atendimento individual a situações de crise vivenciadas pelos funcionários em situação de trabalho; adotar medidas de reconhecimento e incentivo aos profissionais.

▶ O cuidar-se uns dos outros

Se considerarmos o tempo que dedicamos ao trabalho e a possibilidade de encontrar, na equipe em que estamos inseridos, um círculo de sustentação ou apoio ao estresse profissional,[14] deveríamos prestar mais atenção e "investir" mais em algumas atitudes e certos comportamentos que, se praticados, estimularão o espírito de coesão e suporte dentro da própria equipe, tornando, assim, a atividade de trabalho mais prazerosa e produtiva. Por exemplo:

- Trabalhar pelo desejo de cuidar dos pacientes
- Ter seus objetivos bem claros e consensuados pela equipe
- Exercitar, com os pacientes e com os companheiros da equipe, relações afetuosas e cuidadoras
- Partilhar os saberes, as decisões e as angústias por meio de encontros regulares da equipe (de preferência semanais) com exercício de uma comunicação aberta e franca
- Estimular e participar de momentos de descontração.

A possibilidade de falar e de ouvir amplia conhecimentos, estimula trocas e reforça vínculos. Favorece o ato de cuidar e ser cuidado, em uma relação horizontal que faz circular os papéis de cada um. Eleva a autoestima e propicia o compartilhamento de angústias e decisões.

O médico deveria estimular mais a criação de espaços de discussão/reflexão sobre o cotidiano de trabalho com os demais companheiros de equipe (médicos e não médicos), de modo a identificar os pontos de tensão e buscar, a partir da própria equipe, mudanças na dinâmica de trabalho, para atenuar suas tensões. Tal espaço deve ser ocupado por meio da livre e franca discussão, do respeito às opiniões de cada um (mesmo quando discordantes) e da valorização da experiência e do sentimento de cada um, mesmo quando divergente do nosso. A consequência dessa escuta e desse acolhimento será a construção de um coletivo mais coeso e firme, e o aflorimento do desejo de se cuidarem uns aos outros, por meio do exercício de uma comunicação mais empática e afetuosa.

▶ Autocuidado

É óbvio que a questão do estresse profissional não se esgota em medidas institucionais, pois, além do ambiente estressante, existem os indivíduos estressados. É claro que um bom ambiente de trabalho neutraliza os possíveis excessos pessoais, sobretudo quando existem espaços de escuta e acolhimento às angústias e tensões dos profissionais, mas torna-se necessário que cada indivíduo, chefe ou subordinado, consiga perceber o que lhe causa tensão e como ele reage diante dessas tensões.

Na verdade, o modo de reagir ao estresse é muito pessoal e independe, até certo ponto, de circunstâncias do trabalho. A contribuição da instituição já foi apontada, como, por exemplo, na criação de espaços coletivos ou individuais para discussão do processo de trabalho e na promoção de momentos lúdicos e de descontração dentro dos horários de trabalho. Cabe, todavia, a cada profissional, adotar e incrementar medidas de autocuidado, as quais contribuam para o seu bem-estar pessoal e profissional. Ainda aqui a instituição pode colaborar, propiciando programas que se destinem a sensibilizar os funcionários quanto ao autocuidado.

A primeira e primordial medida parece ser a de buscar reconhecer o nível atual de estresse e as estratégias de enfrentamento que vêm sendo usadas. Por princípio, qualquer atitude que chame atenção pelo exagero não é adequada. Por exemplo: comer, beber ou trabalhar exageradamente. Não é adequado também negar a existência do problema ou dos sentimentos a ele relacionados.

De modo geral, as pessoas receiam expressar suas emoções, por considerá-las incontroláveis, ridículas ou censuráveis. No entanto, as emoções são formas de comunicação e enfrentamento e, portanto, úteis para o equilíbrio pessoal e social. É certo que, aqui ou acolá, as emoções "saem" de forma intensa ou desproposital. Tal é o caso, por exemplo, da agressividade. Por isso é natural e, em algumas circunstâncias, desejável, que busquemos controlá-las, mas isso é muito diferente de reprimi-las ou negá-las. Reagir afetiva ou emocionalmente faz parte das estratégias de enfrentamento de qualquer conflito, dificuldade ou ameaça com que nos deparemos. Importante é saber usá-las e, junto a elas, lançar mão, também, de estratégias mais objetivas, mais diretamente relacionadas ao problema que pretendemos enfrentar. Nesse sentido, é desejável que estimulemos em nós algumas atitudes, como:

- Procurar reconhecer e delimitar o problema
- Buscar informações sobre ele
- Procurar apoio de outras pessoas no seu enfrentamento.

O apoio tanto serve para a abordagem dos aspectos objetivos do problema, como para o mais efetivo manejo das emoções nele envolvidas. Deve-se buscar acolhimento e suporte afetivo em outras pessoas que, de algum modo, constituam um círculo de sustentação social (como a família, os amigos, a equipe de trabalho etc.). Nesses espaços, temos oportunidade de dialogar, de conversar francamente sobre os sentimentos que nos perpassam e receber o carinho, a atenção e o cuidado de que necessitamos. Poderemos, então, perceber nossas reações agressivas, ansiosas, depressivas, rígidas ou acomodadas, notar que estamos nos isolando ou, ao contrário, nos expondo excessivamente a tudo e a todos, sem noção de limite. Poderemos, portanto, buscar forças para mudar o rumo das coisas, com perseverança, comprometimento, esperança, alento e discernimento, e, assim, valorizar a vida e restabelecer nossa autoestima e autoconfiança.

Essa força parece vir do apoio e compartilhamento daqueles que, naquele momento, estejam servindo de "ancoradouro" para nós. Quanto mais tecermos vínculos de afeto, cuidado, preocupação mútua e comunicação empática, mais chances teremos de cuidar e ser cuidados.

Paralelamente à "rede de apoio mútuo", é sempre recomendável, para a preservação da saúde física e mental, que busquemos (e isso, muitas vezes, exige disciplina e determinação) manter alimentação saudável, fazer exercícios físicos regularmente, manter atividades esportivas e artísticas, práticas de relaxamento, além de cultivar o bom humor e a atitude confiante na vida.

São quase "prescrições" que, sabemos, não são fáceis tantas vezes de serem praticadas, sobretudo porque, dependendo da nossa constituição e história de vida, de situações de perda, de abandono, ameaças ou conflitos que um dia vivenciamos, somos "impelidos" a nos comportar de forma ansiosa, depressiva, irritadiça, perfeccionista e estressada.

Lidar com o estresse exige, pois, um conjunto de atitudes capazes de restabelecer o equilíbrio biopsicossocial perdido face aos agentes estressores. Assim, dificilmente, medidas isoladas conseguem, de fato, minimizar os efeitos deletérios do estresse. Podem fazê-lo de imediato, superficialmente, mas é necessário que o indivíduo se comporte por inteiro, integral e consistentemente, e de modo sustentado, para que possa se beneficiar. É extremamente necessário que o ambiente de trabalho seja suficientemente produtivo e prazeroso para absorver as inevitáveis tensões do dia a dia.

Quanto mais pudermos dialogar conosco e com os outros, mais possibilidades teremos de perceber o nível de estresse que estamos vivenciando e os recursos que estamos usando para lidar com ele. A atitude autorreflexiva e a abertura para perceber e pensar sobre o que nos dizem, mesmo quando são comentários que nos desagradam ou incomodam, colaboram decisivamente para o reconhecimento das situações estressantes. Ajudam a identificar os meios que estamos usando para enfrentá-las, sem subterfúgio ou escamoteação. Costuma-se perceber que tais meios, ao invés de contribuírem para o amortecimento ou enfrentamento do estresse, contribuem para o seu agravamento. É o caso, por exemplo, do tabagismo ou do alcoolismo, ou, ainda, de atitudes como: evitar encarar o problema; ficar apenas se lamentando; atribuir a responsabilidade a outras pessoas; tornar-se agressivo etc.

Em suma, o autocuidado começa com uma reflexão sobre como estamos nos comportando. Ele implica, necessariamente, o encontro com outras pessoas que possam, de algum modo, ampliar nosso "ângulo de visão" e nossas possibilidades de cuidado.

▶ **Referências bibliográficas**

1. Alonso CF, Granado JR. Prevención en Salud Mental dirigida a profesionales de Atención Primaria. *In*: Misol RC (org). *Guia de salud mental en atención primaria*. Barcelona: Sociedad Española de Medicina de Familia y Comunitaria, 2001: 53-65.
2. Franca ACM, Rodrigues AL. *Stress e trabalho: uma abordagem psicossomática*. São Paulo: Atlas, 2002.
3. Carvalho VA. Cuidados com o cuidador. *O mundo da saúde*. 2003; 27, 1: 138-146.
4. Meleiro AMAS. *O médico como paciente*. São Paulo: Lemos, 1999.
5. Mello FJ. *Concepção psicossomática*. Rio de Janeiro: Tempo Brasileiro, 1979.
6. Jeammet P, Reynaud M, Consoli S. *Psicologia médica*. Rio de Janeiro: Masson, 1982.
7. Farlane DMC, Duff EMW, Bailey EY. Coping with occupational stress in an accident and emergency department. *West Indian Med J* 2004;53(4):242.
8. Capozzolo AA. *No olho do furacão: trabalho médico e o Programa Saúde da Família*. 299p, 2003 (Tese de Doutorado). Faculdade de Ciências Médicas da Universidade estadual de Campinas, Campinas.
9. Silva LCG, Rodrigues MMP. Eventos estressantes na relação com o paciente e estratégias de enfrentamento: estudo com acadêmicos de medicina. *J Bras Psiquiatr* 2004;53(3):185-96.
10. Caregnato RCA, Lautert L. O estresse da equipe multiprofissional na sala de cirurgia. *Rev Bras Enferm* 2005; 58,5:545-550.
11. Freudenberger H. Staff burn-out. *J Soc Issues* 1974; 30:159-66.
12. Maslach C. Burned out. *Human Behavior* 1976;59:16-22.
13. Contel JOB, Sponholz JA, Tapia LER. Long term psychiatric liasion support group for high-stress facility: the Ribeirão Preto's bone marrow transplant team case. *J Bras Psiquiatr* 1999; 48(3):121-125.
14. Campos EP. *Quem cuida do cuidador*. Petrópolis: Vozes, 2005.

Parte 6
Estratégias de Ação da Psicologia Médica

30 Abordagens Grupais na Prática Médica

Eugenio Paes Campos e Geraldo Francisco do Amaral

Situação real
▼

- **Uma conversa frequente**

    Antonia, agente de saúde do Programa Saúde da Família (PSF), comenta com a médica e enfermeira da sua Unidade sobre alguns hipertensos da microárea em que atua, os quais não aderem ao tratamento, embora frequentem as reuniões feitas pela equipe na Unidade. Lúcia e Rosane aproveitam para falar do quanto se sentem desgastadas com essas reuniões que parecem "não levar a lugar nenhum". São muitos pacientes, as palestras que fazem com eles não estão surtindo efeito e elas se questionam se não seria melhor suspendê-las. Antonia retruca que talvez alguma coisa diferente poderia ser feita e comenta que, nas visitas domiciliares, os pacientes falam muito das suas dificuldades com o tratamento em si e com a vida de um modo geral. Lúcia, médica, diz que durante o curso de medicina ouviu falar de aspectos psicossociais que interferem na evolução da hipertensão, mas admite não ter se interessado muito, à época, em saber como lidar com tais questões. Rosane diz saber que existem determinadas experiências com atendimento em grupos de hipertensos com bons resultados. Resolveram pesquisar a respeito.
    Esse diálogo, embora simulado, reproduz o que efetivamente acontece em muitas unidades básicas de saúde do PSF que atendem hipertensos.

▶ Importância da abordagem grupal na prática médica

A prática médica é, tradicionalmente, um encontro individual do médico com seu paciente. Mesmo em ambientes como enfermarias ou centros de tratamento intensivo (CTI), em que os pacientes estão "sob o mesmo teto", o médico presta atendimento no leito de cada um.

A abordagem grupal é diferente, pois a atenção é dada ao conjunto. Embora cada um permaneça com sua individualidade ou particularidade (o que é desejável), a dinâmica do encontro é necessariamente a da interação ou troca entre seus membros. Logo, os resultados obtidos com a abordagem grupal são, em alguns aspectos, diferentes dos obtidos com o atendimento individual e até superiores.[1-3] Em alguns momentos da prática médica, por exemplo, a abordagem grupal pode ser superior à obtida com a relação médico-paciente clássica. Referimo-nos a dois aspectos fundamentais na conduta médica: realizar o exercício diagnóstico com a maior abrangência possível e estimular a maior adesão possível ao tratamento. Discutiremos cada um deles.

O exercício diagnóstico é tarefa complexa, dada a variedade de fatores ou agentes causadores de uma doença. Tomemos como exemplo a hipertensão arterial (HA). Desde a predisposição genética à prática de alguns hábitos, como ingerir muito sal e fazer pouco exercício físico, e a situações de natureza psicossocial geradoras de tensão emocional, todos são fatores que, de algum modo, contribuem para a elevação dos níveis tensionais. Se aqui incluirmos a concomitância de outros elementos capazes de, em associação com a HA, gerar consequências diversas ao organismo (coronariopatias), ampliaremos o "leque" de fatores a serem combatidos (tabagismo, diabetes, hipercolesterolemia etc.). Por mais que o atendimento individual tente dar conta da identificação desses fatores, alguns só são evidenciados a partir de uma dinâmica grupal que possibilite o seu reconhecimento e expressão. O ambiente de troca e interação vivencial no grupo e, sobretudo, em um grupo em que as pessoas se identificam por um fator comum (no caso, a hipertensão) possibilita a troca de experiências, a expressão e a discussão de problemas e angústias comuns e o sentimento de acolhimento e apoio mútuo. Aparecerão, então, as histórias individuais, as circunstâncias pessoais que estão influenciando o comportamento da pressão arterial de maneira singular.

▶ Grupos de suporte | Conceito e fundamentos técnicos

Suporte social é uma determinada forma de relacionamento que dá ao indivíduo um sentido de coesão e apoio para lidar com o estresse do ambiente (Cobb, 1976). Trabalhos mostram que os suportes sociais funcionam como moderadores do estresse e aumentam a resistência à doença.[4-9] Surgiram, então, grupos de pacientes somáticos, coordenados por profissionais de saúde com a dinâmica do suporte social.[10-15]

Os *grupos de suporte* têm como objetivo:

- Dar apoio (diminuir ansiedade, promover acolhimento, reduzir isolamento)
- Elevar a autoestima
- Promover informação e conscientização sobre dada situação
- Propor meios de lidar com a situação.

Em outros termos, os grupos de suporte têm como objetivo principal promover a elevação da autoestima e uma conscientização maior do paciente sobre si mesmo.

Ao lidar com grupos na prática médica, ou seja, com pacientes somáticos, portadores de alguma doença "física", como hipertensão arterial, diabetes, AIDS, ou submetidas a determinada intervenção médica, como hemodializados, mastectomizadas etc., a preferência se fará pelos grupos de suporte. Nesses casos, o "objetivo" da psicoterapia grupal não é o indivíduo em si, com seus conflitos ou desajustes mentais, mas o indivíduo portador daquela determinada doença ou submetida àquela determinada intervenção médica. Diria-se, de outro ângulo, que o objetivo do paciente face à psicoterapia grupal não é lidar com seu "mundo pessoal", mas lidar com sua hipertensão, seu diabetes, sua situação de hemodializado ou mastectomizada. É claro que lidar com a HA pressupõe lidar com o indivíduo que tem HA, mas o foco imediato é a enfermidade. Nesse sentido, não se pretende promover elaboração de conflitos psíquicos, mas dar suporte emocional ao paciente para melhor lidar com a sua doença. Por isso a opção pelos grupos de suporte.

Segundo Cobb (1976), os grupos de suporte são aqueles que funcionam de modo estável, mantido por relações afetuosas, nos quais os membros se sentem mutuamente apoiados e cuidados e se comunicam de modo aberto, franco e claro.

Embora o conceito tenha vindo da psicologia social, a dinâmica do suporte social em muito se parece com o que ocorre no relacionamento mãe-bebê, descrito por Winnicott como *holding*.[16-19] Para esse autor, trata-se do conjunto dos cuidados que a mãe oferece ao bebê, cujas necessidades são por ela empaticamente percebidas e atendidas, dando-lhe amor por meio do cuidado físico. Para Winnicott, um "bom" *holding* proporcionaria o desenvolvimento de um *self* bem estruturado.

Em outro momento,[20] fazemos uma leitura psicodinâmica acerca do suporte social a partir do conceito de *holding*, tentando mostrar que a dinâmica do suporte social parece ser uma revivência da dinâmica do *holding*. Os grupos de suporte, que funcionam com trocas afetuosas, cuidados mútuos e comunicação precisa e franca, emprestam ao indivíduo subsídios para reforçar seu *self* e elevar sua autoestima, dispondo-o a melhor enfrentar as tensões ambientais (a doença física).

Na vida adulta, precisamos de *holding* (ou de suporte social) quando estamos em situação de estresse, de crise ou vulnerabilidade. Assim, o grupo que funciona dentro dessa dinâmica (com trocas afetuosas, cuidados mútuos e comunicação clara e franca), empresta ao indivíduo subsídios para reestruturar seu *self*, sua individualidade. Eu diria que o suporte social é um "combustível" do *self* e função atenuada (e síntese) do que, em época remota, foi função primordial (e progressiva).

▶ Como operacionalizar os grupos terapêuticos na prática médica

Relacionamos algumas medidas básicas para formação desses grupos:

- Os grupos devem ser pequenos (de 12 a 15 participantes, no máximo) e reunidos em torno de uma situação ou doença (hipertensos, diabéticos, grávidas em pré-natal)
- Coordenação exercida, preferencialmente, por psicólogos, ou por outro profissional com experiência no manejo desse tipo de grupo
- Serem sempre os mesmos profissionais e os mesmos pacientes em cada grupo, para facilitar a criação de vínculos entre eles
- A função do médico (mesmo não sendo o coordenador do grupo) é muito importante, não só pela possibilidade de integrar seus conhecimentos sobre o paciente, mas, também, pela "figura" do médico. Nesse caso, todos os pacientes devem estar vinculados àquele médico que participa do grupo
- A frequência das reuniões deve ser mensal (pela dificuldade de tempo e dinheiro dos pacientes) e antecedida ou sucedida pela consulta individual com o médico.

A dinâmica das reuniões, por se tratar de um grupo de suporte, deve ser a de escuta, acolhimento e apoio. O coordenador estimulará a fala dos pacientes e a expressão de sentimentos e fantasias ligadas à doença. Manterá atitude ativa, afetuosa, cuidadora e empática. Dará ênfase à compreensão e ao esclarecimento, ao buscar identificar fatores que estejam dificultando o tratamento, e estimulará a pessoa a buscar recursos mais "amadurecidos" de enfrentamento da doença. É habitual propor temas para serem discutidos, ao início de cada reunião, mas os temas devem, tão somente, servir de pretexto, na medida em que se deve evitar fazer palestra ou dar aula sobre o assunto e, antes, fazer com que os pacientes discutam livremente sobre o tema proposto (que deve estar relacionado com a doença, como: causas, complicações, uso de remédios, medidas terapêuticas não medicamentosas, mudanças de hábitos de vida). Somente após a discussão entre eles o profissional poderá esclarecer ou retificar algumas dessas falas. É desejável que seja um psicólogo a coordenar o grupo na medida que se pretende identificar os fatores de natureza emocional ou social que estejam, de algum modo, agravando a doença ou criando obstáculo para o tratamento. Geralmente, são situações conflituosas e angustiantes que necessitam do desenvolvimento do círculo de confiança e acolhimento entre os membros do grupo para que possam ser verbalizados sem censuras ou discriminações. A intervenção do coordenador é fundamental para estimular o clima de apoio e suporte a que o grupo se propõe.

Quanto à organização do grupo, recomenda-se: expor claramente aos pacientes o seu objetivo; definir o número de participantes e os critérios de seleção e desligamento; definir o horário e duração das reuniões e sua frequência (mensal, quinzenal); definir o local onde acontecerão as reuniões (de preferência, em um lugar agradável e privativo para o grupo naquele momento); definir e estimular a participação de outros profissionais além do coordenador e do médico (quando este não for o coordenador), definir e estruturar outras abordagens ou tratamentos associados.

▶ Grupos no contexto hospitalar

A descrição que fizemos até agora se refere mais aos grupos "ambulatoriais", sejam realizados em postos de saúde ou em unidades do PSF. Com relação aos grupos criados no contexto hospitalar, algumas peculiaridades precisam ser consideradas, como a clientela: precisamos caracterizar o tipo de paciente e como são reunidos (por enfermarias; no CTI; no setor de hemodiálise) e a possibilidade de reunir os acompanhantes desses pacientes.

Os objetivos dos grupos consistem primordialmente em:

- Diminuir ansiedades e elaborar fantasias relativas à internação
- Discutir providências que melhorem o "estar internado" (como higiene, alimentação etc.)
- Dar esclarecimento sobre a doença e os procedimentos adotados ou prescritos
- Promover interação entre pacientes, familiares e equipe
- Fornecer apoio e suporte.

Habitualmente esses grupos funcionam uma vez/semana durante cerca de uma hora. A atitude do terapeuta é ativa, afetiva, esclarecedora e estimuladora. Habitualmente propõe-se um tema ao início das reuniões, mas busca-se fazer com que os pacientes discutam livremente. Estimula-se a expressão de ansiedades e fantasias. Prestam-se informações e esclarecimentos. Procura-se dar acolhimento e apoio.

Os temas mais frequentemente abordados são:

- Situações ligadas à doença: medos, fantasias
- Questões familiares
- Questões financeiras e ligadas ao trabalho
- Relacionamento com a equipe de saúde.

Os resultados obtidos são:

- Alívio dos sintomas
- Melhoria na interação com a equipe e os demais pacientes
- Sensação de maior bem-estar psíquico
- Melhor evolução.

▶ Fatores terapêuticos dos grupos na prática médica e seus resultados

Definir fatores terapêuticos é tarefa complexa, pois os fatores agem de modo interdependente e resultam de um intrincado interjogo de experiências humanas. Em princípio, os fatores terapêuticos estão presentes em todo e qualquer tipo de grupo, variando, tão somente, na sua intensidade.

Yalom[21] elegeu os fatores terapêuticos a partir de entrevistas com pacientes e terapeutas e de pesquisas sobre o assunto. O resultado é ainda questionável, embora satisfatório como ponto de referência. Segundo Yalom, os principais fatores terapêuticos de um grupo são:

- Instilação de esperança
- Universalidade (identificação)
- Compartilhamento de informações
- Altruísmo
- Recapitulação corretiva do grupo familiar primário
- Desenvolvimento de técnicas de socialização
- Comportamento imitativo
- Aprendizagem interpessoal (experiência emocional corretiva e autocompreensão)
- Coesividade
- Catarse
- Fatores existenciais.

Entre estes, a coesão parece ser o fator primordial para qualquer tipo de grupo. Naqueles que pretendem mudanças mais "estruturais" (como os grupos de psicoterapia propriamente dita, de média ou longa duração), a aprendizagem interpessoal parece ser o fator terapêutico principal, além da coesão.

Na prática médica, os grupos mais utilizados são os de suporte, que têm como fator terapêutico primordial a coesividade. Os demais elementos estão presentes em intensidade maior ou menor conforme a característica e o momento do grupo. O apoio dado pela equipe e pelo grupo, o espaço para expressão de sentimentos (catarse), oportunidade de trocarem experiências e informações acerca da doença e dos fatores a ela relacionados, aliado à identificação que sentem uns com os outros pelo fato de serem portadores da mesma condição e a regularidade no atendimento, contribuem de forma decisiva para a boa evolução dos pacientes.[21-23]

Como resultado, os indivíduos sentem-se melhor consigo mesmos; conscientizam-se dos fatores que contribuem para sua doença; aderem mais ao tratamento e adquirem força para enfrentar melhor a doença

▶ Considerações finais

A prática de grupos com pacientes somáticos abre a perspectiva de se conciliar dados biológicos com aqueles provindos do ambiente em que vive o indivíduo, com seus hábitos, valores, relacionamentos interpessoais, além daqueles oriundos da própria subjetividade, como expectativas, angústias, desejos e conflitos. Ao médico, cabe perceber o potencial oferecido pela vivência grupal e criar condições para que ela ocorra. A presença do profissional da saúde nos grupos é de suma importância, mesmo quando a coordenação e dinâmica é conduzida por outro.

Na prática de grupos com pacientes somáticos existe um espaço fértil para o diagnóstico e tratamento, o qual precisa ser melhor explorado.

▶ Referências bibliográficas

1. McRoberts C, Burlingame G, Hoag M. Comparative efficacy of individual and group psychotherapy: a meta-analytic perspective. *Group Dynamics: Theory, Research & Practice* 1998;2:101-17.
2. Burlingame G, Mackenzie K, Strauss B. Small group treatment: evidence for effectiveness and mechanisms of change. *In*: *Bergin and Garfield's Handbook of psychotherapy and behavior change*. 5 ed., Nova York: Wiley and Sons, 2004; 647 a 96
3. Todeland R, Siporin M. When to recommend group treatment: a review of the clinical and research literature. *Intern J Group Psychoter* 1986;36:171-201.
4. Cobb S. Social support as a moderator of life stress. *Psychother Med* 1976;38(5): 300-14.
5. Marin-Reyes F, Rodriguez-Moran M. Apoyo familiar en el apego al tratamiento de la hipertensión arterial esencial. *Salud Pública de México* 2001;43(4):336 –9.
6. Caplan G, Killilea M. *Support systems and mutual help*. Nova York: Grune & Stratton, 1976
7. Alonso CF, Granado JR. Prevención en salud mental dirigida a profesionales de atención primaria. *In*: Misol RC (org.). *Guia de salud mental en atención primaria*. Barcelona: Sociedad Española de Medicina de Familia y Comunitária, 2001: 53-65.
8. Di Matteo MR, Hays R. Social support and serious illness. *In*: Gottlieb B. *Social networks and social support*. 3 ed., California: Sage Publication; 1983: 117-148.
9. Vrabec N. Literature review of social support and caregiver burden, 1980 to 1985. *J Nursing Scholarship* 1997;29(4):383-8.
10. Campos EP. Grupos de suporte. *In*: Mello Filho J et al. *Grupo e corpo*. Porto Alegre: Artmed, 2000.
11. Mello Filho J. Grupos no hospital geral, ambulatório e serviços especializados. *In*: Mello Filho J et al. *Grupo e corpo*. Porto Alegre: Artmed, 2000
12. Lorig K et al. Evidence suggesting that a chronic disease self-managementa program can improve health status while reducing hospitalization. Med Care 1999;37:5-14.
13. Spira J. *Group therapy for medically ill patients*. Nova York: Guilford Press, 1997
14. Esplen M et al. A supportive-expressive group intervention for women with a family history of breast cancer: results of a phase II study. *Psycho-Oncology* 2000;9:243-52.
15. Classen C et al. Supportive expressive group therapy and distress in patients with metastic breast cancer: a randomized clinical intervention trial. *Arch Gen Psychiatr* 2001;58:494-501.
16. Winnicott DW. *Textos selecionados: da pediatria à psicanálise*. Rio de Janeiro: Francisco Alves, 1978.
17. Winnicott DW. *O ambiente e os processos de maturação*. Porto Alegre: Artes Médicas, 1982.
18. Winnicott DW. *A família e o desenvolvimento individual*. 2 ed., São Paulo: Martins Fontes, 1997
19. Winnicott DW. *Os bebês e suas mães*. 2 ed., São Paulo: Martins Fontes, 1999
20. Campos EP. *Quem cuida do cuidador*. Petrópolis: Vozes, 2005
21. Yalom ID, Leszcz M. *Psicoterapia de grupo: teoria e prática*. Porto Alegre: Artmed, 2006.
22. Burlingame G, Fhriman A, Johnson J. Cohesion in group psychotherapy. *In*: A guide to psychotherapy relationships that work. Oxford: Oxfod University Press, 2002.
23. Smith E, Murphy J, Coats S. Attachment to group: theory and measurement. *J Personal Social Psychol* 1999;77:94-110.

31 Grupos de Reflexão com Profissionais e com Alunos

Rita Francis Gonzalez y Rodrigues Branco

O final do século 20 e o início do século 21 têm-se constituído no cenário da grande mudança no ensino médico brasileiro. O paradigma flexneriano, vigente desde 1910, que marcou a reforma dos cursos médicos dos EUA e mudou substancialmente a formação dos profissionais médicos também no Brasil, está chegando ao fim.[1,2] A quebra de um paradigma tão hegemônico e a construção de novas possibilidades surgiram na esteira das atuais Diretrizes Curriculares Nacionais para os cursos de medicina. Tais diretrizes trazem em seu bojo a tentativa de resgatar o médico humanista, capaz de atender à população de maneira sistêmica, relacionando-se adequadamente com seus pacientes e atuando como ator de uma necessária reforma sócio-histórica com grandes contribuições para a promoção de saúde.[3]

> Os movimentos de mudança nos diferentes níveis do sistema educacional brasileiro, influenciados pela Nova Lei de Diretrizes e Bases (LDB), os impactos no ensino superior gerados pelas Diretrizes Curriculares Nacionais, as demandas crescentes de articulação entre o ensino e serviço, são indicadores, entre outros aspectos, da necessidade de repensar o processo de ensino-aprendizagem-avaliação que vivenciam os futuros profissionais.[4]

Na outra ponta, em relação aos egressos dos cursos médicos, o que se apresenta como campo de trabalho promissor é a prática da saúde da família. O Programa de Saúde da Família, ora designado Estratégia de Saúde da Família, torna-se hoje uma política pública (de Estado e não de Governo) o que garante sua estabilidade e desenvolvimento dentro do contexto do Sistema Único de Saúde (SUS). Com a efetivação desta política muda-se a lógica do atendimento médico. O profissional que antigamente atendia em um consultório e, solitariamente, apenas tratava doenças dá lugar, agora, a um médico integrado em uma equipe de saúde que, por meio de visitas domiciliares ou atendimentos em clínica ampliada, promove a saúde de uma comunidade, previne endemias e epidemias, bem como trata doenças em uma perspectiva humanística, desenvolvendo uma relação afetiva e duradoura com seus pacientes, ora denominados usuários da rede do SUS.

O exercício de convivência com os usuários e com a equipe de saúde, e a atuação na clínica ampliada por meio de acolhimentos coletivos, demandam do médico competência para lidar com grupos e mediar tensões emocionais.

Pensando-se em uma terceira via, as empresas privadas do setor saúde, outro campo de trabalho para os novos médicos, estão hoje em busca da excelência e qualidade, o que acaba trazendo dentro de seu planejamento estratégico de pessoas a necessidade de avaliação do usuário sobre o atendimento recebido.

Assim é que tanto as unidades de saúde do SUS quanto os hospitais particulares já têm, em funcionamento, a figura do ouvidor, e a relação entre o usuário e o médico está sendo o foco de atenção.

Para ampliar mais ainda a reflexão sobre o novo cenário, a mídia televisiva e escrita busca frequentemente editar matérias sobre os conflitos entre os pacientes e seus médicos. Também os Conselhos Regionais de Medicina têm convivido com um aumento de denúncias envolvendo o atendimento médico, em sua maioria devido a tensões na relação médico-paciente.[5,6]

Estas questões práticas vêm ampliar a necessidade já existente na esfera ética e relacional de uma formação que possibilite aos estudantes de medicina a aquisição de competências (conhecimentos, habilidades e atitudes) para efetivação de uma adequada relação médico-paciente.[2,7]

Nos cursos que se mantêm com as características tradicionais, com grades curriculares compostas por disciplinas, tem sido da responsabilidade da psicologia médica uma ementa que possibilite tal formação. Já nos cursos em que o currículo é composto por eixos temáticos, áreas afins que possam propiciar as competências necessárias para uma boa relação médico-paciente perpassam todo o curso médico. Sejam fechadas em disciplinas ou transitando por todo o currículo, conhecimentos das áreas de humanidades têm sido uma exigência do próprio Ministério da Educação no sentido de fazer cumprir o que as diretrizes curriculares preconizam. Tanto assim o é, que o sistema nacional de avaliação dos cursos (ENADE) aponta para a necessidade de aquisição de conhecimentos gerais no âmbito das humanidades.

Uma vez estabelecida a necessidade do processo de ensino-aprendizagem de competências para uma boa relação médico-paciente, precisa-se encontrar metodologias que possibilitem tal tarefa. Mais uma vez a mudança do cenário pedagógico na área médica torna-se o pano de fundo das novas possibilidades didáticas.[8] Atualmente as aulas expositivas vêm dando lugar a novas metodologias ativas como a problematização (baseada na metodologia de Paulo Freire) e o PBL (Problem Based Learning).[9,10] Nesse novo espaço, a possibilidade de trabalhos em grupos ganha força, pois:

> O caráter individualista e competitivo que, historicamente, têm assumido numerosos espaços formativos apresenta, hoje, um movimento de superação e valorização do grupal e do comunitário. As diretrizes curriculares para os diferentes cursos da área da saúde recomendam a ampliação e a (re)significação do trabalho em grupo e a produção coletiva como uma das estratégias para adequar a formação dos futuros profissionais aos cenários de atuação, que envolvem múltiplas e complexas interações.[4]

Várias são as possibilidades de se trabalhar em pequenos grupos no espaço formativo da sala de aula. Qualquer que seja a escolha metodológica, a experiência grupal tem em si algumas características didáticas de suma importância: ser uma metodologia centrada no aluno; ter o foco voltado para o "aprender" e não para o "ensinar"; ser um processo formativo e não apenas informativo e propiciar uma aprendizagem individual em interação com o coletivo.[2]

▶ Experiência Balint em sala de aula

Embora o próprio Balint[11] não acreditasse que seus grupos pudessem ser usados como metodologia na formação médica,* o processo sócio-histórico, ao longo dos anos, mostrou que os grupos desenvolvidos dentro da metodologia Balint são de fato um instrumento formativo importante.[2,7,12] Vários autores europeus têm trabalhado os grupos Balint nas escolas médicas, sendo a experiência de Luban-Plozza, na Universidade de Ascona, na Suíça, o ponto de referência para os professores de medicina que queiram se aventurar por este caminho.

No Brasil existem poucas publicações a respeito da experiência Balint, e os grupos existentes são desenvolvidos com profissionais da área da saúde ou mesmo com alunos de graduação, geralmente de maneira informal.**

Em Goiás, a experiência do uso dos grupos Balint como metodologia didática iniciou-se na Faculdade de Medicina da Universidade Federal de Goiás (UFG), nos anos 1990, tendo sido descrita e publicada por Branco a partir de 2001.[2,7,12] Inicialmente os grupos Balint eram desenvolvidos na disciplina semiologia clínica,

---

* M. Balint foi professor de medicina em Londres, nos anos 1950, mas ainda assim ponderou que os grupos não eram adequados aos alunos.
** O conhecimento informal ocorre porque, sendo Branco uma pesquisadora da área, tem contato com alguns líderes de grupos Balint nas várias regiões do Brasil. No entanto, não tem encontrado registro publicado das experiências acadêmicas.

sendo que, posteriormente tal técnica foi também usada em algumas aulas na disciplina de psicologia médica, sem, no entanto ter permanecido de forma curricular.

O curso de medicina da Universidade Católica de Goiás (UCG), no entanto, inseriu os grupos Balint em sua grade curricular nos módulos III, IV, VII, XI e XII,* dentro das atividades de integração do eixo do desenvolvimento pessoal, um dos dois pilares verticais do currículo do novo curso.** Além do desenvolvimento dos grupos, os estudantes dos módulos III e IV apreendem também os conceitos teóricos e as categorias fundantes da teoria Balint. Durante o módulo VII, os estudantes fazem uma reflexão teórica sobre o estresse do cotidiano médico, sobre os transtornos de humor e de ansiedade mais frequentes nos profissionais, sobre a prevalência de suicídio e dependência química no meio médico, e apropriam-se dos grupos Balint como uma estratégia de *coping* para a prevenção e enfrentamento de tais situações.

Os grupos desenvolvidos na UCG têm uma característica diferente e inovadora: estão inseridos dentro da metodologia didática de grupos de verbalização/grupos de observação (GV/GO). Assim, os alunos podem escolher em qual círculo se posicionam: se no grupo externo de observação ou no grupo interno de verbalização. O grupo de verbalização (círculo interno) desenvolve o grupo Balint de acordo com suas características preestabelecidas pela The Balint Society (Quadro 31.1). Deve-se lembrar que os estudantes do curso médico da UCG são inseridos na prática desde o primeiro semestre letivo, tendo, por isso, experiência clínica para participarem de um grupo Balint.

Aqueles que participam do círculo externo – grupo de observação – recebem uma planilha com itens norteadores para uma melhor observação dos fatos que poderão ocorrer no grupo Balint, focando principalmente as categorias teóricas. Após o encerramento das discussões

---

* Como os módulos referem-se aos semestres letivos, a experiência Balint perpassa o curso desde o terceiro semestre até o internato.
**O curso de medicina da UCG é composto de dois pilares centrais: eixo teórico prático integrado e eixo do desenvolvimento pessoal. Ao redor de ambos os pilares giram as unidades pedagógicas, formando uma rede interdisciplinar, de maneira a organizar eixos temáticos básicos que contemplam os conhecimentos, as habilidades e as atitudes necessárias à formação do médico generalista.

▼

Quadro 31.1 Características essenciais do grupo Balint de acordo com a Balint Society.

- Grupo de 6 a 12 pessoas
- Líder definido (pode ser um professor de medicina)
- Os membros do grupo devem ter experiência com pacientes
- Relatos orais (material trabalhado no grupo)
- A discussão enfoca a relação médico(estudante)-paciente
- Os casos discutidos não podem ter sido anotados previamente
- O grupo não se configura em terapia de grupo
- Devem ser observados: honestidade, respeito, confidência etc.
- Proposta inicial do grupo: desenvolver o entendimento das relações e não solucionar os casos clínicos
- Líder responsável por manter as normas.

do grupo Balint, os alunos que preencheram as planilhas de observação apresentam, verbalmente, suas avaliações. Professores pertencentes ao eixo do desenvolvimento pessoal costumam participar do grupo de observação juntamente com os alunos, o que enriquece muito a avaliação final.

À semelhança das professoras de classes hospitalares pesquisadas por Branco em sua tese de doutorado (2008),*[13] os estudantes de medicina desenvolvem competências de escuta e reflexão. Os que permanecem no círculo externo ficam em silêncio durante 60 min, só podendo se manifestar após o encerramento do grupo Balint, o que lhes propicia um importante treinamento de escuta. Por outro lado, a observação dos alunos e professores que permaneceram no círculo externo possibilita aos estudantes que participam do grupo Balint uma avaliação do desenvolvimento grupal. É como se eles pudessem se ver em uma gravação de videotape, em uma "função espelho", o que enriquece por demais o processo formativo. A participação dos professores não só complementa e amplia os conceitos ali discutidos, mas também, os ajuda a reformular suas próprias ementas disciplina-

---

* Branco trabalhou durante 1 ano com professores de classes hospitalares dos hospitais públicos de Goiânia, desenvolvendo grupos Balint dentro da metodologia do GV/GO.

res, procurando oferecer conteúdos teóricos que facilitem o desenvolvimento das reflexões grupais. Ocorre nitidamente, nesta metodologia, a transdisciplinaridade por meio da troca de conhecimentos entre todos os participantes.

A avaliação das atividades de integração do eixo do desenvolvimento pessoal se faz em três momentos:

- Avaliação verbal após cada encontro, quando cada aluno pode colocar seus sentimentos e observações sobre sua participação e sobre o desempenho grupal
- Avaliação formal para gerar notas, quando são desenvolvidas duas estratégias: (a) avaliação semanal transdisciplinar,* em que são feitas questões sobre a teoria Balint inseridas no caso clínico da semana, e (b) duas grandes avaliações bimestrais em que os alunos deverão mostrar seu aprendizado teórico-prático. As duas avaliações sobre a teoria Balint visam o conhecimento das categorias teóricas e a análise de poesias, crônicas, charges,

---

* Ao fechar-se um caso de PBL é feita uma avaliação semanal em que, a partir de um caso clínico, são feitas questões que contemplem os eixos temáticos e unidades trabalhadas em preleções durante o período.

▼

Quadro 31.2 Avaliação das atividades de integração do eixo do desenvolvimento pessoal (módulo III) pelas três primeiras turmas do curso de medicina da UCG.

1. Você já conhecia a teoria Balint?	Turma 1 – 32 alunos – Não (100%) Turma 2 – 44 alunos – Não (100%) Turma 3 – 44 alunos – Não (95,45%) 2 alunos – SIM (4,55%)
2. Você já havia participado de algum Grupo Balint?	Turma 1 – 32 alunos – Não (100%) Turma 2 – 44 alunos – Não (100%) Turma 3 – 46 alunos – Não (100%)
3. Você acha que a experiência Balint lhe ajudou?	Turma 1 – 31 alunos – Sim (96,77%) 1 aluno – Não (3,23%) Turma 2 – 42 alunos – Sim (95,24%) 2 alunos – Não (4,76%) Turma 3 – 43 alunos – Sim (93,02%) 3 alunos – Não (6,98%)
4. Como ajudou?	Turma 1 – 32 alunos a) Ajudou a entender melhor o paciente – 27 alunos (84,375%) b) Facilitou a relação com o paciente – 23 alunos (71,875%) c) Ajudou a entender melhor o médico – 25 alunos (78,125%) d) Modificou a maneira de entender o processo saúde/doença – 22 alunos (68,75%) e) Influenciou sua vida pessoal – 20 alunos (62,5%) f) Ajudou a relação com outras pessoas – 17 alunos (53,125%) g) Outra: "Entender o ser humano como 'substância pensante'" Turma 2 – 44 alunos a) Ajudou a entender melhor o paciente – 32 alunos (72,72%) b) Facilitou a relação com o paciente – 32 alunos (72,72%) c) Ajudou a entender o médico em seu cotidiano – 26 alunos (59,09%) d) Modificou a maneira de entendimento do processo saúde-doença – 18 alunos (40,90%) e) Influenciou sua vida pessoal – 14 alunos (31,81%) f) Ajudou a relação com as outras pessoas – 17 alunos (38,63%) g) Outra: "Maturidade" Turma 3 – 46 alunos a) Ajudou a entender melhor o paciente – 39 alunos (84,78%) b) Facilitou a relação com o paciente – 35 alunos (76,08%) c) Ajudou a entender o médico em seu cotidiano – 33 alunos (71,73%) d) Modificou a maneira de entendimento do processo saúde-doença – 26 alunos (56,52%) e) Influenciou sua vida pessoal – 28 alunos (60,86%) f) Ajudou a relação com as outras pessoas – 28 alunos (60,86%) g) Outra: –

cenas de filmes, letras de músicas e casos clínicos. As provas são feitas em grupos de 8 a 10 estudantes e são de consulta, quando os alunos devem dialogar com os autores para justificarem suas respostas
- Avaliação das próprias atividades de integração do eixo do desenvolvimento pessoal no sentido de uma reflexão sobre o movimento teórico-prático desenvolvido durante o semestre, caracterizando o processo pedagógico "ação-reflexão-ação".[14] Nesta avaliação os estudantes são convidados a responder um questionário sobre seu aprendizado nos grupos Balint.

O resultado desta última avaliação feita com as três primeiras turmas do curso de medicina da UCG mostrou que, na opinião dos alunos, o aprendizado foi significativo e, inclusive, modificou suas competências relacionais com os amigos e familiares (Quadro 31.2).

Para além dessa experiência com estudantes de medicina, a autora desenvolveu grupos Balint com alunos da graduação em fisioterapia, com enfermeiros e médicos da pós-graduação *lato sensu* em saúde da família, com profissionais da área da saúde em um espaço de formação psicanalítica e, especialmente em 2007, com professoras de classe hospitalar que atuam nos hospitais públicos de Goiânia, sempre com excelentes resultados.

A experiência com as professoras de classe hospitalar foi desenvolvida em 2007 durante o curso de extensão "Balint na Sala de Aula" organizado pela a autora na Faculdade de Educação da UFG. Durante 1 ano as professoras apreenderam as categorias teóricas e participaram de grupos Balint semanalmente. Ao final do curso foi observada uma mudança de personalidade, já descrita por Balint,[11] com aumento considerável da resiliência de todas elas, podendo ser, o grupo Balint, considerado como uma estratégia de prevenção da síndrome de *burnout*.[12]

Essas experiências pedagógicas vêm mostrar que os espaços grupais, principalmente os de reflexão sobre a própria prática e sobre as emoções e afetos, são possibilidades reais de mudança das metodologias ora usadas nos novos e antigos cursos de medicina, nos cursos de especialização e extensão para profissionais da saúde e da educação, propiciando, assim, uma formação mais ampla. Em especial no ensino médico, o trabalho com grupos Balint vai ao encontro das Diretrizes Curriculares, e pode contemplar uma formação que responda aos anseios da sociedade que clama por médicos realmente mais sensíveis, com melhor relação interpessoal.

▶ Referências bibliográficas

1. Batista NA, Silva SHS. *O professor de medicina*. São Paulo: Edições Loyola, 1998.
2. Branco RFGR. Como ensinar a relação médico-paciente: trabalhando com os grupos Balint. *In*: Branco RFGR. *A relação com o paciente: teoria, ensino e prática*. Rio de Janeiro: Guanabara Koogan, 2003.
3. Brasil. Ministério da Educação. Comissão Nacional de Ensino. Diretrizes Curriculares Nacionais para o curso de Medicina. Capturado: http://portal.mec.gov.br/cne/arquivos/pdf/CES04.pdf em 13 de janeiro de 2007.
4. Ruiz-Moreno L. Trabalho em grupo: experiências inovadoras na área da educação em saúde. *In*: Batista & Batista. *Docência em Saúde: temas e experiências*. São Paulo: Editora SENAC São Paulo, 2004.
5. Gomes JCM, França GV. *Erro Médico: um enfoque sobre sua origem e suas consequências*. Montes Claros: Unimontes, 1999.
6. Santos IC. Quantificação e qualificação das denúncias contra médicos no Conselho Regional de Medicina do Estado de Goiás. Tese (doutorado). Universidade Federal de São Paulo. Escola Paulista de Medicina. São Paulo, SP. 2007.
7. Porto CC, Branco RFGR, Oliveira AM. Relação médico-paciente. *In*: Porto & Porto. *Semiologia médica*. 6 ed., Rio de Janeiro: Guanabara Koogan, 2009.
8. Batista NA, Batista SH (org.). *Docência em saúde: temas e experiências*. São Paulo: Editora Senac São Paulo, 2004.
9. Venturelli J. Educación Médica: nuevos enfoques, métodos. Washington: Organización Panamericana de la Salud/Organización Mundial de la Salud, 1997.
10. Bellodi PL, Martins MA. *Tutoria: mentoring na formação médica*. São Paulo: Casa do Psicólogo, 2005.
11. Balint M. *O médico, seu paciente e a doença*. São Paulo: Atheneu, 2005.
12. Branco RFGR. Teaching the doctor-patient relationship through Balint Groups: the possibility of a time for reflection medical training. *J Balint Soc* 2001;29:34-35.
13. Branco RFGR. Capacitação de professores de classe hospitalar em relação professor-aluno/paciente na perspectiva balintiana. Tese. (Doutorado). Universidade Federal de Goiás. Faculdade de Educação. Goiânia, GO, 2008.
14. Schön DA. *Educando o profissional reflexivo – um novo design para o ensino e a aprendizagem*. Porto Alegre: Artmed, 2000.

32 Interconsulta

Letícia Maria Furlanetto

"A verdade, se é que ela existe, consiste na procura da verdade. Pois que na vida temos contato somente com metade da verdade."

Fernando Pessoa

Uma estratégia que pode ser usada para a prática, ensino e pesquisa em psicologia médica é a interconsulta. Ela consiste em uma técnica utilizada por profissionais de saúde mental que trabalham na interface da psiquiatria e da psicologia com a medicina em geral. Então, quando um médico responsável pelo paciente (o médico assistente) sente dificuldade no cuidado do indivíduo e suspeita que existam fatores psicológico-psiquiátricos influindo no quadro, pede uma avaliação do profissional de saúde mental (a interconsulta). O profissional "psi" avalia e acompanha o paciente junto com o médico assistente até o momento da alta. Muitas vezes os dois entrevistam juntos os pacientes (a consulta conjunta) e, em outros momentos, avaliam separadamente, mas, sempre que possível, discutem aspectos psicológicos, psiquiátricos e sociais, de tal modo que o próprio médico do paciente consiga manejá-lo. É diferente do parecer especializado porque na interconsulta busca-se auxiliar não somente no diagnóstico e manejo do paciente, mas também são avaliadas possíveis dificuldades interpessoais e institucionais entre o paciente, a família e/ou equipe de saúde. Dessa maneira, o interconsultor faz um diagnóstico mais global, não só do indivíduo, mas também do sistema no qual ele está inserido, e auxilia também para que a família e equipe possam melhor cuidar do indivíduo que está doente.

Neste capítulo são apresentadas "situações-problema" frequentes na prática médica diária e alguns pedidos de interconsulta que demandavam a "solução" para esses problemas. Depois, por meio dessas vinhetas de interconsultas, ilustram-se os conceitos de psicologia médica que podem ser explorados durante a sua execução.

Situação-problema

▼

Algumas situações causam muita ansiedade e desconforto tanto no aluno e no residente de medicina como no médico não psiquiatra mais experiente e, às vezes, até no psiquiatra. Elas geralmente ocorrem quando o paciente tem comportamentos não esperados pela equipe (ideação suicida, agitação, choro excessivo), não adere ao tratamento proposto ou tem queixas físicas sem achados objetivos nos exames que as justifiquem. Nesta hora, aqueles que estão em contato com o paciente sentem-se sem saber o que fazer, com medo e/ou irritados com este. O Quadro 32.1 ilustra alguns tipos de queixa da equipe, de acordo com essas situações.

A seguir, uma tentativa de reproduzir o processo de interconsulta: (1) a chegada dos pedidos por escrito; (2) a avaliação do pedido da interconsulta utilizando conceitos importantes da psicologia médica; e (3) sua realização, com possíveis impactos na educação continuada das equipes de saúde.

Quadro 32.1 Queixas da equipe, de acordo com as situações-problema.

"Situações-problema"	Fala/queixa da equipe de saúde
Queixas sem achados nos exames	"É verdade ou mentira a queixa?"
Não aderência	"Ele(a) é difícil, rebelde, não ajuda"
Paciente que reclama muito e chora	"Ele(a) é chato(a), poliqueixoso(a)"
Ideação suicida	"O(a) paciente diz que vai se matar"
Alteração de comportamento	"Ele(a) está agitado(a), sem controle"

▶ Pedidos de interconsulta

Em um hospital geral universitário chegaram sete pedidos de interconsulta, que são resumidos a seguir:

1. Joaquim, 70 anos, com câncer de pulmão. Paciente "muito deprimido".
2. Tobias, 19 anos, com história de hemorragia digestiva alta há 1 ano. Internado com queixa de novo episódio. Exames normais.
3. Carmem, 58 anos, com queixa de que "não consegue mexer as pernas", mas com exames físico e complementares normais.
4. Waldir, 55 anos, com câncer de intestino. Paciente poliqueixoso e difícil. Está dizendo que quer ter alta a pedido.
5. Dulce, 56 anos, com diagnóstico de diabetes tipo 2 descompensado. Paciente poliqueixosa. Não adere ao tratamento e diz que quer morrer.
6. Madalena, 60 anos, solteira, com diagnóstico de linfoma e exame para sífilis mostrando atividade da doença. Está dizendo que vai "pular da janela".
7. Severino, 45 anos, com diagnóstico de leucemia. Agrediu fisicamente a auxiliar de enfermagem.

▶ Avaliação do pedido de interconsulta utilizando conceitos importantes da psicologia médica

Ao ser diagnosticado como tendo uma doença grave, o indivíduo muitas vezes sente como se perdesse os referenciais e o controle de sua vida. Seria como se a doença causasse lesão não somente no órgão que está doente (infarto no músculo miocárdio), mas também um "infarto no ego", levando a uma ferida narcísica que se manifestaria por meio da perda da autoestima e na presença de um sentimento de desalento.[1] Assim, haveria uma ferida no sentimento de onipotência e imortalidade e uma vivência de fragilidade e dependência em relação aos outros.[2] Outra vivência trazida pela doença é a quebra de uma linha de continuidade da vida, das funções desempenhadas no dia a dia, de certa previsibilidade que se guarda sobre o dia de amanhã.[3] Essa sucessão de vivências pode conduzir a um estado denominado desmoralização, no qual o indivíduo sente perda da força moral, do comprometimento, da autoconfiança, da coragem e da capacidade de decisão.[4] A desmoralização compartilha algumas características com vários transtornos mentais específicos (depressivos, de ansiedade etc.).[5] Entretanto, existem diferenças entre, por exemplo, a depressão e a desmoralização: na depressão o indivíduo perde a capacidade de experimentar o prazer e na desmoralização ocorre um sentimento de incapacidade e de perda de autodomínio.[4] Um médico que consiga compreender os medos, crenças e preferências do paciente, compartilhando informações e a tomada de decisões com este pode contribuir para diminuir essa vivência de desamparo e de perda do autodomínio. Dessa maneira, o indivíduo, sentindo-se mais agente e não somente "paciente", poderá ter uma maior aderência aos tratamentos propostos, maior percepção de autoeficácia e de autodomínio.[6]

Uma vez que o interconsultor trabalha na interface, ajudando a equipe de saúde para que esta cuide melhor do paciente, a primeira pergunta que deve ser feita é: Qual a real demanda do pedido da interconsulta?

Neste momento, o que se percebe é que algumas vezes o "problema" não necessariamente é do paciente. Normalmente existem múltiplas causas para a dificuldade sentida. Muitas vezes a limitação é também do médico, da família, da instituição e da sociedade. Essas dificuldades são precipitadas e/ou agravadas em decorrência de uma visão baseada puramente no modelo biomédico.

De acordo com Capra,[7] neste modelo:

"O corpo humano é considerado como uma máquina que pode ser analisada em termos de suas peças; a doença é vista como um mau funcionamento dos mecanismos biológicos que são estudados do ponto de vista celular e molecular; o papel dos médicos é intervir física ou quimicamente para consertar o defeito no funcionamento de um específico mecanismo enguiçado."

Este modelo é legitimado pelos imensos resultados que consegue alcançar, por meio dos sucessivos avanços tecnológicos e da especialização dos médicos. Contudo, a questão a ser considerada é que esta prática muitas vezes se faz sem a manutenção ou em detrimento de uma visão mais global do ser. Assim, a função dos médicos seria a de se ocuparem de partes do corpo da pessoa em um "especialismo", investigando somente condições restritas, sem que haja uma integração.[8] Isto contribui para que tanto a equipe como os pacientes se sintam isolados, sem compreenderem exatamente o que se passa, o que gera muita insatisfação. Neste momento, a interconsulta pode ser uma importante ferramenta que auxilie nesta integração. O interconsultor, para conseguir entender o que acontece e auxiliar a equipe, necessita ter uma visão mais ampla da situação. Assim, age como um suporte e modelo, tranquilizando e auxiliando os médicos a voltarem a ver o indivíduo de modo mais global.[9] Para tal o interconsultor se pergunta e estimula a equipe a responder as seguintes perguntas:

O que se passa? Quem é essa pessoa que adoeceu? O que é importante para ela? Quais são seus medos? Que experiências anteriores teve com pessoas doentes? Qual a sua concepção de doença? E de saúde? Como e quando começaram os sintomas? Houve perdas importantes próximo ao aparecimento das queixas? O que seus familiares e amigos dizem sobre sua doença e tratamento?

▶ Realização da interconsulta com possíveis impactos na educação continuada das equipes de saúde

Cabe aqui um alerta para que sempre sejam investigadas algumas causas para as alterações de comportamento que poderiam necessitar uma abordagem específica, incluindo a solicitação de exames e o uso de medicamentos: uma diminuição do nível de consciência levando a síndrome confusional, quadros psicóticos, depressão, transtorno do pânico, transtornos somatoformes, transtornos de ajustamento, e, principalmente, doenças físicas ainda sem manifestação nos exames.

Para iniciar a interconsulta faz-se contato com o médico que pediu o parecer para tentar descobrir "a real demanda" da equipe. Tendo em mente as perguntas e conceitos abordados e após serem investigadas as causas citadas, descreve-se a avaliação e manejo dos pedidos de interconsulta:

- O médico assistente de Joaquim disse estar preocupado porque o paciente estava "muito deprimido". Entretanto, na entrevista percebe-se que estava chateado com a situação, mas que se alegrava ao receber visitas e conseguia imaginar que adoraria se pudesse comer sua comida predileta (lasanha). Ao conversar com o residente e explicar que o paciente estava triste, mas não deprimido, o mesmo confidenciou que a doença de Joaquim "mexia" muito com ele, pois seu pai teve o mesmo tipo de câncer e morreu no ano anterior. É comentado, então, como era difícil lidar com perdas e que a maioria dos profissionais de saúde tinha dificuldades em lidar com doenças tão graves, incluindo-nos neste grupo. Foi dito que haveria um acompanhamento diário (aqui com duplo sentido: médico e paciente) até o momento da alta. Neste caso, vê-se a importância de o médico entrar em contato com os sentimentos que tem durante as consultas e se perguntar o porquê destes, pois as dificuldades podem estar mais relacionadas com suas vivências do que com as do paciente[10]

- A equipe da gastrenterologia explicou que estava intrigada e sem saber o que fazer com Tobias, porque o paciente tinha tido hemorragia digestiva no ano anterior e se queixava de novo episódio há 2 dias. Entretanto, o paciente não tinha anemia e a endoscopia digestiva tinha sido normal. Houve uma conversa com Tobias manifestando a dúvida da equipe, com as seguintes questões: Como anda a vida? Tobias contou que estava muito assustado porque era morador de rua e, na semana anterior, um outro morador foi assassinado, no local onde costumava dormir. Disse que estava com medo de voltar para a rua. Comentou-se com a equipe (incluindo o serviço social) esta dificuldade e buscou-se uma solução para o "real pedido" do paciente. Aqui se vê a importância de se ter uma visão sistêmica e mais global, pois a pessoa que procura atendimento tem uma história de vida e está "mergulhada" em um contexto que influem em como ela age e se sente naquele momento
- O neurologista contou que já não sabia o que fazer com Carmem, pois a paciente continuava sem conseguir movimentar as pernas, apesar de ter sido dito a ela que todos os exames estavam normais. Comentou-se a boa-nova de os exames estarem normais e que seus médicos estavam intrigados com a manutenção da "paralisia". Depois, perguntou-se o que essa paralisia a impedia de fazer. Carmem começou a chorar e confidenciou que seu chefe, que é casado, estava querendo ter relações sexuais com ela. Contou que sempre teve atração por ele, que é solteira, mas que não achava certo sair com homens casados, porque era muito religiosa. Então perguntou-se se ela não achava que esta paralisia poderia estar "protegendo" de fazer algo "errado". Foi explicado que às vezes "quando a boca cala, o corpo fala". A paciente concordou que poderia fazer sentido o que lhe era dito e voltou a mexer suas pernas em 2 dias.
O que se viu neste caso foi a presença de um sintoma como maneira de expressar um conflito. Algumas vezes nota-se um fenômeno chamado alexitimia, no qual o indivíduo não consegue descrever em palavras os sentimentos e acaba por expressar no corpo sua angústia. Isto acontece porque o fenômeno vital se expressa tanto no plano ou nível somático quanto no psíquico concomitantemente. É "como se fossem duas emissoras de rádio transmitindo em uma mesma frequência: uma poderá ter maior potência de transmissão, e dificultar ou impedir a compreensão da mensagem transmitida pela outra".[11] Então, se uma está "bloqueada", a transmissão (expressão) se dá pela outra "frequência" (dimensão)
- O médico residente da cirurgia comentou que Waldir era difícil, chato e rebelde. Disse que estava preocupado porque o paciente falou para a enfermagem que queria ter "alta a pedido". O residente explicou que não queria ficar muito perto do paciente por preocupação que ele perguntasse seu diagnóstico e ficasse sabendo que era câncer. Comentou-se que nos trabalhos sobre revelação de diagnósticos, a maior parte dos pacientes diz querer ser informada claramente do que se passa e queixa-se somente do jeito que o diagnóstico é dado (muito rápido e sem deixar esperança).[12,13] Acrescentou-se que o pior de tudo é quando o paciente se sente sozinho. O residente foi chamado para que, em conjunto, houvesse uma conversa com o paciente. Durante esta entrevista Waldir pôde falar que estava se sentindo muito irritado e desmoralizado porque sempre foi muito ativo, trabalhou e sustentou sua família a vida inteira e, ali no hospital, estava parado naquela cama, sem saber o que acontecia. Por isso queria ter alta para poder trabalhar. Disse que queria muito saber seu diagnóstico, mesmo que fosse "coisa ruim". Comentou-se que havia um entendimento de como ele devia estar se sentindo "sem valor por não estar produzindo e, ainda por cima, sem poder ajudar decidindo algo sobre sua doença". O residente pôde ir explicando aos poucos o diagnóstico e as possibilidades terapêuticas que existiam. Depois desse dia, o residente passou a discutir com o paciente o seu tratamento, deixando-o decidir no que fosse possível. O paciente parou de ficar irritado e decidiu ficar internado e fazer o tratamento completo. Neste caso, vê-se que o único erro que não dá para

cometer é ficar "distante" do paciente. Cabe aqui explicar a diferença entre ser "recipiente" e ser "continente" das angústias do paciente. Quando o médico é apenas depositário (recipiente) dessas angústias pode se sentir sobrecarregado e tentar evitar o paciente. Entretanto, quando se é continente das angústias, o profissional escuta, decodifica o conteúdo, metaboliza e devolve para o paciente de maneira purificada, dando nomes aos sentimentos.[14] Seria como aquela criança que cai e olha para a mãe, chorando, sentindo dor e desespero. A mãe a pega no colo e dá um nome para o que se passa dizendo: "fez dodói". Neste momento, a criança se acalma porque agora tem um nome para explicar o que sente

- A endocrinologista falou que já não sabia o que fazer por Dulce porque seu diabetes estava descompensado, apesar do aumento progressivo da dose de insulina. Achava que a paciente não aderia ao tratamento em casa e suspeitava que tivesse depressão porque chorava muito, tinha insônia e sempre se queixava de algo diferente. Conversando com a paciente, perguntou-se como ela fazia o tratamento em casa. Ela explicou que em alguns dias não tomava os remédios "porque não tinha mais vontade de fazer nada", por estar desanimada. Quanto perguntada sobre quando começou este desânimo e como andava a vida naquela época, a paciente começou a chorar. Contou que teve três filhos, mas que, há 3 anos, um filho de 22 anos morreu de acidente de carro e que, no ano seguinte, o de 19 morreu em outro acidente. Confidenciou que só pensava coisas ruins, que não tinha prazer em mais nada e estava angustiada esperando quando "Deus" iria levar o último filho embora. Após a paciente chorar por uns instantes, comentou-se que era possível imaginar a sua dor e o seu temor. Acrescentou-se que, quando se sofre muito, nossa capacidade de raciocínio é prejudicada e fazem-se generalizações, que não necessariamente representam a realidade. Esclareceu-se que aquele desânimo estava fazendo mal a ela e que era possível fazer um tratamento que a ajudasse a viver melhor, até para cuidar bem do terceiro filho, de 15 anos. Comentou-se com a endocrinologista que a paciente teria indicação do uso de antidepressivo e que, também, seria muito importante que pudesse fazer psicoterapia para elaborar esses lutos. Neste caso, vê-se, de novo, como mente e corpo são duas expressões de um mesmo ser e como, frequentemente, existe associação de múltiplos fatores que podem contribuir para o comportamento da pessoa (aparentemente "desleixado" e "rebelde"). Vê-se, também, a importância de se ter empatia (do grego, *em* = dentro de + *pathos* = sofrimento, dor)[14] e compaixão (com paixão = dividir a paixão). Assim, ao lado da paciente, pode-se estimular e ajudar a reforçar seus aspectos positivos para que esta se sinta capaz de ajudar ativamente na melhora e manutenção de sua saúde

- A hematologista estava muito preocupada com Madalena porque a enfermagem falou que a paciente disse que ia "pular da janela". A médica disse que a paciente reagiu mal quando lhe foi dito que o exame (VDRL) mostrou que estava com sífilis e que necessitava de tratamento para esta condição, além do tratamento para o linfoma. Na conversa com a paciente, esta confidenciou que fora abusada quando tinha 13 anos de idade. Explicou que, desde então, sempre se sentiu culpada por isso e com medo de homens, nunca tendo mais namorado ou se casado. Agora, quando soube que estava com essa doença sexualmente transmissível pensou em se matar, porque é muito religiosa e teria "muita vergonha e medo" que pensassem que ela fosse uma "mulher da vida". Escutou-se sua história de vida de dificuldades depois dos 13 anos de idade. Comentou-se sobre como receber esse diagnóstico de sífilis poderia estar reacendendo conflitos antigos que ela tentava esquecer. Sugeriu-se positivamente como as crises podem ser oportunidades de crescimento. E, portanto, ela poderia conversar sobre o estupro, elaborar e se sentir menos culpada, tendo uma vida melhor daquele momento para a frente. Sua médica assistente conversou com Madalena esclarecendo sobre a sífilis e como o tratamento seria rápido e fácil e

sobre como ela não estaria sendo julgada ali. A paciente sentiu-se melhor e falou que não se mataria, explicando que só falou "aquilo" em um momento de desespero. Neste caso, observa-se a importância da comunicação e de se descobrir o que é realmente importante para cada um dos pacientes.[15] Desse modo, pode-se esclarecer e dar suporte especificamente para suas preocupações[9]
- O oncologista disse que pediu o parecer porque a enfermagem reclamou que Severino era agressivo e deu "um tapa" em uma auxiliar de enfermagem. Ao chegar ao quarto, comentou-se com Severino do pedido de interconsulta e perguntou-se: "O que se passa?" O paciente contou que, no dia anterior, pediu medicação analgésica porque estava começando a sentir dor. Disse que seu médico já deixa prescrito caso necessário porque já sabe que, uma vez que a dor inicia, se demorar a tomar o remédio esta não para, mesmo usando o analgésico. A auxiliar ficou pedindo para ele esperar "mais um pouquinho" por 3 vezes até que ele se desesperou e a agrediu. A enfermagem recebeu a explicação que estes fenômenos têm embasamento científico e solicitou-se que seguissem o que era prescrito. Neste caso, vê-se como, muitas vezes, os pacientes sabem mais de suas doenças e "dores", que os profissionais de saúde. Vê-se como há que se ter humildade para escutar, aprender e desenhar o cuidado, levando em conta essas observações.

▶ Conclusão

Conforme se observou, a interconsulta pode ser uma estratégia importante para o ensino da psicologia médica, na medida em que o interconsultor pode servir de suporte e modelo, ajudando a lapidar nos profissionais a capacidade de escuta, acolhimento, continência, suporte, esclarecimento, vínculo (no sentido de estar próximo) e compaixão.

Continua, porém, o desafio de saber como usar o máximo da tecnologia e do conhecimento científico ao mesmo tempo em que se fica próximo da pessoa, com toda sua complexidade, procurando compreender o que realmente importa para ela e negociando, de acordo com as peculiaridades de cada um, o diagnóstico e as melhores maneiras de abordagem do problema.

Pode-se concluir que a interconsulta, do jeito que é feita, ajuda o médico assistente a descer do "pedestal", em cima do qual se sente na "obrigação" de saber toda a verdade e de resolver sozinho todos os problemas. Assumindo-se que ninguém tem acesso a toda a verdade, é possível se aprimorar nesta "busca" contínua. E, quem sabe, conseguir um melhor cuidado, que, em última análise, gere a satisfação de profissionais e pacientes.

▶ Referências bibliográficas

1. Cassem NH, Bernstein JG. Depressed patients. In: Cassem NH, Stern TA, Rosenbaum JF, Jellinek MS (eds.). *Massachussets General Hospital Handbook of General Hospital Psychiatry*. 4 ed., St Louis: Mosby; 1997. p. 35-68.
2. Spitz L. As reações psicológicas à doença e ao adoecer. In: Figueiredo AC, Leibing A, Fortes S. *Cadernos IPUB: saúde mental no hospital geral*. Número 6; 1997. p. 85-97.
3. Botega N. Reação à doença e à hospitalização. In: Botega N (ed.). *Prática psiquiátrica no hospital geral: interconsulta e emergência*. 2 ed., Porto Alegre: Artmed, 2006: 49-66.
4. Furlanetto LM, Brasil MAA. Diagnosticando e tratando depressão no paciente com doença clínica. *J Bras Psiquiatr* 2006;55(1):8-19.
5. Brasil MAA. Pacientes com queixas difusas: um estudo nosológico de pacientes com queixas múltiplas e vagas. Tese de doutorado. Instituto de Psiquiatria da UFRJ, 1995.
6. Eraker SA, Kirscht, JP, Becker MH, Arbor A. Understanding and improving patient compliance. *Ann Intern Med* 1984;100:258-268.
7. Capra F. O modelo biomédico. In: *O ponto de mutação*. São Paulo: Franz Huber, 1973: 116-155.
8. De Marco MA. Interconsulta. In: De Marco MA (ed.). *A face humana da medicina: do modelo biomédico ao modelo biopsicossocial*. São Paulo: Casa do Psicólogo, 2003: 61-70.
9. Furlanetto LM. Estratégias psicoterapêuticas em interconsulta. *Rev Bras Psicoter* 2006;8(1):87-98.
10. Jeammet P, Reynaud M, Consoli SM. *Manual de psicología médica*. 2 ed., Barcelona: Masson, 1999.
11. Osório L. O fenômeno psicossomático: uma leitura psicanalítica da linguagem corporal. In: Osório L. *O futuro da psicanálise*. Porto Alegre: Mercado Aberto, 1996: 156-82.
12. Achté KA, Vauhkonen ML. Cancer and the psyche. *Omega* 1971;2:46-56.
13. Pan Chacon J, Kobata CM, Liberman SPC. A mentira piedosa para o canceroso. *Rev Assoc Med Bras* 1995;41(4):274-6.
14. Zimerman DE. *Vocabulário contemporâneo de psicanálise*. Porto Alegre: Artmed, 2001: 84; 120.
15. Tate P. *Guia prático Climepsi da comunicação médico-paciente*. Lisboa: Climepsi, 2004: 99.

Parte 7
Cenários de Ensino e Prática da Psicologia Médica

33 A Dinâmica do Atendimento Hospitalar

Marco Antonio Alves Brasil

▶ Histórico

A história dos hospitais começa com os primeiros hospitais medievais (embora haja referências anteriores, como os valetudinaria romanos destinados a soldados e escravos romanos e instituições dos brâmanes, na Índia).[1]

Esses primeiros hospitais medievais eram locais de acolhimento, hospedagem (por isso a origem da palavra hospital) para os inválidos, mendigos, que encontravam nestes locais acolhimento e tratamento dentro dos limites da época. A doença, portanto, não era a indicação primeira e principal para a procura do hospital. Aqueles que dispunham de condições eram tratados em suas próprias casas.[1]

Mas como funcionavam estes hospitais medievais? Quem eram os responsáveis pelos cuidados aos pacientes?

O espírito que predominava nesta época era o da beneficência, impregnado de forte influência da religião católica, então hegemônica. A princípio, os doentes e desvalidos eram cuidados pelas pessoas caridosas da aldeia – surge a figura da mulher habilidosa, solteirona, junto com outros poucos que se dispunham a dedicar seu tempo ao cuidado dos pacientes. Esse papel não tinha maior reconhecimento.[1]

Aos poucos, a habilidosa da aldeia passou a ser substituída pelas religiosas que foram assumindo o controle dos hospitais. Na França, surgiram os "Hôtel-Dieu", comandados pelas ordens religiosas. A presença do médico era extemporânea, chamado apenas para os casos graves. Até então, a figura do médico não estava ligada ao hospital. A disciplina reinante era característica das organizações religiosas – disciplina rígida, hierárquica.[1]

Com o crescimento da população europeia, o declínio do poder eclesiástico e o surgimento do absolutismo, o estado passa a ter uma participação no controle e destino dos hospitais.[1]

Com as guerras, pestes, aumento dos desviantes, as condições dos hospitais pioraram. Surge a divisão – *hôpital* e *hospice* – para os primeiros eram mandados os casos agudos, passíveis de cura, e para os segundos, aqueles casos incuráveis, desenganados. Considerando as condições de tratamento da época, não é difícil de supor que os *hospices* recebiam um número muito maior de enfermos. Esta situação perdurou até o século 19, quando as conquistas da ciência começam a ser aplicadas à medicina – noção de medicina preventiva, o início da vacinação.[1]

Nessa época, surge a figura de Florence Nightingale, considerada a grande reformadora dos hospitais, que dizia de maneira singela: "Os hospitais, antes de tudo, não podem fazer mal aos doentes". Ela teve um papel importante na melhora das condições dos hospitais militares durante a guerra da Crimeia, no século 19. Surge, então, a figura da enfermagem laica, mas que na realidade absorvia muito da tradição dos cuidados prestados pelas religiosas. Por outro lado, a organização militar também teve influência sobre a orientação de Nightingale. Assim, passa a predominar a ideia de ordem, limpeza, hierarquia. Com os avanços da ciência médica, sobretudo da cirurgia e de novos recursos diagnósticos, como os raios X, o hospital foi, pouco a pouco, deixando de ser um lugar para os pobres e passando a ser necessário para todos. O médico passa a ser a figura central e não mais aquele que era chamado de tempos em tempos.[1]

Assim, surge o hospital moderno, cada vez mais acrescido de novos aparelhos, salas especiais, como o centro cirúrgico, passando a ser referência obrigatória para toda a comunidade. A complexidade dos procedimentos médicos começa a exigir a presença de outros especialistas dentro da equipe hospitalar. Técnicos de raios X, de laboratório, fisioterapeutas, nutricionistas, assistentes sociais, psicólogos etc.

Dessa maneira, o hospital de hoje conjuga um grande número de especialistas com funções específicas e divisão de trabalho.

Falemos, pois, deste hospital moderno com toda a sua dinâmica de atendimento.

Se a princípio os pequenos hospitais estavam em íntima ligação com a comunidade (e ainda estão, como muitos dos hospitais rurais), o grande hospital geral moderno se distancia da comunidade. Como afirma Péquignot,[2] quanto maior for o hospital, mais assustador é. Vejamos o movimento que faz um paciente que procura hoje em dia um hospital:

▶ **Entrada**

O paciente já chega ao hospital com um preconceito. Freud dizia que todo encontro é um reencontro. Assim, o paciente já tem uma ideia do que seja um hospital, quer seja boa ou má, nunca indiferente.

Ao chegar, poderá encontrar um local de recepção acolhedor ou não. Na maioria de nossos hospitais, a entrada não é um local acolhedor – pessoas doentes chegando, familiares, funcionários burocráticos preocupados em preencher a ficha do paciente e em saber qual o seguro-saúde dele, se tem todas as exigências feitas pelo seguro, em preencher dados e mais dados. Tem-se ainda o funcionário da maca, o funcionário que tria o paciente – muitas vezes tão desinformados e perdidos quanto ele, a atendente do hospital, a enfermeira, e enfim, o tão aguardado médico. Verifica-se aqui o que Balint chama de "o conluio do anonimato" – há uma dissolução de responsabilidades, que tem como consequência uma relação absolutamente impessoal com o paciente.

Chama a atenção que uma das características dos bons hotéis é ter um local de entrada acolhedor e agradável. Isso favorece uma boa avaliação de primeiro momento e ajuda a atrair novos hóspedes. Da mesma maneira, os hospitais deveriam (e há um crescente movimento nesse sentido) ter uma entrada acolhedora, não só na sua disposição física, arquitetônica (espaços amplos e bem organizados), mas também que não agrida os sentimentos do já amedrontado paciente.

Todo hospital deve se perguntar se preenche os critérios de um ambiente plenamente terapêutico. O prédio inclui espaços apropriados, há privacidade e conforto para os pacientes? Por exemplo, as cores da pintura do ambiente têm um efeito acolhedor, que lembra um ambiente doméstico?[3]

A importância de uma referência, personalização do atendimento, é enfatizada por Péquignot, que sugere a formação da figura da *hotêsse*, que seria a pessoa encarregada de informar ao paciente o que está acontecendo à sua volta, as medidas que estão sendo tomadas, tranquilizando o paciente e servindo de sua referência pessoal.[2,3]

Barnes[4] denuncia que em um grande hospital moderno a equipe hospitalar está basicamente preocupada com dois aspectos: o tempo e a ação. Com isso, fica justificado que trate o paciente com rapidez e eficiência, mas sem cumprir as normas elementares de um encontro humano – saber o nome do paciente e apresentar-se, dizendo o que vai fazer com o paciente. Se alguma palavra pode resumir a deficiência da equipe hospitalar, seria *comunicação*. Esta é a falha básica principal na relação da equipe hospitalar com o paciente.

Assim que o paciente chega ao hospital, ele é infantilizado e despersonalizado. A equipe deixa de vê-lo como um adulto (ou mesmo como criança, como se verá mais a frente) que mereça ser informado e esclarecido do que se passa com ele. No modelo tradicional, os pacientes não têm acesso livre ao que está sendo feito com eles, como e por quê.

Uma vez feito o processo de internação, ele é encaminhado para a enfermaria ou ao seu quarto. Ali, fica à espera do personagem principal – o médico. Enquanto isso, começa a procurar a se situar no seu novo ambiente. Se está na enfermaria, será um novo entre os pacientes da enfermaria. O novo sempre desperta desconfiança, mas o grupo tem algo em comum – a doença. Em geral, a conversa se estabelece por este denominador comum. Informações sobre a comida, a ordem interna, o horário de visitas médicas etc. Com o tempo de permanência nos hospitais gerais sendo cada vez mais breve, geralmente não dá tempo para a formação de um grupo organizado com todas as suas implicações dinâmicas.

Começa, então, o início do relacionamento com as figuras da equipe que irão tratá-lo. Como Barnes[4] observa, o médico é aquele mais ansiosamente aguardado, mas que menos tempo tem para dar ao paciente. Em geral, será a enfermagem que ouvirá o paciente com sua história pessoal, suas preocupações – como estará a família, temores financeiros etc. Geralmente, é com a enfermagem que se estabelece uma relação mais pessoal. Outra questão a ser considerada é a ordem imposta pela enfermagem porta-voz da ordem hospitalar. Veremos que os hospitais gerais guardam ainda influências de suas origens – ou seja, a ordem das instituições hierarquizadas, por exemplo, os conventos e quartéis. Os horários são rígidos para as refeições e para dormir. Há necessidade de pedir permissão para qualquer outra coisa além de permanecer no leito. Há uma limitação de movimento dos pacientes, que muitas vezes têm plenas condições de deambular e que permanecem internados aguardando resultados de investigações diagnósticas.[2]

▶ **Alta**

Se o paciente é infantilizado, despersonalizado durante a internação, uma vez com alta, muitas vezes dada sem preparo, é exigido que ele de pronto retome suas responsabilidades adultas. A partir deste momento será ele que cuidará de seus medicamentos, das suas refeições e de seu horário de dormir. Exige-se dele um comportamento para o qual não foi geralmente treinado, preparado.

Se pode haver falta de comunicação da equipe com o paciente, devemos lembrar que ela também pode estar presente entre os componentes da equipe hospitalar. Barnes aponta que na equipe hospitalar existem dois grupos que raramente se comunicam entre eles – o grupo assistencial, ligado à atenção hospitalar direta, e o grupo de apoio – pessoal de laboratório, funcionários da manutenção, da limpeza, da copa, da cozinha etc. Formam dois mundos distintos e quase incomunicáveis, a não ser quando é necessária ação específica do grupo de apoio, e isto é feito de maneira despersonalizada. Isso pode despertar nas equipes de apoio, sobretudo entre os funcionários mais subalternos, um sentimento de pouca consideração, de desvalia, de pouca importância dentro do mundo hospitalar. Isto pode gerar conflitos com o grupo assistencial, gerando, às vezes, inveja, raiva e boicotes conscientes e inconscientes.[4]

Entre a equipe assistencial, a figura central do médico pode gerar sentimentos de inveja e competição entre os outros membros. A postura do médico poderá agravar, minorar ou suprimir aqueles sentimentos. Muitos médicos têm dificuldade em trabalhar em equipe, respeitando as funções e os papéis de cada um na equipe. Barnes observa que os médicos não recebem nenhum treinamento em relação às atividades dos outros componentes da equipe assistencial e sugere que o estudante de medicina deveria ter contato, na prática, com as funções e atividades da enfermagem.[4]

Em contraste com o grande hospital – com sua cada vez maior complexidade, o pequeno hospital, sobretudo o rural, não tem os recursos tecnológicos, mas, em termos de interação humana, tem muito mais a oferecer.

No pequeno hospital rural um fato se destaca, a sua íntima integração com a comunidade. O médico conhece o paciente ou pelo menos o nome de seu paciente, o mesmo acontece com a enfermeira e a auxiliar, o técnico de laboratório. O paciente tem o atendimento personalizado. Hospitalizada no pequeno Hospital São Pedro da cidade de Goiás, foi perguntado, certa feita, à poetisa Cora Coralina se não queria ir para Goiânia ser internada em um hospital moderno. Ela respondeu: "não, prefiro ficar aqui, aqui me chamam pelo nome, lá seria apenas uma vovozinha".

► Hospital para crônicos

Outra questão presente na dinâmica hospitalar é o tratamento de pacientes crônicos pela equipe. Péquignot denuncia a questão da ordem hospitalar em relação ao tratamento de pacientes crônicos. É estabelecida uma relação equipe × paciente semelhante a que é estabelecida com os pacientes agudos, o que, muitas vezes, é inadequado.[2]

O paciente crônico, como assinala Schneider,[5] deve estabelecer uma relação distinta com o médico e a equipe hospitalar daquela do paciente agudo. Aqui a relação não é mais de passividade e submissão por parte do paciente. Não é o paciente regredido que assume um papel submisso, infantil, diante daqueles que determinam o que ele tem de fazer. Com o paciente crônico, a equipe tem que adotar outra postura, uma relação adulto-adulto, onde o paciente participa e assume boa parte de seu tratamento. Os nossos hospitais, em sua maioria, não estão preparados para tratar os pacientes crônicos, que muitas vezes não têm a menor necessidade de permanecerem internados, sobretudo acamados.

Com isto, entra-se na importância do atendimento extra-hospitalar – ambulatorial, domiciliar, grupos de autoajuda, clubes de pacientes ostomizados, diabéticos, renais etc. O sistema de saúde hospitalocêntrico é basicamente voltado para a doença e não para a saúde. Com isto, a equipe hospitalar tem como referência a doença e não a saúde. É importante que a equipe do atendimento extra-hospitalar tenha uma visão primordialmente preventiva. Não só por meio da prevenção primária e secundária, mas também com um trabalho coordenado com a equipe hospitalar no trabalho da prevenção terciária. Hoje sabe-se que a prevenção terciária não começa quando termina o tratamento agudo do paciente, ela deve ser feita integrada, preparando, orientando o paciente quanto ao curso da doença e adaptação às suas limitações.

Uma das questões frequentes na passagem do atendimento hospitalar para o atendimento extra-hospitalar é que geralmente ele não é feito pela mesma equipe, ou ainda, as equipes não têm o mínimo contato. Esta quebra de continuidade é uma das questões presentes na dinâmica do atendimento hospitalar – que separa o atendimento de enfermaria do atendimento ambulatorial dentro da própria instituição.

► O paciente "funcional" dentro da dinâmica hospitalar

O paciente chamado "funcional" – que após investigações exaustivas e tentativas terapêuticas permanece desafiando a equipe médica – geralmente chega ao hospital após ter perambulado por vários ambulatórios com o rótulo de um "caso difícil" que merece ser mais bem investigado. Uma vez admitido no hospital ele irá se submeter a diferentes investigações diagnósticas, algumas delas invasivas – gastroscopia, angiografia etc. Acontecerá o que Balint chama de "tentativa de eliminação por exames físicos adequados", ou seja, o paciente será submetido a exames até que se encontre alguma coisa para que se possa dar um nome a sua doença. Como diz Balint, "às vezes, tão perigoso quanto não encontrar alguma coisa é encontrar".[6]

O paciente será encaminhado a vários especialistas, estabelecendo o já referido "conluio do anonimato". Aqui pode se estabelecer o que Balint denomina "a perpetuação da relação professor-aluno". O paciente perde em seu médico o seu referencial principal, já que este passa a delegar a cada queixa do paciente um especialista que, este sim, poderá descobrir o que ele tem.

Esses pacientes que querem a todo custo um nome para a sua doença, junto com aqueles com quadro agudos de ansiedade, procuram frequentemente as emergências dos hospitais, mas encontram ali uma equipe que está mais do que nunca preocupada com o tempo e a ação já mencionados e geralmente não atendem às necessidades emocionais desses pacientes.

A dinâmica da equipe de emergência não tem motivo para ouvir os pacientes, já que ali o que importa é o tratamento rápido e eficaz. No entanto, uma parte significativa daqueles que procuram a emergência é de casos que necessitam, sobretudo, de uma atenção pessoal – a eficácia do tratamento não será por uma intervenção medicamentosa ou cirúrgica, mas, antes de mais nada, por ouvir os pacientes. Aliás, esta é uma das coisas mais difíceis para a equipe de emergência: *ouvir* o paciente.

► O paciente que fala

Uma das questões que mais mobilizam a equipe hospitalar é o paciente que, como diz

Nöel, *prenent la parole, portent l'angoise*. É o paciente que não assume o papel de paciente tal como a equipe acha que ele deva ser: obediente, solícito, disposto sempre a colaborar. São pacientes vistos como indisciplinados, quando muitas vezes apenas reclamam da rigidez da ordem hospitalar. Há uma dificuldade de ouvir muito grande por parte da equipe que não foi formada, preparada para ouvir. Balint observa que sua primeira tarefa com os clínicos foi que eles pudessem ouvir o paciente.[6,7]

▶ Atendimento hospitalar da criança

Se falamos das deficiências da relação da equipe hospitalar com o adulto, com certeza essas deficiências estão também presentes, muitas vezes de maneira muito mais dramática, na relação com a criança. Para a criança, sem os mecanismos de defesa do adulto, a internação é muito mais traumática. Pode ocorrer desde os casos de hospitalismo até a depressão anaclítica de Spitz, quando a criança pequena, por perda do processo de maternagem, sofre um processo de regressão que pode levá-la à morte, neste período crítico que é para a criança seus dois primeiros anos de vida. Hoje, embora nem sempre seja cumprido, é consenso que a mãe deve permanecer ao lado da criança, tendo o hospital condições para tanto.

A equipe hospitalar deve estar atenta às questões já mencionadas de recepção da criança – deixando sempre uma mesma enfermeira como referência (mãe substituta). Nos casos de internação prolongada, a equipe deve oferecer à criança condições de lazer e continuidade nos estudos.

Uma das questões que pode aparecer é a rivalidade mãe substituta *versus* mãe – sendo necessária a orientação da equipe no sentido de reverter situações como essa.

A equipe de enfermagem deve ser dividida conforme a finalidade da enfermagem e auxiliares em relação às faixas de idade das crianças – bebês, *toddlers*, crianças maiores. Deve-se respeitar a afinidade individual da equipe em relação às diferenças de idade das crianças.

Um aspecto até aqui não comentado e de grande importância é a observância do bem-estar da equipe, ou seja, não esquecer de que a equipe hospitalar ou também aqueles que trabalham na assistência extra-hospitalar não são apenas técnicos, mas seres humanos com todas as suas dificuldades e momentos difíceis que podem vivenciar nas suas vidas pessoais.

Conforme assinalado, a falta de comunicação é a questão básica dentro da dinâmica hospitalar. É fundamental que a equipe tenha um espaço próprio (sala de estar com lazer), pois se este espaço não lhes for dado, a tendência é transformar espaços de trabalho, posto de enfermagem, por exemplo, para este fim. É necessário que a equipe possa ter um momento em que as pessoas possam se despir de sua identidade técnica (de médicos, enfermeiros, assistentes sociais, psicólogos etc.) e estabelecer um relacionamento interpessoal autêntico.

Uma das funções da interconsulta seria mostrar a participação emocional do(s) membro(s) da equipe no conflito com o paciente. Esta intervenção é extremamente delicada porque, no mais das vezes, o(s) membro(s) da equipe não quer(em) que sejam colocados em discussão seus aspectos pessoais atuando na relação. Daí a importância que o interconsultor possa, antes de tudo, estabelecer uma relação de confiança que só é adquirida com entrevista onde o técnico possa sentir-se à vontade para falar de seus aspectos pessoais contratransferenciais que possam estar perturbando a relação. Isto não será conseguido jamais com pareceres dados por meio de rápidas entrevistas com a equipe.

▶ Papel da formação da equipe na dinâmica do atendimento hospitalar

Limitaremo-nos aqui a falar da importância da formação médica sobre a dinâmica do atendimento hospitalar sem com isso deixar de enfatizar que esta importância está presente para todos os membros da equipe assistencial. Atualmente assistimos à hegemonia de uma formação médica onde predomina a desumanização da relação médico-paciente. Há um desconhecimento da interação dinâmica que necessariamente existe em todo encontro humano, sobretudo naquele que H. Ey denomina o mais singular dos encontros: a relação médico-paciente. Isso, sem dúvida, cria uma relação onde o médico atua como um mero técnico que procura consertar um objeto defeituoso (no caso, um órgão ou função orgânica), descaracterizando toda a relação do que de humano ela possui.

As relações com os pacientes passam a serem impessoais, frias, distantes. O médico é preparado para ser um especialista que cuidará de um órgão ou uma parte do corpo. Sabemos que o homem é um ser biopsicossocial e deve ser visto como um todo, que a medicina deve ser uma medicina da pessoa e não da doença, que não há doença e sim doentes com toda a singularidade que cada um tem em sua história pessoal etc. Mas nem todos (poucos?) praticam uma medicina humanizada, dentro daquilo que acabamos de dizer.

Sem dúvida, essa é uma questão de formação, só poderemos modificar, dentro de uma visão otimista, se não encararmos a psicologia médica como uma especialidade médica, mas o ensino e a formação humanística que todo médico deve ter. São valores que devem ser preservados naqueles que entram no curso médico e sofrem uma deformação, uma morte naquilo de que tem de humano para exercer uma medicina altamente técnica, mas muito pouco humana.[7]

Sem esse preparo, sem essa formação, as relações no hospital e na assistência extra-hospitalar continuarão sofrendo dos mesmos problemas, levando a uma relação desumanizada com o paciente e até mesmo entre os componentes da equipe.

Para concluir, algumas palavras em relação ao relacionamento da equipe com os velhos. Já que nos referimos à interação das crianças, os idosos também sofrem dos desvios da dinâmica hospitalar, mais preocupada com o tempo e a ação. Poucos hospitais geriátricos desenvolvem uma atividade laborativa para os idosos, onde a principal atração do dia são as refeições.[2]

Tem grande importância o relacionamento da equipe com o idoso, já que no hospital ou enfermaria geriátricos não há a mesma dinâmica do hospital de agudos.

Por sua vez, a equipe terapêutica deve ter apoio, estar preparada emocionalmente para lidar com aqueles que lhes lembram de perto a inexorabilidade da morte de todos nós. Se a equipe não puder lidar com a ameaça de morte que existe dentro de todos nós, certamente não saberá lidar com os idosos, espécie de anúncios vivos de nossa morte.

Quadro interativo

- O médico, o paciente e a doença, de Michel Balint.

  É um clássico da psicologia médica. É uma leitura obrigatória para a formação médica. Examina com profundidade e, ao mesmo tempo, de maneira clara, com exemplos clínicos, o que se passa na relação médico-paciente.

  Como afirma Portella Nunes, na apresentação da edição brasileira: "Acostumados a ver, ouvir, palpar, não acreditam em nada que não possa ser tocado ou percebido pelos órgãos sensoriais, embora os grandes médicos de todos os tempos tenham sido observadores agudos das emoções humanas. O comum dos médicos, entretanto, precisa desenvolver esta capacidade"

  O médico, seu paciente e a doença é resultado de um longo trabalho de pesquisa realizado por Balint, supervisionando a atividade clínica de grupos de médicos clínicos e cirurgiões. As experiências de todos eram discutidas, com ênfase na relação médico-paciente. Eles eram estimulados a examinar as próprias emoções e o sentido das reações e atitudes que se desenvolviam durante os processos de diagnóstico e tratamento. Todos os momentos dos atos médicos estão impregnados de sentimentos que podem ser úteis ou prejudiciais ao doente. Como assinala Balint, a personalidade do médico é a primeira "droga" que se administra aos pacientes. Há, portanto, necessidade de se conhecer essa "droga" e seus "efeitos colaterais", bem como outros aspectos subjetivos presentes nesse encontro.

- Sugestão de filme

  Um Golpe do Destino (*The Doctor*)

  Jack McKee (William Hurt) é um médico completo: bem-sucedido, rico e sem problemas na vida. Até receber o diagnóstico de que está com câncer de garganta. Agora ele passa a ver a medicina, os hospitais e os médicos sob uma perspectiva como paciente.

▶ Referências bibliográficas

1. Campos ES. *História e evolução dos hospitais*. Ministério da Saúde. Divisão de Organização Hospitalar, Rio de Janeiro, 1964.
2. Péquignot H. *Hôpital et humanisation*. Paris: Éditions E.S.F, 1976.
3. Nardin A. L'Humanization de l'hôpital. Musée de L'Assistance Public – Hôpitaux de Paris, Paris, 2009.
4. Barnes E. *As relações humanas no hospital*. Coimbra: Almedina, 1973.
5. Schneider P-B. *Psicologia aplicada a la practica medica*. Buenos Aires, Paidos, 1974.
6. Balint M. *O médico, seu paciente e a doença*. 5 ed., Rio de Janeiro: Atheneu, 2005.
7. Sivadon P. *Traité de psychologie médicale*. Paris: Presses Universitaires, 1973.

34 Cenários de Ensino e Prática da Psicologia Médica | Urgências e Emergências

Ibiracy de Barros Camargo

▶ Introdução

O atendimento de urgências e emergências constitui um sensível e importante componente da assistência à saúde. Em muitos países, a medicina de emergência é considerada uma especialidade médica, exercida tanto por médicos que são treinados em programas de residência e que têm certificados de suas especialidades como por provedores pré-hospitalares e enfermeiros de emergência.

A medicina de emergência concentra-se no diagnóstico e no tratamento de doenças e lesões que necessitam de atenção médica imediata. Embora geralmente não seja fornecido atendimento a longo prazo ou contínuo, os médicos de emergência diagnosticam uma ampla gama de patologias e efetuam intervenções agudas a fim de estabilizar o paciente.[1]

No Brasil, a Resolução 1.451 de 1995 do Conselho Federal de Medicina (CFM) define *urgência* como a ocorrência imprevista de agravo à saúde, com ou sem risco potencial de vida, cujo portador necessita de assistência médica imediata; e *emergência* como a constatação médica de condições de agravo à saúde que implicam risco iminente de vida ou sofrimento intenso, exigindo tratamento imediato.[2]

A atividade médica sempre foi uma profissão de risco, e o médico não ignora que sua atuação, como todo ato médico, comporta riscos. O médico de emergência precisa ter um amplo campo de conhecimentos e habilidades que lhe possibilita, ao receber o doente grave, ser capaz de realizar todos os procedimentos diagnósticos, procedimentos cirúrgicos, de reanimação e de manutenção dos suportes avançados de vida para estabilização do paciente, com eficiência, ética e dignidade. Precisa compatibilizar tecnologia e compaixão.[3]

▶ Unidades de emergência

Frequentemente as equipes de profissionais das unidades de emergência estão sobrecarregadas diante de casos ambulatoriais ou mesmo de doentes crônicos, como, por exemplo, diabéticos ou hipertensos mal controlados, que não caracterizam um caso de uma emergência e/ou urgência, e que acabam por prejudicar consideravelmente o atendimento de urgência em nosso meio. Outras vezes, nota-se a falta de orientação adequada da população no uso correto das unidades de emergência, muitas vezes devido à dificuldade de conseguir consulta em tempo hábil nas unidades ambulatoriais ou nas unidades básicas de saúde.

Tal situação favorece com frequência reações de impaciência e até agressividade por parte do médico.[4] Além disso, as más condições de trabalho – com equipamentos obsoletos, falta de serviços de apoio, superlotação e deficiência no número de leitos no serviço público, aliadas à baixa remuneração profissional – contribuem também para as reações do profissional.

Embora ainda não seja comum em todo o país, grandes hospitais públicos e privados já começaram a adotar o sistema de triagem de classificação de risco utilizando cores (em certos hospitais as cores escolhidas são vermelho, laranja, amarelo e verde; em outros, vermelho, amarelo, verde e azul, sugeridas pela Política Nacional de Humanização, elaborada pelo Ministério da Saúde).[5]

▶ O médico das unidades de emergência

O atendimento de emergência deve ser feito por equipe médica experiente, já que a premência da conduta os obriga a ser precisos e seguros. Todos os médicos trabalham com limitação de tempo, e isto é particularmente verdadeiro no setor de emergência. Muitas vezes, a necessidade de ser ágil, devido à quantidade de pacientes a serem vistos, é incompatível com a boa prática médica.

Nos atendimentos de urgência/emergência, os médicos não têm a vantagem de conhecer os pacientes, na maioria das vezes, e precisam trabalhar com um volume limitado de seus históricos médicos. Em um pronto-socorro, avaliações imprecisas podem ser feitas e graves erros cognitivos podem ser cometidos, sob a pressão do tempo. Boas avaliações médicas demandam tempo – talvez a "mercadoria" mais rara em um sistema de saúde que mede consultas em minutos. Descobrir as queixas e necessidades dos pacientes, bem como os recursos disponíveis, é a mais importante tarefa da prática do médico de emergência. O desafio do diagnóstico é premente e decisivo. As intervenções precisam ser rápidas e adequadas. Por outro lado, o excesso de ruídos, falta de privacidade, sobrecarga de atendimentos, limitação de material exacerbam seu nível de tensão.

Tudo isso obriga o profissional a conhecer o limite de sua capacidade e ter controle de sua onipotência. Para tanto, o preparo psicológico do médico de emergência deve ser tão valorizado quanto o conhecimento técnico.

O Prof. Genival Veloso de França, professor titular de medicina legal da Universidade Federal da Paraíba, recomenda ao médico de emergência:[6]

1. Entender que o diagnóstico e o tratamento devem andar juntos, pois vale mais uma manobra salvadora que um diagnóstico brilhante
2. Desconfiar dos chamados sinais patognomônicos – eles são tão somente uma ilusão clínica
3. Evitar conclusões intuitivas e precipitadas, atendo-se ao que recomenda a experiência consagrada
4. Evitar uma consciência exclusivamente especializada, voltando-se à parte, mas sem esquecer o todo
5. Ter coragem para assumir a dimensão de sua responsabilidade sem aceitar a intromissão ou a coação
6. Ter coragem para fazer, para não fazer e para dizer que não sabe a alguém mais experiente
7. Agir com modéstia e sem vaidade, pois a humildade é a mãe de todas as virtudes
8. Falar pouco e em tom sério, evitando pronunciamentos açodados em declarações ruidosas ante o infortúnio
9. Ser competente para ser respeitado, aumentando a cada dia o saber continuado
10. Ser honesto para ser justo, afastando a falsa impressão de que os valores materiais possam favorecer.

▶ Medicina de emergência nos currículos das escolas médicas

Um importante elemento de todo o processo de assistência à saúde é a relação médico-paciente, que nos pronto-atendimentos ou nas emergências tende a ser prejudicada. E é justamente a psicologia médica, disciplina básica nos cursos de medicina, que procura, no seu propósito, a compreensão do ser humano que eventualmente adoece e que, nesta condição, precisa ser encarado não como um aglomerado de sintomas físicos ou mentais, mas como uma unidade que pensa, sente e atua conforme as características peculiares de sua personalidade. A psicologia médica é o exercício próprio de uma medicina que olha o doente como um todo integrado, em seus aspectos biológicos e psicológicos, sofrendo continuamente as influências socioculturais.[7]

No que se refere a abordagens psicossociais em atendimento de urgências/emergências, a literatura é escassa.[8] Hoje há no Brasil 181 faculdades de medicina[9] e poucas dessas escolas têm a disciplina de emergência médica em seus currículos e, algumas vezes, nem mesmo pronto-socorro adequado para o treinamento de seus alunos. A Faculdade de Medicina da USP, a Escola Paulista de Medicina, a Faculdade de Ciências Médicas da Santa Casa de São Paulo, a Faculdade de Ciências Médicas de Minas Gerais, a Faculdade de Medicina de Porto Alegre, a Faculdade de Medicina da Universidade Federal do Ceará, entre outras, caminham, nesse aspecto, à frente, uma vez que ministram a disciplina de emergência médica de maneira distinta e autônoma.

Por outro lado, é interessante notar que, no conteúdo programático dessa disciplina, os aspectos psicológicos não têm sido contemplados. Ao examinarmos as recentes publicações de livros-textos de emergências médicas nacionais e norte-americanos, dificilmente encontramos um capítulo relacionado com o tema. Nos cursos de graduação, por sua vez, a disciplina de psicologia médica vem perdendo espaço com a diminuição da carga horária e com docentes que se tornam, cada vez mais, menos motivados em ministrá-la. Em alguns deles, a disciplina encontra-se em extinção.

Se examinarmos as projeções da Escola de Saúde Pública da Universidade de Harvard para o ano de 2020, no que tange às principais causas de morte e invalidez – doenças cardíacas, depressão grave e acidentes de trânsito – todas apresentam fatores de riscos psicossociais importantes. Por que tais aspectos não vêm sendo considerados? Devemos nos lembrar que os textos mais antigos, conhecidos por historiadores médicos, postulavam notórias influências psicossociais na saúde.[10,11]

Os novos modelos de educação médica têm recomendado, com insistência, que as escolas de medicina preparem melhor seus alunos para que reconheçam e abordem as necessidades psicossociais dos pacientes. No entanto, ao se examinar o conteúdo programático desses cursos e mesmo livros-textos produzidos pelos departamentos e disciplinas de emergência, não se encontram abordagens psicossociais para orientação e manejo dos pacientes. Acredita-se que tal fato se dê exatamente por ainda ser uma atividade nova no Brasil, e toda a atividade nova demanda a necessidade de formação de docentes e pesquisadores na área, os quais serão, no futuro, os reprodutores de pessoal capaz de ministrar aos acadêmicos de medicina, residentes e profissionais em cursos de educação médico continuada, os ensinamentos da área.

▶ Relação médico-paciente em unidades de emergência

O atendimento em urgências/emergências envolve a imprevisibilidade e provoca reações no paciente e na equipe multiprofissional muito variada. Ansiedade, medo, ressentimentos, perda da autonomia e autodomínio, sentimentos de estranheza em relação ao próprio corpo e ao ambiente, prejuízo na autoestima são sentimentos que se encontram quase sempre presentes nos pacientes.[12]

O médico contemporâneo tem múltiplas responsabilidades, incluindo uma compreensão biomédica associada à integração da abordagem psicossocial ao tratamento abrangente de qualquer paciente e de seus problemas. É responsabilidade do médico discutir os componentes da doença de um paciente, seja orgânica ou psicológica, ou relacionada com seu ambiente social. Mesmo em um ambiente muito atarefado, o médico pode vincular o lado biomédico ao lado psicossocial de uma maneira significativa, tanto para ele como para o paciente. Isso pode ser administrado com o médico fazendo perguntas apropriadas, focalizadas, que se prestam a uma resposta breve, mas razoavelmente ampla, o que pode fazer com que a abordagem seja efetiva e eficiente. Tal procedimento não interferirá na capacidade do médico de atender a grande número de pacientes em um determinado plantão.

No atendimento ao paciente psiquiátrico, os fatores psicossociais assumem uma importância significativa. Tomando como exemplo as ideações e tentativas de suicídio, segundo estimativa da OMS, em 2020 haverá no cenário internacional um número 10 a 20 vezes maior de tentativas de suicídio. Isso representa uma tentativa de suicídio a cada dois segundos.[13] As seguintes doenças estão associadas ao suicídio: depressão, abuso de álcool e substâncias psicoativas, problemas crônicos de saúde e transtornos mentais graves. Os importantes fatores psicossociais que podem tornar uma pessoa infeliz e suicida incluem os seguintes: relacionamentos infelizes, particularmente um casamento problemático; pobreza e dificuldades econômicas, particularmente quando ocorrem repentinamente, como, por exemplo, a perda do emprego; perder um ente querido, como, por exemplo a morte de um cônjuge; não ter amigos com quem compartilhar os problemas e os sentimentos. Esses fatores devem ser avaliados diante dessa urgência/emergência.

É importante que o paciente, quando consciente, possa sentir confiança no médico, ao ser atendido. Como recomendação, não se deve permitir que o paciente se sinta sozinho, e sempre que possível deve-se explicar a ele o que se pretende fazer.

As crises familiares oferecem diferentes desafios: um adolescente pode ter ingerido uma excessiva dose de comprimidos para sinalizar que sua problemática familiar precisa de ajuda; uma vítima de estupro pode ser culpada pela família por ter incitado, de algum modo, o ataque, e, portanto, todos os membros da família precisam de atenção, cuidados e orientação. Essa compreensão só é possível se o estudante de medicina e/ou o médico tiverem sido treinados com amplos conhecimentos de psicologia médica.

As doenças cardiovasculares, e em particular as doenças coronarianas, são hoje a principal causa de mortalidade nos países industrializados. A importância desse problema aumentou ainda mais recentemente pela incidência cada vez mais elevada de infarto nos indivíduos jovens, relacionada com o uso de cocaína. Fatores de risco como hipertensão, tabagismo, obesidade, depressão, sedentarismo, fatores genéticos, entre outros, seguramente intervêm nas doenças coronarianas. Alguns fatores psicossociais parecem contribuir para o risco coronariano. Como exemplos podem ser citadas mudanças frequentes de residência ou de profissão, nível sociocultural e escolar pouco elevados relativamente à posição profissional atual; discordância acentuada entre o indivíduo e a família (cônjuge, parentes) sobre educação, situação econômica, religião; grupo étnico; migração de um indivíduo ou de uma comunidade para outra sociedade. Estudos epidemiológicos não têm se mostrados conclusivos quanto ao comportamento da chamada personalidade tipo A ser um fator de risco coronariano, porém o componente comportamental hostilidade parece sê-lo.

▶ Violência × urgências e emergências

É crescente a incidência de casos clínicos e cirúrgicos que necessitam de cuidados imediatos, por constituírem urgência ou emergência. No Brasil, isso também acontece. O Ministério da Saúde, preocupado com "A Epidemia da Violência", que também representa um desfalque no orçamento público da saúde, vem tentando aperfeiçoar o atendimento médico na área de urgências e emergências, por meio de ações sucessivas.[14-17] A portaria GMMS nº 2048, de 5 de novembro de 2002, regulamentou o atendimento nas urgências e emergências. A violência, seja no trânsito seja interpessoal, passou a ser considerada problema de saúde, e por isso, como qualquer problema nessa área, precisa ser diagnosticada precocemente e tratada de maneira adequada. Levantamento inédito do Ministério da Saúde mostra que 20% dos pacientes atendidos em 84 serviços de 37 cidades brasileiras são vítimas de acidentes ou agressões.

▶ Considerações legais na psiquiatria de emergência

Grande número de questões legais desafia os psiquiatras que trabalham em unidades de emergência, pois a sala de atendimento, nesse caso, constitui a fronteira entre a sociedade e o hospital, entre a saúde e a doença, entre a competência e a incompetência, entre o atendimento e a falta de atendimento. O psiquiatra de emergência deve decidir sobre as seguintes questões, entre outras:[18,19]

- Se um paciente deve ou não ser hospitalizado e, se for o caso, voluntariamente ou por meio de decisão judicial (compulsória)

- Se um paciente tem ou não direito ao tratamento, bem como o direito de recusá-lo
- Se a sociedade será exposta a perigo, com a liberação do paciente
- Se um paciente perdeu a medicação prescrita e está tentando manipular informações com o objetivo de alimentar uma dependência
- Se a confidencialidade deve ser violada, no caso de o paciente ameaçar a vida de alguém
- Se deve ou não ser chamada uma pessoa próxima do paciente para fornecer informações, quando ele estiver inconsciente
- Se a porta da sala de consulta/exame deve ser deixada aberta por motivos de segurança da equipe, mesmo que isto signifique ameaça à privacidade do paciente
- Qual ambiente é menos restritivo para um paciente que age de maneira bizarra, ainda que o tratamento requeira acomodações especiais, para sua própria segurança (cela, hospital público, clínica de desintoxicação).

▶ Conclusão

A medicina de emergência tem muito a oferecer, desde serviços ambulatoriais de alta qualidade e alta capacidade até o atendimento pré-hospitalar e hospitalar integrados, o que reduz as hospitalizações.

Os pacientes nos procuram ou são conduzidos até nós não só pelo que acreditamos ser importante no sentido técnico-científico, mas principalmente por questões de caráter subjetivo, que muitas vezes são tratadas sob as grosseiras e jocosas denominações de "piti" ou "DNV" (distúrbio neurovegetativo). Portanto, não são eles que nos escolheram. Nós é que escolhemos cuidar deles. Poderíamos ter escolhido outra profissão, mas não o fizemos. Aceitamos a responsabilidade de atender pessoas nas situações mais complexas, sob desgaste físico e emocional. Ou aceitamos essa responsabilidade ou desistimos. Devemos proporcionar aos nossos pacientes o melhor atendimento possível, e nos lembrar, sempre que possível, de nos colocar no lugar deles. Se não nos atualizarmos e não aprendermos todos os dias, não poderemos acompanhar o conhecimento médico e nem estar capacitados para prestar o trabalho a que nos propomos. Isso é um imperativo ético.

Ao médico de emergência diferenciado cabe não só o exercício técnico, mas sobretudo a percepção de que, por trás do trauma, da dor, dos sintomas muitas vezes inespecíficos, existe um ser humano sensível que com frequência nos procura até por falta de conhecimento. A implantação da disciplina de emergências médicas na grade curricular dos cursos de medicina nas faculdades brasileiras, contemplando no seu conteúdo programático aspectos humanísticos da medicina nessa modalidade de atendimento, poderia em muito contribuir no aprimoramento da relação médico-paciente e no atendimento ao paciente.

Quadro interativo

ER Plantão Médico: trata-se de uma série dramática criada por Michael Chictan, produzida pela divisão de TV da Warner Bros e pela Amblin Television, de Steven Spielberg, que aborda a vida e a morte em uma sala de emergência do Hospital County General de Chicago, e também mostra o frequente ambiente estressor e o impacto que causa na equipe médica que nela trabalha.

Saúde mental do médico e do estudante de medicina. Guimarães KBS (org.). São Paulo: Casa do Psicólogo, 2007. O livro aborda com muita propriedade a difícil tarefa de se tornar médico e os cuidados recomendados para que a profissão venha a ser desenvolvida com menos percalços.

A face humana da medicina. De Marco MA (org.). São Paulo: Casa do Psicólogo, 2003. Essa obra adverte para a desvalorização do fator humana na prática médica. Aborda ainda aspectos do ensino, relações com familiares, a ética nos hospitais, a morte e o morrer.

Brasil. Conselho Federal de Medicina. Código de Ética Médica: Resolução CFM nº 1931/2006. Uma das principais ferramentas do médico, elaborada para o aprimoramento do exercício da medicina, em benefício da sociedade.

▶ Referências bibliográficas

1. Emergency medicine. Wikipedia. http://en.wikipedia.org/wiki/Emergency_medicine
2. Brasil. Conselho Federal de Medicina, Resolução nº 1451 de 1995.
3. Rego S. *A formação ética dos médicos: saindo da adolescência com a vida (dos outros) nas mãos*. Rio de Janeiro: Editora Fiocruz, 2003.
4. Brasil. CREMESP. Prontos-Socorros. *Jornal do CREMESP* 2008;254:6-7.
5. Brasil. Ministério da Saúde. Secretaria de Atenção à Saúde. Política Nacional de Humanização. Acolhimento com classificação de risco na emergência do Hospital Nossa Senhora da Conceição. Grupo Hospitalar Conceição Porto Alegre, 2006.

6. França GV. Itinerário ético para um emergencista. Palestra proferida no II Curso de Emergências Médicas da Sociedade Cearense de Urgência. http://advocaciagodoy.vilabol.uol.br/itinerario.html
7. D'Andrea FF. Aplicações da psicologia médica. *Rev Ass Med Brasil* 19(11):491-2.
8. De Rossi L, Gavião ACD, Lucia MCS, Awada SB. Psicologia e emergências: uma aproximação possível. *Psic Hosp (São Paulo)* 2004;v.2.
9. Cenço B. Escolas Médicas. *Revista da APM* 2010;612:28-30.
10. Caudill W. The cultural and interpersonal context of everyday health and illness in Japan and America. In: Leslie C (Ed.). Asian Medical Systems: A Comparative Study. Berkeley: University of California Press, 1976, p. 161.
11. Gould GP (ed.). *Hippocrates*. Vol. 1. Cambridge, MA: Fletcher and Sons, 1972, p. 289.
12. Coppe AAF, Miranda EMF. O psicólogo diante da urgência no pronto-socorro. *In*: Angerami-Camon A (org.). *Urgências psicológicas no hospital*. São Paulo: Pioneira, 61-80.
13. Wang YP, Mello-Santos C, Bertolote JM. Epidemiologia do suicídio. *In*: Meleiro AMAS. *Suicídio: estudos fundamentais*. São Paulo: Segmento farma, 2004.
14. Brasil. Portaria GM/Ms nº 479, de 15 de abril de 1999.
15. Brasil. Portaria GM/MS nº 814, de 01 de junho de 2001.
16. Diretrizes Gerais do Sistema Único de Saúde e a Norma Operacional da Assistência à Saúde – NOAS-SUS 01/2002.
17. O Estado de São Paulo, 15 de junho de 2008, p. A27-28.
18. Barton GM. Emergency psychiatry. *In*: Mogul KM, Dickstein LJ (eds.). *Carrer planning for psychiatrists*. Washington, DC: American Psychiatric Press, 1995: 66-75.
19. Chiles JA, Strosahl KD. The suicidal patient: principles of assessment, treatment, and casa management. Washington, DC: American Psychiatric Press, 1989.

35 No Centro de Terapia Intensiva

José Henrique Figueiredo

► Introdução

O centro de terapia intensiva (CTI), também chamado de unidade de terapia intensiva (UTI) é um dos setores do hospital frequentado mais tardiamente pelo estudante de medicina, porque requer conhecimentos amplos e profundos de medicina interna. Diferencia-se das enfermarias pela sua alta complexidade, pois ali são tratados pacientes graves, com ameaça potencial às suas vidas, pacientes com pós-operatório de risco que requerem o uso de tecnologia avançada de cuidados, monitoramento e observação intensiva e tratamentos que não podem ser oferecidos com segurança em outro setor do hospital. Seu acesso é restrito devido às características dos pacientes ali internados e dos cuidados oferecidos.

A equipe é multidisciplinar, composta por médicos intensivistas, enfermeiros intensivistas, técnicos de enfermagem, fisioterapeutas, nutrólogos, nutricionistas, assistentes sociais, médicos psiquiatras, psicólogos e fonoaudiólogos, e recebe treinamento específico e diferenciado voltado para o trabalho com pacientes críticos.

Apesar de todas essas implicações o CTI tem despertado, nos últimos anos, o interesse dos estudantes de medicina.

Convém destacar que a história do CTI se origina nas salas de recuperação pós-anestésica onde os pacientes ali admitidos eram submetidos a procedimentos cirúrgicos e requeriam controle das funções vitais. A enfermeira Florence Nightingale foi quem o idealizou como uma Unidade de Monitoramento de paciente grave e, com outras voluntárias por ela treinadas, reduziu a taxa de mortalidade dos combatentes da guerra da Crimeia, na segunda metade do século 19.

A partir dos anos 1930, os CTI exerceram um importante papel nos cuidados médicos por terem transformado o prognóstico e reduzido a taxa de óbito em até 70%, sendo utilizado por todas as especialidades clínicas e cirúrgicas.

Atualmente, existem CTI especializados como, por exemplo, neonatal, coronariano, pós-operatório e neurológico.

► Impressões do estudante de medicina sobre o CTI

A primeira experiência do estudante de medicina com pacientes se dá nas unidades de cuidados primários de saúde. Quando inicia o ciclo clínico da sua formação acadêmica nas enfermarias, passa a cuidar de pacientes que tem características clínicas distintas, acompanhando-os no dia a dia, o que requer outra rotina de atenção, outra dinâmica de ensino-aprendizagem, e de aquisição de novos conhecimentos.

No CTI o estudante se depara com um ambiente diferente tanto das unidades de cuidados primários de saúde como das enfermarias. Sua especificidade e complexidade causam impressões impactantes constatadas nas falas de dois estudantes acerca do primeiro estágio em CTI:

> "O CTI é um ambiente muito triste, muito tenso, onde as pessoas encontram-se em estado crítico, conectadas a aparelhos, e muitas delas dependendo deles para viver. A atmosfera do CTI é pesada, é um lugar frio, onde o paciente, na maioria das vezes, não interage com o examinador, onde só se houve o apito dos respiradores..."
> "Incomoda, assusta e causa insegurança a primeira entrada no ambiente de terapia intensiva".

Pode-se perceber nos relatos dos estudantes o sentimento de que estão sós e, a todo o momento, são postos à prova em seus conhecimentos e habilidades para lidar com as graves situações encontradas em um CTI, assim como a incerteza de que algum dia alcançarão um nível de conhecimento e domínio de todas as técnicas e procedimentos exigidos do profissional que faz opção em integrar as equipes de CTI.

Esta postura entre os estudantes de medicina se origina nos sentimentos de desconhecimento, incompetência, próprios daqueles que ainda não adquiriram a habilidade e experiência necessária, processo que se inicia desde o momento em que se viram pela primeira vez, face a face com um paciente.

De fato, o CTI ainda é visto como um ambiente onde a intensidade do tratamento, o uso de fios, cateteres, tubos e ventiladores microprocessados atestam a alta tecnologia nos cuidados prestados e contribuem, significativamente para que esse ambiente cause a impressão demonstrada pelos estudantes.

A suposta insensibilidade, muitas vezes expressada pelos profissionais, pode ser uma maneira reativa para suportar o trabalho cotidiano nesse setor hospitalar e um recurso para adaptação.

Conforme Querques e Stern,[1] a taxa de mortalidade em CTI é alta em razão das graves condições clínicas dos pacientes. Por exemplo, acidente vascular encefálico, infarto agudo do miocárdio, arritmias, doenças pulmonares graves, sepse, trauma, falência de órgãos, grandes queimados etc.

A complexidade da atenção dispensada a um paciente internado em CTI conduzirá o estudante a aprendizagem prática que comporta o desenvolvimento de competências profissionais – como o aprendizado da comunicação, o uso dos seus conhecimentos teóricos, as habilidades técnicas, o raciocínio clínico –, a conhecer as suas emoções e reconhecer as emoções dos pacientes e os seus valores, e a refletir sobre a sua prática diária.[2]

Nos últimos anos, outros aspectos vêm contribuindo para mudanças nesse ambiente. Essas mudanças estão relacionadas com a evolução conceitual do processo saúde-doença que implica a interlocução de novos saberes para sua compreensão e abordagem. Desse modo, hoje observa-se os CTI com equipes compostas por outros profissionais da área da saúde, portanto, com conhecimentos e habilidades diferenciadas, além de outros médicos especialistas consultores, desenvolvendo um trabalho multidisciplinar.

Essas equipes trabalham em função dos mesmos pacientes e, sistematicamente, se comunicam para coordenar os cuidados.[3] A atividade-chave das equipes é a colaboração, o compartilhamento de responsabilidades, de solução de problemas e de tomada de decisões em relação aos cuidados com os pacientes.

Assim sendo, o trabalho realizado por essa equipe de saúde desloca a dependência do paciente da competência de um profissional individualmente para, sobretudo, a competência de vários profissionais coletivamente. Com esse foco, pesquisadores canadenses[4] pretenderam estudar as percepções dos profissionais de saúde de um CTI considerando o estresse e o seu desempenho durante situações emergenciais com pacientes internados. As respostas encontradas como estressores foram: sobrecarga de trabalho, alto risco, e intensa responsabilidade. Sendo o CTI um lugar em que a equipe permanece em constante alerta em meio às múltiplas solicitações para solucionar a emergência, o estudo mostrou que a equipe percebe tais situações como mais desafiadoras (quando os recursos da equipe são julgados superiores às demandas da situação) do que ameaçadoras (situação inversa às desafiadoras). Ou seja, os profissionais encontram recursos no trabalho dos colegas, na assistência em horas de crise, na capacidade para a realização de suas tarefas e na confiança mútua para o êxito na solução das emergências médicas em um ambiente em que os membros da equipe multiprofissional dependem fortemente um do outro.

Não obstante, convém lembrar que, mesmo as condutas e tomadas de decisão sendo discutidas em equipe, ainda é ao médico que cabe a responsabilidade profissional pelo tratamento dos pacientes e é a ele que as famílias se dirigem para se informar sobre a saúde dos seus parentes, principalmente nas situações que envolvem a questão da ameaça de morte.

▶ CTI e tecnologia

O CTI como setor destinado a pacientes graves, com risco de morte, em pós-operatório, que, muitas vezes, necessitam serem sedados ou postos em coma induzido e, portanto, nem sempre participam, ou têm consciência do tratamento que lhe está sendo oferecido, utiliza equipamentos tecnológicos de ponta, tanto para procedimentos diagnósticos quanto terapêuticos. Equipamentos que podem interferir na relação equipe de saúde-paciente.

A tecnologia, se por um lado tem contribuído para os avanços na medicina, por outro, de certo modo, restringe o contato humano entre equipe de saúde e paciente. A tomada de sinais vitais, por exemplo, sempre foi uma maneira de estreitamento do relacionamento com o paciente. Contudo, o monitoramento faz com que a pressão arterial seja medida automaticamente mediante programação, a frequência e o ritmo cardíaco sejam observados no monitor, a saturação do oxigênio (O_2) inspirado é captado pelo oxímetro e visualizado no monitor, e assim sucessivamente.

A propósito do tema – relacionamento propriamente dito com o paciente no CTI –, uma estudante de medicina afirmou:

"Percebe-se um papel ativo do médico e passivo do paciente, que, mesmo quando acordado e consciente, é totalmente dependente dos profissionais de saúde. Convém ter paciência, carinho e cuidado com ele..."

Se considerarmos que o clima no CTI é bem mais tenso do que em outros setores do hospital, que o paciente fica isolado, que sente a sua vida ameaçada pelo seu estado de saúde, que tem mais restrições para o contato interpessoal se ele tiver condições de interagir, convém que a equipe de saúde leve em conta tais fatores e se aproxime mais vezes do paciente, estimulando-o a conversar, indo mais além do seu próprio padecimento físico. São situações em que os pacientes necessitam de aproximação, de conversa, de atenção e de informações sobre o seu estado de saúde, compatível com o depoimento da estudante. Dessa forma, ficarão mais aliviados e confortados ao perceberem que estão sendo observados e tratados. Além dos cuidados médicos esperados, eles querem ser vistos como pessoas que estão momentaneamente sofrendo a dor física e a dor emocional do adoecimento e necessitando da certeza de que não estão sendo negligenciados. O diálogo é sempre bem recebido, porque é reconfortante e reassegurador. Assim, não só os médicos ou enfermeiros devem exercer esse papel, mas todos os profissionais, inclusive estudantes, que cuidam do paciente. A sua visita ao leito não deve se restringir a conferir as informações dos equipamentos temporariamente conectados aos pacientes. Especialmente o médico, deve estar atento para as demandas dos pacientes nem sempre expressas em palavras, mas inscritas em olhares, fisionomias, inquietações e necessidades.

Wikström et al.,[5] em uma pesquisa qualitativa, com perguntas abertas e semiestruturadas, em que entrevistaram médicos e enfermeiros, buscaram entender como diferentes profissionais de saúde de um mesmo CTI percebiam e qual o sentido que davam à tecnologia em sua prática diária. Foi constatado, inicialmente, que não há consenso sobre os benefícios da tecnologia usada em medicina intensiva. No entanto, cada tema suscitou subtemas discutidos pelas autoras: a "tecnologia é decisiva" porque dirige e controla o tratamento médico e conduz ao bem-estar dos pacientes; a "tecnologia é facilitadora" porque torna o tratamento mais seguro e diminui a sobrecarga de trabalho; e a "tecnologia complica". Neste último subtema é mencionado que ela não é completamente confiável, nem é fácil de lidar, o que reflete a necessidade de avaliar as vantagens da tecnologia, assim como a cautela em sua utilização.

A atenção e manejo dos equipamentos e o olhar voltado para o monitor são inexoráveis, contudo devem ocorrer como uma maneira indireta de relacionamento com os pacientes, de modo que eles não se sintam ignorados. Mesmo quando sedados, que sejam comunicados sobre o que está sendo feito.

Por exemplo, uma técnica de enfermagem, ao dar banho ou executar algum procedimento com os pacientes em um CTI de um hospital universitário, "conversava" com o paciente quer ele estivesse consciente e vigil ou não. A profundidade da sedação pode alterar a capacidade de percepção dos fenômenos, mas não é garantia de ausência.

Em uma pesquisa realizada com enfermeiras de um CTI em São Paulo,[6] foi abordada a ausência de expressão dos pacientes para justificar a falta de resposta à comunicação. As autoras esclarecem que expressão não pode ser confundida com percepção, uma vez que a resposta cerebral está sob interferência de drogas sedativas. Portanto, perceber e conseguir expressar sua percepção não tem relação direta em pacientes internados em CTI.

Outra pesquisa[7] explorou a memória e percepção de pacientes que estiveram internados em um CTI de Melbourne, Austrália, e os efeitos que aquelas experiências tinham a longo prazo em suas recuperações. Quantitativamente, 34% não tinham nenhuma lembrança de estarem em CTI e isso deveu-se à sedação e à natureza da doença. Entretanto, 42% tinham alguma lembrança e 24% declararam que tinham clara lembrança de estarem no CTI.

A evolução tecnológica, os novos dispositivos usados na medicina intensiva e a descoberta de novos fármacos foram fatores que contribuíram para o aperfeiçoamento dos cuidados e redução na taxa de mortalidade. Entretanto, paradoxalmente, essa evolução não impediu que o CTI continuasse a produzir importantes impactos e sentimentos ambivalentes ao jovem estudante de medicina, tanto do ponto de vista emocional quanto do ponto de vista da sua formação.

Como exemplo, citamos o seguinte caso clínico:

> Sr. H tinha pouco mais de 50 anos, casado, com filhos, vendedor ambulante, nordestino, simpático, conversava espontânea e naturalmente sobre si e sobre a sua doença. Tinha miocardiopatia chagásica e possuía um cardiodesfibrilador implantado (CDI). Estava em uma fase avançada de doença, que provocava inúmeros episódios de arritmia cardíaca, levando ao acionamento do CDI. O seu estado de saúde impunha internações frequentes em Unidade Coronariana, fazendo-o passar mais tempo hospitalizado do que em casa. O prognóstico era reservado porque ele dependia, à época, de transplante cardíaco e a sua vida, de certo modo, estava sendo mantida pelo CDI, que era acionado frequentemente devido aos episódios de arritmia e, com isso, ele sofria muitos choques. O risco de esgotar a carga da bateria daquele dispositivo e torná-lo inoperante era uma ameaça permanente de morte súbita em casa. A situação era estressante para ele, para a sua família e para a equipe que o acompanhava.

Essa experiência o fez construir a seguinte frase que foi marcante para os que o tratavam:

> "O sofrimento é grande, doutor... Eu não sei pra quem é maior, se pra mim ou pra minha família... Talvez acabar fosse melhor...".

O estado clínico desse paciente foi discutido em sessão clínica e suscitou reflexão sobre os aspectos éticos da tecnologia que prolonga a vida sem a necessária qualidade do viver.

À época, um estudante de medicina que acompanhava esse paciente conosco afirmou:

> "Falta-nos muito preparo psicológico para administrar essas questões; esse paciente quer viver? Está cansado ou não da sua situação? O que é que eu posso fazer por ele, o que posso dizer a ele?"

Situações clínicas de pacientes assim põem em "xeque" as competências e habilidades do médico e, face ao relato desse estudante, pode se tornar uma fonte de aprendizado.

A angústia expressada denota o desconhecimento das próprias emoções que conduzem à administração das fronteiras afetivas do relacionamento médico/estudante-paciente e não meramente o despreparo ou a inexperiência. O distanciamento ainda existente das habilidades de comunicação em situações difíceis com o paciente ou com a sua família e o embate interior que o defronta com a impotência revelam as suscetibilidades e as fraquezas humanas do médico ou do estudante de medicina.

Com esse exemplo, fica claro a importância de compreender as reações dos pacientes, distinguindo as suas características e diferenças, que muitas vezes não significam expressão de doenças afetivas, mas um rearranjo para lidar com uma nova norma de vida, uma nova vida caracterizada por novos mecanismos para obtenção de resultados e que é imposta pela doença.[8]

> "O que é que eu posso fazer por ele, o que posso dizer a ele?"

Percebe-se que o jovem estudante de medicina confronta-se com limites que lhe parecem intransponíveis e que nos remete ao mito de Asclépio, semideus grego, filho da ninfa Corônis com o deus Apolo, que tinha o poder de curar, mas que foi fulminado por Zeus após Plutão queixar-se dele por não estar permitindo que houvesse mortos para o seu reino.

Sobre essa experiência vale dizer que o conhecimento teórico se constitui em como saber o que é necessário para o paciente, e o conhecimento prático em como saber o que é contingente a cada momento.

"Não pesquisamos para saber o que é a virtude, mas para sermos bons".[9]

▶ CTI e humanismo

O uso da tecnologia fez emergir aspectos conflitantes. De um lado, o prolongamento da vida dos pacientes e de outro, um distanciamento de aspectos que caracterizam as relações humanas, como, por exemplo, o contato direto com o paciente, sem a intermediação de equipamentos.

Paradoxalmente, esse progresso tecnológico contribuiu para a reflexão sobre a humanização na prática médica, onde foi instituído um novo conceito que privilegiou o inter-relacionamento entre equipe de saúde, paciente e ambiente hospitalar. O CTI foi um dos focos dessa discussão.

Medidas simples, como a possibilidade de visualizar o dia e a noite, a permissão para portar objetos de uso pessoal, como óculos para leitura, quando fosse o caso, relógio visível para a orientação cronológica, ambiente mais silencioso, visitas frequentes dos familiares, entre outras, foram adotadas de imediato nos CTI.

Alguns trabalhos e programas específicos têm sido desenvolvidos para aprimorar esses aspectos. Em dois hospitais no Rio de Janeiro,[10] por exemplo, na tentativa de construir um perfil com base na percepção do *staff* sobre o ambiente do CTI e melhorar o programa de re-humanização, foram apontados como fatores que mereciam atenção: o barulho (67,3%), os familiares perturbando o trabalho da enfermagem (82,6%), o medo (57,7%), a ansiedade (53,9%) e a solidão (55,8%) sentidos pelos pacientes. Um estudo realizado por um grupo de psicólogos em São Paulo[11] também apresentou suas contribuições para um programa de humanização no CTI. Utilizando-se de uma análise qualitativa da assistência psicológica baseada na rotina, o modelo psicológico foi dividido em quatro aspectos: (1) saúde psicológica aplicada ao ambiente clínico, focalizado principalmente nos pacientes e na assistência clínica psicológica dada a eles; (2) consultoria e ligação, focalizada na situação em que a equipe de cuidados de saúde demanda ajuda psicológica; (3) assistência humanizada, cujo objetivo foi ajudar na identificação das dificuldades enfrentadas pelos pacientes e seus familiares em adaptar-se durante a permanência no CTI; e (4) assistência educacional, focalizada na equipe de saúde, que tinha o objetivo de ajudá-los no relacionamento com os pacientes e identificar aspectos disfuncionais do profissional.

O CTI é um lugar de cuidados médicos onde os atores (profissionais da saúde, pacientes e famílias) precisam estabelecer um padrão de comunicação em que todos compreendam objetivamente o que está sendo dito. Ou seja, a clareza das falas deve sobrepor-se aos significados subjetivos nelas inseridos. Não há como tergiversar o processo do morrer, ou os cuidados de fim de vida. As habilidades de comunicação precisam ser eficazes para que se produza alta qualidade de cuidados para os pacientes e suas famílias. Um estudo[12] já relatou que a maioria das famílias considera as habilidades de comunicação dos clínicos tão ou mais importantes do que as suas habilidades clínicas.

A atmosfera do CTI, por si, ganha ares de estranhamento para o estudante que ainda não está familiarizado com o ambiente, nem com o tipo de paciente. Por ainda carecer de conhecimentos científicos relacionados com cuidados intensivos, ser muito jovem e inexperiente e estar psicologicamente suscetível e sujeito a confundir as fronteiras de suas vivências emocionais com as do paciente e família, o estudante de medicina chega ao CTI com expectativas, desejos, medos, fantasias e idealizações.

É um lugar onde também se expõe com maior transparência a onipotência e a impotência do médico face ao doente grave.

A avaliação crítica de outra estudante expressa perfeitamente o que representa estar diariamente diante do saber e do não saber, do poder e do não poder, do êxito e da sensação de fracasso quando lidamos com doentes em estado crítico:

> "Essa questão da frustração e tomada de consciência que não somos imbatíveis é um pouco desconfortável e conflitante."

Equivale à tomada de consciência da própria finitude, última análise para a internalização das limitações humanas, pois a tênue e virtual linha que separa o estado de normalidade do estado de doença é uma realidade incontestável.

Humanizar revela a atitude do profissional com o paciente, naquele momento e naquela circunstância, guiada pelo seu olhar sensível que enxerga para além do indivíduo frágil sob os seus cuidados, que aguça os seus ouvidos para escutar até os "ruídos" não confessados e assim, alcançar a si próprio, humano, vulnerável, frágil e idêntico.

▶ O estudante de medicina e a morte

"Uma das principais questões que envolvem o estágio no CTI é a morte. Inicialmente pode parecer um pouco impactante, pois está muito próxima. No entanto, com o tempo ela passou a se tornar algo mais natural, parte do ciclo da vida, principalmente quando se trata de pacientes mais idosos, o que é a maioria. Aqueles mais jovens, cuja idade se aproxima com a sua, a questão ainda te rodeia, pois inconscientemente, faz-se um paralelo entre você e o paciente."

O tema "morte" foi recorrente entre os estudantes que contribuíram para a elaboração desse capítulo com relatos de suas experiências de estágio em CTI.

Sabe-se que cerca da metade dos pacientes que morrem no hospital foram assistidos pelo menos 3 dias em um CTI e um terço daqueles passaram ao menos 10 dias ali internados.[12]

Remontando aos primórdios do curso médico, o laboratório de anatomia e a dissecação do cadáver, mais que uma disciplina, têm o sentido simbólico da iniciação do estudante de medicina, porque é pleno de significado emocional e o integra à dialética da vida e da morte.[13]

O jovem estudante até então não se deparou com a morte no seu dia a dia e passa a fazê-lo no CTI, de tal modo que sente o impacto reverberar no seu sono e nos seus sonhos.

Muitos estudantes vivem o pesadelo das frequentes perdas no CTI como um desestímulo inicial, pois alguns a trazem para si como se fosse um dos seus parentes. Outros abstraem mais rapidamente. Tal experiência pode ser considerada como uma fonte de angústia diante do sofrimento do paciente já com longo tempo de internação, cujo prognóstico aponta mais para a morte do que para a recuperação, e também diante do sofrimento da família que mantém as esperanças. Afinal, a cultura e a missão do CTI são orientadas para salvar vidas, no entanto, na percepção popular o CTI é visto com apreensão pelos familiares e amigos de pacientes que ali se internam.

A morte ainda não se apresenta para um jovem como "*a única certeza absoluta no domínio da vida*", muito menos é encarada como uma inscrição no destino dos homens, porque ele ainda não pensa a realidade de cada morte individual.[14] Entretanto, como afirma a estudante:

"Com o tempo ela (referindo-se à morte) passou a se tornar algo mais natural, parte do ciclo da vida, principalmente quando se trata de pacientes mais idosos, o que é a maioria."

Essa é uma maneira de pensar a morte, como uma via facilitadora para a elaboração desse fenômeno que está presente no dia a dia do intensivista. É uma maneira consequente de lidar com essa experiência e que contribui, sobremaneira, para não banalizar a morte e não perder de vista a realidade da profissão médica.

O relato demonstra uma aceitação melhor da morte em pacientes idosos, por fazer parte do ciclo da vida, na ordem natural da vida, independentemente da sua causa, o que é reforçado pelo pensamento da sociedade de maneira geral.

Nessa lógica, a morte da criança ou do jovem como resultado de causas súbitas, inesperadas, ganha uma dimensão superestimada pela jovem estudante, uma vez que o evento lhe fica muito próximo e, consciente ou inconscientemente, "*faz-se um paralelo entre você e o paciente*" (relato da estudante). A morte de outro tão jovem evoca a própria morte e remete à precariedade do viver, forçando a pensar em seus limites.[14]

Esse tema irremediavelmente coloca o estudante de medicina diante do cuidar do fim da vida. Muitas vezes, irão lidar com pacientes fora de possibilidades terapêuticas em que a sofisticada tecnologia nos CTI, por vezes, é usada a serviço do prolongamento do processo de morrer.

▶ Processo de morrer e cuidados de fim de vida

Este tema, pode se tornar, algumas vezes, muito difícil para ser compreendido pelo jovem aprendiz de medicina. Vejamos o exemplo que um dos estudantes nos relatou:

"Paciente de 60 anos com diversas comorbidades, mas que apesar de tudo vivia sorrindo [...] Ela havia sido passista de escola de samba [...] mas teve de parar por causa dos problemas de saúde. Chegou ao ambulatório com muitas dores nas pernas, claudicação intermitente e falta de ar, consequência da descompensação de sua ICC. Foi internada na unidade coronária [...] conversei um pouco com ela, estava melhor e fui conversar com o plantonista daquela tarde. Foi uma discussão meio chata, pois a impressão clínica dele era de que a paciente era terminal e devia ir morrer em casa. Não havia nada a fazer por ela no hospital a não ser dar remédio para a dor [...] Eu concordava com ele, mas a questão era como mandar uma mulher, que passou a vida inteira sambando e se divertindo, para casa, ficar deitada na cama, sem poder dar um passo, esperando a morte chegar? Bem, ela faleceu 2 dias após, de morte súbita, dormindo, longe da família".

O exemplo relatado mostra dois aspectos que acompanham o cotidiano de um médico: o emocional e o racional, que estão intrinsecamente relacionados. O médico, como profissional humanista, alia na prática os dois aspectos para melhor atender os interesses do paciente, e suas decisões são sempre afetadas pelas circunstâncias nas quais está envolvido.[15]

No caso anteriormente relatado, a racionalidade clínica conduziu o médico plantonista a concluir que nada poderia ser feito no hospital além dos cuidados de alívio da dor. Implicitamente, ele sabia da importância do conforto afetivo familiar em horas finais, e que só seria possível se a paciente fosse para casa, onde também poderia ter a dor aliviada. Tais decisões são assim tomadas por causa da capacidade empática tão necessária na prática médica.

Até alguns anos, muitas pessoas, inclusive no Brasil, prefeririam morrer em casa próximo às famílias. Os costumes foram sendo modificados pelo crescimento das cidades, pela oferta de serviços de saúde, pela suposição de que a internação hospitalar produz resultados e aumenta a sobrevida e pelo desenvolvimento científico e tecnológico da medicina, entre outros.

Os sistemas de saúde de alguns países são organizados de modo a prestar assistência aos pacientes inclusive em fim de vida. No Brasil, o programa de saúde da família (PSF) do Ministério da Saúde foi implantado como estratégia de reorientação do modelo assistencial e as equipes atuam com ações de promoção de saúde, prevenção, recuperação, reabilitação de doenças e agravos mais frequentes, e na manutenção da saúde da comunidade. Em tese, o PSF também contemplaria cuidados aos pacientes em fim de vida tendo em vista a proposta de des-hospitalização.

Em outros países,[16] quase 60% de pacientes com doenças não agudas morrem em casa, e há consenso que cuidados de fim de vida devem ser providos em domicílio.

Em outro relato, uma estudante destacou que:

"É muito estranho quando, após tudo tentar e após longa e cuidadosa conversa com familiares, médico assistente e de rotina decidem por não mais investir em um paciente... É difícil para nós estudantes entendermos por que desistiram daquele paciente. Aliás, até conseguirmos compreender o porquê dessa decisão, o difícil é aceitá-la, olhar para o paciente, examiná-lo sabendo que não mais estamos tentando salvá-lo... Que estamos esperando ele morrer".

Como a própria estudante enfatizou em seu relato, é uma decisão difícil sim, e, portanto, não deve ser tomada de maneira unilateral. As razões clínicas, os esforços terapêuticos empreendidos e a expectativa de qualidade de vida, com base no estudo do próprio paciente auxiliado pelas evidências científicas, apoiam aquela decisão. A questão que se coloca é: Que conduta médica, em relação aos familiares, é apropriada, uma vez que o médico sabe que está prolongando a vida do paciente com tratamentos inúteis ou fúteis, pois as possibilidades de melhora ou recuperação são inexistentes?

No manejo de situações dessa magnitude, é necessário: (1) esclarecer ao paciente a sua real situação clínica se ele estiver em condições; (2) caso ele não tenha possibilidades de entender e tomar decisões, contatar os familiares ou seus substitutos formais, e proceder como no item anterior. As implicações desse contato com a família envolvem desde o tipo de abordagem, demorada e cuidadosa porque emocional e decisiva, até a postura equânime da equipe.

Assim, é necessário e pertinente o uso de habilidades de comunicação porque, muitas vezes, os familiares não têm conhecimento do que são cuidados críticos. Tudo precisa ser explicado, demonstrado, e as perguntas e dúvidas que por acaso surgirem precisam ser respondidas e elucidadas, como, por exemplo, que a terapêutica de sustentação de vida não reverte o processo de doença e que sua retirada possibilita que o curso da doença ocorra naturalmente, com consequências fatais. No entanto, deixar claro que serão utilizadas terapêuticas paliativas para garantir o conforto do paciente. Os familiares precisam compreender as razões de tal procedimento e serem subsidiados por informações que lhes possibilitem compartilhar a tomada de decisão de suspender a terapêutica de suporte à vida com segurança.

Por outro lado, a equipe de saúde deve estar preparada para lidar com sentimentos, emoções, valores morais e éticos, atitude religiosa dos familiares, de modo a respeitar e considerar as possíveis argumentações que emergirem.[12] É um momento delicado que requer sensibilidade, compreensão, receptividade e respeito mútuo por parte da equipe de saúde e dos familiares.

Alguns modelos prognósticos[17-19] são utilizados nas tomadas de decisão relacionadas com os cuidados a serem ofertados aos pacientes no CTI, inclusive para a retirada de terapêuticas de suporte de vida. No entanto, os estudos referem que esses modelos preditivos têm efeito limitado e sugerem aos médicos cautela na sua utilização.

Os princípios bioéticos da beneficência, não maleficência e autonomia preencheram um espaço primordial na prática médica, pois possibilitou a mudança de modelo para a tomada de decisão compartilhada. Cuidar de pacientes em estado crítico diariamente e tomar decisões que podem beneficiar os pacientes e dar suporte avançado de vida é um desafio permanente, daí não mais ser possível a adoção única do modelo paternalista. Do mesmo modo, é questionável pelo ponto de vista bioético a prescrição de terapêutica fútil.[20] Definida pela Society of Critical Care Medicine como o tratamento que não cumpre o objetivo pretendido, ou seja, o efeito fisiológico benéfico, há de se concordar que a terapêutica fútil cumpre um papel de justificativa ou negação, limitação ou retirada de suporte de vida em CTI.[21]

Em situação grave de doença cuja oferta de tratamento inclui admissão em CTI somos guiados pelo princípio da beneficência – "*o bem do paciente, o seu bem-estar e os seus interesses, de acordo com os critérios do bem fornecidos pela medicina*".[22]

No entanto, vale arguir se este suporte não será desconfortável, traumático e um prolongador do processo de morrer, ao que convém contrapor o princípio da não maleficência (não causar danos), observado o contexto global do caso.

Como isto não é simples, nos reportamos a um estudo qualitativo realizado no Canadá,[23] em que os pesquisadores, a pretexto de "sugestões de novas estratégias para evitar ou limitar cuidados clinicamente fúteis", incluem a orientação educativa aos sujeitos envolvidos sobre os cuidados intensivos oferecidos (paciente, quando em condições e familiares ou substitutos legais), a discussão prévia acerca de estado de reanimação, guideline para admissão em CTI e a assistência de um clínico especializado em ética. Isto poderia ajudar a eliminar uma das motivações das famílias para solicitar cuidados excessivos ou inapropriados. Ainda assim restariam os preceitos religiosos dos familiares e, também, eventuais discordâncias entre a equipe de tratamento. Ainda sobre esse tema, entrou em vigor, em 13 de abril de 2010, o novo Código de Ética Médica,[24] que assinala no Capítulo I, Princípios Fundamentais, inciso XXII "*nas situações clínicas irreversíveis e terminais, o médico evitará a realização de procedimentos diagnósticos e terapêuticos desnecessários e propiciará aos pacientes sob sua atenção todos os cuidados paliativos apropriados*".

Este princípio deu margem a interpretações sobre a legitimação da ortotanásia. Ortotanásia, de acordo com a origem grega da palavra, significa a morte correta. Isto é, a morte a seu tempo, sem interferência médica nem para antecipá-la nem para adiá-la. Ela é efetivada mediante a limitação do uso de recursos medicamente inadequados porque inúteis.[25]

São mantidos os tratamentos que minimizam a dor e o sofrimento dos pacientes, garantindo-se um fim de vida digno preferentemente rodeado pelos familiares.

Ainda concernente ao novo Código de Ética Médica no Capítulo V, é referida a "Relação com pacientes e familiares", que, no art. 41, veda ao médico "*abreviar a vida do paciente, ainda que a pedido deste ou de seu representante legal*" e em seu parágrafo único expressa que "*nos casos de doença incurável e terminal, deve o médico oferecer todos os cuidados paliativos disponíveis sem empreender ações diagnósticas ou terapêuticas inúteis ou obstinadas, levando sempre em consideração a vontade expressa do paciente ou, na sua impossibilidade, a de seu representante legal*".

As afirmações contidas no novo Código de Ética Médica eliminam as possíveis confusões entre eutanásia e ortotanásia, bem como veda condutas que caracterizam a distanásia, conforme esclarece o parágrafo único do art. 41.

Finalmente, o CTI, como ambiente de ensino-aprendizagem de medicina, contribui, sobretudo, para o amadurecimento profissional de jovens estudantes, uma vez que estimula o raciocínio clínico, conduz a uma reflexão crítica sobre conceitos e preconceitos relacionados com o viver e ao morrer, a valores, à ética instrumental e dialógica, enfim às questões teórico-práticas da medicina no que ela tem de mais diferencial e específico.

▶ Questões para reflexão

1. Como entender o relacionamento entre o médico e a tecnociência no CTI, em face da visão médica de doença e de doente?
2. Como compreender o relacionamento médico-paciente/família no trabalho de medicina intensiva?
3. Cura, alívio do sofrimento e morte de pacientes: como repercutem tais desfechos na vivência emocional do médico?
4. Pacientes terminais devem morrer em casa?

Agradecimentos

Aos meus alunos da Faculdade de Medicina da UFRJ, Roberta Negrelly Nogueira (graduada em julho/2010), Bruna F. de Souza Melo, João Vitor Bessa Pereira e Roberta Karen Vianna, pela valiosa contribuição com relatos da experiência de estágio em CTI, que subsidiaram a elaboração deste capítulo.

▶ Referências bibliográficas

1. Querques J, Stern TA. Intensive care unit patients. In: Stern TA, Fricchione GL, Cassem NH, Jellinek MS, Rosenbaum JF (eds.). *Massachusetts General Hospital handbook of general hospital psychiatry*. 5 ed., Philadelphia: Mosby, 2004: 113-118.
2. Epstein RM, Hundert EM. Defining and assessing professional competence. *JAMA* 2002;287(2):226-35.
3. Baggs JG, Norton SA, Schmitt MH, Sellers CR. The dying patient in the ICU: role of the interdisciplinary team. *Crit Care Clin* 2004;20:525-40.
4. Piquette D, Reeves S, LeBlanc VR. Stressful intensive care unit medical crises: how individual responses impact on team performance. *Crit Care Med* 2009;37(4):1251-5.
5. Wikström A-C, Cederborg A-C, Johanson M. The meaning of technology in an intensive care unit – an interview study. *Intens Crit Care Nurs* 2007;23:187-5.
6. Zinn GR, Silva MJP, Telles SCR. Comunicar-se com o paciente sedado: vivência de quem cuida. *Rev Latino-Am Enferm* 2003;11(3):326-32.
7. Russell S. An exploratory study of patients' perceptions, memories and experiences of an intensive care unit. *J Adv Nurs* 1999;29(4):783-91.
8. Canguilhem G. *O normal e o patológico*. Rio de Janeiro: Forense Universitária, 1995.
9. Aristóteles. Ética a Nicômaco. In: *Os Pensadores*. São Paulo: Abril Cultural, 1984.
10. Souza P, Lugarinho M, Santana A et al. Re-humanization in the intensive care unit: perspective of the staff. *Crit Care* 2006;9(suppl 1):P245; S104.
11. Andreoli PBA, Novaes MAFP, Karam CH, Knobel E. The humanization program: contributions from the psychologist team. *Crit Care* 2001;5(Suppl 3):P80.
12. Curtis JR. Communicating about end-of-life care with patients and families in the intensive care unit. *Crit Care Clin* 2004;20:363-80.
13. Hoirisch A. O problema da identidade médica. Tese de concurso para Professor Titular de Psicologia Médica/FM-UFRJ, Rio de Janeiro, 1976. 113p.
14. Rodrigues JC. *Tabu da morte*. Rio de Janeiro: Achiamé, 1983, p. 17.
15. Gavrin JR. Ethical considerations at the end of life in the intensive care unit. *Crit Care Med* 2007;35(Suppl. 2):S85-S94.
16. Borgsteede SD, Graafland-Riedstra C, Deliens L et al. Good end-of-life care according to patients and their GPs. *Br J Gene Pract* 2006;56:20-6.
17. SUPPORT Principal Investigators. A controlled Trial to improve care for seriously ill hospitalized patients: The Study to Understand Prognoses and Preferences for Outcomes and Risk of Treatments (SUPPORT). *JAMA* 1995;274:1591-8.
18. Barnato AE, Angus DC. Value and role of intensive care unit outcome prediction models in end-of-life decision making. *Crit Care Clin* 2004;20:345-62.
19. Batista CC, Goldbaum Jr. MA, Sztiler F, Goldim JR, Fritscher CC. Futilidade terapêutica e insuficiência respiratória: realização de um estudo de coorte prospectiva. *Rev Bras Med Intens* 2007;19(2):151-60.
20. Pessini L, Barchifontaine CP. Dignidade e solidariedade no adeus à vida. In: Problemas Atuais de Bioética. 8 ed. rev. ampl. São Paulo: Centro Universitário São Camilo: Edições Loyola, 2008: 541-65.
21. McDermid RC, Bagshaw SM. Prolonging life and delaying death: the role of physicians in the context of limited intensive care resources. Philosophy, ethics, and humanities in medicine. 2009; 4:3. Disponível em: http://www.peh-med.com/content/4/1/3.
22. Kipper DJ, Clotet J. Princípios da beneficência e não maleficência. In: Costa SIF, Oselka G, Garrafa V (coords.). Iniciação à bioética. Brasília: Conselho Federal de Medicina, 1998: 37-51.
23. Sibbald R, Downar J, Hawryluck L. Perceptions of "futile care" among caregiven in intensive care units. *CMAJ* 2007;177:1201-8.
24. Brasil. Código de Ética Médica e legislação dos conselhos de medicina/Conselho Regional de Medicina do Estado do Rio de Janeiro – Rio de Janeiro: CREMERJ, 2010, 80p.
25. Villas-Bôas ME. A ortotanásia e o direito penal brasileiro. *Rev Bioética* 2008;16(1):61-83.

36 Saúde Mental e Estratégia de Saúde da Família | Construção da Integralidade

Sandra Fortes e Dinarte Ballester

Situação real
▼

Iniciava-se mais um dia de trabalho compartilhado* em saúde mental na unidade do Programa de Saúde da Família, quando pacientes com problemas psíquicos detectados pelos profissionais das equipes da estratégia de saúde da família (ESF) eram avaliados em conjunto por um profissional especializado (nesse dia um psiquiatra) para que o projeto terapêutico pudesse ser organizado e a educação permanente nessa área fosse mantida por meio das discussões desenvolvidas na atividade de interconsulta.

Os estudantes de medicina que iniciaram seu internato nessa unidade de saúde foram apresentados à psiquiatra responsável pelo matriciamento, e a receberam com o seguinte comentário: "Você é uma psiquiatra legal. Por que abandonou a medicina?". A resposta foi: "Iremos discutir esse comentário no final dessa tarde".

▶ Separação e isolamento: fragmentação do paciente

Por que a psiquiatria frequentemente não é considerada parte da medicina?

Um dos motivos é que a formação médica ainda se baseia excessivamente no modelo biomédico em que só há doença se podemos detectar alterações anatomopatológicas que indiquem uma lesão tecidual, orgânica. É interessante notar a persistência dessa visão apesar de mais de 50 anos de evidências científicas de diversas origens que demonstram que estar doente é muito mais amplo do que se ter uma patologia, e apontam a necessidade de mudar essa forma de compreensão do processo saúde-doença.[1]

Esse modelo, porém, traz pressupostos que atuam de modo implícito, pouco pensada, mas com consequências graves para a prática rotineira dos profissionais de saúde. A seguir, algumas delas:

- Considerar que é a doença o objeto da atuação do profissional médico, estar presente para curar doenças, em vez de cuidar de pessoas que adoecem. Desde o advento da medicina psicossomática, na metade do século 20, tem sido demonstrado que têm-se tratado de doentes e não de doenças.[2]

---

* O termo que o Ministério da Saúde tem adotado para o trabalho compartilhado dos especialistas com os profissionais da ESF é "matriciamento"; é uma atividade de atendimento colaborativo interdisciplinar onde um profissional especializado realiza um atendimento conjunto ou discussão de caso com a equipe de referência para traçar um plano terapêutico.

Recentemente, a antropologia médica aprofundou o estudo desses aspectos,[3,4] e apontou que o processo de adoecimento inclui não só as alterações anatomopatológicas, tão caras ao modelo biomédico (definidas como *disease*), mas também os aspectos subjetivos do paciente em relação ao que está acontecendo com ele, incluindo seus padrões explicativos (*illness*) e a forma como seu grupo e cultura entendem esse mesmo processo (*sickness*)[5,6]

- Considerar que uma possível etiologia psíquica associada ao sintoma que traz aquele paciente ao médico só deve ser cogitada após o afastamento de toda possível causa orgânica, aqui denominada "princípio de exclusão". Inúmeras evidências têm demonstrado que estados emocionais, e, em especial, os transtornos ansiosos e depressivos, interferem no desencadeamento, evolução e prognóstico das doenças ditas "orgânicas" ou "clínicas". Depressão traz pior prognóstico para qualquer doença e estudos demonstraram uma associação prejudicial em quadros, tais como diabetes, artrite reumatoide etc.[7]

  Além disso, essa visão dificulta a abordagem dos pacientes poliqueixosos, muito frequentes nas unidades de saúde em geral e na atenção primária em especial. Esses pacientes, com queixas somáticas inexplicáveis (ou sintomas sem explicação médica [SEM]), são tradicionalmente considerados pacientes difíceis, "que não têm nada", e representam um importante problema de saúde pública, sendo possivelmente portadores de transtornos mentais comuns[8]

- A visão de que a abordagem e o apoio aos problemas psicossociais de seus pacientes não está dentre as atribuições dos profissionais de saúde em geral e dos médicos em especial. Abordar esses problemas, ouvir e apoiar é considerado algo distante da tarefa médica, apesar de os estudos demonstrarem que os pacientes esperam de seus médicos muito mais esse apoio e compreensão do que apenas o conhecimento técnico específico.[9,10] Embora desejado pelos pacientes, esse tipo de apoio não é considerado pelos profissionais como parte de seu trabalho.

Esses fatores fazem com que os aspectos psicossociais dos pacientes, de suas famílias e comunidades sejam considerados como fora da atuação do médico. Essa concepção estava na base do comentário dos estudantes: a psiquiatria não era parte da medicina.

Havia ainda mais um motivo para esse comentário: a forma como a psiquiatria é ensinada na graduação de medicina. Tradicionalmente, esse ensino é realizado em unidades especializadas; na maioria dos casos. com pacientes internados em uma realidade completamente distante daquela em que o jovem médico irá atuar. Ela é apresentada apenas como uma especialidade, normalmente sediada em unidades isoladas do restante do sistema de saúde, antes hospitais psiquiátricos, hoje centros de atenção psicossocial (CAPS) isolados do restante da rede. Além disso, ela não é apresentada como parte da rotina de avaliação dos pacientes em todas as especialidades, principalmente entre os profissionais de atenção primária. É importante lembrar que é na atenção primária que a maior parte dos pacientes com transtornos mentais busca atendimento, sendo altíssimas as prevalências desses quadros, geralmente casos de ansiedade e depressão com múltiplas queixas somáticas, que, em sua maioria, serão atendidos por não especialistas por não estarem devidamente capacitados para seu acompanhamento.[11]

▶ Integralidade: a quimera do SUS?

Essa é a realidade que até hoje tem norteado a prática assistencial no país: fragmentada, isolada, na qual quem cuida do corpo, a exemplo da enfermagem, não vê o emocional; quem cuida do emocional, como na psicologia, não vê o social; e quem cuida do social, como no serviço social, não vê o corpo etc. Cada um segue atendendo de forma isolada, sem entrosamento com outros profissionais ou outros níveis da rede assistencial. Se o paciente é internado, a equipe do PSF, que o acompanha há tanto tempo, tem muitas vezes dificuldades em saber o que aconteceu no hospital.

Embora essa seja a forma mais frequente de funcionamento de nosso sistema de saúde, não é a mais correta nem mesmo aquela preconizada quando da estruturação do Sistema Único de Saúde (SUS). Esse, segundo sua própria definição constitucional, deve seguir os princípios da universalidade, integralidade e equidade.

E o que é a integralidade?

Rubens Mattos destaca que existem três formas de compreender esse conceito:[12]

- No plano da individualidade, refere-se à abordagem ao paciente como um todo, incluindo os contextos social e cultural, no acompanhamento dele
- No plano da equipe, significa que essa abordagem deve ser feita a partir de um grupo interdisciplinar, com compromisso de todos os membros, mesmo que, em um determinado momento, a intervenção terapêutica possa estar centrada em um membro específico da equipe. Como exemplo, podemos citar o acompanhamento dos pacientes com hipertensão. Para além do tratamento exclusivamente médico, envolvendo diagnóstico e medicação, a enfermagem também tem um trabalho importante a desenvolver no que concerne mudanças de hábito e adesão ao tratamento
- No plano do sistema de saúde, o princípio da integralidade aponta que o SUS deve permitir que todo e qualquer problema possa receber a atenção devida para sua solução.

▶ Construção da integralidade

Durante o dia de trabalho no matriciamento, os profissionais seguem a atender juntos, trabalhando no modelo de interconsulta por meio de consultas conjuntas, uma das maneiras de matriciamento.

Uma vez que esse modo de trabalho integrado garante a construção da abordagem integral recomendada como forma básica de abordagem no SUS? Por meio da construção conjunta de um projeto terapêutico, o qual é mais do que apenas uma intervenção. É um conjunto de ações, por meio de diferentes profissionais, que possam contribuir para a recuperação e reestruturação desse indivíduo, família ou até mesmo de uma comunidade.

Os casos levados para a consulta conjunta nesse dia ajudarão a analisar essa forma de trabalhar:

▪ Caso 1

Dona Maria de Jesus, antiga moradora de uma comunidade rural, obesa, hipertensa, diabética, com quadro grave de depressão. Já tentou se tratar no ambulatório de saúde mental e ainda mantém acompanhamento com a psicóloga, mas não se entendeu com o psiquiatra. Gosta mesmo é do médico de família, o qual cuida dessa comunidade há anos. Fala do sofrimento da filha que precisa criar o neto sem o pai, que a deixou. E de como essa filha não deixa que ela ajude a cuidar mais desse neto, pois o relacionamento das duas é conflitivo. Ela não está bem; encontra-se mais triste que o habitual. Além disso, sua pressão está elevada depois de ter ficado compensada desde que começou a usar de forma adequada a medicação antidepressiva. Investigamos melhor o que estava acontecendo e verificamos que, por não ter vindo em uma consulta, pois estava muito chateada, dona Maria acabou ficando sem a medicação psicotrópica. Já havia retomado, mas ainda não estava bem.

Nesse caso, destacamos a importância do vínculo no acompanhamento dos pacientes. Esse vínculo é o campo em que todo processo terapêutico se estrutura e envolve um acolhimento e uma escuta do paciente, de suas vidas, seus problemas e suas demandas. Muitas vezes, essas não estarão diretamente relacionadas com algum problema físico, mas sempre envolverão as concepções do paciente, sua forma de entender sua saúde e seu adoecimento. É fundamental para que se consiga uma adesão do paciente ao tratamento. Essa adesão envolve a elaboração em conjunto com o paciente de um modelo explicativo do que está acontecendo com ele para que entenda seu problema e faça as modificações necessárias em sua vida para que possa ter saúde.

▪ Caso 2

João, 34 anos, chega à consulta porque a esposa pediu para ele vir conversar com a doutora. É mecânico, trabalha em uma oficina na comunidade, mas bebe todos os dias, há vários anos. Como faz questão de frisar, nunca se tornou agressivo ou violento após consumo de álcool, nem em casa nem na comunidade. Ao contar a história de seu consumo de bebida alcoólica, explica que começou a ingerir aos 13 anos por influência do padrasto, com quem a mãe se casou após a morte de seu pai e começa a chorar. Ao ouvir a profissional dizer que sente que ele sempre teve uma grande tristeza interior, João chora convulsivamente e aceita a proposta da médica de família e da psiquiatra de tentar parar de beber usando um antidepressivo, um ansiolítico, além de conversar semanalmente com a médica de família durante o primeiro mês, por 20 min.

A partir do vínculo, o profissional de saúde que está cuidando do paciente tem um papel de apoio a desempenhar que envolve todos os aspectos relacionados com o processo saúde-doença desse indivíduo. Os pacientes buscam dos médicos principalmente apoio, mais do que a resolução de suas queixas. Oferecer o acolhimento* para que o paciente fale de seu sofrimento, do

---

* Acolhimento é uma diretriz da Política Nacional de Humanização do SUS. Consiste em ouvir o usuário que busca o serviço de saúde, ampliando de forma efetiva o acesso à atenção básica e aos demais níveis do sistema, eliminando as filas, organizando o atendimento com base em riscos priorizados, e buscando aumentar a capacidade resolutiva.

que está ocorrendo com ele, de como entende e lida com sua doença, é parte do tratamento e deve estar presente na rotina dos profissionais.

No entanto, o normal é que haja muito medo entre os profissionais em falar com os pacientes sobre seus problemas, pois temem não saber o que dizer, achando que têm que dar soluções e conselhos para os pacientes. Na verdade, isso não é necessário nem mesmo recomendável. Para tanto, existem técnicas terapêuticas a serem utilizadas por qualquer profissional de saúde para abordar os problemas de seus pacientes e criar um espaço de apoio, sem que isso signifique a realização de uma psicoterapia, na qual quadros emocionais mais graves são abordados com um profissional especializado.

- **Caso 3**

Lucia, mulher de cerca de 45 anos. Muito ansiosa, começa a chorar na entrevista. Seu filho de 17 anos está envolvido com substâncias ilícitas, de forma intensa. O marido é consumidor de maconha e já esteve preso por se envolver com o tráfico de entorpecentes. Agora, ela observa o rapaz apresentar o mesmo comportamento do pai e fica extremamente angustiada. O filho está rebelde, ameaçou agredi-la, já apareceu com uma arma em casa, o que provocou conflito entre os dois, pois ela não aceitou esse comportamento. O marido não se posiciona e ainda a critica. Em conversa com a paciente, ela diz que deseja dar uma chance ao filho, que não aceita tratamento. A equipe contata a emergência psiquiátrica, que envia uma ambulância, mas o rapaz foge e não se consegue contato com ele. A paciente continua a vir à unidade da ESF regularmente para falar de suas dificuldades, buscando apoio sobre como proceder com o rapaz e o pai. A equipe busca contato com os dois, que não aceitam tratamento. O rapaz se envolve em problemas graves e acaba preso. Lucia continua vindo à unidade para dividir suas angústias e buscar apoio. A cada consulta, algumas vezes com o apoio do matriciamento, a equipe a aborda por meio da terapia de resolução de problemas, uma intervenção que ajuda os profissionais da atenção primária a oferecer um espaço de apoio aos pacientes que lhes trazem seus problemas sem ter que dar conselhos ou dizerem o que devem fazer. O matriciamento da saúde mental acompanha esse caso junto com a ESF, permitindo que um espaço de estruturação dessa paciente seja construído.

A dificuldade na abordagem dos problemas psíquicos mais graves costuma ser considerada fora da alçada das equipes não especializadas, mas, na verdade, trata-se aqui de um problema mais amplo: a responsabilidade sanitária que estrutura a ESF e a prática da integralidade. Os problemas familiares e sociais são também problemas das equipes da ESF. A abordagem das famílias e de suas dificuldades é parte da complexidade da construção da saúde. Embora os especialistas tenham muito a contribuir no entendimento, diagnóstico e tratamento dos casos graves de transtorno mental, há uma necessidade por parte da ESF de educação permanente, orientação e apoio para desenvolvimento de novas fronteiras de trabalho, dentre elas o cuidado às famílias e a utilização de novas técnicas de tratamento.

- **Caso 4**

Lucio anda pela comunidade sem se cuidar, falando sozinho e catando lixo. Mora em um barraco, cozinha com lenha e os vizinhos temem que ele ponha fogo na sua casa a qualquer momento. Às vezes, fica mais calmo e faz pequenos serviços na comunidade, limpando terrenos. Há anos foi feito um diagnóstico de esquizofrenia, mas ele nunca aderiu ao tratamento. Decide-se que a ESF vai contatar a família e iniciar medicação neuroléptica de depósito com supervisão da psiquiatra. Após a família comprar o remédio, o médico de família chama o paciente para tomar injeção no posto no mesmo dia da campanha de vacinação. O paciente aceita e retoma o tratamento medicamentoso regularmente. Gradativamente, reestrutura-se, integrando-se mais ativamente nas atividades da comunidade. Participa das festas da unidade e começa a participar das caminhadas.

A ESF permite que o cuidado aos pacientes seja desenvolvido dentro de seu contexto familiar, social e comunitário. Isso é fundamental em termos de superação de estigmas e reintegração de pessoas com problemas crônicos ao seu contexto de vida. Isso se aplica não só a pacientes com transtornos mentais graves e persistentes, mas também a pacientes com outras patologias estigmatizantes, tais como tuberculose e AIDS. Esse trabalho com a comunidade pode envolver vários outros parceiros: escolas, igrejas, associação de moradores. Integralidade também envolve a construção de uma rede de cuidado que possa amparar os pacientes, ampliando as possibilidades em suas vidas de novas atividades que sejam alternativas de vida e saúde para que eles se desenvolvam.

▶ Discussão

Saúde mental é mais do que doença mental. Engloba todos os aspectos emocionais do paciente, seus problemas e seu sofrimento emocional. Não há saúde sem saúde mental. Não há doença que não tenha influência do psíquico, assim como os fenômenos psíquicos estão intimamente vinculados ao corpo físico, que os acompanham em todas as variações do estar no mundo, nas interações com as outras pessoas, imersos no ambiente.

Construir a integralidade na prática médica, seja na ESF, de onde vieram os exemplos citados, seja nas diversas especialidades médicas, implica construir vínculos, com acolhimento e escuta, abordando os problemas psicossociais dos pacientes e oferecendo um espaço de apoio para que eles construam novas soluções para suas vidas.

A integralidade vai além da função específica do profissional da atenção básica, pois pode e deve ser característica da prática de qualquer profissional de saúde, inclusive dos especialistas.

Isso deve estar presente diariamente na prática médica, em todos os nossos contatos com pacientes, famílias, grupos e comunidades, independente da especialidade ou do local no sistema de saúde no qual se esteja trabalhando. Isso é integralidade! É preciso notar que uma nova prática vem acontecendo nos serviços de saúde, em que a ESF é um espaço privilegiado. A mudança se processa lentamente, pois supõe novas atitudes dos profissionais, e ocorre que o tratamento da doença tem dado lugar ao cuidado do doente. Essa mudança na prática assistencial tem se refletido na formação dos profissionais que, para além da aquisição de conhecimentos e habilidades técnicas, precisam formar "competências" para o trabalho em saúde. Essas competências são, principalmente, atitudes sociais, incluindo a capacidade para trabalhar em equipe, compartilhar saberes, criar soluções a partir das necessidades dos usuários. Após mais alguns casos, a tarde foi encerrada com uma pequena conversa. E os estudantes, ao serem questionados sobre o que tinham achado dos casos atendidos, se o que havia sido feito não era medicina, responderam: "essa é a boa medicina".

▶ **Referências bibliográficas**

1. De Marco M. *A face humana da medicina*. São Paulo: Casa do Psicólogo, 2003.
2. Mello Filho J. *Psicossomática hoje*. Porto Alegre: Artmed, 1992.
3. Kleinmann A. *Social origins of distress and disease depression, neurasthenia and pain in modern China*. New Heaven: Yale University Press 1986.
4. Helman CG. *Culture, health and illness*. 5 ed., London: Hodder Arnold, 2007.
5. Kirmayer LJ. Cultural variations in the clinical presentations of depression and anxiety: implications for diagnosis and treatment. *J Clin Psychiatr* 2001;62(suppl 13):22-8.
6. Kirmayer LJ, Robbins JM, Dworkind M, Yaffe M. Somatization and recognition of depression and anxiety in primary care. *Am J Psychiatr* 1993;150:734-41.
7. Furlanetto LM, Cavanaugh S, Bueno JR, Creech S, Powell L. Association between depressive symptoms and mortality in medical inpatients. *Psychosomatics* 2000;41(5):426-31.
8. Fortes S, Tofoli LFF, Ballester D et al. Integrated primary care for mental health in the city of Sobral. *In*: Integrating mental health in primary care: a global perspective. Genève: WHO, 2008.
9. Mari J, Goldberg D, Hillier VF. Determinants of the ability of general practitioners to detect psychiatric illness. *Psychol Med* 1979;9:337-53.
10. Goldberg D, Steele J, Johnsnom A, Smith C. Ability of primary care physicians to make accurate ratings of psychiatric symptoms. *Arch Gene Psychiatr* 1982;39:829-33.
11. Valentini W, Levav I, Kohn R et al. An educational training program for physicians for diagnosis and treatment of depression. *Rev Saúde Publ* 2004;38:522-8.
12. Pinheiro R, Barros ME, Mattos RA. *Trabalho em equipe sob o eixo da integralidade: valores, saberes e práticas*. Rio de Janeiro: CEPESC-IMS/UERJ – ABRASCO, 2007.

37 Novas Diretrizes Curriculares do Ensino da Psicologia Médica

Eugenio Paes Campos

▶ Introdução

A nova proposta de diretrizes curriculares para a disciplina psicologia médica surgiu do trabalho elaborativo do conjunto dos seus professores nos últimos anos, por meio de encontros regionais e nacionais e a partir da vivência de cada um desses professores inseridos na maioria dos cursos de medicina do nosso país. A base, todavia, do documento aprovado no IV Encontro Nacional dos Professores de Psicologia Médica, em 2004, em Goiânia, sustenta-se na proposta de Diretrizes Curriculares para os cursos de medicina, aprovado pelo Ministério da Educação em 2001.

Na verdade, o modelo de ensino médico há muito tem sido questionado face às incríveis mudanças observadas na geração e transmissão do conhecimento com o crescente e acelerado desenvolvimento tecnológico e dos meios de comunicação. A própria organização social, oriunda da globalização, vê-se completamente modificada com o aumento da competitividade no mercado de trabalho e a ruptura de vínculos sociais e afetivos nas diversas redes de interação e suporte familiar e comunitário. Verifica-se o crescimento do individualismo, do consumismo, da violência, do uso e abuso de drogas, do desemprego e da desigualdade social.

A saúde e a educação ganham ênfase na importância que têm como fontes de sustentação e de estímulo ao adequado desenvolvimento pessoal e social, ao mesmo tempo em que se verifica o aumento dos gastos com sua manutenção.

Foi com tal inquietação que os professores de psicologia médica se encontraram e elaboraram o referido documento.

▶ Modelo tradicional

Há uma insatisfação generalizada quanto ao modelo atual de formação dos médicos por não atender às necessidades da população. Formam-se médicos sem conhecimentos e habilidades suficientes para o adequado exercício profissional e pouco sensíveis às dimensões social e psicológica dos seus pacientes.

O modelo tradicional do curso de medicina se apoia, sobretudo, no ensino ministrado por meio de disciplinas que não se "falam" e dentro dos hospitais, com ênfase, portanto, na doença. A clássica separação ciclo básico × ciclo profissional reforça a dissociação do conhecimento (já marcada pela dissociação das disciplinas) e desconecta, pela distância no tempo, a aplicabilidade desses conhecimentos básicos da sua aplicação prática. Os doentes, internados, estão "desatrelados" do seu ambiente natural, da comunidade em que vivem, e o médico tem pouca oportunidade de conhecer melhor sua história e contexto de vida. As aulas ministradas sob a forma expositiva outorgam aos professores o poder de domínio e "pleno saber" sobre o assunto que transmitem e relega os alunos a uma posição de meros "receptores" do conteúdo ministrado. Ao mesmo tempo em que, pelo elevado número de alunos que comparece às aulas expositivas, privam-se alunos e professores de um contato mais próximo, o qual lhes permita melhor se conhecerem e interagirem. As aulas práticas no hospital minimizam, em parte, esse aspecto, embora o hábito de se fazerem *rounds* de visita às enfermarias acabe por manter, tantas vezes, o clima de ascendência × submissão (além das muitas consequências iatrogênicas para os pacientes).

O aluno é "convidado" a manter-se passivo ante seu próprio processo de aprendizagem. A avaliação frequentemente se faz a partir de provas escritas (nem sempre discursivas), que estimula a retenção imediata (e transitória) dos conteúdos ministrados. O ato de decorar ganha destaque, em detrimento da compreensão, elaboração e experimentação. Não se estimula a dúvida, a busca, a iniciativa, a descoberta.

Dito dessa maneira, até parece que o modelo tradicional é absolutamente "falido" e que nenhum profissional por ele formado, adquiriu efetiva competência. Sem dúvida não é assim. Quer-se dizer que alguns dos pressupostos aqui apontados podem e devem merecer reavaliação e transformação diante do mundo que se transforma inexoravelmente.

▶ Proposta de mudança curricular

As novas diretrizes do curso médico, definidas pelo Ministério da Educação, com propostas de mudança curricular, apontam para um novo modelo de formação, que pretende resgatar:

- A dimensão subjetiva das pessoas
- A dimensão ética
- A visão coletiva; integrada e integral
- A parceria, a cooperação
- A troca de saberes; o trabalho em equipe
- A aprendizagem ativa a partir das necessidades de saúde da população.

São premissas da mudança curricular:

- Aluno como sujeito da aprendizagem
- Professor como facilitador
- Metodologia ativa do processo ensino-aprendizagem

- Articulação teoria = prática e ensino = trabalho
- Utilização dos diversos cenários de prática com inserção precoce dos alunos
- Interdisciplinaridade
- Educação permanente.

▶ Novas diretrizes do ensino da psicologia médica

Como mencionado, tais diretrizes estão alinhadas com as diretrizes curriculares para os cursos de medicina, aprovadas pelo Ministério da Educação em 2001. Analisemos algumas das suas propostas:

▪ Perfil do médico e objetivo do ensino da psicologia médica

- *Perfil*: "médico, com formação generalista, humanista, crítica e reflexiva. Capacitado a atuar, pautado em princípios éticos, no processo de saúde-doença em seus diferentes níveis de atenção, com ações de promoção, prevenção, recuperação e reabilitação à saúde, na perspectiva da integralidade da assistência, com senso de responsabilidade social e compromisso com a cidadania, como promotor da saúde integral do ser humano." (Diretrizes Curriculares Nacionais do Curso de Graduação em Medicina, Brasil, 2001)
- *Ensino da psicologia médica*: "A psicologia médica, enquanto campo do conhecimento, nas dimensões da produção, transmissão e aplicação, dedica-se ao estudo dos aspectos subjetivos da prática médica, incluindo-se a relação médico-paciente, a entrevista clínica, os aspectos psicossociais do processo saúde-doença, o apoio aos estudantes (apoio psicopedagógico/tutoria) e às equipes, e o trabalho com as famílias e comunidades." (Diretrizes para o ensino da psicologia médica no Brasil, Goiânia, 2004).

▪ Metodologia do ensino da psicologia médica

- Adotar metodologia ativa centrada no aluno como sujeito da aprendizagem e

apoiada no professor como facilitador e mediador do processo ensino-aprendizagem
- Ter como eixo de desenvolvimento da disciplina as necessidades de saúde dos indivíduos e das populações, problematizando as situações a serem estudadas
- Privilegiar os vários cenários de prática profissional como campo para o processo ensino-aprendizagem
- Articular teoria com prática
- Incluir espaços de reflexão/supervisão sobre as atividades práticas enquanto educação permanente
- Trabalhar, na teoria e na prática com pequenos grupos de alunos em torno de um professor facilitador
- Estimular a interdisciplinaridade e a integração entre as dimensões biológica, psicológica, social e ambiental
- Estimular a atitude investigativa e a articulação com as atividades de extensão como parte integrante da metodologia de ensino.

Avaliação

Deve ser formativa, com base nos objetivos e competências definidas para a disciplina e coerente com a metodologia utilizada, bem como lançar mão do registro das atividades desenvolvidas pelo aluno no decorrer do curso e de toda a sua produção.

Operacionalização do ensino da psicologia médica

- Trabalhar com pequenos grupos
- Inserir a atividade de grupos de reflexão sobre a formação e a prática médica desde o início do curso
- Utilizar filmes, dramatizações e outras estratégias de interatividade com os alunos
- Utilizar estratégias objetivas e rápidas, tais como treinamento de entrevista clínica, adequada ao perfil do trabalho médico
- Estimular a realização de entrevistas pelos alunos com discussão posterior
- Estimular a participação de professores dos diversos campos do conhecimento médico no ensino da psicologia médica.

Propostas

- *No cenário hospitalar*: realizar entrevistas pelos alunos com pacientes internados. Fazer, a seguir, discussão sobre o material coletado. Essa atividade deve ser feita com a presença do médico e outros profissionais envolvidos com o paciente.
- *No cenário das unidades básicas de saúde da família (UBSF)*: dividir os alunos em pequenos grupos, supervisionados, cada grupo, por um professor, com objetivo de observação e acompanhamento de uma família, por meio de visitas domiciliares e/ou outros cenários de prática.

As famílias acompanhadas devem ser indicadas pela equipe da UBSF. O objetivo é identificar as condições psicossociais que envolvem aquela família e as possíveis repercussões sobre a evolução e tratamento da doença. Destinar, pelo menos, uma hora ao final de cada dia de atividade para reflexão, avaliação, supervisão e orientação da ação vivenciada. Essa discussão deve ser feita com a presença do médico e outros profissionais envolvidos com a família.

Os alunos devem registrar, em formulário próprio, todas as condutas realizadas. Os professores, por sua vez, também devem preencher fichas de cada aluno para acompanhamento e avaliação.

Ao final do curso, os alunos devem elaborar relato por escrito da família que acompanharam para apresentação em sala de aula. Os melhores trabalhos devem ser selecionados para serem apresentados em reunião conjunta com as equipes das UBSF, professores e alunos.

Implantação do ensino de psicologia médica nos currículos com metodologias ativas de aprendizagem

- *No laboratório de habilidades*: desenvolver técnicas de entrevista com pacientes, familiares e outros profissionais
- *Em conferências*: eleger grandes temas para serem discutidos com os alunos em sala de aula, utilizando-se debates, filmes, dramatizações, depoimentos ou aulas expositivas
- *Em consultorias*: apoiar o aluno em questões teóricas ou práticas surgidas no

decorrer do curso, procurando o professor manter a postura de facilitador do processo de aprendizagem
- *Nos cenários práticos*: discutir, com o médico e outros profissionais envolvidos com o paciente, os casos acompanhados pelos alunos, na presença do professor de psicologia médica, como facilitador
- *Na educação permanente*: atuar como facilitador das discussões sobre processo e técnicas de trabalho, de modo indissociável das questões referentes às relações interpessoais.

▶ Considerações finais

Aqueles que lidam há mais tempo com o ensino da psicologia médica verificam que a disciplina, antes mesmo das novas diretrizes curriculares propostas para o curso médico, já apontava nessa direção, sendo, muitas vezes, uma "voz no deserto" a clamar pela incorporação na formação e na prática profissional médica de estratégias e técnicas hoje destacadas, tais como:

- A realização de entrevistas com pacientes visando à história pessoal e social, além da história da doença, com posterior discussão e reflexão em grupo
- A inserção precoce dos alunos nos cenários práticos
- A distribuição dos alunos em pequenos grupos
- A discussão e reflexão do que acontece na relação médico-paciente (ou estudante-paciente)
- A ênfase na visão biopsicossocial do processo saúde-doença
- A discussão de grandes temas com os alunos em sala de aula, utilizando-se debates, filmes, dramatizações, depoimentos ou aulas expositivas
- A integração com outras disciplinas
- A elaboração de relatórios a partir das observações realizadas nos cenários práticos.

As novas diretrizes aqui discutidas reforçam a ênfase em metodologias de ensino que contemplem efetivamente a formação de um médico com formação humanista, crítica e reflexiva, capacitado a atuar, pautado em princípios éticos, no processo de saúde-doença em seus diferentes níveis de atenção, na perspectiva da integralidade da assistência, com senso de responsabilidade social e compromisso com a cidadania, como promotor da saúde integral do ser humano. Demonstram, ainda, a necessidade e importância da presença de profissionais com competência no manejo das situações de natureza psicossocial, nos diversos cenários de aprendizagem dos futuros médicos.

▶ Leitura complementar

Diretrizes para o Ensino da Psicologia Médica no Brasil, publicadas por ocasião do IV Encontro Nacional de Professores de Psicologia Médica. Goiânia, 2004.

Diretrizes Curriculares para o Curso de Graduação em Medicina, publicadas em 2001, pelo Ministério da Educação.

Apêndice

IV Encontro Nacional de Professores de Psicologia Médica

4 a 5 de junho 2004 – Goiânia-GO
Faculdade de Medicina – UFG

"Que a proa e a popa de nossa didática sejam: buscar e encontrar um método para que os docentes ensinem menos e os discentes aprendam mais; que nas escolas haja menos conversa, menos enfado e trabalhos inúteis, mais tempo livre, mais alegria e mais proveito; que no mundo haja menos trevas, menos confusão, menos dissensões, mais luz, mais ordem, mais paz e tranquilidade."

Comenius (1592-1670)

▶ Carta de Goiânia

• Diretrizes para o Ensino da Psicologia Médica no Brasil

Introdução

Os professores de psicologia médica do Brasil, reunidos durante o IV Encontro Nacional de Professores de Psicologia Médica, que teve como tema central: "Diretrizes para o ensino de Psicologia Médica – inserção nos currículos das escolas médicas"; ao final de 2 dias de discussões, elaboraram o presente documento, denominado Carta de Goiânia, no qual são apresentadas propostas de "como" e "onde" o ensino deste campo do conhecimento deve ser inserido nas novas propostas de Projetos Pedagógicos, ora em andamento em todo o nosso país, por determinação das Diretrizes Curriculares para o Curso de Graduação em Medicina, publicadas em 2001, pelo Ministério da Educação.

Ficou ainda decidido que a Associação Brasileira de Psiquiatria (ABP) torna-se a representante oficial do corpo de professores de psicologia médica das escolas de medicina do Brasil, assumindo o compromisso de encampar e enviar essas "diretrizes" aos órgãos competentes ligados ao ensino médico no país, às faculdades de medicina públicas e privadas, à CAPES e ao Conselho Federal de Medicina, objetivando contribuir para uma rápida inserção das "diretrizes" nos currículos escolares. A Associação Brasileira de Psiquiatria (ABP), compromete-se ainda com a continuidade bianual dos encontros de professores de psicologia médica, sob sua égide, durante os congressos brasileiros de psiquiatria. Foi constituída Comissão Provisória para representar os professores de psicologia médica até o Congresso da ABP em Belo Horizonte, composta pelos professores José Givaldo M. de Medeiros (Universidade Federal da Paraíba [UFPB]), Marco Antonio Alves Brasil (Universidade Federal do Rio de Janeiro [UFRJ] e Associação Brasileira de Psiquiatria [ABP]), Geraldo Francisco do Amaral (Universidade Federal de Goiás [UFG]) e Eugênio Paes Campos (Fundação Universitária Serra dos Órgãos [FESO]).

O campo da psicologia médica*

A psicologia médica, enquanto campo do conhecimento, nas dimensões da produção, transmissão e aplicação, dedica-se ao estudo dos aspectos subjetivos da prática médica, incluindo-se: a relação médico-paciente, a entrevista clínica, os aspectos psicossociais do processo saúde-doença, o apoio aos estudantes (apoio psicopedagógico/tutoria) e às equipes, e o trabalho com as famílias e comunidades.

Objetivo

Contribuir, dentro do curso médico, para a formação de um profissional ético, crítico e reflexivo, capacitado a identificar e saber lidar com a dimensão psicológica presente no relacionamento humano inerente ao processo saúde-doença em seus diferentes níveis de atenção, nas ações de promoção, prevenção, recuperação e reabilitação à saúde, em uma perspectiva interdisciplinar e biopsicossocial, com senso de responsabilidade social e compromisso com a cidadania, como promotor da saúde integral do ser humano.

Competências

Dotar o profissional para o exercício das seguintes competências:

1. Ser capaz de pensar criticamente, de analisar os problemas da sociedade e de procurar soluções para os mesmos.
2. Realizar seu trabalho dentro dos mais altos padrões de qualidade e dos princípios da ética/bioética tendo em conta que a responsabilidade da atenção à saúde não se encerra com o ato técnico, mas com a resolução do problema de saúde, tanto no nível individual quanto coletivo.
3. Exercitar a comunicação com outros profissionais de saúde e o público em geral de forma clara, precisa e transparente.
4. Ser capaz de trabalhar em equipe multiprofissional.
5. Promover estilos de vida saudáveis, conciliando as necessidades tanto dos pacientes quanto às das comunidades, atuando como agente de transformação social.
6. Informar e educar os pacientes, familiares e comunidade em relação à promoção da saúde, prevenção, tratamento e reabilitação das doenças, usando técnicas apropriadas de comunicação.
7. Realizar com proficiência a anamnese e a consequente construção da história clínica, integrando as dimensões psicológicas e sociais do paciente, considerado no contexto da sua família e do seu ambiente.
8. Dominar os conhecimentos científicos básicos de natureza biológica, psicológica e socioambiental subjacentes à prática médica e ter raciocínio crítico e integrador na interpretação dos dados coletados e na sua resolução.
9. Reconhecer suas limitações e encaminhar, adequadamente, pacientes portadores de problemas que fujam ao alcance da sua formação geral.
10. Reconhecer a saúde como direito e atuar de forma a garantir a integralidade da assistência entendida como conjunto articulado e contínuo de ações e serviços preventivos e curativos, individuais e coletivos, exigidos para cada caso em todos os níveis de complexidade do sistema.
11. Conhecer os princípios da metodologia científica, possibilitando-lhe a leitura crítica de artigos técnico-científicos e a participação na produção de conhecimentos.
12. Ter postura crítica com relação ao mercado de trabalho e às políticas de saúde.
13. Atuar no sistema hierarquizado de saúde, obedecendo aos princípios técnicos e éticos de referência e contrarreferência.
14. Cuidar da própria saúde física e mental e buscar seu bem-estar como cidadão e como médico.
15. Considerar a relação custo/benefício nas decisões médicas, levando em conta as reais necessidades da população.
16. Ter visão do papel social do médico e disposição para atuar em atividades de política e de planejamento em saúde, bem como se manter atualizado com a legislação pertinente à saúde.

Conteúdos

Os conteúdos para o ensino da psicologia médica devem contemplar:

---

* Texto produzido pelo professor Eugênio Paes Campos, da FESO-Teresópolis, com base nas Diretrizes Curriculares para o Curso de Graduação em Medicina do ME, 2001, e referendado pela plenária do Encontro.

1. Conhecimento das bases de estruturação da vida psíquica, da personalidade e compreensão e domínio dos aspectos psicológicos que permeiam as diversas fases do desenvolvimento humano desde a gestação, nascimento, crescimento, maturidade, envelhecimento e morte.
2. Compreensão dos determinantes socioculturais, comportamentais, psicológicos, ecológicos, éticos e legais, nos níveis individual e coletivo, do processo saúde-doença.
3. Abordagem do processo saúde-doença do indivíduo e da população, em seus múltiplos aspectos de determinação, ocorrência e intervenção.
4. Compreensão e domínio da propedêutica médica de maneira integral e integrada nas dimensões biológica, psicológica, social e ambiental.
5. Capacidade reflexiva, compreensão e domínio ético, psicológico e humanístico da relação médico-paciente.
6. Compreensão e domínio da comunicação em saúde.

Metodologia

1. Adotar metodologia ativa centrada no aluno como sujeito da aprendizagem e apoiada no professor como facilitador e mediador do processo ensino-aprendizagem.
2. Ter como eixo de desenvolvimento da disciplina as necessidades de saúde dos indivíduos e das populações, problematizando as situações a serem estudadas.
3. Privilegiar os vários cenários de prática profissional como campo para o processo ensino-aprendizagem. Articular teoria com prática.
4. Incluir espaços de reflexão/supervisão sobre as atividades práticas enquanto educação permanente.
5. Trabalhar, na teoria e na prática, com pequenos grupos de alunos em torno de um professor facilitador.
6. Estimular a interdisciplinaridade e a integração entre as dimensões biológica, psicológica, social e ambiental.
7. Estimular a atitude investigativa e a articulação com as atividades de extensão como parte integrante da metodologia de ensino.

Avaliação

1. Deve ser formativa, baseada nos objetivos e competências definidas para o ensino de psicologia médica e coerente com a metodologia utilizada.
2. Deve lançar mão do registro das atividades desenvolvidas pelo aluno no decorrer do curso e de toda a sua produção.

Operacionalização

1. Trabalhar com pequenos grupos.
2. Inserir a disciplina junto às atividades práticas do aluno, desde o início do curso.
3. Inserir a atividade de grupos de reflexão sobre a formação e a prática médicas.
4. Utilizar filmes, dramatizações e outras estratégias de interatividade com os alunos.
5. Utilizar estratégias objetivas e rápidas, tais como genograma e treinamento de entrevista clínica, adequados ao perfil médico.
6. Estimular a realização de entrevistas pelos alunos com discussão posterior;
7. Interagir com as disciplinas do curso, na construção de módulos integrados, distribuídos horizontalmente em todo o curso médico.
8. Ter a participação de professores dos diversos campos do conhecimento médico no ensino da psicologia médica.
9. Ampliar a participação do aluno na avaliação das atividades didáticas da psicologia médica.

Conclusão

No entendimento de que o Encontro Nacional de Professores de Psicologia Médica, constitui-se, hoje, no fórum que representa esse segmento de docentes e, dada a sua representatividade, recomendam que essas diretrizes sejam discutidas em todas as comissões que elaboram projetos pedagógicos ou propõem reformulações curriculares, para que, respeitadas as particularidades de cada escola, possam, os professores de psicologia médica do Brasil, implantá-las, executando seus programas de ensino a partir deste consenso nacional.

Goiânia-GO, 5 de junho de 2004.
Geraldo Francisco do Amaral – UFG
Marco Antonio Alves Brasil – UFRJ-ABP
José Givaldo M. de Medeiros – UFPB
Eugênio Paes Campos – FESO

Anexos

Anexo 1

Instituições presentes ao IV Encontro Nacional de Professores de Psicologia Médica

- Faculdade de Ciências Médicas da Santa Casa de Misericórdia – SP
- Fundação Universitária Regional de Blumenau
- Fundação Universitária Serra dos Órgãos
- PUCRGS – Pontíficia Universidade Católica do Rio Grande do Sul
- Santa Casa de Misericórdia de São Paulo
- UERJ – Universidade do Estado do Rio de Janeiro
- UFG – Universidade Federal de Goiás
- UFPB – Universidade Federal da Paraíba
- UFPI – Universidade Federal do Piauí
- UFRGS – Universidade Federal do Rio Grande do Sul
- UFRJ – Universidade Federal do Rio de Janeiro
- UNB – Universidade de Brasília
- UNICAMP – Universidade Estadual de Campinas
- UNIFESP – Universidade Federal de São Paulo
- UNIFOA – Volta Redonda
- Universidade Estadual do Ceará
- USP – Universidade de São Paulo

Anexo 2

Tendo em vista necessidade observada pelos professores participantes do IV Encontro Nacional de Professores de Psicologia Médica, de maior importância a ser dada à realização de pesquisas envolvendo temas diretamente ligados à psicologia médica e, verificando-se o fato de não ser encontrada na listagem da CAPES referência específica a tal disciplina, a plenária final deste IV Encontro decidiu nomear o professor Egberto Ribeiro Turato (UNICAMP), para realizar estudo com o objetivo de solicitar à CAPES, a inserção da disciplina psicologia médica como ponto de referência para pesquisas. Tal estudo preliminar deverá ser enviado à Associação Brasileira de Psiquiatria (ABP), para que esta faça o encaminhamento oficial.

Goiânia-GO, 5 de junho de 2004
Geraldo Francisco do Amaral – UFG
Marco Antonio Alves Brasil – UFRJ-ABP
José Givaldo M. de Medeiros – UFPB
Eugênio Paes Campos – FESO

Índice Alfabético

A

Ação paliativa, 104
Aceitação/adaptação, 162
Adesão
- ao tratamento no contexto das doenças crônicas, 152-158
- fatores associados a, 153
- medicação da, 152
- o que fazer quando o paciente não adere?, 156
Adoecimento
- adaptação psicológica da criança ao, condutas da equipe de saúde e da família, 173
- reações psicológicas ao, 170
Adolescência, 38
- doença na, 171
Adolescente e a morte, 172
Adulto jovem, 40
Adversidades na infância, 30
Afastamento dos pais, 170
Agressividade
- como lidar com a própria, 188
- do médico, 186
- do meio social, 187
- do paciente, como lidar?, 187
- na prática médica, 185-188
- o que é, 185
Alta, 247
- hospitalar, áreas de responsabilidade, 53
- medidas que facilitam a aceitação da, 52
Ambiente hospitalar, 69
Ansiedade, 38, 105
Aprendizado associativo/procedural, 28
Artrite reumatoide, 109
Assinalamento, 63
Assistência, 77
Astenias, 13
Astênico, 27
Ataque, 50
Atendimento hospitalar
- da criança, 249
- dinâmica do, 245-256
- - papel da formação da equipe de, 249
Autista, 27
Autoafirmação, 186
Autocuidado, 223
Autonomia, 95

B

Baixa reatividade, 63
Balint em sala de aula, experiência, 233
Banalização, 47
Beneficência, não maleficência e autonomia, 264
Benefício, 163
Benevolência, princípio da, 97
Bioética, 97
"Boa morte", 104

C

Câncer, 109
Caráter, 27
- definição, 28
Carta de Goiânia, 65, 275
Castigo, 95
Catarse, 230
Causalidade, princípio da, 33
Cefaleia crônica, 109
Cenários de ensino e prática da psicologia médica, 243-274
- urgências e emergências, 251-256
Centro de terapia intensiva, 257-265
- humanismo e, 261
- impressões do estudante de medicina sobre, 257
- tecnologia e, 259
Ciclo
- da vida humana, 32-43
- - funcionamento psíquico no contexto do ciclo vital, 33
- - teorias do desenvolvimento, 33
- vital da família, 34
- - adulto jovem, 40
- - da gestação ao bebê, 35
- - desenvolvimento nos três primeiros anos de vida, 36
- - fase(s)
- - - escolar e latência, 37
- - - pré-escolar e edípica, 37
- - meia-idade, 40
- - morte, 42
- - puberdade e adolescência, 38
- - velhice, 41
Ciclotímico, 27
Cliente, 15
Clivagem, 50
Códigos de ética profissional, 96
Coeficiente(s)
- de suicídio, em países selecionados, 143
- médios de mortalidade por suicídio por sexo e por triênio, 144
Coerência, 95
"Comoção", 92
Compaixão, 16
- pelo sofrimento, 75
Comportamento(s)
- desajustados, 27
- suicida
- - aspectos de psicologia médica, 132-151
- - na população geral, 143
Comunicação(ões)
- canais de, 62
- de más notícias, cuidados prévios a, 82
- de morte do paciente, 82
- dolorosas
- - ao paciente e aos familiares, 79-86
- - indicações e contraindicações, 80
- - recomendações, 83
Condição crônica, 123
Conduta
- autodestrutiva, 125
- automutiladora, 125
- de simulação, 125
Conflitos, 121, 148
- percepção dos, 95
"Conspiração do silêncio", 221
Construções metafóricas, 121
Continência, criação e ampliação da, 61
Continuidade, 4

Contratransferência, 16, 33, 90
Coping, 46, 48, 92, 234
Crenças
- biologizantes, 27
- errôneas em relação ao suicídio, 149
Crescimento pessoal e profissional, 76
Criança
- atendimento hospitalar da, 249
- doente, 169-173
- fases do desenvolvimento, 37
- morte e, 172
- reação ao adoecimento, fatores que determinam, 169
- significado da doença para a, 170
Crises, 77
Cronograma familiar, 196
CTI, ver Centro de terapia intensiva
Cuidado(s)
- de fim de vida, 262
- paliativo(s)
- - definição, 104
- - em psiquiatria, 103-108
- - pacientes sob, aspectos psiquiátricos de, 105
Cuidador(a\es)
- primária, 37
- questão dos, 165
Cuidar-se uns dos outros, 222
Cura na medicina, conceito, 164

D

Defesa(s), 38
- mecanismos de, 46, 50
Delirium, 104, 106
Dependência, fenômeno da, 23
Depressão(ões), 13, 105
- anaclítica, 52
- maior, critérios diagnósticos segundo a DSM-IV-TR, 138
- "mascarada", 82
- no idoso, 177
Desejos, 75
Desenvolvimento
- da observação psíquica, 68
- do pensamento, segundo Jean Piaget, 34
- pessoal, avaliação de integração do eixo do, 235
- tecnológico × humanismo, 9
- teorias do, 33
Desesperança, sentimentos de, 106
Desinteresse médico pelo caso, 165
Deslocamento, 48
Desmoralization, 161
Determinismo psíquico, 33
Diagnóstico situacional, 196
Dilemas e tensões do médico no mundo de hoje, 220
Dinâmica do atendimento hospitalar, 245-256

Disfunções orgânicas, 122
Distress, 204
Distúrbio neurovegetativo (DNV), 255
Doctor shopping, 116, 162
Doença(s)
- aguda, 44, 170
- ciclo evolutivo do indivíduo e da família e a, 194
- crônica, 160, 171
- - reações diante da, 161
- da adolescência, 171
- depressiva, 136
- estratégias para lidar com a, 92
- física, 228
- psicossomáticas, 118
- reação à, e à hospitalização, 44-53
- representação social da, 160
- significado para a
- - criança, 170
- - família, 170
Doente crônico, 159, 160
Dor
- aguda, 110
- aspectos psicológicos, 113
- classificação, 109
- comorbidades, 113
- crônica
- - paciente com, 109-115
- diagnóstico, 111
- emocional intolerável, 143
- epidemiologia, 111
- escalas de avaliação de, 112
- fatores relacionados com, 110
- lombar, 109
- mecanismo da, 110
- real *versus* dor emocional, 113
- recorrente, 110
- tratamento, 114

E

Ecomapa, 207
Ego, 27
Egocentrismo das operações formais, 39
Emergência(s)
- unidades de, 251
- - médico das, 252
Empatia, 16, 75
- criação e aplicação da, 61
- para D'Andrea, 76
Entrada ao hospital, 246
Entrevista
- clínica e relação estudante-paciente, 66
- com o paciente
- - acadêmico de medicina e o desafio da, 65-71
- - estilos de, características de dois, 147
- fatos que podem dificultar a, 69

- médica e história clínica, 57-64
Envelhecimento
- modalidades e mudanças do, 175
- patológico, 175
Enxaqueca, 110
Episódio depressivo, critérios diagnósticos segundo a CID-10, 137
Equipe(s)
- agrupamento, 215
- de saúde
- - estruturação da, 211-217
- - heterogeneidade das, 212
- - multiprofissionais, classificação, 214
- integração, 215
- - que funcionam bem, 214
Erik Erikson, teoria de, 33, 34
Erro médico, 79
Escala(s)
- de avaliação de dor, 112
- de categoria
- - numérica, 112
- - verbal, 112
- de faces, 112
- visual analógica, 112
Escolas médicas, medicina de emergência nos currículos das, 252
Escuta ativa, 126
- entrevista, 147
Esperança, 106
Estados
- melancólicos, 142
- mistos, 13
- mórbidos, 13
Estatuto da Criança e do Adolescente, 171
Estresse, 46, 48
- da profissão médica, 219
- enfrentamento do, estratégias de, 222
Estresse-diátese, modelo, 29
Estressores
- gráfico dos, 194
- horizontais, 194
- verticais, 194
Estudante de medicina
- ética (em formação) do, 98
- formação psicológica e ética do, 73
- impressões sobre o CTI, 257
- morte, 262
Ética e bioética na prática médica, 93-99
Eugenia, 23
Exaltações, 13
Expressão idiomática de mal-estar, 120

F

Facilitação, 63
Família
- abordagem da, 195

Índice Alfabético

- ciclo
- - evolutivo da, 192-193
- - vital da, 34
- significado da doença para a, 170
- um todo orgânico, 191

Fantasias, 75
Fase(s)
- de euforia, 77
- do desencanto, 77
- edípica, 37
- escolar, 37
- fálica, 37
- pré-escolar, 37

Fenômenos mentais, patogenia dos, 27
Final de vida, fase, 104
Fobias, 130
Formação psicológica e ética do estudante de medicina, 73
Frases por repetição, 63
Freud, 4
Frustração, 148
"Função espelho", 234

G

Gênero, conceito de, 181
Genograma, 196
- leitura e interpretação, 199, 200
- símbolos usados no, 197

Genoma humano, 23
Grupos
- Balint de acordo com a The Balint Society, 234
- de contexto hospitalar, 229
- de reflexão com profissionais e com alunos, 232-236
- de suporte, 228
- na prática médica e seus resultados, fatores terapêuticos dos, 230
- terapêuticos na prática médica, como operacionalizar os, 229

H

Habilidades comportamentais, 157
"*Habitus*" sistematizado da reflexão, 72
Hiperastenias, 13
Hiperestenias, 13
Hipocondria, 123
Hipócrates, 4
- concepções de, 9
Hipótese do amortecimento, 204
Histeria, 117
Histrionismo, 186
Holding, 228
Hôpital e *hospice*, 245
Hospice, 245
Hospital para crônicos, 248
Hospitalismo, 48, 52

Hospitalização, 170, 171
Humanismo
- CTI e, 261
- filosófico, 9

Humores, 26

I

Id, 95
Idealização primitiva, 50
Identidade
- desenvolvimento da, segundo Erik Erikson, 34
- médica, 4

Identificação
- mecanismo de, 28
- projetiva, 50
- segundo a concepção psicanalítica, 76

Idoso
- depressão no, 177
- homem, vivência temporal do, 176
- paciente, 174-179

Impulsividade, 38
Incesto, tabu do, 39
Inconsciente, 33
Indivíduo
- constituição do, genética e ambiente na, 21-25
- desenvolvimento pessoal e social do, 19-53
- - ciclo da vida humana, 32-43
- - reação a doença e a hospitalização, 44-53

Infância, adversidades na, 30
Insatisfação, 122
Integralidade
- a quimera do SUS?, 267
- construção da, 266-270

Interação, 15
Interconsulta, 237-242
- com possíveis impactos na educação continuada das equipes de saúde, 239
- pedidos de, 238

Internato, 77
Interpretação delirante, 123
Invalidez, 160
Isolamento, 47

J

Justiça, princípio da, 97

K

Kretschmer, Ernst, 3, 14

L

Latência, 37, 38
Libido, 33
Liderança, 216

Linguagem
- não verbal, 62
- verbal, 62

Luto(s)
- na puberdade, 39
- normal, 45
- patológico, 45

M

Mãe substituta, 249
Manifestação psicopatológica, 119
Mapa da rede, 206
- aplicação do, 207

Más notícias, cuidados prévios a comunicação de, 82
Mecanismos de defesa, 46
- primitivos, 50

Medicina
- de emergência nos currículos das escolas médicas, 252
- exercício da, 218
- formação humanística em, 8-12
- humano na, permanência do, 10
- preventiva, 245
- psicológica, 14
- psicossomática, 13, 14

Médico(s)
- agressividade do, 186
- clínicos autênticos, 14
- "crônicos", 164
- das unidades de emergência, 252
- diante de situações específicas, 101-188
- - adesão ao tratamento no contexto das doenças crônicas, 152-158
- - agressividade na prática médica, 185-188
- - comportamento suicida, 142-151
- - criança doente, 169-173
- - cuidados paliativos em psiquiatria, 103-108
- - paciente
- - - ansioso, 130-134
- - - com dor crônica, 109-115
- - - crônico, 159-168
- - - deprimido, 135-141
- - - idoso, 174-179
- - sexualidade na prática médica, 180-184
- - sumarização na prática clínica, 116-129
- e os outros profissionais de saúde, 211-217
- fatores estressantes para o, 219
- na relação com o paciente, 55-99
- - acadêmico de medicina e o desafio da entrevista com o paciente, 65-71
- - comunicações dolorosas ao paciente e aos familiares, 79-86

- - dinâmica da relação médico-paciente, 87-92
- - entrevista médica e história clínica, 57-64
- - ética e bioética na prática médica, 93-99
- - relação estudante-paciente, 72-78
- no mundo de hoje, dilemas e tensões do, 220
- papel do, 215
- quem cuida do, 218-224
- seu paciente e a família, 191-201
- tratamento do, fatores que dificultam, 221
Meia-idade, 40
Melancolia, 142
Mistanásia, 165
Modelo estresse-diátese, 29
Momentos de crises, 164
Moral, 94
Morte, 42
- adolescente e a, 172
- criança e a, 172
- estudante de medicina e a, 262
Motivação, 157

N

Não adesão, fatores associados a, 153
Negação, 47, 161
- psicótica, 50
Negligência, 125
Neurociências, 119
Nightingale, Florence, 257
Ninho vazio, 35
Nocicepção, percepção da, 110

O

Observação psíquica, desenvolvimento da, 68
Olho clínico, 92
Onipotência, 50
Paciente(s)
- agressivo, 186
- ansioso, 130-134
- - diagnóstico, 130
- - encaminhamento terapêutico, 131
- com dor crônica, 109-115
- crônico, 159-168
- deprimido, 135-141
- - doença depressiva, 136
- em processo de morte, 104
- encontros com, 74
- "funcional", dentro da dinâmica hospitalar, 248
- idoso, 174-179
- na semiologia, contato com, 74
- que fala, 248
- responder perguntas difíceis de, 79
- somatizantes, 122

- - agudos, 124
- - crônicas, 124
- terminais, conversar com, 79
Paciente-padrão, espera por um, 76
Pacientes-problema, 48, 50
- como lidar, recomendações, 51
Padrão de atribuição, 119
Parada cardíaca, atendimento de, 79
Paralinguagem, 62
Patologização, 125
Patriarca da psicologia médica, 3
Pedido(s) de interconsulta, 238
- avaliação utilizando conceitos da psicologia médica, 238
Pensamento(s), 75
- mágico, 162
Personalidade
- definição, 28
- desenvolvimento e estruturação da, 26-31
- esquizoide, 27
- traços de, 29
- transtornos de, 29
"Peso morto", 165
Piaget, teoria de, 34
Pícnico, 27
"Piti", 255
Polimorfismos gênicos, 23
Políticas públicas, contexto das práticas de rede nas, 205
Prática médica, 3
- abordagens grupais, 227-231
- - importância, 227
- agressividade na, 185-188
- ética e bioética na, 93-99
- - campo comum, 97
- - da bioética, 96
- - da ética médica, 96
- - da moral a ética, 94
- estudante de medicina, a ética (em formação) do, 98
- sexualidade na, 180
- sumarização na, 116-129
Princípio(s)
- bióticos da beneficência, não maleficência e autonomia, 264
- da autonomia, 96, 97
- da beneficência, 97
- da causalidade, 33
- da justiça, 97
- morais, 96
Processo
- de morrer, 262
- saúde-doença
- - redes sociais e sua importância no, 202-210
- - relações com o, 204
Produtividade *versus* inferioridade, 38
Produto do meio, 22
Profissões da saúde, breve história das, 211

Psicanálise, 4
Psicofisiologia, 14
Psicologia
- médica
- - cenários de ensino e prática da, 243-274
- - - dinâmica do atendimento hospitalar, 245-250
- - - no centro de terapia intensiva, 257-265
- - - novas diretrizes curriculares do ensino da psicologia médica, 271-274
- - - saúde mental e estratégia de saúde da família, 266-270
- - - urgências e emergências, 251-256
- - estratégias de ação da, 225-242
- - - abordagens grupais na prática médica, 227-231
- - - grupos de reflexão com profissionais e com alunos, 232-236
- - - interconsulta, 237-242
- - fontes teóricas, 13-18
- - fundamentos, 1-18
- - - formação humanística em medicina, 8-12
- - - histórico e conceitos, 3-7
- - no Brasil, 6
- - - movimento atual, 6
- - novas diretrizes curriculares do ensino da, 271-274
- - - modelo tradicional, 271
- - - proposta de mudança curricular, 272
- - patriarca, 3
- - Quarto Encontro Nacional de Professores de, 275-278
- - trabalho da, 74
Psicossomático, 13
Psicoterapia, 14
Psiquiatria, 13
- cuidados paliativos em, 103-108
- de emergência, considerações legais na, 254
Puberdade, 38
Pulsão(ões), 95
- instintivas, 27

Q

Quarto Encontro Nacional de Professores de Psicologia Médica, 275-278
Queixas da equipe, de acordo com as situações-problema, 238

R

Racionalização, 47
Rapport, 200

Reação(ões)
- a doença e a hospitalização, 44-53
- de ajustamento, 45
- psicológicas ao adoecimento, 170
Recaídas, 164
Redes sociais
- conceitos, 203
- construção da, perguntas para orientar a, 206
- evolução da, 210
- exemplo de, 209
- importância no processo saúde-doença, 202-210
- instrumentos de avaliação, 206
Regressão, 47, 161, 183
Relação(ões)
- corpo/mente, 117
- estudante-paciente, 66, 72-78
- interdisciplinares na metade humanista da medicina, 5
- mãe-bebê, 36
- médico-paciente, 4, 16
- - dinâmica da, 87-92
- - - a relação, 90
- - - contratransferência, 90
- - - o médico, 89
- - - o paciente, 88
- - - transferência, 90
- - em unidades de emergência, 253
- - fatores que interferem na, 87
- médico-paciente-família, 70
- médico-sistena de saúde-sociedade, 189-224
- - o médico e os outros profissionais de saúde, 211-217
- - o médico, seu paciente e a família, 191-201
- - quem cuida do médico, 218-224
- - redes sociais e a importância no processo saúde-doença, 202-210
- no trabalho, 208
- transpessoal, 6
Relacionamento, linhas de, 198
Resiliência, 30
Ross, Elisabeth Kubler, 42

S

Satisfação, 122
Saúde mental e estratégia de saúde da família, 266-270
Semiologia médica, 74
Senso clínico, 92
Sentimento(s)
- cuidado na percepção dos próprios, 164
- de desamparo diante das demandas dos pacientes, 75

Separação
- corpo/mente, 120
- e isolamento, 266
Sexualidade na prática médica, 180-184
Sickness, 267
Silêncio funcional, 63
Símbolos usados no genograma, 197
Simulação, condutos de, 125
Síndrome(s)
- de burnout, 221
- de desmoralização, 161
- de recompensa deficiente, 23
- do envelhecimento "normal", 175
- somáticas funcionais, 122
Sistemas neurotransmissores, 28
Situações traumáticas, 29
Situações-problema, 73
Sofrimento psíquico, 120
Solução de problemas, entrevista, 147
Sumarização
- na prática clínica, 116-129
- - pacientes somatizantes, classificando, 122
- - perspectiva
- - - histórica e abordagens clássicas, 117
- - - multidisciplinar contemporânea, 118
- - reconhecer a questão, 116
- - tratamento, 125
- o que se confunde com, 125
Splitting, 50
Subjetividade, 16
Suicídio
- altruísta, 142
- anômico, 142
- coeficientes em países selecionados, 143
- crenças errôneas em relação ao, 149
- egoístico, 143
- fatores de risco, 145
- tentativas de, 148
Superadaptação, 161
Superego, 27, 95
Suporte, conceitos, 203

T

Tabu do incesto, 39
Tábula rasa, 22, 36
Temperamento, 26
- definição, 27
- tipos, 27
Tempo interno, 47, 162
Tensões ambientais, 228
Tentativas de, 148
Teoria(s)
- das sensações, 22

- de Erik Erikson, 33, 34
- do desenvolvimento, 33
Terminalidade, 104
"Terror da sala de espera", 221
Tomada de notas, 68
Trabalho
- em saúde, núcleos e campos de competência no, 213
- multidisciplinar em hospital geral, importância do, 167
- relação no, 208
Traços de personalidade, 119
Transferência, 16, 33, 90
Transtorno(s)
- conversivo, 123
- de ajustamento, 105
- de ansiedade, 105
- de ansiedade generalizada, 130
- de dor, 123
- de personalidade, 29
- - *borderline*, 30
- - - critérios diagnósticos, 51
- de sumarização, 123
- - sem outra especificação, 123
- depressivo, 105
- dismórfico corporal, 123
- do humor, 105
- do pânico, 130
- obsessivo-compulsivo, 130
- somatoformes, 123
Tratamento integrado multiprofissional, 167
Tristeza, 75, 161

U

Unidades de emergência, 252
- médico das, 252
- relação médico-paciente em, 253
Urgência(s)
- definição do Conselho Federal de Medicina, 251
Usuário, 15

V

Vacinação, 245
Valores morais, 96
Variações genéticas, 23
Velhice, 41
- idade das perdas, 175
Vida laborativa, 163
Violência × urgências e emergências, 254
Vivências individuais, 160

W

Watson, John B., 22